Grundrisse zum Alten Testament

4

Grundrisse zum Alten Testament

Das Alte Testament Deutsch · Ergänzungsreihe

Herausgegeben von Walter Beyerlin

Band 4/1

Geschichte des Volkes Israel und seiner Nachbarn in Grundzügen

Teil 1

Göttingen · Vandenhoeck & Ruprecht · 1984

Geschichte des Volkes Israel und seiner Nachbarn in Grundzügen

Teil 1: Von den Anfängen bis zur Staatenbildungszeit

von

Herbert Donner

Mit drei Karten im Text

Göttingen · Vandenhoeck & Ruprecht · 1984

CIP-Kurztitelaufnahme der Deutschen Bibliothek

Donner, Herbert:
Geschichte des Volkes Israel und seiner Nachbarn in Grundzügen /
von Herbert Donner. – Göttingen : Vandenhoeck und Ruprecht
(Grundrisse zum Alten Testament ; Bd. 4) NE: GT
Teil 1. Von den Anfängen bis zur Staatenbildungszeit. – 1984.
ISBN 3-525-51664-9

Gesetzt aus Garamond auf Digiset 200 T2
Gesamtherstellung: Hubert & Co., Göttingen.

D. M.

Albrecht Alt

et

Siegfried Morenz

Vorwort

Eine neue Geschichte des Volkes Israel ist zum gegenwärtigen Zeitpunkt nur dann sinnvoll, wenn sie der im Laufe der beiden letzten Jahrzehnte erheblich veränderten, durch Verunsicherung und Zurückhaltung gekennzeichneten Forschungslage Rechnung trägt. Das gilt besonders, wenn auch nicht ausschließlich, für die Vor- und Frühgeschichte Israels. Um Mißverständnisse bei der Benutzung dieser Grundzüge von vornherein auszuschließen: die Formel „und seiner Nachbarn" bedeutet natürlich nicht, daß hier sozusagen *en passant* auch noch die Geschichte Ägyptens, des Zweistromlandes, der Völker und Staaten der syropalästinischen Landbrücke und womöglich Kleinasiens im 2. und 1. Jt. v. Chr. gegeben werden könne und solle. Der Titel will nicht mehr, als auf den historisch unbezweifelbaren Tatbestand hinweisen, daß die Geschichte Israels nicht unabhängig von der des Alten Orients behandelt werden kann, sondern ein in jeder Hinsicht unabtrennbarer Teil derselben ist. Die Darstellung ist auf zwei Bände angelegt: 1. von den Anfängen bis zum Ende der Staatenbildungszeit und 2. von der sog. „Reichsteilung" bis auf Alexander den Großen, mit einem Ausblick auf die hellenistisch-römische Zeit zwischen 332 v. Chr. und 135 n. Chr. Der Ausblick hat die Funktion, das Weiterwirken der Hauptströmungen bis zum 2. jüdischen Aufstand sichtbar werden zu lassen, ohne daß die ganze Fülle der in die Gesamtgeschichte des Mittelmeerraumes eng verflochtenen jüdischen Geschichte in den Blick genommen werden soll.

Die Literaturangaben sind relativ ausführlich, da Weiterarbeit ermöglicht werden soll. Ich habe Arbeiten kommentarlos oft auch dann genannt, wenn sie mit der im Texte vertretenen Auffassung nicht zusammenstimmen. Die Umschrift semitischer Wörter folgt, mit geringfügigen Abweichungen, dem in der Zeitschrift des Deutschen Palästina-Vereins üblichen System. Für das Ägyptische habe ich mich, trotz mancher Bedenken, an die klassische Umschrift des Berliner Ägyptischen Wörterbuches gehalten. Dabei ist zu beachten, daß wir die Aussprache mancher alten semitischen Sprachen und des Ägyptischen entweder nicht genau oder gar nicht kennen. Das hängt damit zusammen, daß in den alten Texten überwiegend nur die Konsonanten, nicht aber die Vokale geschrieben sind. Deshalb bieten die Umschriften oft nur das vokallose, „unaussprechliche" Konsonantengerüst. Wo es möglich war und sinnvoll erschien, habe ich Hinweise auf die konventionelle Gelehrtenaussprache gegeben: z. B. ägypt. Šȝśw = etwa Schasu, ʿpr.w = etwa Apiru u. ä. Solche Hinweise dienen nur der Ermöglichung überhaupt irgendeiner Aussprache, nicht der Wiedergabe der korrekten Lautgestalt des betreffenden Wortes. Bei Ortsnamen stehen, wo bekannt oder wahrscheinlich zu machen, die Lokalisationen in Klammern, d.h. die heutigen, zumeist arabischen Namen. Die beigegebenen Kartenskizzen dienen nur der Übersicht. Für genauere Beschäftigung mit der geographischen Seite der Geschichte sei empfohlen: Palästina, historisch-archäologische Karte. Zwei vierzehnfarbige Blätter 1:300000 mit Einführung und Register, bearbeitet von Ernst Höhne (Göttingen 1981).

Beide Bände sind dem Gedächtnis meiner Lehrer im Alten Testament und in der Ägyptologie gewidmet: Albrecht Alt und Siegfried Morenz. Ich verdanke ihnen mehr, als sich sagen läßt.

Kiel, im Februar 1983 Herbert Donner

Inhalt

Teil III: Das Zeitalter der Staatenbildungen

Abkürzungsverzeichnis

1. Zeitschriften, Reihen, Sammelwerke, Monographien

ABLAK	M. Noth, Abhandlungen zur biblischen Landes- und Altertumskunde 1/2 (1971)
ADPV	Abhandlungen des Deutschen Palästina-Vereins (Wiesbaden)
ÄA	Ägyptologische Abhandlungen (Wiesbaden)
ÄF	Ägyptologische Forschungen (Glückstadt-Hamburg-New York)
AFLNW	Arbeitsgemeinschaft für Forschung des Landes Nordrhein-Westfalen (Köln und Opladen)
AfO	Archiv für Orientforschung (Graz)
AION	Annali dell'Istituto Universitario Orientale di Napoli (Neapel)
AJBA	Australian Journal of Biblical Archaeology (Sydney)
AJBI	Annual of the Japanese Biblical Institute (Tokyo)
AJSL	American Journal of Semitic Languages and Literatures (Chicago)
AnBib	Analecta Biblica (Rom)
ANET[3]	J.B. Pritchard, Ancient Near Eastern Texts Relating to the Old Testament (1969[3])
AnOr	Analecta Orientalia (Rom)
AO	Der Alte Orient (Leipzig)
AOAT (S)	Alter Orient und Altes Testament (Sonderreihe) (Kevelaer-Neukirchen)
AOT[2]	H. Gressmann, Altorientalische Texte zum Alten Testament (1926[2], Nachdruck 1970)
APAW	Abhandlungen der Preußischen Akademie der Wissenschaften (Berlin)
ArOr	Archiv Orientální (Prag)
ASAE	Annales du Service des Antiquités de l'Égypte (Kairo)
ASOR.DS	American Schools of Oriental Research, Dissertation Series (Missoula, Mt.)
ATD	Das Alte Testament Deutsch (Göttingen)
ATD.E	Das Alte Testament Deutsch. Ergänzungsreihe (Göttingen)
AThANT	Abhandlungen zur Theologie des Alten und Neuen Testaments (Zürich)
AUSS	Andrews University Seminary Studies (Berrien Springs, Mich.)
BA	The Biblical Archaeologist (New Haven, Conn.)
BASOR	Bulletin of the American Schools of Oriental Research (Cambridge, Mass. – Missoula, Mt.)
BBB	Bonner Biblische Beiträge
BeO	Bibbia e Oriente (Rom)
BHTh	Beiträge zur Historischen Theologie (Tübingen)
BK	Biblischer Kommentar (Neukirchen-Vluyn)
BN	Biblische Notizen (Bamberg)
BRL[1,2]	K. Galling, Biblisches Reallexikon (1937, 1977[2])
BTAVO	Beihefte zum Tübinger Atlas des Vorderen Orients (Wiesbaden)
BTS	Bible et Terre Sainte (Paris)
BWANT	Beiträge zur Wissenschaft vom Alten und Neuen Testament (Stuttgart)
BZAW	Beihefte zur Zeitschrift für die alttestamentliche Wissenschaft (Berlin)
BZ.NF	Biblische Zeitschrift, Neue Folge (Paderborn)
CAD	The Assyrian Dictionary of the Oriental Institute of the University of Chicago (Chicago Assyrian Dictionary)

CAH	The Cambridge Ancient History
CBQ	Catholic Biblical Quarterly (Washington, D. C.)
CTCA	A. Herdner, Corpus des tablettes en cunéiformes alphabétiques découvertes à Ras Shamra – Ugarit de 1929 à 1939, 2 Bde. (1963)
CV	Communio Viatorum (Prag)
Diss.Abstr. Intern.	Dissertation Abstracts International (Ann Arbor, Mich. – London)
EH	Europäische Hochschulschriften (Frankfurt/M.-Bern)
EvTheol	Evangelische Theologie (München)
FRLANT	Forschungen zur Religion und Literatur des Alten und Neuen Testaments (Göttingen)
GS	Gesammelte Studien, nämlich 1. G. v. Rad, Gesammelte Studien zum Alten Testament (1958, 1971[4]); Bd. II (1973) 2. M. Noth, Gesammelte Studien zum Alten Testament (1957, 1966[3]); Bd. II (1969) 3. J. Begrich, Gesammelte Studien zum Alten Testament (1964)
HAT	Handbuch zum Alten Testament (Tübingen)
HdO	Handbuch der Orientalistik (Leiden)
HKAT	Handkommentar zum Alten Testament (Göttingen)
HSS	The Harvard Semitic Series (Cambridge, Mass.)
HThR	The Harvard Theological Review (Cambridge, Mass.)
HUCA	Hebrew Union College Annual (Cincinnati)
IEJ	Israel Exploration Journal (Jerusalem)
JANES	Journal of the Ancient Near Eastern Society of Columbia University (New York)
JBL	Journal of Biblical Literature (Missoula, Mt.)
JCS	Journal of Cuneiform Studies (Cambridge, Mass.)
JDI	Jahrbuch des Deutschen Archäologischen Instituts (Berlin)
JEA	The Journal of Egyptian Archaeology (London)
JEOL	Jaarbericht ... van het Vooraziatisch-Egyptisch Genootschap „Ex Oriente Lux" (Leiden)
JESHO	Journal of Economic and Social History of the Orient (Leiden)
JNES	Journal of Near Eastern Studies (Chicago)
JNSL	Journal of Northwest Semitic Languages (Leiden)
JPOS	Journal of the Palestine Oriental Society (Jerusalem)
JSOR	Journal of the Society of Oriental Research
JSOT	Journal for the Study of the Old Testament (Sheffield)
JThSt.NS	The Journal of Theological Studies, New Series (Oxford-London)
KAI	H. Donner – W. Rölling, Kanaanäische und aramäische Inschriften, 3 Bde. (1971–1976[3])
KS	Kleine Schriften, nämlich 1. A. Alt, Kleine Schriften zur Geschichte des Volkes Israel 1/2 (1953); 3 (1959) 2. O. Eißfeldt, Kleine Schriften, hrsg. von R. Sellheim und F. Maass 1 (1962); 2 (1963); 3 (1966); 4 (1968); 5 (1973); 6 (1979) 3. K. Elliger, Kleine Schriften zum Alten Testament (1966)
MDOG	Mitteilungen der Deutschen Orientgesellschaft (Berlin)
MUSJ	Mélanges de l'Université Saint-Joseph (Beirut)
MVAeG	Mitteilungen der Vorderasiatisch-Ägyptischen Gesellschaft (Leipzig-Berlin)
NTT	Nederlands Theologisch Tijdschrift (Wageningen)
Noth, PN	M. Noth, Die israelitischen Personennamen im Rahmen der gemeinsemitischen Namengebung. BWANT III, 10 (1928, Nachdruck 1966)
OBO	Orbis Biblicus et Orientalis (Freiburg/Schweiz-Göttingen)
Or	Orientalia (Rom)

OrAnt	Oriens Antiquus (Rom)
OTS	Oudtestamentische Studïen (Leiden)
OTWSA	Die Ou-Testamentiese Werkgemeenskap in Suider Afrika (Pretoria)
PEFQSt	The Palestine Exploration Fund, Quarterly Statements (London)
PEQ	The Palestine Exploration Qarterly (London)
PJB	Palästina-Jahrbuch (Berlin, Nachdruck Hildesheim-New York)
PRU	Le Palais royal d'Ugarit (Paris)
PW	Pauly-Wissowa, Realencyclopädie der classischen Altertumswissenschaft
RA	Revue d'Assyriologie et d'Archéologie orientale (Paris)
RB	Revue Biblique (Paris)
RiBi	Rivista Biblica (Brescia)
RSO	Rivista degli Studi orientali (Rom)
Saec	Saeculum (Freiburg-München)
SBL	Society of Biblical Literature (Missoula, Mt.)
SBS	Stuttgarter Bibelstudien
ScrH	Scripta Hierosolymitana (Jerusalem)
SVT	Supplemente zu Vetus Testamentum (Leiden)
TGI^3	K. Galling, Textbuch zur Geschichte Israels (1979^3)
ThHAT	Theologisches Handwörterbuch zum Alten Testament, ed. E. Jenni und C. Westermann, 2 Bde. (1971, 1976)
ThLZ	Theologische Literaturzeitung (Berlin)
ThSt	Theologische Studien (Zürich)
ThZ	Theologische Zeitschrift (Basel)
UF	Ugarit-Forschungen (Neukirchen/Vluyn-Kevelaer)
VD	Verbum Domini (Rom)
VT	Vetus Testamentum (Leiden)
WdO	Die Welt des Orients (Göttingen)
Weippert, Edom	M. Weippert, Edom. Studien und Materialien zur Geschichte der Edomiter auf Grund schriftlicher und archäologischer Quellen (Diss. Tübingen 1971)
WHJP	The World History of Jewish People
WMANT	Wissenschaftliche Monographien zum Alten und Neuen Testament (Neukirchen/Vluyn)
ZA	Zeitschrift für Assyriologie und vorderasiatische Archäologie (Berlin)
ZÄS	Zeitschrift für ägyptische Sprache und Altertumskunde (Berlin)
ZAW	Zeitschrift für die alttestamentliche Wissenschaft (Berlin)
ZDMG	Zeitschrift der Deutschen Morgenländischen Gesellschaft (Wiesbaden)
ZDPV	Zeitschrift des Deutschen Palästina-Vereins (Wiesbaden)
ZThK	Zeitschrift für Theologie und Kirche (Tübingen)

2. Sonstige Abkürzungen

AT	Altes Testament
atl	alttestamentlich
Dtn	Deuteronomium
Dtr	Deuteronomist(en)
dtr	deuteronomistisch
E	Elohist
EA	El-Amarna-Tafeln
ed.	editor, edited (Herausgeber, herausgegeben von)
Fs	Festschrift
J	Jahwist
MT	Masoretischer Text
OT	Old Testament
P, P^s	Priesterschrift (sekundäre Bestandteile)
text.emend.	textus emendatus

Hinweise zur Aussprache der Umschriften aus semitischen Sprachen

᾽	=	leiser Knacklaut im Kehlkopf wie vor *a* in *beachten*
ṯ	=	stimmloses *th* wie in englisch *thing*
ǧ	=	stimmhaftes *dsch* wie in englisch *journal*
ḥ	=	starkes *h* mit Reibungsgeräusch
ḫ	=	hartes *ch* wie in *Rachen*
ḏ	=	stimmhaftes *th* wie in englisch *father*
z	=	stimmhaftes *s* wie *in Rose* (franz., engl. z)
š	=	*sch* wie in *Schule*
ṣ	=	scharfes, „emphatisches" *s* ähnlich deutschem *ß*
ś	=	normales, stimmloses *s*
ḍ	=	scharfes, „emphatisches" *d* am Obergaumen
ṭ	=	scharfes, „emphatisches" *t* am Obergaumen
ʿ	=	starkerKnacklautimKehlkopf
ġ	=	Reibelaut im Kehlkopf ähnlich deutschem Zäpfchen *-r*
q	=	tiefes, „emphatisches" *k*
y	=	wie deutsches *j*
ā,ī,ū	=	langeVokale
a,i,u	=	kurzeVokale
e	=	offenes *e* (ähnlich *ä*) wie in *Kehle*
ẹ	=	geschlossenes *e* wie in *See*
bᵉ,kᵃ	=	sehr kurze Murmelvokale

Literaturübersicht

1. Gesamtdarstellungen

J. Wellhausen, Israelitische und jüdische Geschichte (1894, 1914^{7}, Nachdruck 1958) – H. Guthe, Geschichte des Volkes Israel (1899, 1914^{3}) – A. Schlatter, Geschichte Israels von Alexander dem Großen bis Hadrian (1901, 1925^{3}) – E. Schürer, Geschichte des jüdischen Volkes im Zeitalter Jesu Christi I (1901$^{3.4}$), II (1907^{4}), III (1909^{4}) – S. Oettli, Geschichte Israels bis auf Alexander den Großen (1905) – E. Sellin, Geschichte des israelitisch-jüdischen Volkes I (1924, 1935^{2}), II (1932) – R. Kittel, Geschichte des Volkes Israel I (1932^{7}), II (1925^{7}), III/1 (1927$^{1.2}$), III/2 (1929$^{1.2}$) – E. Meyer, Geschichte des Altertums II/1 (1928^{2}), II/2 (1931^{2}) – A. Lods, Israel des origines au milieu du VIIIe siècle (1930) – A. Jirku, Geschichte des Volkes Israel (1931) – A. T. E. Olmstead, History of Palestine and Syria to the Macedonian Conquest (1931) – Th. H. Robinson – W. O. E. Oesterley, A History of Israel I/II (1932) – E. Auerbach, Wüste und gelobtes Land I (1932, 1938^{2}), II (1936) – G. Ricciotti, Storia d'Israele I/II (1932, 1934^{2}); engl.: The History of Israel I/II (1955); deutsch: Geschichte Israels I/II (1953–1955) – M. Noth, Geschichte Israels (1950, 1969^{7}) – E. L. Ehrlich, Geschichte Israels von den Anfängen bis zur Zerstörung des Tempels (70 n. Chr.) (1958) – J. Bright, A History of Israel (1959, 1972^{2}); deutsch: Geschichte Israels (1966) – M. A. Beek, Geschichte Israels von Abraham bis Bar Kochba (1961) – W. F. Albright, The Biblical Period from Abraham to Ezra (1963) – F. F. Bruce, Israel and the Nations. The History of Israel from the Exodus to the Fall of the Second Temple (1963) – M. Metzger, Grundriß der Geschichte Israels (1963, 1977^{4}) – A. Jirku, Geschichte Palästina-Syriens im orientalischen Altertum (1963) – The World History of the Jewish People I (1964), II (1970), III (1971), VI (1976), VIII (1977) – G. W. Anderson, The History and Religion of Israel (1966) – H. H. Ben-Sasson (ed.), History of the Jewish People I (hebr. 1969, engl. 1976); deutsch: Geschichte des jüdischen Volkes I (1978) – R. de Vaux, Histoire ancienne d'Israel. I. Des origines à l'installation en Canaan (1971), II. La péroide des Juges (1973) [= R. de Vaux, Histoire] – A. H. J. Gunneweg, Geschichte Israels bis Bar Kochba (1972, 1976^{2}) – S. Herrmann, Geschichte Israels in atl Zeit (1973, 1980^{2}) [= S. Herrmann, Geschichte] – G. Fohrer, Geschichte Israels. Von den Anfängen bis zur Gegenwart (1977, 1979^{2}) – J. H. Hayes – J. M. Miller (ed.), Israelite and Judaean History (1977).

2. Hilfsmittel

A. Bertholet, Kulturgeschichte Israels (1919) – H. Guthe, Bibelatlas (1926^{2}) – W. F. Albright, From the Stone Age to Christianity (1940, 1957^{2}); deutsch: Von der Steinzeit zum Christentum (1949) – G. E. Wright, F. V. Filson, W. F. Albright (ed.), The Westminster Historical Atlas of the Bible (1946, 1956^{2}) – L. H. Grollenberg, Atlas of the Bible (1956); deutsch: Bildatlas zur Bibel (1965[5]); ders., Kleiner Bildatlas zur Bibel (1960, 1966[3]) – D. Baly, The Geography of the Bible (1959) – R. de Vaux, Das AT und seine Lebensordnungen, 2 Bde. (1960–1964) – H. Schmökel (ed.), Kulturgeschichte des Alten Orient (1961) – B. Reicke – L. Rost (ed.), Biblisch-Historisches Handwörterbuch, 4 Bde. (1963–1979) – G. Cornfeld – G.J. Botterweck (ed.), Die Bibel und ihre Welt 2 Bde. (1969)

TEIL I

Die Voraussetzungen

KAPITEL 1

Die Quellen

Die Geschichte des Volkes Israel ist aus den Quellen darzustellen. Damit dies sachgemäß geschehe, sind vorab grundsätzliche Überlegungen zum Quellenbestand und zur Interpretation des Materials notwendig. Zunächst ist unbestritten und unbestreitbar, daß der Historiker verpflichtet ist, seiner Darstellung das gesamte verfügbare Quellenmaterial zugrundezulegen: keineswegs nur das AT, obwohl dieses die Hauptquelle und auf manche Strecken leider die einzige Quelle ist und bleibt. Sodann ist Klarheit über die Art, das Gewicht, den Wert, die Aussagekraft und die Methoden zur Ausschöpfung und Interpretation der Quellen zu gewinnen: nicht nur der außeralttestamentlichen, sondern auch und vor allem der atl. Der Historiker der Geschichte Israels befindet sich dabei in keiner anderen Lage als der Historiker der Geschichte jedes beliebigen Volkes in jedem beliebigen Weltteil. Seine Art des Umgangs mit den Quellen ist ihm seit der Entstehung der neuzeitlichen Geschichtswissenschaft im Zeitalter der europäischen Aufklärung nicht mehr freigestellt. Sie war es, genau genommen, auch vorher nicht. Aber die älteren Bindungen durch Religion und Philosophie sind von der strengen Forderung nach historisch-kritischer Interpretation der Quellen abgelöst worden. Soweit das außeralttestamentliche Quellenmaterial betroffen ist, wird sich darüber leicht Einverständnis erzielen lassen. Die Schwierigkeiten und Widerstände konzentrieren sich auf das AT, dessen qualitative Kanonizität, dessen Charakter als Heilige Schrift des Judentums und als erster Teil der Heiligen Schrift des Christentums eine andere Art der Deutung nahezulegen, wenn nicht zu erzwingen scheint. Demgegenüber ist beharrlich daran festzuhalten, daß Geschichte nicht auf Grund qualitativ verschiedenen Quellenmaterials geschrieben werden kann: profanen Materials, das der kritischen Beurteilung durch den Historiker unterliegt, und sakralen Materials, das dieser Beurteilung durch religiösen oder theologischen Machtspruch entzogen ist. Das AT kommt für die Geschichte Israels nicht anders in Betracht denn als Sammlung historischer Urkunden unterschiedlicher Art und sehr verschiedenen Wertes. Es ist Gegenstand der historisch-kritischen Interpretation wie andere Dokumente des Altertums auch[1].

Daran schließt sich ein zweiter Gedanke. Selbstverständlich hat das alte Israel seine besondere, unverwechselbare Eigenart gehabt, seinen Charakter und seinen Stil. Das gilt aber auch für die anderen Völker des orientalischen Altertums, für die Ägypter, Babylonier, Assyrer, Phöniker, und woran man immer denken will. Der Historiker kann und darf sich nicht an der Suche nach dem sog. „Proprium" Israels beteiligen, das dieses Volk von allen anderen Völkern grundsätzlich unterscheidet und zu einer mit nichts und niemandem vergleichbaren Größe *sui generis* macht[2]. Dieses „Proprium" ist keine historische, sondern eine religiöse Kategorie und müßte gegebenenfalls ebenso zum Gegenstand historischer Nachfrage gemacht werden wie die Kanonizität des AT.

Die Darstellung der Geschichte Israels hat zwei große Quellenbereiche zu berücksichtigen: das literarische und das archäologische Material. Beide dürfen nicht unabhängig voneinander und vor allem nicht mit unterschiedlichen Graden der Kritik herangezogen werden. Sie stehen in einem gegenseitigen Wechsel-, Ergänzungs- und Klärungsverhältnis. Fürs erste genügt die Feststellung, daß die literarischen Quellen der Geschichte eines Volkes in der Regel unmittelbarer, lebendiger und deutlicher sprechen als die archäologischen. Literatur spricht von selbst, während materielle Überreste zunächst stumm sind und erst zum Reden gebracht werden müssen. Nicht ohne Grund hat es sich eingebürgert, die menschliche Geschichte mit dem Gebrauche der Schrift beginnen zu lassen und alles, was voraufgeht, der Prähistorie zuzuweisen.

1. *Die literarischen Quellen*

Es versteht sich von selbst, daß hier nicht die ganze Fülle des literarischen Quellenmaterials zur Geschichte Israels ausgebreitet werden kann. Einige grundsätzliche Bemerkungen und Orientierungshilfen müssen genügen. Wir sind seit der Erschließung der altorientalischen Nachbarkulturen Israels in der günstigen Lage, für die Geschichte Israels neben dem Quellenmaterial israelitischer Herkunft auch außerisraelitisches zu besitzen: Material, dessen Umfang von Jahr zu Jahr größer wird. Dieser Umstand gestattet den Blick auf Israels Geschichte von innen und von außen. Daß die gegenseitige Ergänzung beider Blickrichtungen dringend wünschenswert ist, wird jedem einleuchten, der einmal gezwungen war, einen geschichtlichen Bereich zu untersuchen, bei dem eines der beiden Quellencorpora fehlte. Dabei ist sorgfältig darauf zu achten, daß – wie überall – auch im Falle der Ge-

---

[1] Vgl. A. Momigliani, Biblical Studies and Classical Studies. Annali della Scuola Normale Superiore di Pisa III, 11 (1981) 25–32.

[2] Gegen C. F. Whitley, The Genius of Ancient Israel. The Distinctive Nature of the Basic Concepts of Israel Studied against the Cultures of the Ancient Near East (1969).

schichte Israels unmittelbare und mittelbare Quellen unterschieden werden. Unmittelbare literarische Quellen sind solche, die sich auf Abläufe und Ereignisse, Konstellationen und Personen der israelitischen Geschichte direkt und aus zeitlicher Nähe beziehen. Mittelbar sind literarische Quellen dann, wenn sie die allgemeinen Verhältnisse des syropalästinischen Raumes, die Beschaffenheit des Landes, das Leben, die Mentalität und die Religion seiner Bewohner beschreiben oder geschichtliche Abläufe und Konstellationen, womöglich reflektierend, aus größerem zeitlichen Abstand schildern. Die folgende Übersicht ist regional gegliedert.

1. Ägypten: Aus dem Nillande besitzen wir seit dem 3. Jt. v. Chr. überaus zahlreiche Texte unterschiedlicher Art und Gattung, geschrieben in hieroglyphischer, hieratischer und demotischer Schrift auf Stein, Holz, Metall, Ostraka und Papyrus[3]. Für die Geschichte Israels werden sie vom 2. Jt. v. Chr. an bedeutsam. Aus der großen Masse sind herauszuheben: die Ächtungstexte der 12. Dynastie (um 1900 v. Chr.), die potentielle Feinde Ägyptens u. a. aus Palästina und Syrien nennen[4]; die Feldzugsberichte der Pharaonen des Neuen Reiches (18.–20. Dynastie) und die dazu gehörigen oder selbständigen Orts- und Beutelisten auf den Wänden ägyptischer Tempel[5]; die idealbiographischen Inschriften in den Gräbern der Vornehmen; die sog. „politische Literatur"[6] in Erzählform, wie z. B. die Lebensgeschichte des Sinuhe (um 1962 v. Chr.)[7] und der Reisebericht des Wenamun (um 1076 v. Chr.); die Weisheitslehren[8]; Gedenkstelen, Briefe, Tagebücher und die Masse der religiösen Literatur[9].

2. Mesopotamien: Aus dem Zweistromlande besitzen wir, ebenfalls seit dem 3. Jt. v. Chr., reiche Schätze an Keilschrifttexten in sumerischer und akkadischer Sprache auf Stein und Tontafeln[10], ferner seit dem 1. Jt. v. Chr. auch Texte in aramäischer Sprache und Schrift auf Stein und Ostraka. Hervorzuheben sind: die Bauinschriften und Feldzugsberichte der assyrischen und babylonischen Könige; die Textsamm-

---

[3] Übersichten über den Bestand bei E. Hornung, Einführung in die Ägyptologie. Wissenschaftl. Buchgesellschaft, Darmstadt (1967).

[4] K. Sethe, Die Ächtung feindlicher Fürsten, Völker und Dinge auf altägyptischen Tongefäßscherben des Mittleren Reiches. APAW, phil.-hist. Kl. 5 (1926); G. Posener, Princes et pays d'Asie et de Nubie. Textes hiératiques sur des figurines d'envoûtement du Moyen Empire (1940); zur Erschließung vgl. A. Alt, Die asiatischen Gefahrenzonen in den Ächtungstexten der 11. Dynastie [1927]. KS 3, 49–56; ders., Herren und Herrensitze Palästinas im Anfang des 2. Jt. v. Chr. [1941]. Ebd. 57–71.

[5] J. Simons, Handbook for the Study of the Egyptian Topographical Lists Relating to Western Asia (1937); M. Görg, Untersuchungen zur hieroglyphischen Wiedergabe palästinischer Ortsnamen (Diss. Bonn 1974); zur Erschließung vgl. die Aufsätze von M. Noth in ABLAK 2,1–132.

[6] R. B. Williams, Literature as a Medium of Political Propaganda in Ancient Egypt. The Seed of Wisdom, Fs T. J. Meek (1964) 14–30.

[7] Vgl. A. Alt, Die älteste Schilderung Palästinas im Lichte neuer Funde. PJB 37 (1941) 19–49; A. F. Rainey, The World of Sinuhe. Israel Oriental Studies II (1972) 369–408.

[8] F. W. v. Bissing, Altägyptische Lebensweisheit (1955).

[9] Vgl. insgesamt auch: J. H. Breasted, Ancient Records of Egypt, 5 Bde. (1906/07); A. Erman, Die Literatur der Ägypter (1923); H. Brunner, Grundzüge einer Geschichte der altägyptischen Literatur (1980³).

[10] R. Borger, Handbuch der Keilschriftliteratur, 3 Bde. (1967–1975).

lungen der Archive, wie z. B. in Mari am mittleren Euphrat (18. Jh. v. Chr.)[11] und in Nuzi-Arrapḫa bei *Kirkūk* (15. Jh. v. Chr.)[12] mit Briefen, Rechts-, Wirtschafts- und Verwaltungsurkunden; die Rechtssammlungen (Codex Ḫammurapi, Gesetz von Ešnunna, Mittelassyrische Gesetze); die neubabylonischen Chroniken (7./6. Jh. v. Chr.)[13]; königliche Erlasse, Gedenksteine und die Masse der religiösen Literatur[14].

3. Syrien und Palästina: Von der syropalästinischen Landbrücke besitzen wir Texte in akkadischer, eblaitischer, ugaritischer, aramäischer, hebräischer und schließlich altnordarabischer Sprache auf Stein, Tontafeln, Ostraka, später auch auf Papyrus und Leder. Es handelt sich um Inschriften und Graffiti verschiedenen Inhalts, Briefe, Rechts-, Wirtschafts- und Verwaltungsurkunden, literarische und religiöse Texte u. v. a. m. Aus diesem disparaten Material sind herauszuheben: die Archive von Ebla *(Tell Mardiḫ)* in Mittelsyrien (3. Jt. v. Chr.)[15], Alalaḫ *(Tell ʿAṭšāne)* in Nordsyrien (18. und 15. Jh. v. Chr.)[16], *Tell el-Amarna* in Ägypten (14. Jh. v. Chr.)[17] und Ugarit *(Rās eš-Šamra)* an der nordsyrischen Küste (14./13. Jh. v. Chr.)[18]; die kanaanäischen und aramäischen Steininschriften des 1. Jt. v. Chr.[19];

---

[11] Archives royales de Mari [= ARM]. Textes cunéiformes du Musée du Louvre, 6 Bde. (1946–1953). Übersetzung: Archives royales de Mari, Traductions [= ARMT] 1–6 (1950–1954), 15 (1954). Übersicht: W. v. Soden, WdO 1,3 (1948) 187–204. Vgl. auch J.-R. Kupper (ed.), La civilisation de Mari. XVe Rencontre Assyriologique Internationale (1967) und A. Malamat, Mari and the Bible. A Collection of Studies (1980²).

[12] E. Chiera – T.J. Meek – E.-R. Lacheman, HSS 5. 10. 14—16. 19 (1929–1962); E. Chiera u. a., Joint Expedition with the Iraq Museum at Nuzi 1–6 (1927–1939); E. Cassin, L'adoption à Nuzi (1938); M. Dietrich – O. Loretz – W. Mayer, Nuzi – Bibliographie. AOATS 11 (1972).

[13] C.J. Gadd, The Fall of Nineveh (1923); D.J. Wiseman, Chronicles of the Chaldaean Kings (1956); A. R. Millard, Another Babylonian Chronicle Text. Iraq 26 (1964) 14–35.

[14] Vgl. insgesamt auch: B. Meissner, Die babylonisch-assyrische Literatur (1930).

[15] Die Veröffentlichung und Erschließung der noch vielfach schwer- oder unverständlichen, auch oft fehlinterpretierten Texte ist im Gange. Die Zeitschrift Studi eblaiti (seit 1979) bringt laufend Spezialstudien. Vgl. vorläufig P. Matthiae, Ebla. Un impero ritrovato (1977); H.-P. Müller, Die Texte aus Ebla. Eine Herausforderung an die atl Wissenschaft. BZ.NF 24 (1980) 161–179; ders., Religionsgeschichtliche Beobachtungen zu den Texten von Ebla. ZDPV 96 (1980) 1–19.

[16] D.J. Wiseman, The Alalakh Tablets. Occasional Publications of the British Institute of Archaeology at Ankara 2 (1953); ergänzend ders., JCS 8 (1954) 1–30.

[17] J.A. Knudtzon, Die El-Amarna-Tafeln, 2 Bde. Vorderasiatische Bibliothek 2 (1915, Nachdruck 1964); F. Thureau-Dangin, RA 19 (1922) 91–108; A.F. Rainey, El-Amarna-Tablets 359–379. Supplement to J.A. Knudtzon, Die El-Amarna-Tafeln, 2nd edition, revised. AOAT 8 (1978). Zur Erschließung: E.F. Campbell, The Amarna Letters and the Amarna Period. BA 23 (1960) 2–22; Ch. F. Pfeiffer, Tell el-Amarna and the Bible (1963); E. F. Campbell, The Chronology of the Amarna Letters (1964); P. Artzi, Some Unrecognized Syrian Amarna Letters (EA 260, 317, 318). JNES 27 (1968) 163–171; C. Kühne, Die Chronologie der internationalen Korrespondenz von El-Amarna. AOAT 17 (1973).

[18] Ch. Virolleaud – J. Nougayrol, Le Palais royal d'Ugarit [= PRU] 2–6 (1955–1970); A. Herdner, Corpus des tablettes en cunéiformes alphabétiques découvertes à Ras Shamra – Ugarit de 1929 à 1939 [= CTCA], 2 Bde. (1963); C.H. Gordon, Ugaritic Textbook. AnOr 38 (1965); M. Dietrich – O. Loretz – J. Sanmartín, Die keilalphabetischen Texte aus Ugarit. Teil I: Transkription. AOAT 24,1 (1976). Die Literatur zu Ugarit wächst beständig; seit 1969 bringt die Zeitschrift Ugarit-Forschungen [= UF] laufend Spezialstudien. Vgl. noch C.H. Gordon, Ugaritic Literature. Scripta Pontificii Instituti Biblici 98 (1949); G.R. Driver, Canaanite Myths and Legends (1956, Neubearbeitung von J.C.L. Gibson 1978²); J. Gray, The Legacy of Ca-

das zwar nicht von der Landbrücke stammende, aber mit ihr verbundene Archiv der jüdischen Militärkolonie im oberägyptischen Elephantine (5. Jh. v. Chr.)[20]; die Ostraka von Samaria und von Lachisch[21] u. a. m.

Deutsche oder englische Übersetzungen ausgewählter literarischer Quellen findet man in den Sammelwerken: H. Gressmann, Altorientalische Texte zum AT (1926², Nachdruck 1970) [= AOT²]; J. B. Pritchard, Ancient Near Eastern Texts Relating to the OT (1969³) [= ANET³]; K. Galling, Textbuch zur Geschichte Israels (1950, 1979³) [= TGI¹,³]; A. Jepsen, Von Sinuhe bis Nebukadnezar. Dokumente aus der Umwelt des AT (1975); W. Beyerlin, Religionsgeschichtliches Textbuch zum AT. ATD.E 1 (1975).

Die Quellenlage ist nach alledem recht günstig, jedenfalls für bestimmte Phasen der israelitischen Geschichte. Das besagt aber zunächst nicht allzu viel angesichts der Schwierigkeiten, die sich der historischen Auswertung des literarischen Quellenmaterials entgegenstellen. Denn nicht jedes Dokument ist in dem Sinne historische Urkunde, daß es unmittelbar und sozusagen unbesehen als Material für die Geschichtsschreibung dienen könnte. Vielmehr muß von Fall zu Fall sorgfältig geprüft werden, was ein Dokument aussagen will und was es tatsächlich auszusagen in der Lage ist. Dabei ist eine Vielzahl von Faktoren zu berücksichtigen. Es ist z. B. deutlich, daß eine zeitgenössische Urkunde einer solchen vorzuziehen ist, die sich aus mehr oder weniger großem zeitlichen Abstand auf Konstellationen, Ereignisse und Personen der Geschichte zurückbezieht. Natürlich sind die Mentalität, die Voraussetzungen, die Idealvorstellungen und die Parteinahme des Autors oder der Autoren einer geschichtlichen Urkunde so genau wie möglich zu prüfen, auch wenn das Bemühen an Grenzen stößt und nicht immer zu befriedigenden Resultaten führt. Ferner ist ohne weiteres einleuchtend, daß der Quellenwert etwa eines Stückes zeitgenössischer oder zeitlich nahestehender Geschichtsschreibung, einer Liste, eines Briefes oder einer Inschrift ungleich höher ist als der einer Sage, eines Liedes, eines Spruches oder religiöser Reflexionen über die Geschichte. Hinzu kommt die in manchen Fällen mit guten Gründen anzunehmende mündliche Überlieferung, die der literarischen Fixierung einer Quelle vorausgegangen ist. Diese und andere Erwägungen zwingen zu sorgsamer Differenzierung des Wertes und der Verwertbarkeit der literarischen Quellen. Man macht sich die Sache am besten an einem modernen Analogiefall klar. Es wird nieman-

---

naan. SVT 5 (1965²); M. Dietrich – O. Loretz – P. R. Berger – J. Sanmartín, Ugarit-Bibliographie, 4 Bde. AOAT 20, 1–4 (1973).

[19] H. Donner – W. Röllig, Kanaanäische und aramäische Inschriften [= KAI], 3 Bde. (1971–1976³).

[20] E. Sachau, Aramäische Papyrus und Ostraka aus einer jüdischen Militärkolonie zu Elephantine (1911); A. E. Cowley, Aramaic Papyri of the 5th Century B. C. (1923); E. G. Kraeling, The Brooklyn Museum Aramaic Papyri (1953); G. R. Driver, Aramaic Documents of the 5th Century B. C. (1954). Zur Erschließung: E. Meyer, Der Papyrusfund von Elephantine (1912); B. Porten, Archives from Elephantine. The Life of an Ancient Jewish Military Colony (1968).

[21] S. dazu Teil 2.

dem ernsthaft in den Sinn kommen, eine Darstellung der Geschichte der napoleonischen Kriege unterschiedslos auf folgende Quellen zu gründen: die Akten der französischen Staatskanzlei und der Kanzleien mit Napoleon verbündeter oder gegen ihn kämpfender europäischer Dynasten, das diplomatische Briefmaterial, Leopold v. Rankes „Französische“ und „Deutsche Geschichte“, L.N. Tolstois „Krieg und Frieden“, Th. Körners Lied von „Lützows wilder, verwegener Jagd“, Wilhelm v. Kügelgens „Jugenderinnerungen eines alten Mannes“, Schlachtenschilderungen von Zeitgenossen, E.M. Arndts Gedicht „Was blasen die Trompeten? Husaren heraus!“, und St. Zweigs fünfte Sternstunde der Menschheit „Die Weltminute von Waterloo“. Alle genannten Texte sind in dem einen oder anderen, unmittelbaren oder mittelbaren, direkten oder abgeleiteten Sinne „historische“ Dokumente. Ihre Aussagekraft und Tragfähigkeit sind jedoch sehr verschieden. Sie können und dürfen nicht auf ein und dieselbe Ebene projiziert und ohne Differenzierung als historisches Quellenmaterial verwendet werden.

Ebenso ist historisch-kritische Prüfung der Quellen im Falle der Geschichte Israels gefordert, und zwar sowohl für das AT wie auch für das außeralttestamentliche Material. Hier ist der Ort der klassischen Methoden und Arbeitsweisen der alttestamentlichen Wissenschaft: Textkritik, literarische Kritik, Form- und Gattungskritik[22], Überlieferungsgeschichte, Redaktionsgeschichte und Wirkungsgeschichte – durch welche die Quellen überhaupt erst sichtbar und bewertbar gemacht werden. Ohne Frage ist diese Vorform historischer Sonderung auch für das außeralttestamentliche Quellenmaterial notwendig. Allerdings finden sich dafür in der Ägyptologie und Altorientalistik bislang nur Ansätze. Das hat seinen Grund hauptsächlich darin, daß die philologische Erschließung der ständig wachsenden Textmassen noch in vollem Gange ist und die Kräfte der Orientalisten verzehrt.

Überlegungen dieser Art führen zu der Frage, wie sich das vorhandene literarische Quellenmaterial auf die Perioden der Geschichte des Volkes Israel verteilt, d.h. ob es für alle Perioden ungefähr gleich viele und gleich gute Quellen gibt, deren Auswertung die Darstellung der israelitischen Geschichte ermöglicht. Die Antwort ist leider ganz einfach: von Gleichmäßigkeit kann keine Rede sein. Für die Geschichte Israels nach der Staatenbildung, also im 1. Jt. v. Chr., ist die Quellenlage günstig, auf manche Strecken sehr günstig. Der Historiker steht auf relativ festem Boden. Das gilt für das außerisraelitische Material, aber auch für das AT selbst, das sogar erste Anfänge einer eigenständigen israelitischen Geschichtsschreibung enthält[23], wie sie die Nachbarvölker so nicht entwickelt haben[24]. Anders liegen die

---

[22] Vgl. K. Koch, Was ist Formgeschichte? (1974³).

[23] Vgl. G. v. Rad, Der Anfang der Geschichtsschreibung im alten Israel [1944]. GS 148–188; R. Smend, Elemente atl Geschichtsdenkens. ThSt 95 (1968); H. Gese, Geschichtliches Denken im Alten Orient und im AT [1958]. Vom Sinai zum Zion (1974) 81–98; H. Cancik, Grundzüge der hethitischen und atl Geschichtsschreibung. ADPV (1976).

[24] Vgl. H.G. Güterbock, Die historische Tradition und die literarische Gestaltung bei Babyloniern und Hethitern (bis 1200). ZA 42 (1934/35) 1–91; 44 (1938) 45–149; H.A. Hoffner, Hi-

Dinge für die Zeit vor der Staatenbildung, also in den letzten zwei bis drei Jahrhunderten des 2. Jt. v. Chr.: atl gesprochen die Zeit der Patriarchen, des Auszugs aus Ägypten, der Wüstenwanderung, der Landnahme und der Richter. Hier läßt die Quellenlage sehr zu wünschen übrig und wird schlechter, je weiter man in die Vergangenheit zurückgeht. Auch das spiegelt sich in den historischen Darstellungen: nirgendwo gibt es so gewichtige Meinungsunterschiede, bis hin zu diametral entgegengesetzten Auffassungen, wie in der Vor- und Frühgeschichte Israels.

Die Gründe für diese auffallende Verschiedenheit der Quellenlage sind deutlich. Israel war vor der Landnahme, bis zu gewissem Grade auch noch vor der Staatenbildung, keine historische Größe in vollem Sinne des Wortes. Israel war noch kein Volk, sondern ein Volk im Werden. Das Werden eines Volkes aber vollzieht sich überall in der Regel unbemerkt, fast unbewußt. Von den daran Beteiligten sind kaum historische Urkunden zu erwarten, vor allem dann nicht, wenn sie als Nomaden leben. Und für die Nachbarn ist ein Volk im Werden zunächst noch kein Faktor genügenden Gewichts, daß sie ernsthaft mit ihm rechnen und ihm ihre Aufmerksamkeit schenken müßten.

Um so verwunderlicher ist es, daß man auf die Frage nach den Ursprüngen Israels, nach seiner Vor- und Frühgeschichte, überhaupt eine Antwort erhält: eine Antwort immerhin, die nicht weniger als sieben Bücher des AT umfaßt (den Pentateuch, Josua, Richter). Das ist keineswegs selbstverständlich. Die Kulturvölker des Alten Orients sind gewöhnlich weit davon entfernt gewesen, auf die Frage nach ihren Ursprüngen eine auch nur halbwegs befriedigende Antwort zu geben. Nehmen wir die Ägypter als Beispiel. Sie haben ihre Volkwerdung niemals zum Gegenstand des Nachdenkens gemacht: ihr Volk erschien ihnen stets als eine keiner Erklärung bedürftige, sozusagen ewige Größe, deren Beginn in die Göttergeschichte, in den Mythos, zurückreicht. Die Ägypter sind ein „Volk ewiger Urzeit", beginnend mit der Schöpfung der Welt und der Menschen. Anthropogonie und Demogonie fallen zusammen. Das geht so weit, daß die altägyptische Sprache ein Wort für den Gattungsbegriff „Mensch" zunächst gar nicht besitzt; das Wort, das man gewöhnlich so übersetzt *(rmṯ),* bedeutet von Hause aus „Ägypter" – und was es allenfalls am Rande der Welt noch geben mag, sind „Sandläufer", „elende Asiaten", „neun Bogenvölker"[25] u. dgl. Darüber hinaus beherrscht den Ägypter die Vorstellung, Ägypten sei die Mitte der Welt, der Nabel der Erde, wo die Schöpfung geschah und alle Dinge ihren Anfang nahmen. Das Volk lebt dort seit der Urzeit; es ist autochthon. Ein Ägypter kann eigentlich nur in Ägypten leben und möchte jedenfalls dort

stories and Historians of the Ancient Near East: The Hittites. Or 49 (1980) 283–332; E. Otto, Geschichtsbild und Geschichtsschreibung in Ägypten. WdO 3,3 (1966) 161–176; J. R. Porter, Pre-Islamic Arabic Historical Traditions and the Early Historical Narratives of the OT. JBL 87 (1968) 17–26; insgesamt auch H. Preller, Geschichte der Historiographie unseres Kulturkreises 1 (1967).

[25] Vgl. E. Uphill, The Nine Bows. JEOL 6, 19 (1965/66) 393–420.

begraben werden[26]. Das Ausland ist das Elend: *extra Aegyptum nulla est salus.* Die Heiligkeit der bestehenden Verhältnisse kleidet sich für den Ägypter in das Gewand der Unvordenklichkeit[27]. Das Bewußtsein der Autochthonie kann bei anderen, nichtägyptischen Völkern gelegentlich zu bemerkenswerten Fehlurteilen über ihre Nachbarn führen. In der Inschrift des Königs Mešaʿ von Moab aus dem 9. Jh. v. Chr. (KAI 181,10) heißt es: *ʾš gd yšb bʾrṣ ʿṭrt mʿlm,* „Die Leute von Gad wohnten im Lande Atarot seit der Urzeit". Gemeint ist der israelitische Stamm Gad, der nach dem Selbstzeugnis des AT keineswegs „seit der Urzeit" im Ostjordanland ansässig gewesen ist.

Das eben ist eine Besonderheit Israels im Vergleich mit den altorientalischen Kulturvölkern seiner Umgebung. Israel hat stets gewußt, daß es in der Welt einmal anders ausgesehen hat als in seiner jeweiligen Gegenwart und daß es zu seiner Existenz als Volk und zu seinem territorialen Besitzstande erst im Laufe der Geschichte gekommen ist. Israel ist ein nicht-autochthones Volk, nach seinem eigenen Bewußtsein ein Spätling im Kreise der alten Völker, ein Volk von dezidierter Jugendlichkeit. Die atl Überlieferung läßt daran gar keinen Zweifel. Die Urgeschichte der Genesis (Gen 1–11) ist voll von gewaltigen, die Welt und die Menschheit bewegenden Ereignissen, aber Israel kommt in ihr nicht vor. Es entsteht erst sehr viel später, in Ägypten (Ex 1). Der Anfang der Geschichte Israels wird nicht in die Urzeit zurückdatiert, erst recht nicht in die mythische Göttergeschichte: darüber sind sich zeitlich so weit auseinanderliegende Quellen wie der Jahwist und die Priesterschrift einig. Dieser Sachverhalt hat nun aber weitreichende Konsequenzen für den atl Quellenbestand: die Anfänge Israels führen nicht in den Mythos, sondern in die Welt der *Sage.* Israel hat seine Ursprünge, seine Vor- und Frühgeschichte, in das Gewand der Sage gekleidet, und zwar schon vor dem Beginn einer israelitischen Literatur. Sagen aber sind nicht ohne weiteres primäre historische Urkunden. Sie sind Tradition, Überlieferung vor der Literaturwerdung[28].

Hier liegt die Ursache vieler Mißverständnisse. Der Begriff „Sage" enthält natürlich von vornherein ein negatives historisches Werturteil. Die Sage ist in dieser Hinsicht etwas Minderes im Vergleich zu anderen Hervorbringungen des menschlichen Geistes wie etwa der Geschichtsschreibung, dem Brief, der Liste, dem Protokoll. Das ist in der Tat richtig, und man sollte es nicht leugnen oder hinwegerklären. Die Geschichtlichkeit der Sage, genauer: die Historizität des von ihr Berichteten, ist ein Problem.

---

[26] Bes. eindrücklich: Sinuhe B 156–164; vgl. TGI[3], 6.

[27] Vgl. zu diesem Problemkreis S. Morenz, Ägyptische Religion. Die Religionen der Menschheit 8 (1960, 1977[2]) bes. 44–59.

[28] Die grundlegenden Einsichten finden sich bereits bei J. G. Herder, Vom Geist der ebräischen Poesie (1782/83, 1787[2]) in Bd. 11/12 der kritischen Suphan-Ausgabe. Dazu Th. Willi, Herders Beitrag zum Verständnis des AT. Beiträge zur Geschichte der Biblischen Hermeneutik 8 (1971). Zur Sache vgl. auch R. de Vaux, Method in the Study of Early Hebrew History. The Bible in Modern Scholarship (1965) 15–29; M. Weippert, Fragen des israelitischen Geschichtsbewußtseins. VT 23 (1963) 415–442.

Aber diese Feststellung darf nicht zu Fehlurteilen führen, so etwa, daß das Sagenmaterial aus dem Quellenbestande des Historikers gänzlich auszuscheiden hätte. Denn jede Sage ist eine historische Urkunde im weiteren Sinn: sie besagt etwas über die Auffassungen derer, die sie erzählt und schließlich verschriftet haben; sie ist von der Geschichte nicht unabhängig und keineswegs – oder doch nur in selteneren Fällen – ein reines Produkt der Phantasie. Die Sage hat in der Regel einen historischen Kern, der ermittelt werden muß und in vielen, nicht allen Fällen auch ermittelt werden kann. Dazu ist es notwendig, daß man sich die Formgesetze klarmacht, denen die Sage unterliegt. Sie kann und will kein getreues Abbild historischer Verhältnisse, Abläufe und Ereignisse sein, da sie dem Fassungs- und Verständnisvermögen derer Rechnung tragen muß, die sie erzählen. Sie muß kurz sein, klar, in sich abgeschlossen, keiner Ergänzung bedürftig, aus sich heraus verständlich. Sie darf nur wenige Personen auftreten lassen – einen Helden, einen Gegenspieler, Statisten –, muß mehr Handlung als Zustandsschilderung enthalten und muß nach Möglichkeit dem Grundsatz der Einheit der Zeit, des Ortes und der Handlung folgen. Mit einem Wort: die Sage bildet Geschichte nicht ab wie in einem Spiegel, sondern konzentriert sie wie durch ein Brennglas. Sie reduziert und vereinfacht das Vielfältige und Komplizierte. Die Sage ist ein einheitliches Ganzes in sich; sie kann mit anderen Sagen zu Sagenkränzen vereinigt werden, sich aber allenfalls zur Novellistik, nicht zur Geschichtsschreibung fortbilden. Die literarische Fixierung der Sage erfolgt oft erst nach einer längeren Phase mündlicher Tradition; sie kann auch nach ihrer Verschriftung noch Gegenstand der Veränderung, der Weiterbildung und der Auslegung sein[29].

Das Sagenmaterial des AT, insbesondere des Pentateuch, ist nach bedeutenden Vorgängern – unter welchen Hermann Gunkel und Hugo Gressmann hervorzuheben sind – vor allem von Albrecht Alt und Martin Noth für die Vor- und Frühgeschichte Israels fruchtbar gemacht worden. Dabei hat M. Noth die historisch-kritische Forschung durch die überlieferungsgeschichtliche Fragestellung bereichert. Die Folge davon war zunächst einmal der rigorose Abbau des traditionellen, vom Pentateuch und den Büchern Josua und Richter vermittelten Geschichtsbildes, eine ganz erhebliche Reduktion des Umfangs unserer historischen Kenntnis der Vor- und Frühgeschichte Israels. Das ist natürlich nicht unwidersprochen geblieben und hat den Vorwurf des „Skeptizismus" und „Nihilismus" ausgelöst. Die Kritik kam vor allem aus Amerika, dort besonders aus dem Kreise um den in vieler Beziehung hochverdienten William F. Albright, wenn auch nicht ausschließlich von dort[30]. Man könnte meinen, die dadurch hervorgerufene

---

[29] Vgl. dazu H. Gunkel, Genesis. HKAT I, 1 (1917^{4}, 1977^{9}) I–C; A. Jolles, Einfache Formen (1968^{4}, Nachdruck 1972) bes. 62–90.

[30] Vgl. J. Bright, Early Israel in Recent History Writing. Studies in Biblical Theology 19 (1956); deutsch: Altisrael in der neueren Geschichtsschreibung. AThANT 40 (1961). Erste Antworten: M. Noth, Der Beitrag der Archäologie zur Geschichte Israels [1960]. ABLAK 1, 34–51; J. A. Soggin, Ancient Biblical Traditions and Modern Archaeological Discove-

Debatte sei inzwischen etwas verstaubt. Aber das täuscht; die Motive sind auch in der gegenwärtigen wissenschaftlichen Diskussion durchaus lebendig und verdienen, als Modellfall einer methodenkritischen Auseinandersetzung ernst genommen zu werden.

Gegen die von A. Alt, M. Noth und in ihrem Gefolge von der Mehrzahl der deutschen Alttestamentler befolgte Methode ist vor allem geltend gemacht worden, daß sie zu sehr und zu ausschließlich auf der Formkritik beruhe. Dieser Einwand enthält in der Tat etwas Richtiges. Die sog. Formgeschichte ist bei Alt und Noth ansatzweise und bei ihren Nachfolgern ganz zu Tode geritten worden. Die Korrektive zu dieser Fehlentwicklung haben sich inzwischen eingestellt, ohne daß dadurch der Abbau des atl Geschichtsbildes aufgehalten worden wäre. Die positive Forderung lautet, daß die Traditionen des AT auf ihre „innere Wahrscheinlichkeit" untersucht werden müßten, darauf also, „ob sie wenigstens vernünftig tönen oder nicht".[31] Vor allem aber bedürfe die Untersuchung der literarischen Quellen der Ergänzung durch die *„external evidence"*, die Berücksichtigung objektiver äußerer Fakten, wie sie die Archäologie bereitstellt. Nun ist mit dem Begriff der „inneren Wahrscheinlichkeit" nicht viel anzufangen, jedenfalls nicht in dem allgemeinen und unbestimmten Sinn, in dem er hier gebraucht wird. Verwendet man ihn sinnvoll, nämlich als Bezeichnung des vom Historiker zu bestimmenden Grades der geschichtlichen Wahrscheinlichkeit einer Sache, dann verliert er seinen Kontroverscharakter. Das aber ist offenkundig nicht gemeint, wenn von „innerer Wahrscheinlichkeit" *(internal evidence,* nicht *probability!)* gesprochen wird. Vielmehr steht dahinter die methodisch unerlaubte Annahme der Möglichkeit, etwas könne sich so zugetragen haben, wie es berichtet wird. Diese Möglichkeit wird zum Kriterium erhoben und soll als Stütze der historischen Zuverlässigkeit der Überlieferung dienen. Wohin das führt, wird deutlich, wenn man unter diesem Gesichtspunkt außerbiblische Sagenüberlieferungen betrachtet, etwa die der Ilias oder des Nibelungenliedes. Dann zeigt sich, daß die „innere Wahrscheinlichkeit" kein methodisches, sondern ein theologisches Prinzip ist: was nicht geradezu widervernünftig ist, soll auf die Autorität der Bibel hin geglaubt werden. Etwas anders liegen die Dinge bei der *„external evidence"* der Archäologie. Hier besteht die Gefahr darin, daß sich sachgemäße, kritische archäologische Arbeit mit einer unkritischen Haltung gegenüber den biblischen Traditionen verbindet: so, als könnten Mauern, Steine und Tongefäßscherben die historische Zuverlässigkeit atl Texte stützen und bestätigen. Demgegenüber ist daran festzuhalten, daß die historisch-kritische Untersuchung des literarischen Quellenmaterials unabhängig von der Archäologie betrieben werden muß, und daß in jedem Einzelfalle sorgfältig zu prüfen ist, ob und gegebenenfalls wie eine Verbindung

---

ries. BA 23 (1960) 95 ff.; Vgl. auch M. Noth, Grundsätzliches zur geschichtlichen Deutung archäologischer Befunde auf dem Boden Palästinas [1938]. ABLAK 1, 3–16.

[31] J. Bright, a.a.O., S. 135.

archäologisch gesicherter Daten und bibelwissenschaftlicher Resultate möglich ist. – Ein zweiter Haupteinwand richtet sich gegen die Überbewertung der Ätiologie als schöpferischer Faktor bei der Ausbildung der Sagentradition. Ätiologisch ist eine Sage dann, wenn sie einen Tatbestand der Gegenwart des Erzählers durch ein Ereignis aus der Vergangenheit erklären will[32]. Es gibt Ätiologien für heilige Orte, heilige Zeiten und Begehungen, für bestimmte auffallende Lokalitäten, für Namen u. a. m. Natürlich ist darauf zu achten, ob das ätiologische Interesse der sagenbildende Faktor gewesen ist oder ein Akzidens zur Sage, ein erzählerisches Motiv, das zur Sage hinzutrat. Beides kommt vor, und jeder konkrete Fall ist daraufhin zu prüfen. Eines allerdings ist methodisch abzuweisen: daß Ätiologien insgesamt als Dekorationselemente einer ganz anders gearteten, nämlich historisch zuverlässigen Überlieferung angesehen werden. Ähnliches gilt für die von Alt und Noth herausgestellte Ortsgebundenheit der Sagen, d. h. für den Umstand, daß Sagenüberlieferungen zu Anfang oft nicht Allgemeingut sind, sondern daß sie an bestimmten Orten haften, an denen sie gepflegt und tradiert werden. Dem wird entgegengehalten, daß der Ort einer Tradition nicht ihr „Haftpunkt", sondern ihr „Wirkungsfeld" sei[33] und daß Traditionen ihren Ort auch wechseln können. Der angenommene Unterschied zwischen Haftpunkt und Wirkungsfeld ist freilich nicht recht klar und verständlich. Daß Ortswechsel möglich ist, und daß Sagen im Laufe der Überlieferung Gemeingut größerer Kreise und Regionen und schließlich eines ganzen Volkes werden können, ist gewiß richtig und wird von niemandem bezweifelt. Auch hier ist jeder Fall einzeln zu prüfen.

2. *Die archäologischen Quellen*

Der Begriff der Archäologie hat sich im Laufe der Geschichte gewandelt. Er bezeichnete ursprünglich jede Beschäftigung mit dem Altertum, also den Gesamtkomplex der Altertumskunde. Im 17.–19. Jh. verstand man darunter die aus den literarischen Quellen gewonnene Realienkunde. Heute ist Archäologie die Wissenschaft von den materiellen Überresten vergangener Kulturepochen.

Die Biblische Archäologie, ein Teilgebiet der vorderorientalischen Archäologie, erwuchs im 19. Jh. aus dem Interesse an der Bibel und zieht aus ihm bis zur Gegenwart ihre Nahrung. Sie bedient sich im wesentlichen zweier Arbeitsweisen: der Ausgrabungen und der archäologischen Oberflächenforschung (engl. *survey* oder *surface exploration).* Die ersten systematisch betriebenen Ausgrabungen in Palästina begannen um die Mitte des 19. Jh. zunächst in Jerusalem, später auch in anderen Teilen des Landes. Die Ausgrabungsarchäologie hat ihre Methoden erst mühsam finden müssen,

---

[32] Einzelheiten bei B. Long, The Problem of Etiological Narrative in the OT. BZAW 108 (1968).

[33] J. Bright, a.a.O., S. 108–119.

hat sie aber bis zur Gegenwart zu hoher Vollkommenheit entwickelt. Nur in verhältnismäßig wenigen Fällen kann mit den Methoden der klassischen Archäologie gearbeitet werden: dann nämlich, wenn monumentale Überreste an der Oberfläche auffindbar sind. Das ist bei hellenistisch-römischen und späteren Ortslagen öfter der Fall. In der Regel aber sind die Methoden der vorgeschichtlichen Archäologie anzuwenden: es geht um das Erkennen, die Beschreibung und die Deutung der Siedlungsschichten (Strata) alter Ortslagen. Das Verfahren heißt Stratigraphie. Auf Grund der im Laufe der Zeit immer mehr verfeinerten Kenntnis der Keramik ist es heute möglich, die Siedlungsschichten ziemlich genau zu datieren und ihre Abfolge zu bestimmen. Das Ziel einer archäologischen Ausgrabung besteht nicht im Zutagefördern spektakulärer Funde, die immerhin anfallen können, sondern in der Klärung der Siedlungs- und Kulturgeschichte des Ausgrabungsortes[34].

Ausgrabungen können nur an bestimmten, relativ wenigen Orten vorgenommen werden. Deshalb muß die Grabungsarchäologie durch die archäologische Oberflächenforschung ergänzt werden, wie sie nach mancherlei Vorstufen in den zwanziger Jahren dieses Jahrhunderts vor allem von A. Alt und W. F. Albright ausgebildet worden ist. Dabei macht man sich den Umstand zunutze, daß in der Regel Keramikscherben aller Siedlungsphasen verstreut auf der Oberfläche eines Ruinenhügels umherliegen. Sammelt und klassifiziert man sie, dann erhält man ein Bild von der Abfolge der Siedlungsperioden der betreffenden Ortslage, bei Untersuchung mehrerer, nach Möglichkeit aller Orte eines Gebietes ein Bild von der Siedlungsgeschichte einer Landschaft im ganzen. Ein wesentlicher Beitrag zur historischen Topographie Palästinas ist auch die Aufnahme und Untersuchung des Namenmaterials der Gegend: in den arabischen Namen von Ruinenhügeln, Quellen, Tälern, Bergen u. dgl. sind oft alte Namen präzise, in leichter Entstellung oder in Übersetzung bewahrt[35].

Die weithin übliche Überschätzung der palästinischen Archäologie hat außerwissenschaftliche, überwiegend religiöse Gründe. Sie führt dazu, daß sich sachgemäße und kritische archäologische Arbeit mit einer offen oder verdeckt unkritischen Haltung gegenüber den biblischen Traditionen verbindet. So kommt es, daß archäologische Forschung in den Ländern der Bibel oft zu dem Zwecke betrieben wird, die Angaben der Bibel zu bestätigen[36]. Die Bibel aber bedarf keiner Bestätigung. Sie ist selbst Erkenntnis-

---

[34] Vgl. Sir M. Wheeler, Moderne Archäologie. Rowohlts deutsche Enzyklopädie 111/112 (1960); W. F. Albright, The Archaeology of Palestine (1960⁴, deutsch 1962); K. M. Kenyon, Archaeology of the Holy Land (1965², deutsch 1976²); W. G. Dever, Archaeology and Biblical Studies: Retrospect and Prospect (1974).

[35] Vgl. z. B. M. Noth, Jabes-Gilead. Ein Beitrag zur Methode atl Topographie [1953]. ABLAK 1, 476–488. Als Beispiel für Oberflächenaufnahme ganzer Landstriche: M. Kochavi (ed.), Judaea Samaria and the Golan. Archaeological Survey 1967–1968 (hebr. 1972).

[36] Vgl. W. Keller, Und die Bibel hat doch recht (1955); dazu kritisch M. Noth, Hat die Bibel doch recht? [1957]. ABLAK 1, 17–33.

quelle der Geschichtswissenschaft wie die materiellen Überreste auch, die die Archäologie an den Tag bringt. Beide Disziplinen – Bibelwissenschaft und Archäologie – sollen sich kritisch ergänzen. Wer auf diesem Grundatz besteht, wird dem Aberglauben an die Archäologie nicht zum Opfer fallen.

Ausgewählte Literatur: K. Galling, Biblisches Reallexikon [= BRL[1,2]]. HAT I, 1 (1937, 1977[2]); M. Noth, Die Welt des AT (1940, 1962[4]); K.-H. Bernhardt, Die Umwelt des AT I (1967); B. Reicke – L. Rost (ed.), Biblisch-historisches Handwörterbuch, Bd. 1–3 (1962–1966), Bd. 4 (1979); Y. Aharoni, The Land of the Bible. A Historical Geography (1967, deutsch 1981).

KAPITEL 2

Völker und Staaten des Alten Orients in der 2. Hälfte des 2. Jt. v. Chr.

Gesamtdarstellungen: A. Scharff – A. Moortgat, Ägypten und Vorderasien im Altertum (1950, 1962[3]); E. Otto, Ägypten. Der Weg des Pharaonenreiches. Urban-Bücher (1953, 1966[4]); H. Schmökel, Geschichte des alten Vorderasien. HdO II, 3 (1957); A. H. Gardiner, Geschichte des alten Ägypten. Kröner Taschenausgabe 354 (1965); E. Cassin – J. Bottéro – J. Vercoutter (ed.), Die altorientalischen Reiche I, II. Fischer Weltgeschichte 2/3 (1965/66); W. Helck, Geschichte des alten Ägypten. HdO I, 1,3 (1968); ders., Die Beziehungen Ägyptens zu Vorderasien im 3. und 2. Jt. v. Chr. ÄA 5 (1971[2]); ders., Die Beziehungen Ägyptens und Vorderasiens zur Ägäis bis ins 7. Jh. v. Chr. Erträge der Forschung 120 (1979); The Cambridge Ancient History [= CAH] I, 2–II, 2 (1971–1975[3]).

Der Schauplatz der Geschichte des Volkes Israel ist der Südteil der syropalästinischen Landbrücke zwischen den alten Kulturen und Mächten am Nil, im Zweistromland und in Kleinasien. Die Landbrücke ist auf Grund ihrer geographischen Lage durch die Jahrtausende ein Schmelztiegel politischer und kultureller Einflüsse gewesen, die von allen Himmelsrichtungen auf ihr zusammenkamen und verarbeitet wurden. Sie war dazu bestimmt, das Erbe des Orients auf dem Wege über die Griechen dem Abendlande mitzuteilen. Über diese kulturgeschichtliche Mission hinaus hat sie selbständige politische Gebilde größeren Stiles nicht hervorgebracht. Die Landbrücke war und blieb Interessengebiet und Objekt der Machtpolitik der großen Reiche. Nur in den Zeiten der Schwäche der auswärtigen Mächte hat sie, jeweils vorübergehend, politisches Eigengewicht gewinnen können. Diese Sachlage zwingt dazu, sich vor Eintritt in die Geschichte Israels einen Überblick über die geschichtliche Lage der Völker- und Staatenwelt des alten Vorderen Orients in der zweiten Hälfte des 2. Jt. v. Chr. zu verschaffen. Überblicke und Ausblicke dieser Art werden die Geschichte Israels von nun an begleiten. Sie sind um so notwendiger, als der Historiker – verführt durch die außerordentliche Bedeutung der Bibel für Kultur und Religion des Abendlandes – einen fundamentalen Tatbestand leicht aus den Augen verlieren kann: daß nämlich die Geschichte Israels zu keiner Zeit für sich allein betrachtet werden kann und darf. Sie ist in die Geschichte des Alten Orients verflochten und ein in jeder Beziehung untrennbarer Teil derselben.

Das große historische Thema der zweiten Hälfte des 2. Jt. v. Chr. ist das Gleichgewicht der Kräfte unter den vorderorientalischen Völkern und Staaten. Es ist in diesem Zeitraum schlechterdings nicht mehr möglich, das geschichtliche Eigenleben der Völker am Nil, in Mesopotamien und in Kleinasien je für sich zu untersuchen und darzustellen. Ägypten, Mitanni, Assyrien, Babylonien und das kleinasiatische Hettiterreich treten nahezu plötzlich aus ihrer relativen Isolation und erscheinen als Akteure in einem den ganzen Nahen Osten umfassenden Geschehen. Der Vordere Orient tritt ein in das Zeitalter der Großreiche, in die Epoche des Imperialismus. Es bildet sich ein System von Großreichen mit wechselnden Schwerpunkten und Zentren. Die Mitspieler im Konzert der Großmächte versuchen sich hinsichtlich ihrer Kräfte, ihres Einflusses und ihrer Expansion die Waage zu halten. Das Ergebnis ist am besten durch den in Europa seit dem 16. Jh. lebendigen und wirksamen Begriff des „Gleichgewichts der Kräfte" *(balance of power)* zu beschreiben.

Eine der Hauptvoraussetzungen zur Bildung eines Großreichsystems und zur Entfaltung imperialistischer Machtpolitik war eine neue Technik der Kriegführung: der Gebrauch von Pferden als Gespanntieren am Streitwagen. Das Pferd stammt vermutlich aus den Steppengebieten Südrußlands und ist im Verlauf der ersten Hälfte des 2. Jt. v. Chr. nach dem Vorderen Orient gekommen. Dort galt es zunächst als Rarität. Das Verdienst, seine Brauchbarkeit für die Kriegstechnik erkannt und genutzt zu haben, gebührt allem Anschein nach den Hyksos (ägypt. *ḥḳ3.w ḫ3s.wt* „Herrscher der Fremdländer"): fremdstämmigen Herrschern wohl überwiegend aus Syrien und Palästina, die sich zwischen ca. 1730 und ca. 1580 im östlichen Nildelta mit Zentrum in Auaris *(Tell ed-Dabʿa)* festgesetzt und von dort aus das nach dem Niedergang des Mittleren Reiches geschwächte Ägypten, keineswegs ganz unangefochten, beherrscht hatten. Die Hyksos fallen in die letzte Phase der sog. Zweiten Zwischenzeit; man zählt sie (nach Manetho) als 15. und 16. Dynastie[1]. Sie kannten das Pferd aus ihren Ursprungsländern und haben es, wahrscheinlich ersten gegen Ende ihrer Herrschaft in Ägypten, als Gespanntier am Streitwagen in ihre Kriegstechnik eingebaut. Die anderen vorderorientalischen Völker folgten diesem Beispiel alsbald nach. Die zunächst noch

---

[1] Vgl. A. Alt, Die Herkunft der Hyksos in neuer Sicht [1954]. KS 3, 72–98; J. v. Beckerath, Untersuchungen zur politischen Geschichte der zweiten Zwischenzeit in Ägypten. ÄF 23 (1964); J. van Seters, The Hyksos (1966); ders., The Hyksos: A New Investigation (1969); D.B. Redford, The Hyksos Invasion in History and Tradition. Or 39 (1970) 1–51.

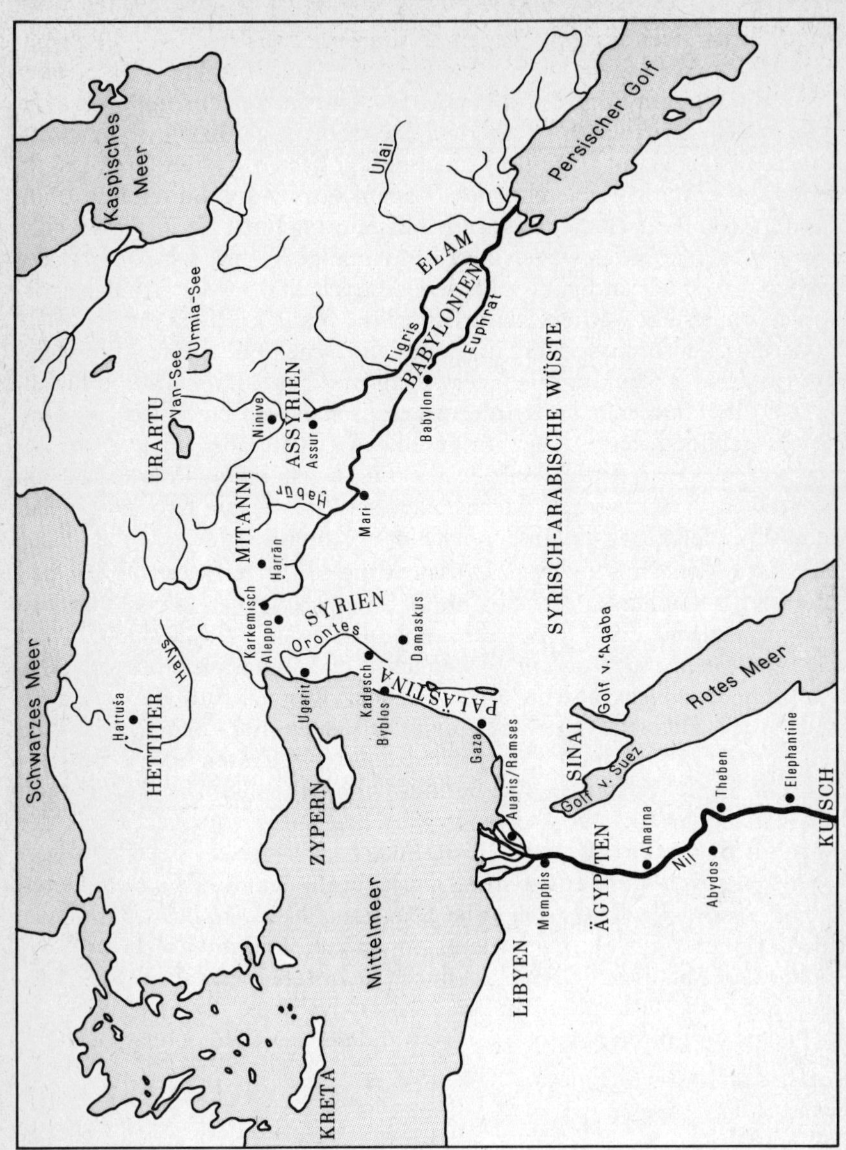

Karte 1: Der Alte Orient in der zweiten Hälfte des 2. Jahrtausend v. Chr.

leichtgebauten zweirädrigen Wagen wurden mit zwei Personen bemannt: dem Wagenlenker (ägypt. *kṯ/ḏ* oder *kṯn/kḏn;* Amarnabriefe *LÚgu-zi* oder *ku-zi*) [2] und dem mit Bogen und Lanze bewaffneten Wagenkämpfer (ägypt. *n.t-ḥtr;* in Keilschrifttexten *LÚmaryannu*) [3]. Es scheint, als ob zuerst die Hettiter einen dritten Mann (*LÚtašlīšu*) hinzugefügt hätten, dessen Funktion im Kriege darin bestand, den stehenden Wagenkämpfer von hinten festzuhalten. Im Frieden hatte er eher dekorative Bedeutung (hebr. *šālīš* „Adjutant"). Die Streitwagen konnten wegen ihrer für damalige Verhältnisse unerhörten Schnelligkeit und Wendigkeit auf dem Marsch und in der Schlacht wirkungsvoll eingesetzt werden. Natürlich ist die bloße Existenz dieser Waffe nicht die einzige Voraussetzung für imperialistische Politik. Es mußten Umformungen in der Struktur des Heerwesens und der Administration hinzukommen. Die Herrscher der vorderorientalischen Staaten haben Streitwagenkorps gebildet, deren Angehörige eine Art Ritteradel im Dienste der Krone waren. Diese Ritterschaft (*maryannū, maryannūtu*) konnte in Friedenszeiten in verschiedenen Reichsteilen stationiert, mit Krongütern belehnt und für den Kriegsfall in Bereitschaft gehalten werden.

Den Anfang machte *Ägypten.* Dort war die Herrschaft der letzten, aus Vorderasien stammenden Hyksos im Delta einigermaßen stabil, während die oberägyptischen Fürstentümer zunehmend an Selbständigkeit und Macht gewannen, auch wenn sie zunächst Hyksosvasallen blieben. Das hauptsächliche Machtzentrum war Theben. Der Einfluß der dortigen Herrscher (17. Dynastie) wuchs ständig. Die letzten drei – Seqenenrēᶜ-Taᶜa I., Seqenenrēᶜ-Taᶜa II. und *Wȝḏ-ḫpr-Rᶜ*-Kamose – geboten über die oberägyptischen Gaue zwischen Elephantine und Abydos. Ihr Territorium grenzte im Süden an das selbständige Staatsgebilde von Kusch mit der Hauptstadt Buhen am zweiten Nilkatarakt, im Norden an das Einflußgebiet der Hyksos. Unter Seqenenrēᶜ-Taᶜa II. begannen die Feindseligkeiten mit den Hyksos; sie setzten sich unter Kamose und seinem Bruder Ahmose, mit dem Manetho die 18. Dynastie beginnen läßt, kontinuierlich fort. Wir sind über den Ablauf der Ereignisse durch nicht sehr viele, aber aufschlußreiche ägyptische Urkunden hinlänglich unterrichtet [4]. Kamose versetzte den Hyksos und ihren ägyptischen Verbündeten schwere Schläge und ge-

---

[2] Die Herkunft des Wortes ist unklar. Die konsequent syllabische Schreibung deutet auf außerägyptischen Ursprung; vgl. H. Donner, ZÄS 80 (1955) 97–103, bes. 101 f. Es ist zu beachten, daß *LÚg/ku-zi* in den Amarnabriefen eher „Stallknecht" bedeutet; vgl. CAD 5 (1956) 147 (dort die Annahme ägyptischen Ursprungs). Das Auftauchen von *kzym* in den Texten aus Ugarit entscheidet die Streitfrage nicht.

[3] Vgl. H. Reviv, Some Comments on the *Maryannu.* IEJ 22 (1972) 218–228.

[4] 1. Carnarvon-Tablet Nr. 1 aus der Nähe von *Dēr el-Baḥrī,* die Abschrift einer 1935 in Fragmenten aufgetauchten historischen Inschrift aus Karnak; vgl. A. H. Gardiner, The Defeat of the Hyksos by Kamose. JEA 3 (1916) 97 ff.; 2. die Stele des Königs Kamose aus Karnak; vgl. L. Habachi, La libération de l'Égypte de l'occupation Hyksos (1955); 3. die Biographie des Admirals Ahmose aus seinem Felsgrab bei *el-Kāb;* vgl. K. Sethe, Urkunden der 18. Dynastie 1 (1927²) 1–11.

langte bis vor die Mauern von Auaris. Doch erst Ahmose (1552–1527)[5] konnte die Stadt einnehmen, die Hyksos vertreiben und nach Vorderasien zurückwerfen. Drei Jahre lang belagerte er eine ihrer südpalästinischen Bastionen: *Šarruḥēn* (vielleicht *Tell el-ʿAǧǧūl* südl. von Gaza). Unter ihm und seinem Nachfolger Amenophis I. (1527–1506) vollzog Ägypten den Schritt in den Imperialismus: es begann das Neue Reich, das auf englisch mit gutem Grunde zumeist *New Empire* – gegenüber *Old* und *Middle Kingdom* – genannt wird. Um den Bestand der soeben erst wiedergewonnenen Freiheit nicht zu gefährden, sahen sich die Pharaonen der beginnenden 18. Dynastie gezwungen, bei der Verfolgung der Hyksos weit nach Vorderasien vorzustoßen. Der militärischen Expansion entsprach eine innenpolitische Neuorientierung. Der Rang Thebens als Reichshauptstadt wuchs, nicht minder der Rang des thebanischen Hauptgottes Amun. Die Ländereien wurden weitgehend neu gegliedert und aufgeteilt, und zwar zugunsten der Krone, des Militärs und des Gottes Amun, der zum zweitgrößten Grundbesitzer nach dem Pharao aufstieg. Das Königreich von Kusch wurde unterworfen, und der militärische Druck Ägyptens auf die syropalästinische Landbrücke verstärkte sich. Thutmoses I. (1506–1494) gelangte gar bis an den Euphrat und versäumte nicht, dieses Ereignis auf der Stele von Tombos gebührend zu feiern: „Seine südliche Grenze reicht bis zum Anfang der Erde, seine nördliche bis zu jenem Fluß, der verkehrt fließt, der stromabwärts fließt, wenn er stromaufwärts fließt[6]. Niemals geschah gleiches durch andere Könige. Sein Name erreicht den Umkreis des Himmels, er gelangt bis zum Ende der Erde. Man lebt von ihm in allen Ländern wegen der Größe der Macht Seiner Majestät. Nicht kann man (gleiches) sehen in den Annalen der Vorfahren seit den Horusdienern."[7] Thutmoses I., der erste Pharao, der sich im „Tal der Könige" bei Theben bestatten ließ, dehnte seine Herrschaft auch nach Süden bis in die Gegend des 5. Nilkataraktes aus. Er erhob Memphis zur zweiten Residenz und organisierte ein schlagkräftiges stehendes Heer. So ist Ägypten nahezu zwangsläufig, aus Gründen der Selbstverteidigung und getrieben von neuem Selbstbewußtsein, zur Bildung eines Großreiches gelangt. Natürlich gelang es nicht sofort, diesem Großreich – vor allem in seinen vorderasiatischen Teilen – feste Gestalt zu geben. Man muß hinzufügen, daß das auch später nicht ganz und eigentlich nie voll-

[5] Die Chronologie des ägyptischen Neuen Reiches ist nach wie vor mit vielen Unsicherheiten belastet; vgl. E. Hornung, Untersuchungen zur Chronologie und Geschichte des Neuen Reiches. ÄA 11 (1964). Die Ansätze klaffen z.T. erheblich auseinander. E. Hornung hat für Thronbesteigung und Tod der Pharaonen Grenzwerte ermittelt, innerhalb derer die faktischen Regierungszahlen zumeist nur Wahrscheinlichkeitswert haben; vgl. a.a.O., S. 107–112. Im folgenden werden jeweils Hornungs Wahrscheinlichkeitszahlen angegeben, die überdies den Vorzug haben, in der Regel die „kurze" Chronologie darzustellen, d.h. die in unserer absoluten Chronologie niedrigsten Ansätze. Nach einem gesunden historischen Grundsatz ist die kurze Chronologie der langen fast immer vorzuziehen.

[6] „Stromauf" und „stromab" bezeichnen im Ägyptischen nach dem Nillauf Süden und Norden. Der Euphrat fließt umgekehrt.

[7] Nach E. Otto, a.a.O., S. 152.

kommen gelungen ist. Mit Kusch/Äthiopien sind die Ägypter in den Zeiten ihrer Stärke immer sehr viel besser fertig geworden. Hinderten sie im Falle der syropalästinischen Landbrücke die traditionell überwiegend friedlichen Beziehungen zu dieser Region[8]? Die Pharaonen begnügten sich jedenfalls mit einer relativ lockeren Oberhoheit über die unterworfenen Gebiete in Vorderasien. Sie gründeten ihre Hegemonie auf die Lehnsabhängigkeit der syrisch-palästinischen Kleinfürsten, die als ägyptische Vasallen im Amt blieben und zu regelmäßigen Tributleistungen verpflichtet waren[9]. Sie begründeten damit zugleich einen beachtlichen Einfluß der ägyptischen Kultur in Palästina und Südsyrien[10]. Es läßt sich denken, daß diese Ordnung gefährdet war; sie mußte immer dann ins Wanken geraten, wenn der politische Druck und die militärische Präsenz Ägyptens nachließen. Das trat alsbald ein. Nach dem Tode Thutmoses' II. (1494–1490) übernahm dessen Gemahlin Hatschepsut (1490–1468) zunächst die Regentschaft für ihren minderjährigen Stiefsohn, den Thronfolger Thutmoses III. Aber wenig später machte sie sich selbst zum Pharao, ließ sich „König von Ober- und Unterägypten" titulieren, trug den königlichen Ornat und übte die volle Regierungsgewalt aus, gestützt auf ihren Günstling Senenmut, der gleichwohl später in Ungnade fiel. Hatschepsut war eine Friedensfürstin. Ihre Interessen waren in erster Linie auf die Bautätigkeit und auf auswärtige Handelsbeziehungen gerichtet. Sie veranstaltete jene berühmte Expedition nach dem Weihrauchlande Punt, die im Relief auf einer Wand ihres „Millionenjahrhauses", des Tempels von *Dēr el-Baḥrī,* dargestellt ist. Sie festigte die ägptische Herrschaft in Nubien, vernachlässigte aber Vorderasien. Thutmoses III. (1490–1436) stand zweiundzwanzig Jahre lang in ihrem Schatten. Als sie gestorben war, versuchte er ihren Namen auf den Denkmälern, wo immer es möglich war, auszulöschen. Das außenpolitische Erbe, das er antrat, zwang ihn zu unverzüglichem Handeln. Sein erster Feldzug (1468) führte ihn nach Palästina, wo sich ihm eine Koalition kanaanäischer und syrischer Stadtfürsten unter der Führung des „elenden Asiaten von Kadesch" am Orontes *(Tell Nebī Mend)* entgegenstellte. Er schlug sie bei Megiddo und ließ die Ereignisse in seinen Annalen (Z. 7–102) im Tempel zu Karnak außerordentlich lebendig und eindrucksvoll aufzeichnen[11]. In den folgen-

[8] Vgl. J. MacDonald, Egyptian Interests in Western Asia to the End of the Middle Kingdom: An Evaluation. AJBA 2,1 (1972) 72–98; J. Weinstein, Egyptian Relations with Palestine in the Middle Kingdom. BASOR 217 (1975) 1–16.

[9] Einzelheiten bei M. A.-K. Mohammad, The Administration of Syro-Palestine during the New Kingdom. ASAE 56 (1959) 105–137; W. Helck, Die ägyptische Verwaltung in den syrischen Besitzungen. MDOG 92 (1960) 1–13; C. Kühne, Zum Status der syro-palästinischen Vasallen des Neuen Reiches. AUSS 1 (1963) 71–73; W. Helck, Zur staatlichen Organisation Syriens im Beginn der 18. Dynastie. AfO 22 (1968/69) 27–29; S. Aḥituv, Economic Factors in the Egyptian Conquest of Canaan. IEJ 28 (1978) 93–105; J. M. Weinstein, The Egyptian Empire in Palestine: A Reassessment. BASOR 241 (1981) 1–28.

[10] Vgl. R. Giveon, The Impact of Egypt on Canaan. OBO 20 (1978).

[11] AOT^2, 83–87; ANET^3, 234–238; TGI^3, 14–20. Vgl. P. Nelson, The Battle of Megiddo (1920); A. Alt, Pharao Thutmoses III. in Palästina. PJB 10 (1914) 53 ff.; M. Noth, Die Annalen Thutmoses III. als Geschichtsquelle [1943]. ABLAK 2, 119–132.

den Jahren bis ca. 1448 erschien er nahezu alljährlich in Palästina und Syrien, eroberte Kadesch, kämpfte bei Qatna *(el-Mišrife)* und Aleppo, erreichte und überschritt den Euphrat bei Karkemisch *(Ǧerāblus)* auf Booten, die er in Byblos an der phönikischen Küste hatte bauen und auf Ochsenkarren landeinwärts transportieren lassen. Als Kuriosum ist anzumerken, daß er sich in dieser ägyptenfernen Region, wie manche seiner Vorgänger, gerne der Elefantenjagd widmete. Am Vasallitätsstatus der unterworfenen Kleinfürstentümer und Stadtherrschaften änderte er nichts. Auf dem siebten Feldzug richtete er in den Häfen der palästinischen Küste Flottenstützpunkte ein: in Gaza *(Ġazze)*, Askalon *('Asqalān)*, Japho *(Yaffā)*, Dor *(el-Burǧ* bei *eṭ-Ṭanṭūra)* und am *Rās en-Naqūra* – vielleicht darf man die Linie noch weiter nach Norden verlängern[12]. Nicht unbeträchtliche Ländereien an der Küste überwies er den ägyptischen Göttern, d.h. der Priesterschaft ihrer Tempel. Noch nicht unter Thutmoses III., aber später wurden auch Militärstützpunkte im Landesinnern mit zahlenmäßig allerdings geringen ägyptischen Garnisonen eingerichtet[13]. Hinter allem standen der Wille zur Beherrschung der eroberten Gebiete, die Schlagkraft des ägyptischen Heeres und die Tatkraft des Pharao, der den syrisch-palästinischen Kleinfürsten vor Augen führte, was ägyptische Präsenz bedeutete.

Thutmoses III. gelangte bis an den Euphrat und nicht weiter. Das hatte seine Gründe. Denn in Obermesopotamien hatte sich eine zweite Großmacht gebildet, die zeitweilig stark genug war, der ägyptischen Expansion die Waage zu halten: das Reich von *Mitanni-Ḫanigalbat* mit der Hauptstadt Waššukanni am oberen Ḫabūr, dessen fremdstämmige ḫurritische Bevölkerung schon einige Jahrhunderte früher aus den Gebirgen des nordwestlichen Iran ins nördliche Zweistromland gekommen war. Über die Geschichte des Mitanni-Reiches ist leider nicht allzuviel bekannt[14]. Die politische Einigung zunächst verschiedener ḫurritischer Herrschaften erfolgte wahrscheinlich unter Šuttarna in der 2. Hälfte des 16. Jh. v. Chr. Die zeitweilige Schwäche des kleinasiatischen Hettiterreiches ermöglichte es Mitanni, nach Nord- und Mittelsyrien auszugreifen. Dort trafen die Ḫurriter auf das expandierende Ägypten. Nach Osten hin beschränkten sie die Assyrer auf deren Stammland zu beiden Seiten des oberen Tigris. Seit dem 16. Jh. trifft man in der Führungsschicht auf indoarische Dynasten; sie gehörten zu versprengten Gruppen der indogermanischen Völkerbewegung, die nach Kleinasien und in die östlich anschließenden Bergländer kamen[15].

---

[12] Vgl. A. Alt, Das Stützpunktsystem der Pharaonen an der phönikischen Küste und im syrischen Binnenland [1950]. KS 3,107–140.

[13] Z.B. in Bethschean; vgl. A. Rowe, The Topography and History of Beth-Shan with Details of the Egyptian and other Inscriptions Found on the Site. PPS 1 (1930) und A. Alt, Zur Geschichte von Beth-Sean 1500–1000 v. Chr. [1926]. KS 1, 246–255.

[14] Vgl. M. Liverani, Ḫurri e Mitanni. OrAnt 1 (1962) 253–257; R. de Vaux, Les Ḫurrites de l'histoire et les Horites de la Bible. RB 74 (1967) 481–503.

[15] R. Hauschild, Über die frühesten Arier im Alten Orient. Berichte über die Verhandl. d. Sächs. Akad. d. Wiss., phil.-hist. Kl. 106,6 (1962); A. Kammenhuber, Die Arier im Vorderen Orient (1968).

In der Mitte des 15. Jh. war Mitanni unter König Šauššatar die stärkste Macht des nördlichen vorderasiatischen Raumes. Thutmoses III. erkannte, daß es politisch unklug wäre, nach Weltherrschaft um jeden Preis zu streben. Um 1448 einigte er sich mit Mitanni, verzichtete auf weitere Expansion und schloß einen förmlichen Vertrag, in dem die Einflußgebiete beider Großmächte in Mittelsyrien gegeneinander abgegrenzt wurden. Damit lautete das erste Thema des Gleichgewichts der Kräfte: Ägypten und Mitanni.

In den folgenden Jahrzehnten des 15. Jh. v. Chr. verschob sich das Gleichgewicht geringfügig zuungunsten Ägyptens. Amenophis II. (1438–1412) unternahm mehrere Feldzüge nach Vorderasien[16]; man möchte sagen: mit einer gewissen Verbissenheit, denn die mitannische Grenze war keineswegs ganz sicher, und die palästinisch-syrischen Vasallen waren unzuverlässige Kantonisten. Amenophis nahm Geschenke von Mitanni, den Hettitern und Babylon entgegen; der diplomatische Verkehr funktionierte reibungslos. Aber es scheint, als habe er die Grenze der ägyptischen Einflußzone gegenüber „Naharina" (= Mitanni) etwas zurücknehmen müssen. Auf dem Rückmarsch von einem seiner Feldzüge fing er in der Ebene von Saron südlich des Karmel einen mitannischen Boten mit konspirativen Briefen ab – kein gutes Zeichen für die Stabilität des Gleichgewichts! Von den vorderasiatischen Aktivitäten Thutmoses' IV. (1412–1402) ist wenig bekannt[17]. Er mußte Gezer *(Tell Ğezer)* zurückerobern, hatte wohl auch Auseinandersetzungen mit Mitanni und schloß einen neuen Vertrag, nach welchem die Grenzlinie zwischen Kadesch am Orontes und Qatna verlief. Ägypten machte international keine besonders gute Figur mehr. Thutmoses IV. mußte nicht weniger als siebenmal werben und insistieren, ehe ihm Artatama von Mitanni eine mitannische Prinzessin für seinen Harem schickte. Im Inneren freilich war die Macht des Pharao ungebrochen: er herrschte unumschränkt und wählte sich seine Ratgeber nach eigenem Urteil und Geschmack. Unter den Thutmosiden waren die beiden Wesire von Ober- und Unterägypten, theoretisch die höchsten zivilen Würdenträger nach dem König, nicht viel mehr als Chefs der Administration. Die Rivalität der weltlichen Macht mit der wirtschaftlich und politisch erstarkenden Priesterschaft des Reichsgottes Amun von Theben wuchs zwar, konnte aber noch im Griff gehalten werden. In der 1. Hälfte des 14. Jh. v. Chr., der sog. Amarnazeit, erlosch die militärische Kontrolle der unterworfenen Gebiete von seiten der Ägypter nahezu völlig. Der friedens- und prachtliebende Amenophis III. (1402–1364) unternahm keine Feldzüge; ihm genügte die Bekundung der Vasallentreue der Kleinfürsten, verbunden mit der Ablieferung der Tribute und der Deportation von Ar-

[16] Vgl. E. Edel, Die Stelen Amenophis II. aus Karnak und Memphis mit dem Bericht über die asiatischen Feldzüge des Königs. ZDPV 69 (1953) 97–176; 70 (1954) 87; A. Malamat, Campaigns of Amenhotep II. and Thutmose IV. to Canaan. A Discussion of a Possible Epigraphic Evidence from Palestine. ScrH 8 (1961) 218–231. S. auch ANET^3, 245–248.

[17] R. Giveon, Thutmoses IV. and Asia. JNES 28 (1969) 54–59.

beitskräften für die königlichen Bauvorhaben[18]. Zwischen Äthiopien und der mitannischen Grenze herrschten äußerlich Frieden und Ruhe. Die internationalen Beziehungen spiegelten sich im königlichen Harem, als dessen prominenteste ausländische Mitglieder die beiden hettitischen Prinzessinnen Giluḫepa und Taduḫepa galten. Der Reichsgott Amun wurde immer mächtiger. Als Gegengewicht förderte Amenophis III. Memphis und Heliopolis; aber es begann Mühe zu kosten, Amuns Macht im Zaume zu halten. Unter Amenophis IV. Echnaton (1364–1347), dem Gemahl der Nofretete, geriet Ägypten außen- und innenpolitisch an den Rand der Katastrophe. Von militärischem Elan konnte nun erst recht keine Rede mehr sein[19]. Der Pharao widmete sich auf Kosten der äußeren und inneren Stabilität des Großreiches seinem religiösen Reformwerk: er überwarf sich mit Amun, pflegte die Theologie der Sonnenscheibe Aton – eine monolatrische Religion von zweifelhafter Volkstümlichkeit –, inaugurierte eine faszinierend eigentümliche „naturalistische" Kunstübung und zog sich schließlich aus Theben in seine eilig aus dem Boden gestampfte neue Hauptstadt „Horizont des Aton" *(Tell el-Amarna)* unweit Hermopolis zurück, wo er seine Gedanken weniger dem Reiche als vielmehr der Religion zuwandte. Dabei war die politische Lage, vor allem in Vorderasien, alles andere als gefahrlos. Zwar hatte das Reich von Mitanni schon zur Zeit Amenophis' III. an Macht und Einfluß verloren. Dafür aber hatten sich zwei neue Mächte am politischen Horizont abgezeichnet, die berufen waren, das mitannische Erbe anzutreten: das *hettitische Neue Reich* und das *Mittelassyrische Reich.* Der Hettiter Šuppiluliuma I. (1370–1336) schlug Mitanni unter König Tušratta, eroberte die Hauptstadt Waššukanni und dehnte den hettitischen Einflußbereich über Nordsyrien hinaus bis zum Libanon und nach Kadesch aus[20]. Am oberen Tigris gewann Assyrien unter Aššur-uballiṭ I. (1364–1328) seine Selbständigkeit zurück und griff ebenfalls auf mitannisches Territorium über. Das Mittelassyrische Reich erstarkte zur Großmacht. Es arrangierte sich mit den Hettitern, kämpfte gegen die Gebirgsvölker des Nordens und des Ostens und hielt das kassitische Babylonien im Stande relativer politischer Bedeutungslosigkeit[21]. Seit der Mitte des 14. Jh. v. Chr. lautete das zweite Thema des Gleichgewichts der Kräfte: Ägypten – Ḫatti – Assur.

Das Resultat dieser Entwicklung läßt sich an Hand einer einzigartigen Dokumentensammlung erkennen: dem in akkadischer Sprache und Keilschrift abgefaßten Tontafel-Archiv von *Tell el-Amarna,* dem Ruinenfeld

---

[18] Vgl. E. Edel, Die Ortsnamenlisten aus dem Totentempel Amenophis III. BBB 25 (1966).

[19] Vgl. H. Reviv, The Planning of an Egyptian Campaign in Canaan in the Days of Amenhotep IV. VT 16 (1966) 45–51.

[20] Vgl. A. Goetze, Hethiter, Churriter und Assyrer (1936); E. und H. Klengel, Die Hethiter und ihre Nachbarn (1970); H. Klengel, Die Hethiter und Babylonien. ArOr 47 (1979) 83–90.

[21] E. Ebeling – B. Meissner – E. Weidner, Die Inschriften der altassyrischen Könige. Altoriental. Bibliothek 1 (1926); R. Borger, Einleitung in die assyrischen Königsinschriften. I. Das 2. Jt. v. Chr. HdO, Erg. 5: 1,1 (1961); P. Garelli, Le problème de la „féodalité" assyrienne du XVe au XIIe siècle avant J.-C. Semitica 17 (1967) 5–21.

der Residenz Amenophis' IV. Echnaton[22]. Es handelt sich um die diplomatische Korrespondenz der Herrscher von Mitanni, des Hettiterreiches, Assyriens, Babyloniens und der syropalästinischen Kleinfürsten mit den Pharaonen Amenophis III. und Amenophis IV. Echnaton. Dieser Briefverkehr bringt die politischen Verhältnisse zu Beginn der zweiten Periode des Gleichgewichts der Kräfte mit unerhörter Eindringlichkeit zur Anschauung. Es zeigt sich, daß die vorderorientalischen Reiche – Ägypten, Ḫatti, Assur, anfangs noch Mitanni, auch Babylonien – einander zähneknirschend als gleichberechtigt anerkennen. Ihre Herrscher gebrauchen die Anrede „Bruder", tauschen Geschenke untereinander und betreiben internationale Heiratspolitik. Dabei ist eine gewisse, zwar nicht machtpolitische, wohl aber wirtschaftliche und moralische Priorität Ägyptens zu erkennen. Sie hängt gewiß nicht nur, aber auch damit zusammen, daß die vorderorientalischen Potentaten nach ägyptischem Golde lüstern waren, ganz besonders – und ziemlich unwürdig – die baulustigen Kassiten Babyloniens[23]. Auf der anderen Seite sieht man aus den Briefen der syropalästinischen Vasallen, daß der Mangel an militärischer Tüchtigkeit seitens der Pharaonen bittere Früchte trug. Es knistert im Gebälk des neuägyptischen Großreiches: die ägyptische Herrschaftsordnung in Vorderasien[24] befindet sich in voller Auflösung. Abenteurer machen sich breit, entreißen – unterstützt von den Großmächten, die Bruderbriefe an den Pharao schreiben[25] – Ägypten beträchtliche Teile seines vorderasiatischen Territoriums und werfen die Brandfackel in das palästinisch-syrische Kleinstaatensystem. Die Vasallen schreiben heuchlerische Ergebenheitsbriefe nach Theben oder „Horizont des Aton" *(Tell el-Amarna);* andere bitten händeringend, doch ohne Erfolg, um militärische Unterstützung gegen Usurpatoren, Ḫapirū, Sūtu-Nomaden und gegen wen immer[26]. Lange hätte die Amarnazeit nicht mehr dauern dürfen!

Sie dauerte nicht mehr lange. Der General Haremhab (1334–1306) bestieg den ägyptischen Thron und beendete die rasche Folge schwacher Nachfolger Echnatons. Er darf als der eigentliche Begründer der 19. Dynastie gelten; denn der nachmalige Ramses I., mit dem man diese Dynastie gewöhnlich beginnen läßt, war lange Jahr hindurch sein Wesir und damit der zweite Mann im Staate, auch designierter Thronfolger. Haremhab versuchte zunächst, Ägypten im Inneren zu reorganisieren und zu befrieden. Er erließ Gesetze gegen den Mißbrauch der Macht, widmete sich der Neu-

---

[22] Literatur zu den Amarna-Tafeln s. S. 20, Anm. 17.

[23] Vgl. z. B. den Brief des *Kadašman-Ḫarbe* an Amenophis III. (EA 2) bei W. v. Soden, Herrscher im Alten Orient (1954) 60f.

[24] Vgl. R. Hachmann, Die ägyptische Verwaltung in Syrien während der Amarnazeit. ZDPV 98 (1982) 17–49.

[25] Vgl. z. B. M. Astour, The Partition of the Confederacy of *Mukiš-Nuḫašše-Nii* by Šuppiluliuma. A Study in Political Geography of the Amarna Age. Or 38 (1969) 381–414.

[26] Vgl. bes. die Briefe der Stadtfürsten Rib-Addi von Byblos, Biridiya von Megiddo und Abdi-Ḫepa von Jerusalem; Auswahl: AOT^2, 373–378; ANET^3, 483–490; TGI^3, 25–28.

ordnung der Tempelwirtschaft und setzte Amun von Theben in seine alten Rechte ein. Es erwies sich als nicht notwendig, gegen die Aton-Religion mit Gewalt vorzugehen; sie hatte im Volke ohnehin nur wenig Zustimmung gefunden. Haremhab warf das Steuer in Richtung auf Ordnung und Staatsreligion herum. In Vorderasien war er militärisch präsent, konnte – wie es scheint – Palästina einigermaßen im Zaume halten, in Syrien aber gegen den Hettiter Muršili II., den Nachfolger Šuppiluliumas I., keine nennenswerten Erfolge erzielen. Ramses I. (1306–1304), der Sohn eines einfachen Hauptmanns der Bogenschützen aus dem nordöstlichen Delta, war bei seiner Thronbesteigung schon ein alter Mann und starb alsbald. Aber seinen beiden Nachfolgern, Sethos I. (1304–1290) und Ramses II. (1290–1224), gelang es, den Verfall des Großreiches noch einmal aufzuhalten und Ägyptens Macht in Vorderasien wiederherzustellen. Dort hatten sich die Machtverhältnisse inzwischen erheblich verändert. Das Reich von Mitanni – Ḫanigalbat war endgültig zerbrochen; seine Reste erscheinen zunächst als hettitischer, dann als assyrischer Vasallenstaat. Assyrien spielte unter den Nachfolgern Aššur-uballiṭs I. im Konzert der Großmächte zwar noch mit, aber nur als Begleitstimme: seine Kräfte waren durch endlose Kämpfe gegen die Gebirgsvölker des Nordens und Ostens und gegen das kassitische Babylonien gebunden. Beherrschende Vormacht war jetzt das hettitische Neue Reich mit der Hauptstadt Ḫattuša *(Boghazköi)* im Halysbogen. Die Hettiter brachten ganz Nordsyrien und Teile Mittelsyriens unter ihre Oberhoheit und wuchsen schließlich zum einzigen nennenswerten Gegner der Ägypter in Vorderasien heran. Das hettitische Großreich war administrativ ähnlich locker strukturiert wie das ägyptische: es begnügte sich in der Regel mit der Vasallität der eingesessenen Kleinfürsten, richtete jedoch in politisch wichtigen Gebieten Sekundogenituren ein, d.h. besetzte die Throne mit Prinzen aus königlich hettitischem Hause. Es war zu erwarten, daß das unter den ersten Pharaonen der 19. Dynastie wieder expansive Ägypten mit dem Hettiterreiche in Konflikt kommen mußte. Sethos I. zog sogleich in seinem ersten Regierungsjahr bis zur Nordgrenze Palästinas und darüber hinaus; zwei fragmentarisch erhaltene Stelen, die er in Bethschean *(Tell el-Ḥöṣn* bei *Bēsān)* hinterlassen hat, nennen Bethschean, Jenoam, Pella und Hamath. In den Folgejahren kämpfte er nicht nur in Nubien und gegen die Libyer, sondern erschien mehrfach auf der syropalästinischen Landbrücke, sicherte die Mittelmeerhäfen und versuchte, das Binnenland streifenweise unter ägyptischen Kontrolle zu bekommen. Seine Erfolge gegen die Hettiter waren punktuell und temporär. Zwar konnte er Kadesch am Orontes einnehmen, aber zu einem dauerhaften Machtausgleich mit den Hettitern kam es nicht. Die Entscheidung fiel erst in der ungewöhnlich langen – 66 Jahre! – Regierungszeit Ramses' II. In seinem sechsten Jahr (1285) stieß er bei Kadesch auf die hettitischen Streitkräfte unter König Muwatalli. Über den Aufmarsch und den Ablauf der Schlacht sind wir durch ägyptische Texte unterschiedlicher Art sehr gut unterrichtet[27]. Da die Kräfte der beiden Gegner ungefähr gleich waren, ging keiner aus der Auseinandersetzung als eindeutiger Sieger hervor. Daran ändert auch die Tatsache nichts, daß das berühmte ägyptische Gedicht auf die Schlacht bei Kadesch[28] Ramses II. als Sieger hinzustellen bemüht ist und mit dem Lobpreis seiner persönlichen Tapferkeit nicht spart. In Wirklichkeit rieben sich die Hettiter und die Ägypter gegenseitig auf und erreichten nicht mehr als einen erzwungenen Ruhezustand. Auch nach der Schlacht hat Ramses II. noch mehrfach in Palästina und Syrien eingreifen müssen[29]. Erst 1270 kam es zum Friedensschluß zwischen Ramses II. und dem Hettiterkönig Muršili III. Beide schlossen einen Staatsvertrag, dessen Original in Keilschrift auf einer Silberplatte stand und von dem eine hettitische Tontafelkopie und zwei ägyptische Übersetzungen erhalten sind[30]. Die Grenze zwischen den Einflußgebieten der Ägypter und der Hettiter ist im Vertragswerk leider nicht präzise beschrieben; sie verlief wahrscheinlich auf der Höhe des Flusses Eleutheros *(Nahr el-kebīr)* in Mittelsyrien. Damit lautete das dritte und letzte Thema des Gleichgewichts der Kräfte: Ägypten und Ḫatti.

Um 1200 v. Chr. brach das Großreichsystem der zweiten Hälfte des 2. Jt. relativ rasch, wenn auch nicht unerwartet zusammen. Den Anstoß dazu gab die sog. Seevölkerbewegung, die seit dem 13. Jh. zu Wasser über das Mittelmeer und zu Lande über Kleinasien in die westlichen Randgebiete des Vorderen Orientes einströmte[31]. Die *Seevölker,* untereinander keineswegs immer zusammenhängende Gruppen, kamen hauptsächlich aus der ägäischen Inselwelt[32], zu Teilen vielleicht auch vom Balkan. Ihrem Andrängen im Verein mit dem Druck der Phryger und anderer westkleinasiatischer Völkerschaften[33] erlag das hettitische Neue Reich[34]. Tutḫaliya IV. (ca. 1250–1220)

---

[27] Vgl. J. H. Breasted, The Battle of Kadesh. A Study in the Earliest Known Military Strategy (1903); Ch. Kuentz, La bataille de Qadech. Les textes („Poème de Pentaour" et „Bulletin de Qadech") et les bas-reliefs. Mémoires ... de l'Institut Français d'Archéologie Orientale 55 (1928); A. H. Gardiner, The Ḳadesh-Inscriptions of Ramesses II. (1960); zuletzt, mit vielen Literaturangaben, A. Kuschke, Das Terrain der Schlacht bei *Qadeš* und die Anmarschwege Ramses' II. ZDPV 95 (1979) 7–35.

[28] Papyrus Sallier III.; Übersetzung bei A. Erman, Die Literatur der Ägypter (1923) 325–337.

[29] Vgl. K. A. Kitchen, Some New Light on the Asiatic Wars of Ramses II. JEA 50 (1964) 47–70; L. Habachi, The Military Posts of Ramses II. on the Coastal Road and the Western Part of the Delta. Bulletin de l'Institut Français d'Archéologie Orientale 80 (1980) 13–30.

[30] ANET^3, 199–203. Ein Vergleich der Textformen bei St. Langdon und A. H. Gardiner, JEA 6 (1920) 179–205.

[31] Vgl. P. Mertens, Les Peuples de la Mer. Chronique d'Égypte 35 (1960) 65–88; G. A. Wainwright, Some Sea Peoples. JEA 47 (1961) 71–90; R. de Vaux, La Phénicie et les Peuples de la Mer. MUSJ 45 (1969) 481–498; A. Strobel, Der spätbronzezeitliche Seevölkersturm. BZAW 145 (1976).

[32] Zu den Beziehungen zwischen diesem Raum und dem Orient vgl. F. Schachermeyr, Ägäis und Orient. Denkschriften d. Österreich. Akad. d. Wiss., phil.-hist. Kl. 93 (1967).

[33] Vgl. A. Malamat, Western Asia Minor in the Time of the „Sea Peoples". Yediot 30 (1966) 195–208.

und Arnuwanda III. (ca. 1220–1205) konnten der Bedrohung gerade noch mühsam Herr werden. Šuppiluliyama (ca. 1205 – um 1200) erlebte das Ende: den endgültigen Verlust weiter Teile seines Territoriums, die Einnahme von Zypern (Alašia), den Untergang von Ugarit *(Rās eš-Šamra)*, den Zusammenbruch der ganzen hettitischen Herrschaftsordnung in Nord- und Mittelsyrien, den Brand und die Zerstörung der Hauptstadt Ḫattuša. Auch für das ägyptische Großreich wurden die Seevölker gefährlich. Bereits Merenptah (1224–1204), der dreizehnte Sohn Ramses' II., bekam es mit ihnen zu tun. Zwar erntete er in Vorderasien noch die Früchte der Politik seines Vaters, aber im Westen drohte die libysche Gefahr: der großangelegte Versuch einer libyschen Invasion des Deltas, den der Pharao glanzvoll abwehren konnte[35]. Als Verbündete der Libyer erscheinen Seevölkergruppen, deren Identifikationen mit späteren Völkerschaften wahrscheinlich, wenn auch nicht ganz sicher sind: Lukka (Lykier), Širdana (Sardinier), Akawaša (Achäer), Turša (Tyrsener, Etrusker) und Šekleš (Sizilier). Der Druck hielt in dem dunklen, von Thronwirren und inneren Kämpfen gekennzeichneten Zeitraum des Endes der 19. Dynastie (1204–1186) an. Der Begründer der 20. Dynastie Sethnacht, wahrscheinlich ein Offizier wie seinerzeit Haremhab, regierte nur zwei Jahre (1186–1184). Sein Sohn aber, Ramses III. (1184–1153), ein Bewunderer Ramses' II.[36], vermochte die Gefahr in schweren Schlachten zu Wasser und zu Lande noch einmal zu bannen. Er kämpfte wieder gegen die Libyer im Westen und gegen Seevölkergruppen im Osten des Nildeltas, vor allem aber gegen Seevölker auf dem Mittelmeer. Er schlug die erste bekannte Seeschlacht der Geschichte und ließ sie in Bild und Wort auf den Wänden seines Totentempels in *Medīnet Hābū* darstellen. Ramses III. ist es tatsächlich gelungen, die Seevölker vom ägyptischen Territorium fernzuhalten und Ägyptens Oberhoheit über Palästina – zumindest theoretisch – zu bewahren[37]. Er ist wahrscheinlich einer Revolte zum Opfer gefallen. Unter den späteren Ramessiden – Ramses IV. bis Ramses XI. (1153–1070) – sank Ägypten jedoch völlig auf das Nilland zurück und verlor sein gesamtes vorderasiatisches Einflußgebiet. Seine politischen und militärischen Kräfte waren erschöpft. Die letzte greifbare Spur der Anwesenheit ägyptischer Truppenkontingente in Palästina ist die Basis einer Statue Ramses' VI. aus Megiddo[38]. Damit war das komplizierte System, das die Geschichte des Alten Orients insgesamt und die der syropalästinischen Landbrücke im besonderen ein halbes Jahrtausend lang bestimmt hatte, endgültig zugrunde gegangen.

---

[34] Vgl. H. Otten, Neue Quellen zum Ausklang des Hethitischen Reiches. MDOG 94 (1963) 1–23; G. A. Lehmann, Der Untergang des hethitischen Großreiches und die neuen Texte aus Ugarit. UF 2 (1970) 39–73.

[35] Vgl. die „Israel-Stele" u. S. 91 f.

[36] Ramses III. gab sogar seinen Söhnen die Namen der Söhne Ramses' II.!

[37] Vgl. R. Stadelmann, Die Abwehr der Seevölker unter Ramses III. Saec 19 (1968) 156–171.

[38] Vgl. G. Loud, Megiddo II (1948) 135 ff.; dazu A. Malamat, WHJP I, 3 (1971) 32 ff.

Diese Entwicklung blieb für die Landbrücke natürlich nicht ohne Folgen. Durch den Untergang des Hettiterreiches und durch das Erlöschen der ägyptischen Hegemonie war dort machtpolitisch sozusagen ein leerer Raum entstanden. Aber die Geschichte duldet kein Vakuum. Vom Zeitpunkt des Endes des vorderorientalischen Gleichgewichts der Kräfte an wurden die Gebiete zwischen den Machtblöcken historisch relevant und fähig, eigene politische Gebilde hervorzubringen – gewiß nicht sofort, aber potentiell und tendenziell. Diese Möglichkeit ist durch den Zustrom und das Aufkommen neuer Bevölkerungselemente befördert und schließlich Wirklichkeit geworden: durch die Philister und durch die Aramäer.

1. *Die Philister:* Über die Herkunft der Seevölkergruppe der Philister (ägypt. *Plst,* geschrieben *Prst;* akkad. *Palastu, Pilistu;* hebr. *Pᵉlištīm)* ist nichts Genaues bekannt. Das AT bringt sie mehrfach mit Kaphtor = Kreta (ägypt. *Kftjw,* etwa Keftiu) in Verbindung: Gen 10,14 *(text. emend.);* Dtn 2,23; Am 9,7; Jer 47,4; 1.Chron 1,12 *(text. emend.);* vgl. auch 1.Sam 30,14; Zeph 2,5; Ez 25,16; die Bezeichnung *„Krethi und Plethi"* für die Söldner des Königs David [39]. In der Tat weisen historische und archäologische Merkmale nach der ägäischen Inselwelt und nach Westkleinasien. Ob sie freilich ursprünglich aus diesen Regionen kamen – von Karien aus zu Wasser über Kreta und zu Lande entlang der Küste Kleinasiens – oder ob ihre Urheimat der Balkan (Illyrien?) war, ist ungewiß [40]. Die erste inschriftliche Bezeugung der Philister fällt in das achte Regierungsjahr Ramses' III. (1177), der sie zusammen mit ihren Weggenossen, den *Ṯkl* (geschrieben *Ṯkr*), in Syrien, an der phönikischen Küste oder in Nordpalästina schlug [41]. Während die *Ṯkl* an der phönikischen Küste bis zum Karmel blieben, rückten die Philister weiter nach Süden vor. Ihre schließliche Landnahme in der südpalästinischen Küstenebene [42] war allem Anschein nach ein Teilstück der ramessidischen Abwehrpolitik gegen die Seevölkerbewegung zu Lande, deren Druck auch nach den Erfolgen Ramses' III. nicht geringer geworden war. Vielleicht schon Ramses III. selbst, spätestens aber einer seiner ersten Nachfolger, siedelte die Philister in der Küstenebene zwischen dem *Nahr el-ʿŌǧa* und dem *Wādī Ġazze* als Militärkolonen der Ägypter an, in der Hoffnung, daß sie ein Bollwerk gegen andere, von Norden nachdrängende Seevölkergruppen bilden würden. Diese Hoffnung trog nicht. Es handelte sich um ein Gebiet, in dem seit der Mitte des 2. Jt. v. Chr. kaum einheimische kanaanäische Herrensitze bekannt sind, wohl aber ägyptische „Reichsgüter", d.h. der unmittelbaren Verfügungsgewalt der Pharaonen unterstellte Ortschaften, wie z.B. Gaza und Askalon, oder Domänen des Reichsgottes Amun. Dort formierten sich die Philister alsbald politisch zu einem Fünfstädtebund, einer Pentapolis, aus den Städten Gaza *(Ġazze),*

---

[39] S. u. S. 203.

[40] Vgl. R. Herbig, Philister und Dorier. JDI 55 (1940) 58–89; F. Bork, Philistäische Namen und Vokabeln. AfO 13 (1940) 226–230; T. Dothan, Archaeological Reflections on the Philistine Problem. Antiquity and Survival 2 (1957) 151–164; dies., Philistine Civilization in the Light of Archaeological Findings in Palestine and Egypt. Eretz Israel 5 (1958); M.-L. und H. Erlenmeyer, Philister und Kreter. Or 29 (1960) 121–150; 30 (1961) 269–293; 33 (1964) 199–237.

[41] Vgl. O. Eißfeldt, Philister und Phönizier. AO 34,3 (1936).

[42] Vgl. A. Alt, Ägyptische Tempel in Palästina und die Landnahme der Philister [1944]. KS 1, 216–230; B. Hrouda, Die Einwanderung der Philister in Palästina. Vorderasiatische Archäologie, Fs A. Moortgat (1964) 126–135.

Askalon (*'Asqalān*), Asdod (*Esdūd*), Ekron (*'Āqir*) und Gath (*Tell eṣ-Ṣāfī?*)[43]. Der Nordteil der Küstenebene bis zum Karmel oder andere Gebiete Palästinas gehörten ihnen nicht, obwohl ihre Wirkungen bis ins Binnenland ausstrahlten (Megiddo VI; anthropoide Sarkophage von Bethschean). Die Schutzgürtelfunktion der Philister hat den Niedergang des ramessidischen Ägypten natürlich nicht aufhalten können. Als die Ägypter nicht mehr in der Lage waren, in Palästina einzugreifen, fühlten sich die Philister als natürliche und legitime Erben der ägyptischen Hegemonie: ein Vorgang, der bei Militärkolonen auch anderwärts beobachtet werden kann. Sie bemühten sich in der Folgezeit, den theoretischen Anspruch in reale Machtverhältnisse umzusetzen und von der Küstenebene aus auch das zentralpalästinische Gebirge unter ihre Kontrolle zu bekommen[44]. Daß ihnen dies nur zum Teil und nur vorübergehend gelang, hatte seinen Grund darin, daß sie nicht das einzige neue Bevölkerungselement waren, das das Machtvakuum in Palästina aufzufüllen versuchte[45].

2. *Die Aramäer:* Von einer Landnahme der Aramäer kann nicht in demselben Sinne gesprochen werden wie bei den Philistern[46]. Die Aramäer, inschriftlich zuerst unter Tiglatpileser I. (1115–1076) als *Aramū* bezeugt, waren keine homogene Bevölkerungsgruppe. Von einer „aramäischen Völkerwelle", die aus der syrisch-arabischen Wüste in die Kulturländer des Fruchtbaren Halbmondes kam – bis vor kurzem noch die geläufige Annahme –, sollte man besser nicht mehr reden. Das Aufkommen der Aramäer hängt in erster Linie mit Bevölkerungsumschichtungen und sozialem Rollenwechsel innerhalb der Kulturländer zusammen, wobei freilich die Annahme der Zuwanderung von Nomadengruppen aus den Steppen- und Wüstenregionen nicht ausgeschlossen bleibt, sondern sehr wahrscheinlich ist. Zu den Aramäern jedenfalls gehörten die ostjordanischen Ammoniter, Moabiter und Edomiter – und jene Stämme, die später unter dem Namen Israel hauptsächlich im Westjordanland Fuß gefaßt haben und seßhaft geworden sind. Sie trafen im Gebirge auf die Philister, und die Philister trafen auf sie: ein Konflikt von höchster historischer Bedeutsamkeit, der schließlich zur israelitischen Staatenbildung geführt hat.

KAPITEL 3

Das Land Palästina und seine Bewohner

Unter „Palästina" versteht man im allgemeinen den Schauplatz der biblischen Geschichte, also vorzugsweise das Westjordanland, aber auch die ostjordanischen Landesteile: die Gebiete der heutigen Staaten Israel und Jor-

[43] Vgl. H.E. Kassis, Gath and the Structure of the „Philistine" Society. JBL 84 (1965) 259–271.

[44] S. u. S. 173f.

[45] Weitere ausgewählte Literatur zu den Philistern: B. Mazar, The Philistines and the Rise of Israel and Tyre. The Israel Academy of Sciences and Humanities, Proceedings 1,7 (1964) 1ff.; E.E. Hindson, The Philistines and the OT (1971); A. Mazar, A Philistine Temple at *Tell Qasīle*. BA 36 (1973) 42–48; A.H. Jones, Bronze Age Civilization: The Philistines and the Danites (1975); A. Mazar – G.L. Kelm, Canaanites, Philistines and Israelites at Timna/Tel Batash. Qadmoniot 13 (1980) 89–97.

[46] S. u. S. 57f.

danien. Der Name „Palästina“[1] ist die griechische Form des aramäischen *Pelištā'īn* (hebr. *Pelištīm)* und bezeichnete ursprünglich das Siedlungsgebiet der Philister in der Küstenebene[2]. Nach dem zweiten jüdischen Aufstand (132–135 n. Chr.) haben die Römer die von ihnen begründete Provinz *Iudaea* in *Palaestina* umbenannt und damit nicht nur die Küstenebene, sondern auch die westjordanischen Gebirgsgegenden bezeichnet. Im Zuge der territorialen und administrativen Umschichtungen in den Ostgebieten des *Imperium Romanum* griff der Name schließlich auch auf Gebiete östlich des Jordans über und deckte dort Teile der älteren römischen Provinz *Arabia.* Im 4. Jh. wurde die Provinz *Palaestina* in drei Teile untergliedert: *Palaestina prima, secunda* und *tertia* – für die Militärverwaltung allerdings weiterhin eine Einheit unter dem Oberkommando des *dux Palaestinae.* Diese Einheit ist im Sprachgebrauch der altchristlichen Schriftsteller vorausgesetzt. Somit stammt der Name Palästina aus der Verwaltungssprache des römischen und römisch-byzantinischen Reiches. Da ihm seit der Invasion der Perser und des Islam im 7. Jh. keine Verwaltungseinheit mehr entsprach, wurde sein Gebrauch unbestimmt und zur Definition eines politischen Territoriums ungeeignet. Gerade darin besteht, unbeschadet der im Gang befindlichen Repolitisierung, sein Vorzug.

Eine ausführliche Darstellung der Landesnatur und der historischen Geographie Palästinas ist hier nicht beabsichtigt[3]. Einige Grundzüge und Orientierungshilfen sind jedoch notwenig. Schauplatz der Geschichte Israels ist der südliche Teil der syropalästinischen Landbrücke zwischen den potamischen Schwemmländern Ägypten und Mesopotamien: das Mittelstück des sogenannten „Fruchtbaren Halbmondes“ von Kulturländern im Nordosten, Norden und Nordwesten der syrisch-arabischen Wüste. Eine präzise geographische Begrenzung dieses Gebietes ist schwierig: im Westen verläuft die Küste des Mittelmeeres; im Süden geht das Kulturland ohne feste Grenze in die Negev- und Isthmuswüste über; im Osten schließt ebenfalls ohne feste Grenze die syrisch-arabische Wüste an. Da Palästina, Westsyrien und Libanon geographisch eine Einheit bilden, hat man sich daran gewöhnt, als Nordbegrenzung Palästinas eine theoretische Linie zu betrachten, die historische, nicht geographische Gründe hat: östlich des Jordangrabens auf der Höhe des Yarmuk *(Šerīʿat el-Menāḍire)* und westlich des Jordangrabens auf der Höhe des Leontes *(Nahr Līṭānī).* Das ist das Gebiet, das im AT zumeist „(Land) Kanaan“, oder auch „Land Israels“ (1. Sam 13, 19) genannt wird.

Es handelt sich um den Südteil der sog. arabischen Scholle: ein Tafelgebirge aus horizontal abgelagerten marinen Kalksteinschichten. Dieses Tafelgebirge ist im Tertiär durch eine tektonische Störung gewaltigen Ausma-

---

[1] Vgl. M. Noth, Die Geschichte des Namens Palästina [1939]. ABLAK 1, 294–308.

[2] So bei Herodot, hist. I, 105; III, 5. 91; VII, 89 und bei anderen griechischen Autoren.

[3] In ATD.E ist diesem und verwandten Themen ein eigener Band gewidmet. Vgl. einstweilen H. Donner, Einführung in die biblische Landes- und Altertumskunde. Wiss. Buchgesellschaft, Darmstadt (1976); Literaturübersicht auf S. 5–8.

ßes in Nord-Süd-Richtung unterbrochen worden. Es entstand der Syrische Graben, der von Nordsyrien über Palästina und Ägypten bis in das Gebiet der zentralafrikanischen Seen reicht. Den palästinischen Anteil am Syrischen Graben bildet der Jordangraben mit den beiden Reliktenseen des Galiläischen Meeres (See Gennezareth) und des Toten Meeres. Hier liegen die tiefsten Depressionen der Erdoberfläche: der Spiegel des Toten Meeres ca. – 390 m unter dem des Mittelmeeres, die östlichen und westlichen Gebirge bis zu 1000 m über dem Mittelmeer. Der Jordangraben teilt das Land in zwei Regionen. Im Ostjordanland ist die alte Tafel relativ am besten erhalten. Sie fällt nach Westen in dreistufiger Verwerfung steil zum Jordangraben ab und ist von mehreren ostwestlich verlaufenden Flußtalsystemen unterbrochen, deren wichtigste sind: Yarmuk *(Šerīʿat el-Menāḍire),* Jabbok *(Nahr ez-Zerqā),* Arnon *(Sēl el-Mōǧib)* und Zered *(Wādī'l-Ḥesā).* Im Westjordanland ist die Tafel erheblich zerklüftet, verwittert und gestört. Sie fällt in vielen Verwerfungsstufen zum Jordangraben und zum Mittelmeer ab und bildet folgende natürliche Landschaften: das galiläische Gebirge (Ober- und Untergaliläa), die Ebene von Megiddo oder Jesreel *(Merǧ Ibn ʿAyyūn),* das zentralpalästinische Gebirge mit dem ihm westlich vorgelagerten Hügelland (hebr. *Šᵉfēlā),* die Küstenebene und die Bucht von Beerseba. Palästina empfängt seine Fruchtbarkeit nicht vom Wasser großer Ströme, sondern ausschließlich vom Regen, der aus der Verdunstungspfanne des Mittelmeeres kommt und am Gebirge kondensiert (Steigungsregen). Es gibt nur zwei Jahreszeiten: den regenreichen Winter von Oktober/November bis April/Mai und den vollkommen regenlosen Sommer. Ein reiches, von der Natur begünstigtes Land ist Palästina nicht. Nur an der Mittelmeerküste und in den Oasen des Jordangrabens gedeiht je nach Wasserlage eine üppige subtropische Vegetation, und die Ebene von Megiddo sowie die Hochflächen des Ostjordanlandes bringen bei guter Bestellung reiche Ernteerträge. Sonst aber sind die Bewohner Palästinas seit eh und je gezwungen gewesen, „im Schweiße ihres Angesichts ihr Brot zu essen“ (Gen 3,19) und dem kargen, steinigen Boden den täglichen Bedarf abzuringen. Bodenschätze kommen so gut wie nicht vor. Palästina ist niemals ein Überschußgebiet für die Wirtschaft und den Handel des Nahen Ostens gewesen. Es war ein Durchgangsgebiet, durch das die großen transkontinentalen Handelsstraßen liefen und in dem sie sich kreuzten.

Palästina ist verschlossen zum Mittelmeer, aber offen zur Wüste hin. Die Mittelmeerküste verläuft auf ihrer ganzen Länge fast völlig glatt und störungsfrei; sie bietet kaum Gelegenheit zur Nutzung und zum Ausbau natürlicher Häfen. Vor Beginn der Moderne waren die einzigen nennenswerten, meist schlechten Häfen: Japho *(Yaffā), Caesarea maris (Qēṣārye),* das *Castellum Peregrinorum* der Kreuzfahrer *(ʿAṯlīṯ)* und Akko *(ʿAkkā).* Unter solchen Umständen konnte von Handels- oder Kriegsschiffahrt keine Rede sein. Man hat auf dem Boden Palästinas einen Schöpfungsbericht formulieren können, in dem das Meer nicht einmal vorkommt (Gen 2J). Um so bedeutsamer ist die relative Offenheit des Kulturlandes gegenüber der Wüste.

Es ist eine klimatisch-geographische Offenheit: der Übergang vollzieht sich nirgendwo abrupt, sondern mit dem Absinken der Niederschlagsmengen allmählich. Zwischen Wüste und Kulturland liegt ein unterschiedlich breiter Steppengürtel, der als Viehweide genutzt werden kann. Die „Grenze" zwischen Kulturland und Wüste ist auch bevölkerungspolitisch durchlässig, und zwar in beiden Richtungen.

Die Bevölkerungsverhältnisse Palästinas sollen hier nicht unter anthropologischen, ethnologischen, soziologischen oder statistischen Gesichtspunkten behandelt werden, sondern nach der Art des Nahrungserwerbs. Die Bewohner Palästinas lebten bis vor einem halben Jahrhundert nahezu ausschließlich von Ackerbau und Viehzucht. Man kann im wesentlichen zwei Bevölkerungsgruppen unterscheiden: die seßhaften Bauern und die nichtseßhaften Nomaden. Daß dieses Bild vereinfacht ist, versteht sich von selbst. Natürlich gab und gibt es Handwerker, Gewerbetreibende, Angestellte, Beamte u.a.m. Sie können hier auf sich beruhen bleiben; denn es geht um die hauptsächlichen Erwerbszweige und Lebensformen. Der Bauer lebt – von modernen Entwicklungen abgesehen – in festen Häusern aus Lehmziegeln, so gut wie immer in dörflichen oder städtischen Siedlungen. Er betreibt überwiegend Ackerwirtschaft, Feld- und Gartenfruchtanbau: Getreide, Wein, Gemüse, Obst. Er betreibt aber häufig auch Viehzucht: überwiegend Rinder, in geringerem Maße Kleinvieh (Schafe und Ziegen), hier und dort etwas Federvieh. Der Nomade lebt in schwarzen Zelten, die er einmal hier und das andere Mal dort aufschlagen kann. Er ernährt sich hauptsächlich von Viehzucht, zumeist als extensive Weidewirtschaft betrieben: in erster Linie Kleinvieh (Schafe und Ziegen), dann nicht selten auch Rinder und Kamele; die letzteren sind ihm als Transport- und Fortbewegungsmittel unentbehrlich. Er betreibt aber auch, wo es möglich ist, einen bescheidenen, meist etwas flüchtigen Ackerbau, der ihm dadurch erschwert wird, daß er seinen Ort öfter wechselt, um den Nahrungsbedürfnissen seiner Herde zu folgen. Beide Bevölkerungsgruppen sind in sich geschlossen und stehen einander nicht ohne Reserve, ja Exklusivität gegenüber. Aber natürlich sind sie gegenseitig nicht völlig undurchlässig. Es gibt Nomaden, bei denen der Ackerbau so zu überwiegen anfängt, daß sie danach trachten, entweder dörfliche Siedlungen zu bilden oder sich an vorhandene anzuschließen – beides ist keineswegs ganz einfach. Es gibt auch Nomaden, die von den Städten angezogen und aufgesogen werden. Umgekehrt gibt es Städter und Dörfler, die Nomaden werden; meist ist diesem Wandel ein sozialer Abstieg vorausgegangen. Schließlich gibt es Heiraten hin und her. Alle diese, regional überdies unterschiedlich häufigen Erscheinungen ändern aber nichts an der grundsätzlichen Verschiedenheit der bäuerlichen und nomadischen Lebensformen.

Die arabischen Kleinviehnomaden oder, wie sie sich selber nennen, die Beduinen (arab. *badw, badawī*) leben mit ihren Herden nicht selten in den Steppengürteln und an den Wüstenrändern des Fruchtbaren Halbmondes. Das ist allerdings nur im Winterhalbjahr möglich, wenn die Steppen- und

Wüstengebiete durch den Regen mit einer zwar kärglichen, aber für die nomadische Weidewirtschaft ausreichenden Vegetation überzogen sind. Im Sommer sind die Nomaden gezwungen, ihre Herden an den Rand oder auch ins Innere des Kulturlandes zu treiben, um dort gewissermaßen zu „übersommern". Denn Steppe und Wüste bieten ihnen in der regenlosen Zeit keine Lebensmöglichkeiten. Im Kulturland müssen sie sich mit den dort ansässigen Bauern vertraglich über die Weidegerechtsamkeiten einigen. Wenn das nicht möglich ist, sind Konflikte an der Tagesordnung. Sobald der Winter beginnt, ziehen die Viehzüchter wieder hinaus in die Steppe und Wüste. Diesen sich Jahr für Jahr mit kalendarischer Regelmäßigkeit wiederholenden Vorgang nennt man Weidewechsel oder Transhumanz. Es kann nun auf die Dauer nicht ausbleiben, daß das Pendel der Transhumanz langsam mehr und mehr zum Kulturland und weniger zur Wüste und Steppe schwingt. Dem Nomaden ist das Kulturland ein Land, „da Milch und Honig fließt"; je weiter draußen er nomadisiert, desto mehr verachtet er es zwar, aber es bildet doch zugleich den Gegenstand seiner geheimen Sehnsucht und Begehrlichkeit[4]. So kommt es, daß Nomaden langsam zur Seßhaftigkeit übergehen. Das Pendel der Transhumanz schwingt für sie im Kulturland aus. Man nennt diesen keineswegs einfachen und konfliktfreien Vorgang Seßhaftwerdung oder Sedentarisation. Er ist für die modernen arabischen Staaten der Gegenwart einerseits ein schwieriges politisches Problem; andererseits aber wird er durch die Existenz eben dieser Staaten und ihrer Grenzen behindert und erschwert. Das gilt ebenso für den Staat Israel. Zwar halten die Beduinen nicht viel von Landesgrenzen, aber bis zu gewissem Grade müssen sie sie respektieren: ein gelegentlich halsbrecherischer Balance-Akt.

Das alles wird hier deshalb verhältnismäßig ausführlich erörtert, weil es für die Theoriebildung über die israelitische Landnahme wichtig ist[5]. Diese Landnahme wird, jedenfalls nach einem sehr wirkungsvollen Modell neben anderen, als Beispielfall für das Seßhaftwerden von Weidewechsel-Nomaden angesehen. Dabei ist die Frage, wie alt dieser Typus des Nomadentums ist, zumeist gar nicht gestellt worden. Man nahm an, es habe ihn sozusagen schon immer gegeben, seit vorgeschichtlicher Zeit, mindestens seit dem Übergang des Menschen vom Jäger und Sammler zum Viehzüchter und Bauern. Diese Annahme erlaubte, das Auftauchen neuer Bevölkerungselemente in den nahöstlichen Kulturländern seit dem 3. Jt. v. Chr. als Ergebnis des nomadischen Weidewechsels zu verstehen. Eine Hilfskonstruktion erleichterte das: die Vorstellung, als sei der Regelvorgang der Transhumanz von Zeit zu Zeit durch große Nomadenwellen unterbrochen worden, in deren Verlauf erheblich größere Kontingente landsuchender Steppen- und Wüstenbewohner in die Kulturländer eindrangen als unter sozusagen normalen Umständen. Die Wüstenregionen galten als eine Art bevölkerungs-

---

[4] Eine großartige und eindrückliche Beschreibung bei R. de Vaux, Die hebräischen Patriarchen und die modernen Entdeckungen (1959) 55–57.

[5] S. u. S. 122–127.

politisches Regenerationsareal der sie umgebenden Kulturländer. So versuchte man das Auftreten der Kanaanäer, der Amoriter, der Aramäer und mit ihnen der israelitischen Stämme, schließlich auch noch der Araber, im Sinne solcher „Völkerwellen" zu interpretieren: als Resultate sozusagen verdichteter, konzentrierter Transhumanz. Aber dieses Bild hat sich in den beiden letzten Jahrzehnten auf Grund neuer ethnologischer, kulturhistorischer, soziologischer und archäologischer Forschungen ganz erheblich verändert[6]. Man ist auf die Grenzen der Analogie aufmerksam geworden und hat erkannt, daß Gestalt und Geschichte des vorderorientalischen Nomadentums erheblich komplizierter sind, als früher angenommen. Als erstes fiel die „Wellentheorie" in sich zusammen: daß die Wüste unablässig Menschen hervorbringe und sie beständig, gelegentlich zu Wellen verdichtet, in die Kulturländer infiltriere, widerspricht allem, was sich den Quellen zuverlässig entnehmen läßt. Liest man die Quellen kritisch, d.h. nicht von vornherein im Lichte der Weidewechseltheorie, dann zeigt sich ferner, daß die Lebensformen des arabischen Beduinentums nicht so alt sind wie angenommen. Sichere Belege für das sog. reiterkriegerische Kamelnomadentum und für das Weidewechsel-Nomadentum gibt es nicht vor der zweiten Hälfte des 1. Jt. v. Chr.: diese Urgestalten des Beduinentums haben sich erst zwischen 500 und 200 v. Chr. gebildet[7]. Man darf also Züge, die arabischen Beduinen eigentümlich sind, nicht ohne weiteres auf Erscheinungen des 2. Jt. oder der ersten Hälfte des 1. Jt. v. Chr. übertragen. Das heißt nicht, daß es in diesen älteren Zeiten keine Nomaden gegeben hätte. Sie kommen in altorientalischen Texten unterschiedlicher Herkunft vor, auch im AT, ohne daß dabei die typischen Merkmale des jährlichen Weidewechsels eine Rolle spielten. Besonders ergiebig ist die Korrespondenz von Mari am mittleren Euphrat[8], wenn auch sie keineswegs allein. Die Soziostruktur der Frühno-

[6] Literatur in Auswahl: X. de Planhol, Nomades et pasteurs I–XI. Revue Géographique de l'Est I–XI (1961–1971); H. Klengel, Zu einigen Problemen des altvorderasiatischen Nomadentums. ArOr 30 (1962) 585–596; J. Henninger, Über Lebensraum und Lebensformen der Frühsemiten. AFLNW 151 (1968); ders., Zum frühsemitischen Nomadentum: Viehwirtschaft und Hirtenkultur. Ethnographische Studien, ed. L. Földes (1969) 33–68; W. G. Irons – N. Dyson-Hudson (ed.), Perspectives on Nomadism. International Studies in Sociology and Social Anthropology 13 (1972). Zu nennen sind auch anregende, wenngleich nicht unproblematische Arbeiten von M. B. Rowton: The Physical Environment and the Problem of the Nomads. Les Congrès et Colloques de l'Université de Liège 42 (1967) 109–121; Urban Autonomy in a Nomadic Environment. JNES 32 (1973) 201–215; Enclosed Nomadism. JESHO 17 (1974) 1–30; Dimorphic Structure and the Problem of the *ʿApirû – ʿibrîm*. JNES 35 (1976) 13–20. Kritisch zu den Arbeiten Rowtons: K. A. Kamp – N. Yoffee, Ethnicity in Ancient Western Asia during the Early Second Millennium B. C.: Archaeological Assessments and Ethnoarchaeological Prospectives. BASOR 237 (1980) 85–104. Vgl. insgesamt auch A. S. Gilbert, Modern Nomads and Prehistoric Pastoralists: The Limits of Analogy. JANES 7 (1975) 53–71.

[7] Vgl. W. Caskel, Zur Beduinisierung Arabiens. ZDMG 103 (1953) 28–34; W. Dostal, The Evolution of Bedouin Life. L'antica società beduina, ed. F. Gabrieli. Studi Semitici 2 (1959) 11–34; R. W. Bulliet, The Camel and the Wheel (1977[2]) bes. 87–110.

[8] Vgl. J.-R. Kupper, Les nomades en Mésopotamie au temps des rois de Mari (1957) und, unter neueren sozioethnologischen Gesichtspunkten, V. H. Matthews, Pastoralism in the Mari Kingdom. ASOR.DS 3 (1978).

maden ist komplex, in manchen Zügen der der arabischen Beduinen vergleichbar, in anderen wiederum ganz verschieden. Das Bild, das sich der Analyse ergibt, ist so bunt, daß man als erste und hauptsächliche Konsequenz auf einer rein formalen Bestimmung des Begriffes „Nomaden" bestehen muß: Nomaden sind Nichtseßhafte im Gegensatz zu den Seßhaften. Unter diesem breiten Dach können sich sehr verschiedene Menschen und Menschengruppen sammeln: Jäger, Sammler, Kleinviehzüchter, Ziehbauern, wandernde Kesselflicker, Zigeuner, *outlaws* aus den Städten u.a.m. Die Nomaden des 2. und 1. Jt. v. Chr. fügen sich nicht in das einfache Schema „von der Wüste ins Kulturland". Man trifft unter ihnen sog. Ziehbauern, d.h. halb bäuerliche und halb viehzüchtende Nichtseßhafte im Umkreis der festen Städte im Kulturland oder am Rande des Kulturlandes, oft in Abhängigkeit von den Städten und in Lebensgemeinschaft mit ihnen. Ferner gibt es Kleinviehnomaden im engeren und eigentlichen Sinn: Nichtseßhafte mit Kleinviehzucht als Monokultur. Sie können in den Steppenregionen auftreten, aber nicht nur dort, sondern auch in den Steppen- und Wüstengebieten im Inneren des Kulturlandes, z.B. in der Wüste Juda, oder in wenig besiedelten Gebieten abseits von den Städten und zwischen den Städten. In diesem Falle spricht man von Bergnomaden, die mit der syrisch-arabischen Wüste nichts zu tun haben, sondern stets im Kulturland leben. Es gibt sie auch unter den heutigen arabischen Beduinen. Andere Nomadengruppen operieren weiträumiger, wechseln gelegentlich zwischen Palästina und Ägypten (die sog. *Š3św,* etwa Schasu, der ägypt. Texte) oder zwischen Palästina, Syrien und Mesopotamien (die *Sūtū* der Amarnabriefe), jedenfalls über größere Strecken hinweg, ohne daß sich aus diesen Bewegungen Regelvorgänge ableiten ließen. Schließlich ist zu bedenken, daß Nomaden auch aus den festen Siedlungen kommen können: sozial abgesunkene und aus den Städten und Dörfern verdrängte Elemente, *outlaws,* die ein nomadisches Leben sozusagen erst sekundär und gezwungenermaßen aufgenommen haben. Hierher gehören die sog. *ʿApirū*[9]. Das ist insgesamt ein vielfältiges Bild, und indem man es zeichnet, kommt man ganz von selbst auf das arabische Beduinentum unserer Tage zurück, das nach seiner Zusammensetzung und Struktur ebenfalls nicht einheitlich ist. Wenn aber das Frühnomadentum so vielfältig zusammengesetzt war, dann ist auch mit sehr unterschiedlichen Landnahmevorgängen zu rechnen. Der Historiker wird aus alledem die Warnung heraushören, sich keine zu einfachen Vorstellungen vom alten palästinischen Nomadentum zu machen und Schlußfolgerungen darauf zu gründen.

Was wissen wir über die seßhafte Bevölkerung Palästinas in vorisraelitischer Zeit, d.h. hauptsächlich im 2. Jt. v. Chr.? In der großen Abschiedsrede, die Mose kurz vor seinem Tode und vor dem Beginn der israelitischen Landnahme hielt – als welche das Deuteronomium stilisiert ist –, heißt es in Dtn 19,1 f.: „Wenn dein Gott Jahwe die Völker ausrottet, deren Land dein

---

[9] S. u. S. 71.

Gott Jahwe dir zu geben im Begriffe ist, und du sie vertrieben und in ihren Städten und Häusern Wohnung genommen hast, sollst du dir in deinem Lande, das dir dein Gott Jahwe zum Besitz gibt, drei Städte aussondern!" Die Vorstellung, die dieser und zahlreichen anderen Stellen des Dtn zugrunde liegt, ist die einer vollkommenen bevölkerungspolitischen *tabula rasa* in Palästina, eines Vakuums, das Jahwe vor und im Zuge der Landnahme bewirkt habe und in das Israel alsdann mit fliegenden Fahnen eingezogen sei. Diese Vorstellung ist Theorie; sie entspricht in keiner Hinsicht der geschichtlichen Wirklichkeit. Weder ist Israel *en bloc* ins Gelobte Land eingezogen und hat sich in den leeren Städten und Häusern der Kanaanäer wohnlich eingerichtet, noch sind die Kanaanäer ausgerottet worden. Von alledem kann keine Rede sein. Man muß sich klarmachen, daß Palästina bereits eine jahrtausendelange kulturelle und siedlungsgeographische Entwicklung hinter sich hatte, ehe sich die israelitischen Stämme im Lande formierten und daß das Ergebnis dieser Entwicklung von der sog. Landnahme der Israeliten zunächst nicht oder kaum berührt wurde. Das Bild des vorisraelitischen, kanaanäischen Palästina ist kurz zu skizzieren [10].

Abgesehen vom Ertrag der archäologischen Arbeit in Palästina stehen für das 2. Jt. v. Chr. literarische Quellen unterschiedlicher Art und Gattung zur Verfügung: hauptsächlich die ägyptischen Ächtungstexte der 12. Dynastie, die Feldzugsberichte der Pharaonen der 18.–20. Dynastie, die Keilschrifttexte von Alalaḫ aus dem 18. und 15. Jh. v. Chr., die Amarna-Korrespondenz des 14. Jh. v. Chr. und die Texte aus Ugarit des 14./13. Jh. v. Chr. [11]. Die seßhafte Bevölkerung der syropalästinischen Landbrücke war in diesem Zeitraum so wenig einheitlich wie vorher und nachher. Man erkennt ein buntes Gemisch von Bevölkerungselementen verschiedener Herkunft mit einer allerdings deutlichen semitischen Dominante. Archäologisch handelt es sich um die Mittlere (ca. 2000–1600 v. Chr.) [12] und Späte Bronzezeit (ca. 1600–1200 v. Chr.), gegen Ende des Jt. um die 1. Eisenzeit (ca. 1200–1000 v. Chr.). In diesen Epochen dominierte in Palästina das in sich wiederum uneinheitliche semitische Bevölkerungselement der Kanaanäer. Charakteristisch für die Bronzezeiten ist die Blüte der bereits im

---

[10] Die Verhältnisse sind auf der ganzen syropalästinischen Landbrücke ähnlich. Vgl. G. Buccellati, Cities and Nations of Ancient Syria. Studi Semitici 26 (1967); H. Klengel, Geschichte und Kultur Altsyriens (1967); ders., Geschichte Syriens im 2. Jt. v. u. Z. (1969); M. Liverani (ed.), La Siria nel tardo bronzo (1969); A. D. Crown, Some Factors Relating to Settlement and Urbanization in Ancient Canaan in the Second and First Millennia B. C. Abr-Nahrain 11 (1971) 22–41; L. Marfoe, The Integrative Transformation. Patterns of Sociopolitical Organization in Southern Syria. BASOR 234 (1979) 1–42; J. Sapin, La géographie humaine de la Syrie – Palestine au deuxième millénaire avant J. C. comme voie de recherche historique. JESHO 24 (1981) 1–62.

[11] Einzelheiten und Literatur s. o. S. 19–21.

[12] Vgl. B. Mazar, The Middle Bronze Age in Palestine. IEJ 18 (1968) 65–97; W. G. Dever, The Peoples of Palestine in the Middle Bronze I Period. HThR (1971) 197–226; ders., The Beginning of the Middle Bronze Age in Syria-Palestine. Magnalia Dei, Fs G. E. Wright (1976) 3–38.

Chalkolithikum (4. Jt. v. Chr.) begonnenen und entwickelten Stadtkultur. Vorzugsweise die Ebenen Palästinas sind mit einem dichten Netz ummauerter städtischer Siedlungen überzogen, die auch politisch jeweils Einheiten bilden: in der Küstenebene, der Bucht von Akko, der Ebene von Megiddo, der Bucht von Bethschean, auch im oberen Jordangraben (dem *Ḥūle*-Becken) und auf dem ostjordanischen Tafelgebirge. Die westjordanischen Gebirgsregionen, damals stärker bewaldet als später, sind dünner besiedelt. Die größeren Städte sind Zentren territorial kleinräumiger Stadtstaaten: eine städtische Metropole mit umliegenden kleineren Ortschaften, sog. „Tochterstädten" und Dörfern (Num 21,25.32; Jos 15,45; Ri 11,26 u.ö.). Palästina bietet im 2. Jt. v. Chr. das Bild einer vielfarbigen Zwergstaaterei: eines Systems kanaanäischer Stadtstaaten, dessen Glieder nur selten und vorübergehend übergreifende politische Ordnungen kennen, z.B. das Reichsgebilde des Labaja und seiner Söhne in der Amarnazeit mit Zentrum in Sichem oder gelegentliche Koalitionen gegen gemeinsame Feinde. Die Stadtstaaten sind in der Regel monarchisch verfaßt; an ihrer Spitze steht ein aus der aristokratischen Oberschicht hervorgegangener König, der Glied einer Dynastie sein kann. Die Kleinräumigkeit der Verhältnisse läßt die Qualifikation dieser „Monarchen" im Sinne dessen, was wir „Bürgermeister" nennen, oft näherliegend erscheinen als große Titel wie Stadtfürst oder gar Stadtkönig. Die Texte gebrauchen unterschiedliche Bezeichnungen: „der Große von NN" *(wr NN)* in ägyptischen Urkunden; „der Mann von NN" *(amēl NN)* in Alalaḫ, Amarna und Ugarit; „der Chef, der Bürgermeister (*^{LÚ}ḫazannu*) in Amarna; „der König" zumeist im AT (Jos 8,1; 9,1; 10,1; 11,1 u.ö.). Die Gremien der Stadtaristokratie heißen in den Alalaḫ-Texten „Chefs, Magistrat (*$^{LÚ.MEŠ}$ḫazannū oder ^{LÚ}ḫazannūtu*), in den Amarnabriefen „Stadtherren" (*$^{LÚ.MEŠ}$bēlē āli^{KI}*), im AT ebenfalls „Stadtherren" (Jos 24,11; Ri 9,2; 1. Sam 23,11 u.ö.) oder „Älteste" (Dtn 19,12; Jos 9,11; Ri 8,14 u.ö.). Seltener als Stadtfürstentümer kommen aristokratisch-oligarchisch verfaßte Stadtstaaten vor: Sichem (Ri 9), Sukkoth und Pnuel (Ri 8,5–9), Gibeon (Jos 9). So ergibt sich für das Palästina des kanaanäischen Zeitalters weder ethnisch noch politisch ein auch nur annähernd einheitliches Bild. Das AT ist sachlich im Recht, wenn es für die vorisraelitische Bevölkerung neben dem zusammenfassenden Ausdruck „Kanaanäer" (Gen 12,6; Jos 7,9; Ri 1,1 u.ö.) ganze Reihen von Völkernamen in wechselnder Zusammenstellung nennt: z.B. „Keniter, Kenizziter, Kadmoniter, Hittiter, Pheresiter, Rephaiter, Amoriter[13], Kanaanäer, Girgasiter und Jebusiter" (Gen 15,19–21)[14]. Es ist ferner grundsätzlich im Recht, wenn es selbst

---

[13] Vgl. M. Liverani, Per una considerazione storica del problema amorreo. OrAnt 9 (1970) 5–27; C.H.J. de Geus, The Amorites in the Archaeology of Palestine. UF 3 (1971) 41–60; A. Haldar, Who were the Amorites? Monographs on the Ancient Near East 1 (1971).

[14] Vgl. J.C.L. Gibson, Observations on some Important Ethnic Terms in the Pentateuch. JNES 20 (1961) 217–238; T. Ishida, The Structure and Historical Implications of the Lists of Pre-Israelite Nations. Biblica 60 (1979) 461–490.

noch in der späten deuteronomischen Theorie von „Städten“ und „Häusern“ spricht, in denen die kanaanäische Vorbewohnerschaft lebt und die die Israeliten im Zuge ihrer Landnahme erobern und besiedeln sollen (Dtn 19,1 f. u.ö.). Man hat nie vergessen, daß die Kanaanäer Städter waren, was natürlich nicht heißt, daß sie alle in Städten lebten, wohl aber, daß ihre politische Organisation die stadtstaatliche war.

KAPITEL 4

Trennung, Sammlung und Gliederung

Das Werden eines Volkes ist kein Naturvorgang, sondern ein historischer Prozeß, der auf der Bewußtseinslage der beteiligten Menschen und Menschengruppen beruht. Menschen verschiedener Art und Herkunft werden sich ihrer Gemeinsamkeiten bewußt, worin immer diese bestehen mögen: in gemeinsamen Schicksalen, gemeinsamer Sprache und Kultur, gemeinsamer Religion. Sie wollen zusammengehören und stoßen andere ab, die nicht dazugehören oder nicht dazugehören sollen. Diese Assimilations- und Dissimilationsvorgänge hinterlassen Spuren im Bewußtsein des gewordenen Volkes. Es ist zu erwarten, daß sie in der Überlieferung des Volkes ihren Ausdruck finden.

Was Israel angeht, so enthält das AT tatsächlich Antworten auf die Frage nach der Abgrenzung gegenüber fremden und der Verbindung mit verwandten Menschen und Menschengruppen: Antworten freilich, die – wie nicht anders zu erwarten – in das Gewand der Sage oder des Sagenextraktes in Notizen- und Listenform gekleidet sind. Es gehört zum Wesen der Sage, komplizierte geschichtliche Entwicklungen und Konstellationen zu reduzieren und vereinfacht abzubilden. Deshalb erscheinen die Selbstaussagen Israels über dieses Thema als Aussagen über die Verwandtschafts-, Freundschafts- und Feindschaftsverhältnisse seiner Väter. Der Weg, den die Sagenüberlieferung dabei geht, ist folgender: Jede Menschengruppe, jedes Volk, jede wie immer geartete menschliche Gemeinschaft – Israel selbst eingeschlossen – wird auf einen oder mehrere fiktive Ahnherren zurückgeführt. Tragen diese Ahnherren den Namen der Gruppe, die sie repräsentieren, dann nennt man sie Eponyme. Dieses Verfahren bietet die Möglichkeit, die Verwandtschaft der Völker und Gemeinschaften untereinander und ihre Geschiedenheit von anderen in Gestalt von Stammbäumen (Genealogien) der Ahnherren darzustellen und in Sagen von der Freundschaft und Feindschaft der Väter zu erzählen. Dahinter steht das im Altertum, bes. im orientalischen Altertum, tief verwurzelte genealogische Denken: das Bestreben, menschliche Verhältnisse im großen nach Analogie der menschlichen Verhältnisse im kleinen zu verstehen und anschaulich zu machen[1]. Es handelt sich dabei um eine mikrokosmische Betrachtungsweise des Makrokosmos der Völker- und Menschenwelt, um eine naive und bedenkenlose Verkürzung der Vielfalt geschichtlicher Erscheinungen und Abläufe. Über dem Denken der altorientalischen Völker und damit auch Israels liegt der Zwang des Geschlechts- und Sippenverbandes. Er bestimmt ihr Bewußtsein und läßt verwickelte geschichtliche Vorgänge in Gestalt einfacher Formen wie Fortpflanzung, Freundschaft und Feindschaft erscheinen.

Mustert man unter diesem Gesichtspunkt die in Frage kommenden atl Überlieferungen, dann fällt zunächst auf, daß Israel mit der kanaanäischen Bevölkerung Palästinas so wenig wie möglich zu tun haben will. Das lehrt schon ein Blick auf die „Völkertafel" in Gen 10 P/J, die den Wiederaufbau einer nach Völkern, Ländern und Städten gegliederten Menschheit nach der Sintflutkatastrophe zum Gegenstand hat[2]. Das Neuwerden der Menschheit wird als Ergebnis der Fortpflanzung des Sintfluthelden Noah und seiner drei Söhne Sem, Ham und Japhet verstanden. Sem zeugte Elam, Assur, Arpachsad, Lud und Aram. Ham zeugte Kusch (= Äthiopien), Miṣraim (= Ägypten), Put (= Libyen) und Kanaan; Kanaan wiederum zeugte Sidon, Heth, die Jebusiter, Amoriter, Girgasiter, Hiwwiter, Arkiter, Siniter, Arwaditer, Semariter und Hamathiter[3]. Japhet zeugte Gomer, Magog, Madai, Jawan, Tubal, Mesek und Tiras. Die von der Völkertafel dargestellte merkwürdige Gliederung der Völkerwelt in drei große Gruppen, auf deren komplizierte Einzelheiten hier nicht eingegangen werden soll, hat ihren Grund nicht in der sprachlichen oder ethnischen Zusammengehörigkeit der Glieder (A. Schlözer, G.A. Eichhorn), sondern in den historisch-geographischen Verhältnissen im alten Vorderen Orient des ausgehenden 2. Jt. v. Chr.[4]. Ham repräsentiert das ägyptische Neue Reich, Japhet die Völkerschaften des Nordens auf dem Territorium des um 1200 v. Chr. zugrunde gegangenen hettitischen Neuen Reiches und Sem die Völker Mesopotamiens und eines Teiles des nord- und mittelsyrischen Raumes, die sich im Westen wie ein Keil zwischen die Einflußgebiete der alten Großmächte geschoben hatten. So wird verständlich, daß Kanaan unter den Söhnen des Ham erscheint; Palä-

[1] Zu den Genealogien und zum genealogischen Denken: I. H. Chamberlayne, Kinship Relationship among the Early Hebrews. Numen 10 (1963) 153–164; L. Ramlot, Les généalogies bibliques: un genre littéraire oriental. Bible et Vie Chrétienne 60 (1964) 53–70; A. J. Brawer, Demographie im Pentateuch. Beth Miqra 12 (1966/67) 17–31; M. D. Johnson, The Purpose of the Biblical Genealogies. Society for New Testament Studies, Monograph Series 8 (1969); R. R. Wilson, The OT Genealogies in Recent Research. JBL 94 (1975) 169–189; ders., Genealogy and History in the Biblical World. Yale Near Eastern Researches 7 (1977). Vgl. auch F. V. Winnett, The Arabian Genealogies in the Book of Genesis. Translating and Understanding the OT, Essays in Honor of H. G. May (1970) 171–196.

[2] Vgl. W. Brandenstein, Bemerkungen zur Völkertafel der Genesis. Fs A. Debrunner (1954) 57–83; J. Simons, The „Table of Nations" (Gen X): Its General Structure and Meaning. OTS 10 (1954) 155–184; J. M. Fenasse, La table des peuples. BTS 52 (1963).

[3] Zu Aufzählungen dieser Art s. o. S. 52 und 53, Anm. 1.

[4] So zuerst W. Spiegelberg, Ägyptologische Randglossen zum AT (1904).

stina hatte in der zweiten Hälfte des 2. Jt. v. Chr. unter ägpytischer Hegemonie gestanden. Israel kommt in der Völkertafel nicht vor; es wird später genealogisch so behandelt, daß man Sem als seinen Ahnherrn erkennt (Gen 11,10–26 P). Daraus, daß Israel sich diese ursprünglich politisch-geographische Liste zu eigen machte, ist ersichtlich, daß es sich mit den Kanaanäern nicht enger verwandt fühlte als alle Menschen es sind, nämlich auf dem Wege über Noah. Aus der Völkertafel ergibt sich ein Minimum an Gemeinschaft und ein Maximum an Trennung zwischen Israel und Kanaan.

Ein ähnliches Bild gewinnt man bei Betrachtung der Sage von Gen 9,18–27 J[5]. Es wird erzählt, daß Noah nach der großen Flut Weinbauer wurde. Einst lag er in der Trunkenheit entblößt in seinem Zelt. Sein Sohn Kanaan beobachtete ihn dabei und tat vielleicht noch mehr als das; der sehr zurückhaltend formulierte Text läßt es nicht sicher erkennen. Alsbald aber eilten Kanaans Brüder Sem und Japhet herbei und bedeckten unter Beobachtung aller Anstandsregeln ihres Vaters Blöße. Aus dem Rausch erwacht, bedachte Noah seine Söhne ungleichmäßig mit Fluch und Segen:

(25) „Verflucht ist Kanaan, niedrigster Sklave (*ʿebed ʿᵃbādīm)* wird er seinen Brüdern sein!

(26) Gesegnet ist Jahwe, der Gott Sems; Kanaan aber soll sein Sklave sein!

(27) Weiten Raum schaffe Gott für Japhet, daß er wohne in den Zelten Sems; Kanaan aber soll sein Sklave sein!"

Es liegt auf der Hand, daß die Söhne Noahs hier nicht wie in der Völkertafel als Urahnen der ganzen Menschheit auftreten. Die Sklavenrolle, die Kanaan gegenüber Sem und Japhet zugewiesen wird, paßt nicht zur leidenschaftslosen Klassifizierung der Völker in Gen 10. Die drei Söhne Noahs sind vielmehr Repräsentanten von Völkerschaften, die zu bestimmter Zeit auf ein und demselben Territorium nebeneinander lebten. Sem ist Israel; er erhält das Besitz- und Herrschaftsrecht im Lande zugesprochen. Kanaan ist Eponym der Kanaanäer; ihm wird die Bruderschaft aufgekündigt, er wird Sklave, Untertan. Japhet steht für die Philister; er lebt als Gast unter dem Rechtsschutz Sems. Welche Verhältnisse die Sage abbildet, ist nicht leicht zu sagen. Man hat an die Gesamtlage Syriens und Palästinas zur Zeit der israelitischen Landnahme gedacht (H. Gunkel, O. Procksch u. a.); aber davon, daß das werdende Israel die Kanaanäer unterjocht hätte, kann keine Rede sein. Die sog. Richterzeit, in der sich allenfalls ein zumindest theoretischer Hegemonieanspruch Israels über die Kanaanäer gebildet haben könnte, ist wenig wahrscheinlich, da in ihr die kriegerischen Auseinandersetzungen mit den Philistern begannen (Ri 13–16). Die Zeit der Staatenbildung scheidet wegen der Philisterkämpfe vollends aus. Am wahrscheinlich-

---

[5] Vgl. L. Rost, Noah der Weinbauer [1953]. Das Kleine Credo etc. (1965) 44–53; A. van Selms, The Canaanites in the Book of Genesis. OTS 12 (1958) 182–213; F. W. Basset, Noah's Nakedness and the Curse of Canaan. VT 21 (1971) 232–237.

sten ist die ältere Königszeit seit Salomo. Spätestens unter Salomo sind die kanaanäischen Stadtstaaten ihrer politischen Selbständigkeit beraubt und den Reichen Israel und Juda eingegliedert worden[6]: Kanaan ist Sklave Sems. Die Philister dagegen, die David unterworfen hatte (2. Sam 8,1), gewannen in der älteren Königszeit ihre Unabhängigkeit zurück und lebten von da an mehr oder minder friedlich mit Israel zusammen: Japhet ist Gast unter dem Rechtsschutz Sems. Daß schließlich Kanaan auch Japhets Sklave sein soll, könnte damit zusammenhängen, daß die eingesessene kanaanäische Bevölkerung in den Städten der philistäischen Herrenschicht untertan war.

Israel hat jedenfalls ein starkes Gefühl der Fremdheit gegenüber den Kanaanäern entwickelt und durchgehalten. Das hat verschiedene Gründe und Ausprägungen. Eine bedeutende Rolle spielt gewiß die Fremdheit und Feindseligkeit gegenüber der kanaanäischen Stadtkultur, die zwar ihre mittelbronzezeitliche Hochblüte hinter sich hatte, aber immer noch Erbe einer reichen Tradition und Träger einer beachtlichen Zivilisation war. Damit verbunden ist die Verachtung der Freien gegenüber der sozialen Schichtung in den Städten, ihrer Gliederung in Aristokratie und halbfreie Untertanenbevölkerung. Das wäre vor allem dann gut verständlich, wenn sich unter den Gruppen, aus denen sich das älteste Israel bildete, auch sozial deklassierte Elemente aus den Kanaanäerstädten befanden[7]. Ferner wird man an die Angst der Israeliten vor der kanaanäischen Streitwagentechnik denken dürfen (Jos 17,16.18; Ri 1,19; 4,3.13), auch an die Abneigung gegenüber dem kanaanäischen Interesse an Handel und Gewerbe (Jes 23,8; Zeph 1,11; Sach 14,21). Besonders auffallend ist die Abwehr des kanaanäischen Libertinismus, des Mangels an Sitte und Haltung, wie sie sich z.B. im wiederholten Vorwurf sexueller Vergehen kundgibt (Gen 19,4–9; 34; 38; Lev 18 u.ö.). Vor allem aber ist das Mißtrauen gegenüber der kanaanäischen Religion in Rechnung zu stellen, wann immer es aufgekommen sein mag: der kanaanäischen Religion mit ihrer Vielzahl von Vegetationsgottheiten und mit verabscheuungswürdigen Freizügigkeiten im Baalskultus[8]. Die Reihe ließe sich fortsetzen. Sie sollte nicht als Aufzählung historischer Ursachen mißverstanden werden; gemeint ist nichts anderes als die Beschreibung und Konkretisierung des Fremdheitsbewußtseins, das Israel von den Kanaanäern trennte. Es wird in großartiger Einsichtigkeit noch im Dtn sichtbar, nach dessen Landnahmetheorie die kanaanäische Vorbevölkerung Palästinas ausgerottet werden muß, bevor sich Israel im Gelobten Lande festsetzen kann (Dtn 12,2–4. 29–31; 18,14; 19,1f. u.ö.)[9]. Natürlich ist das nicht

[6] S.u.S. 198f. [7] S.o.S. 47–49 und u.S. 126.

[8] Zu den Religionen der kanaanäischen und aramäischen Völkerschaften der Landbrücke vgl. H. Gese, Die Religionen Altsyriens. Die Religionen der Menschheit 10,2 (1970); H. Ringgren, Die Religionen des Alten Orients. ATD.E, Sonderband (1979) 198–246 (Westsemitische Religion).

[9] Vgl. G. Schmitt, Du sollst keinen Frieden schließen mit den Bewohnern des Landes. BWANT 91 (1970) – mit dem freilich nicht überzeugenden Versuch, Elemente dieser Theorie in Israels Frühzeit hinaufzudatieren.

geschehen. Vielmehr kam es im Laufe der Zeit zu einem mehr oder minder ausgeglichenen Nebeneinander von Israel und Kanaan, mehr noch: zu Fusion und Amalgamation, die wiederum Gegenkräfte freigesetzt haben. Das Problem des Verhältnisses Israels zu Kanaan ist konstitutiv für die gesamte vorexilische Geschichte und Religionsgeschichte Israels geworden[10].

Auf der anderen Seite läßt die atl Überlieferung erkennen, daß es Menschengruppen und Völkerschaften gegeben hat, mit denen sich Israel verwandt fühlte. Auch das hat seinen Niederschlag in Sagen und Genealogien gefunden. In Gen 11,10–26 P wird die Abstammungslinie von Sem bis auf Abraham, den eigentlichen Stammvater Israels, geführt. Mindestens drei Namen dieser Tafel sind in Keilschrifttexten als Ortsnamen im obermesopotamischen Euphratknie bezeugt, in der Gegend der Stadt Ḫarrān, aus der Abraham nach Kanaan zog (Gen 11,31; 12,4): Serug *(Serūǧ),* Terach *(Til Turaḫi)* und Nahor *(Naḫur, Til Naḫiri).* Abraham hat zwei Brüder, Nahor und Haran, die beide Stammväter einer Vielzahl eponymer Gruppenahnherren sind. Nahor hat zwölf Söhne (Gen 22,20–24 J?), darunter ein *Q^{e}mūʾēl,* „der Vater des Aram". Haran hat einen Sohn namens Lot (Gen 11,27 P), und Lot ist der Vater von Ammon und Moab (Gen 19,30–38 J), den Eponymen der Ammoniter und Moabiter. Abraham selbst hat drei Frauen: Sarah, die ägyptische Sklavin Hagar und Ketura. Durch Ketura ist er der Ahnherr von sechzehn protoarabischen Nomadengruppen (Gen 25,1–4 J?), darunter Midian, Dedan und Seba. Hagar gebiert ihm den Ismael (Gen 16 P/J?), der der Vater von zwölf zum Ismaeliterverbande gehörigen Gruppen ist (Gen 25,12–18 P), darunter Nebajoth, Qedar, Duma und Tema. Sarah schließlich ist die Mutter Isaaks (Gen 21,1–7 JEP), und dieser der Vater Esaus und Jakobs (Gen 25,19–26 P/J). Von Esau stammen die Edomiter (Gen 36), und Jakob ist bekanntlich der Vater der zwölf Eponyme der Stämme Israels.

Man darf nicht den Fehler begehen, alle diese Nachrichten unterschiedslos auf eine Fläche zu projizieren und in ihnen die Verhältnisse einer bestimmten geschichtlichen Stunde abgebildet zu sehen. Sie stammen aus verschiedenen, zeitlich weit auseinanderliegenden Epochen, aus verschiedenen literarischen Zusammenhängen (überwiegend J und P), und sind von verschiedenem historischen Gewicht. Manche von ihnen mögen auch Produkte gelehrter Spekulation sein; diese Möglichkeit liegt um so näher, je jünger die Texte sind. Ein Beispiel mag genügen. Während die ostjordanischen Edomiter, Moabiter und Ammoniter schon in den beiden letzten Jahrhunderten des 2. Jt. v. Chr. auf ihren Territorien anzutreffen sind und dort alsbald Staaten gebildet haben[11], gibt es die protoarabische Konföderation „Ismael" (in Keilschrifttexten: *Šumuʾil*) frühestens seit dem Ende des 8. Jh. v. Chr. und nicht länger als bis zum 6. Jh. v. Chr.[12]. Unbeschadet dieser historischen

---

[10] Vgl. zusammenfassend W. Dietrich, Israel und Kanaan. Vom Ringen zweier Gesellschaftssysteme. SBS 94 (1979).

[11] S. u. S. 169.

[12] Vgl. E. A. Knauf, Untersuchungen zur Geschichte der Ismaeliter (Diss. Kiel 1981); dort auch eine gründliche Bearbeitung der Ismaeliterliste von Gen 25,12–18 (S. 33–44).

Differenzen ist aber der Grundgedanke des genealogischen Geflechts Gemeinbesitz des israelitischen Bewußtseins. Israel betrachtete sich als verwandt, z.T. sehr eng verwandt[13], mit zahlreichen „semitischen“ Völkerschaften, Stämmen und Gruppen Nord- und Nordwestarabiens. Diesem Befunde müssen historische Tatbestände zugrunde liegen. Sie sind zu erkennen, wenn man die Gemeinsamkeiten jener Völkerschaften ins Auge faßt. Sie sind so gut wie alle erst nach ca. 1200 v. Chr. geschichtlich in Erscheinung getreten, die Protoaraber sogar erst in der ersten Hälfte des 1. Jt. v. Chr. Sie sind mithin alle erheblich jünger als die alten Kulturvölker des Nahen Ostens, als die „Hamiten“ und „Japhetiten“. Manche von ihnen etablierten sich in Gebieten, in denen vordem andere Bevölkerungsgruppen gewohnt und die Herrschaft ausgeübt hatten, so z.B. die Aramäer Syriens. Andere waren Nomaden gewesen oder hatten doch nomadische Elemente in sich aufgenommen. Wieder andere, z.B. die Ismaeliter, verharrten weitgehend in „protobeduinischer“ Lebensweise. Es sind also im wesentlichen drei fundamentale Gemeinsamkeiten, die alle diese Völker miteinander verbinden: ihre „Jugend“, ihre regionale Verbreitung und ihre Beziehung zum Nomadentum. Die relativ ältesten Glieder dieser theoretischen Großgruppe beunruhigten im 12./11. Jh. v. Chr. die Ränder des mesopotamischen Kulturlandes. Sie begegnen zuerst unter dem Sammelnamen *Aramū* „Aramäer“ in den Inschriften des Assyrerkönigs Tiglatpileser I. (1115–1076). Es handelt sich dabei um eine Bewegung mit auffallenden sprachlichen und kulturellen Gemeinsamkeiten, von der man sich freilich keine falschen Vorstellungen machen darf. Die früher vertretene Auffassung, daß alle diese Gruppen auf dem Wege der Transhumanz aus der syrisch-arabischen Wüste gekommen wären und sich in den Kulturländern des Fruchtbaren Halbmondes festgesetzt hätten, ist aufzugeben. Ursache der Bewegung waren wohl in erster Linie Bevölkerungsumschichtungen in den Kulturländern selbst: das Aufkommen und die schließliche Dominanz von ehemals sozial abgestiegenen Gruppen, von denen manche auch an die Steppen- und Wüstenränder gedrängt worden waren; Ziehbauern, Bergnomaden und selbständige Kleinviehzüchter, die sich nun anschickten, wieder festen bäuerlichen Fuß zu fassen und die Herrschaft über die alte Kulturlandbevölkerung anzutreten. Das schließt den Zuzug nomadischer Elemente aus der Wüste – nach Art der weiträumig operierenden *Šśw*-Nomaden – keineswegs aus. Eine „aramäische Völkerwelle“ allerdings, die aus den Einöden der Wüste gegen die Kulturländer brandete, hat es sicherlich nicht gegeben. Das Problem der sprachlichen, kulturellen, womöglich sogar ethnischen Verwandtschaft der Aramäer zu den semitischen Gruppen, die in der ersten Hälfte des 2. Jt. v. Chr. besonders im mesopotamischen Kulturland seßhaft wurden und z.B. in den Texten von Mari greifbar werden, ist hier nicht zu erörtern. M. Noth hat für sie die Bezeichnung „Pro-

---

[13] Jakob (= Israel) und Esau (= Edom) sind Zwillingsbrüder! Vgl. B.G. Boschi, Tradizioni del Pentateuco su Edom. RiBi 15 (1967) 369–383; J.R. Bartlett, The Brotherhood of Edom. JSOT 4 (1977) 2–27.

toaramäer" vorgeschlagen[14]. Dabei ist jedoch das westsemitische Sprachsubstrat der Texte in eine engere Verbindung zum Aramäischen gebracht, als sich sprachwissenschaftlich vertreten läßt. Es empfiehlt sich, diese Gruppen von den Aramäern des Endes des 2. Jt. v. Chr. getrennt zu halten.

Soviel ist jedenfalls ganz deutlich: Israel hat sich mit den Aramäern des späten 2. Jt.[15] und mit den Protoarabern der ersten Hälfte des 1. Jt. v. Chr. verwandt gefühlt. Setzt man die genealogische Überlieferung in Geschichte um, dann zeigt sich, daß die Verbindung zu den Aramäern enger ist als die zu den Protoarabern, die ja erst später die Bühne der vorderorientalischen Geschichte betraten. Die aramäische Verwandtschaft spricht auch aus nichtgenealogischen Texten des AT. Gen 11,31 f. und 12,4 f. P berichten vom Aufenthalt Abrahams in und seinem Auszug aus Ḫarrān im Euphratknie, einer Stadt, die in der Geschichte der Aramäer eine bedeutende Rolle gespielt hat. Nach Gen 24,3 f. 10 J läßt Abraham seinem Sohn Isaak eine Frau nicht von den Kanaanäern, sondern aus seinem eigenen Lande und aus seiner „Verwandtschaft" *(mōledet)* holen: aus Aram Naharaim. Dasselbe wiederholt sich später bei Jakob (Gen 27,46 – 28,9 P). Und die Bekenntnisformel des sog. „Kleinen geschichtlichen Credo" (G. v. Rad) in Dtn 26,5 beginnt mit den Worten: „Ein dem Untergang geweihter (oder: umherirrender?) Aramäer war mein Vater ...". Verwandtschaft heißt bei alledem nichts anderes als Zusammengehörigkeit, ausgedrückt in den Kategorien des genealogischen Denkens.

Die atl Überlieferung läßt nun aber keinen Zweifel daran, daß Israel nicht nur gegenüber den Völkerschaften, von denen es sich getrennt fühlte, ein ausgeprägtes Eigenbewußtsein besessen hat, sondern auch gegenüber seinen aramäischen und anderen Verwandten. Sie sind zwar Verwandte, aber keineswegs solche, mit denen Israel sich einschränkungslos solidarisch gefühlt hätte. Das läßt historisch auf einen Prozeß der Abgrenzung und Isolierung von den anderen Angehörigen der „aramäischen" Großgruppe zurückschließen, über dessen Gründe man zunächst nur Vermutungen anstellen kann. Der Tatbestand ist in den sog. Trennungssagen der Genesis festgehalten, die alle darauf hinauslaufen, daß sich einer der Erzväter von einem Verwandten trennt: Gen 13 J/P (Abraham von Lot); 31 J/E (Jakob von Laban); 33,1–16 J/E (Jakob von Esau). Auf derselben Linie liegen, ohne Trennungssagen zu sein: Gen 19,30–38 J (der inzestuöse Ursprung der Ammoniter und Moabiter); 25,27–34 und 27,1–45 J (der Erstgeburtsstreit zwischen Jakob und Esau). In diesen Sagen ist der komplizierte Vorgang der Abgrenzung und Selbständigkeitserklärung Israels jeweils auf ein Familienereignis reduziert. Um den Gründen näherzukommen, muß man die Auf-

[14] Noth, PN 41–49; erneuert in: Die Ursprünge des alten Israel im Lichte neuer Quellen [1961]. ABLAK 2, 245–272.

[15] Zu den Aramäern: S. Schiffer, Die Aramäer. Historisch-geographische Untersuchungen (1911); R. T. O'Callaghan, Aram Naharaim. AnOr 26 (1948); A. Dupont-Sommer, Les Araméens. L'Orient Ancien Illustré 2 (1949).

merksamkeit auf die Familienverhältnisse Jakobs, des dritten Patriarchen, lenken. Er hat vier Frauen: die Aramäerinnen Lea und Rahel als Hauptfrauen und die Sklavinnen Silpa und Bilha als Nebenfrauen (Gen 29,1–29 J). Von ihnen hat er zwölf Söhne, deren Namen identisch sind mit den Namen der zwölf Stämme des späteren Israel (Gen 29,32 – 30,24 J/E; 35,16–18 E; 35,22b–26 P). Sie bilden zwei Gruppen: 1. die Söhne der Lea (Ruben, Simeon, Levi, Juda, Issachar, Sebulon) und ihrer Sklavin Silpa (Gad, Asser); 2. die Söhne der Rahel (Joseph, Benjamin) und ihrer Sklavin Bilha (Dan, Naphtali). Die Zuordnung der Eponyme zu zweimal zwei Müttern muß einen historischen Sinn haben. Man ist allerdings gut beraten, Vorsicht und Zurückhaltung zu beobachten. Denn die Gliederung Israels in zwölf Stämme und die Zuordnung ihrer Eponyme zu verschiedenen Müttern setzt das fertige Israel voraus; das vollendete System kann also nicht in die Anfänge Israels hinaufreichen. Daraus folgt, daß die Möglichkeit der genealogischen Spekulation in Rechnung gestellt werden muß. Nicht jede Zugehörigkeitsaussage darf ohne weiteres als genealogisches Abbild eines historischen Tatbestandes genommen werden; auch gelehrte Konstruktion ist denkbar. Auf der anderen Seite gibt es aber auch Gründe, nicht einfach alles für spätere Konstruktion zu halten, der in der geschichtlichen Wirklichkeit des ältesten Israel nichts entspricht. Die Gestalt des Systems selbst läßt die Vermutung zu, daß Spekulation und Konstruktion vor allem bei den Söhnen der Nebenfrauen wirksam geworden sind. Um weiterzukommen, ist ein Blick auf die geographische Verteilung der Stämme Israels nach der Landnahme notwendig[16].

Die beiden Kernstämme der zweiten Gruppe – die Rahelsöhne Joseph und Benjamin – wohnen nach der Landnahme unmittelbar nebeneinander auf dem Nordteil des zentralpalästinischen Gebirges. Sie bilden einen Siedlungsblock im ephraimitischen und samarischen Bergland, wobei Joseph in die Untergruppen Ephraim und Manasse gegliedert erscheint (Gen 41,50–52; 48). Ihre Abkunft von ein und derselben Mutter ist verständlich, umso mehr als der Name Benjamin, d. h. „Sohn von rechts, Sohn im Süden", josephitischen Ursprungs sein muß und die Zusammengehörigkeit beider Stämme auf seine Weise unterstreicht. Dazu scheinen aber die Bilhasöhne Dan und Naphtali nicht zu passen. Dan wohnt im hohen Norden, am Fuß des Hermongebirges, und Naphtali im östlichen Obergaliläa. Nun ist allerdings zu beachten, daß Dan im ersten Stadium seiner Landnahme versucht hat, westlich von Benjamin im Gebirge und im Hügelland Fuß zu fassen (Ri 1,34 f.; 13–16; 18; Jos 19,40–48). Der Versuch mißlang; Dan wurde zur Abwanderung gezwungen. Dan ist also von Hause aus den Rahelsöhnen tatsächlich unmittelbar benachbart gewesen. Für Naphtali ist nichts dergleichen zu erkennen. Hier wird man vielleicht an genealogische Spekulation denken dürfen, die dadurch befördert worden sein könnte, daß Naphtali, von Dan aus gesehen, der nächstgelegene galiläische Stamm war.

---

[16] Einzelheiten s. u. S. 129 ff.

Bei der ersten Gruppe – den Leasöhnen Ruben, Simeon, Levi, Juda, Issachar und Sebulon – liegen die Dinge sehr viel schwieriger. Juda wohnt auf dem Südteil des zentralpalästinischen Gebirges, und Simeon schließt – zumindest in der Theorie – südlich an. Diese beiden Stämme könnte man mit einigem Zögern als Siedlungsblock bezeichnen. Aber die anderen sind weit verstreut: Ruben im Ostjordanland nordöstlich des Toten Meeres, Issachar und Sebulon im östlichen und westlichen Untergaliläa, Levi überhaupt ohne Landbesitz. Hinzu kommen die Silpasöhne: Gad im Ostjordanland südlich von Ruben und Asser im westlichen Obergaliläa. Hier ist ohne die Annahme genealogischer Konstruktion wohl nicht auszukommen. Immerhin sollte man Gen 34 J nicht außer Acht lassen. Dort wird erzählt, daß sich Jakob mit seiner Familie in der Gegend der Kanaanäerstadt Sichem im Herzen des samarischen Gebirges aufhielt. Da widerfuhr es Dina, der Tochter Jakobs von der Lea, daß der Sohn des sichemitischen Stadtfürsten sie vergewaltigte. Die Sichemiten ließen nichts unversucht, die Sache hinterher zu legalisieren: sie boten der Großfamilie Jakobs an, für immer mit ihnen bei Sichem zusammenzuleben. Es sollte ihnen an nichts fehlen; sie sollten Land erhalten, Handel treiben und kanaanäische Mädchen heiraten können: *commercium et connubium.* Aus Gründen, die hier nicht weiter auszuführen sind, endete die Angelegenheit jedoch mit Mord und Totschlag. Dabei fällt auf, daß ab V. 25 Simeon und Levi als einzige der Jakobsöhne namentlich genannt werden. Warum gerade sie? Das ergibt eigentlich nur dann einen Sinn, wenn die Sage diese beiden Stämme ursprünglich allein betraf, wenn sie ein Stück simeonitischer und levitischer Geschichte in Sagenform erzählte. Sollten Simeon und Levi tatsächlich versucht haben, in einem frühen Stadium der Landnahme in der Gegend von Sichem seßhaft zu werden, und sollten sie damit ebenso gescheitert sein wie Dan westlich von Benjamin?[17] Niemand weiß es. Aber die Annahme würde mancherlei erklären: den Niedergang von Simeon und Levi als Landnahmestämme und die Position von Issachar und Sebulon als Leasöhne. Denn wenn Simeon und Levi ursprünglich einmal auf dem Nordteil des zentralpalästinischen Gebirges nomadisierten, dann wird die Lücke zwischen Juda und den untergaliläischen Stämmen sozusagen aufgefüllt; die Leasöhne rückten regional zusammen. Für Ruben gelten solche Überlegungen freilich nicht; er ist und bleibt exzentrisch. Sollte seine Stellung an der Spitze der Leasöhne auf nichts anderem als auf Spekulation beruhen? Die Annahme fällt nicht nur deshalb schwer, weil Ruben im Ostjordanland wohnt, sondern vor allem deswegen, weil er schon früh an Bedeutung verlor und trotzdem weiterhin als Jakobs Erstgeborener galt[18]. Die Diskrepanz zwischen der faktischen Bedeutungslosigkeit Rubens und seiner Rolle im System ist kaum durch die Annahme

---

[17] Kritisch und zurückhaltend L. Wächter, Die Bedeutung Sichems bei der Landnahme der Israeliten. Wiss. Zeitschrift d. Universität Rostock 17 (1968) 411–419. Vgl. A. de Pury, Genèse XXXIV et l'histoire. RB 76 (1969) 1–49.

[18] S. u. S. 62. 143.

späterer Konstruktion aufzulösen. Sie läßt vielmehr geschichtliche Ursachen vermuten – nur daß wir sie nicht kennen. Auf genealogische Spekulation mag schließlich die Zuordnung der Silpasöhne zurückgehen; jeder von ihnen war einem Leasohn benachbart.

Auf die Gefahr hin, sich im Gestrüpp der Vermutungen hoffnungslos zu verfangen, kann man vielleicht noch einen Schritt weitergehen. Wenn Simeon und Levi dereinst wirklich einmal auf dem samarischen Gebirge nomadisierten, dann ist nicht sehr wahrscheinlich, daß sich die Rahelstämme zu jener Zeit bereits dort befanden. Es ist wahrscheinlicher, daß sie erst in Erscheinung traten, als Simeon und Levi bereits gescheitert und abgezogen waren. Sollte das zutreffen, dann könnte man daraus auf zwei Phasen der Formierung des frühesten Israel schließen: in einer ersten Phase traten nomadisierende Gruppen auf, die sich zu Stämmen und schließlich zur Lea-Stämmegruppe ausbildeten; in einer zweiten Phase folgte die Entstehung der Rahel-Stämmegruppe. Diese Phasen wären auch auf den Landnahmevorgang zu projizieren, der nichts anderes ist als die langsame Seßhaftwerdung nomadischer Gruppen. Beides, die Formierung von Stämmen und Stämmegruppen und die Landnahme, sind zwei Seiten ein und derselben Sache. Daß Rahel der Lea nachzuordnen ist, ergibt sich auch aus dem Ablauf der Jakobsgeschichte: obwohl Jakob ursprünglich der Patriarch der Rahelgruppe war[19], bekommt er zuerst die ungeliebte Lea zur Frau, ehe er die geliebte Rahel heimführen darf (Gen 29,1–29). Weiter sollte man nicht gehen und etwa noch die Namen Lea „Kuh“ und Rahel „Mutterschaf“ als Andeutungen verschiedener Wirtschaftsformen interpretieren[20]. Denn die Verteilung von Rinderzucht und Schafzucht auf seßhafte Bauern und nichtseßhafte Nomaden ist schematisch und sachlich nicht zutreffend; auch wird dabei eine Landnahmetheorie unterstellt, die revisionsbedürftig ist[21]. Tierbezeichnungen als Personennamen sind im Namenmaterial der semitischen Sprachen ganz geläufig[22].

Das alles ist freilich immer noch keine Antwort auf die Frage nach den Gründen der Abgrenzung Israels von seinen „aramäischen Verwandten“. Es liegt auf der Hand, daß die eponyme Familie des Patriarchen Jakob und die komplizierte Herleitung der Söhne von vier verschiedenen Müttern nichts anderes ist als der genealogische Niederschlag eines Systems, mit dem man die Größe „Israel“ gliedernd zu begreifen und verständlich zu machen versuchte. Der Historiker ist verpflichtet zu fragen, aus welcher Zeit dieses System stammen könnte. Die Antwort ist schwieriger, als man glauben sollte. Denn es gibt keine Zeit, in der das System dem historischen Bestande des werdenden oder des gewordenen Israel voll entsprochen hätte. Das System unterstellt, daß die Zusammengehörigkeitsverhältnisse der Stämme von Anfang an gegeben waren und im wesentlichen unverän-

---

[19] S. u. S. 78.

[20] So früher weithin üblich; vgl. Noth, PN 10.

[21] S. u. S. 123 f.

[22] Vgl. Noth, PN 229 f.

dert blieben. Es hat einen dezidiert konservativen Charakter. So konserviert es z.B. die Zusammengehörigkeit der Leastämme, obwohl diese nach dem Abschluß des Landnahmeprozesses lokal zersplittert waren – im Süden des Zentralgebirges, in Untergaliläa und im Ostjordanland – und keine erkennbaren Gemeinsamkeiten hatten, die sie untereinander verbanden. Es konserviert ferner notorisch schwache Stämme, deren Niedergang schon früh begann und deren Schicksal darauf hinauslief, aus der Geschichte Israels auszuscheiden: Ruben, Simeon, Issachar, Gad – die alle nicht nur konsequent mitgeführt werden, sondern von denen einige vornehme Plätze im System innehaben und behalten. Schließlich konserviert es den Stamm Levi – als Jakobs Drittgeborener von der Lea ebenfalls in guter Position –, obwohl dieser Stamm überhaupt keine Landnahme vollzog und mit den anderen Stämmen so wenig vergleichbar ist, daß man seine Stammesexistenz auch schon als Fiktion hat erklären wollen. Mit anderen Worten: das Israel, das das System abbildet, hat es gar nicht gegeben. Vor der der Landnahme kann das System nicht entstanden sein, weil es eine Phase, in der alle in ihm erfaßten Stämme gleichzeitig in Palästina nomadisierten, nicht gab. Es kann aber auch nicht nach der Landnahme entstanden sein, weil die in ihm enthaltenen altertümlichen Züge das Ergebnis des Landnahmevorgangs keineswegs sachgemäß abbilden. Eine genealogische Fiktion aus späteren Epochen der Geschichte Israels, etwa der Königszeit oder gar der nachexilischen Zeit, kann es aber auch nicht sein; denn Fiktionen pflegen den Verhältnissen ihrer Entstehungszeit zumindest in den Umrissen Rechnung zu tragen. So bleibt nur der Landnahmeprozeß selbst übrig. Das System entstand stufenweise im Laufe der Landnahme: es ist das systematisierende und konservierende Resultat eines verwickelten historischen Prozesses, der in ihm allenthalben seine Spuren hinterlassen hat. Damit zugleich ist es aber auch eine historische Leistung von beachtlichem Rang: der Versuch, eine im Entstehen begriffene und schließlich entstandene geschichtliche Größe gewissermaßen fort- und festzuschreiben und genealogisch zu erklären.

Welche geschichtliche Größe? Was hielt die im System unter der Zwölfzahl vereinigten Gruppen zusammen und unterschied sie von anderen? Eben dies ist die Frage nach dem Wesen des Zwölfstämmeverbandes Israel: eine unablässig bedachte, viel verhandelte, außerordentlich schwierige Frage – die schwierigste Frage der wissenschaftlichen Geschichte Israels überhaupt. Denn es ist die Frage nach dem Wesen ihres Gegenstandes. Und es ist zwar ehrlich, aber nicht sehr ermutigend, vorab festzustellen, daß diese Frage bis zur Stunde nicht befriedigend beantwortet ist.

Die bisher umfassendste und in unserem Jahrhundert wirkungsvollste Antwort hat nach Vorgängern M. Noth gegeben[23]. Er ging von der Tatsache aus, daß an der Zwölfzahl der Glieder des Systems mit großer Zähigkeit festgehalten wird, und zwar trotz aller Komplikationen in der geschichtlichen Realität. Man kann im großen und ganzen zwei Formen des Systems erken-

---

[23] M. Noth, Das System der zwölf Stämme Israels. BWANT IV, 1 (1930, Nachdruck 1980).

nen: eine sozusagen normale, mit Levi und Joseph, und eine literarisch jüngere (Num 26,4 bβ–51), in der Levi nicht vorkommt, dafür aber Ephraim und Manasse je für sich gezählt werden[24]. Die Zwölfzahl ist offensichtlich konstitutiv für das System. Gruppierungen von zwölf oder sechs Stämmen gibt es außer im Falle Israels auch sonst noch im AT: zwölf Aramäerstämme, die auf Nahor zurückgeführt werden (Gen 22,20–24); sechs protoarabische Stämme, die Keturasöhne (Gen 25,1–4); zwölf Ismaeliterstämme (Gen 25,13–16); sechs Stämme der Horiter von Seir (Gen 36,20–28)[25]. Diese Zwölfer- und Sechserkonföderationen sind als Parallelfälle heranzuziehen. Leider lassen die Listen nicht erkennen, welche Gründe zum Zusammenschluß der Gruppen geführt haben oder ob es nicht hier und da der spekulative Grundsatz der runden, heiligen Zahl gewesen ist, der das Motiv für die Zusammenordnung abgab. Deshalb hat sich Noth nach außeralttestamentlichen und außerorientalischen Analogien umgesehen. Es gab Gruppierungen solcher Art auch anderwärts in der alten Mittelmeerwelt, besonders im ägäisch-griechischen Bereich. Sie sind zwar weit von Israel entfernt und beträchtlich jünger, gewähren aber den Vorzug genauerer Informationen über ihr Wesen, ihre Funktionen, ihre Gemeinsamkeiten. Es handelt sich um Bünde von Stämmen oder Städten zum Zwecke der Aufrechterhaltung des Kultus eines gemeinsamen Zentralheiligtums. Die klassische Altertumswissenschaft hat für Bünde dieser Art nach griechischem Vorbild den Begriff „Amphiktyonie" eingeführt, d. h. „Gemeinschaft der Umwohnenden" (um das Zentralheiligtum). Solche Bünde sind[26]: die pyläisch-delphische Apollo-Amphiktyonie, zunächst aus zwölf, später aus vierundzwanzig Gliedern bestehend; der Zwölferbund ionischer Stämme um das dem Poseidon geweihte Panionion, bei dem ein Stamm ausgestoßen werden mußte, um die Zwölfzahl zu halten; die Dodekapolis in Achaia, ebenfalls mit gemeinsamem Poseidonkult; die *duodecim populi Etruriae* mit dem Voltumna-Heiligtum am Bolsener See u. a. m. Entscheidend ist die Existenz eines Zentralheiligtums. Die Zahlen 12, 24 oder 6 mögen damit zusammenhängen, daß sich die Glieder der Amphiktyonie alternierend in die Pflege des Zentralheiligtums teilten: in einmonatigem, halbmonatigem oder zweimonatigem Rhythmus. Über den gemeinsamen Kultus hinausgehende politische Intentionen oder gar Institutionen hatten die Amphiktyonien nicht; jeder Stamm oder jede Stadt regelte seine politischen Angelegenheiten in eigener Regie. Noth hat nun das Modell der griechisch-italischen Amphiktyonien auf das Zwölfstämmesystem Israels übertragen. Dabei kam ihm der Umstand entgegen, daß es nach einhelligem und ungebrochenem Zeugnis des AT die Verehrung Jahwes gewesen ist, die Israels Stämme einte und von anderen unterschied.

---

[24] In Wirklichkeit sind die Dinge noch komplizierter; vgl. die Übersicht bei K. Namiki, Reconsiderations of the Twelve-Tribe System of Israel. AJBI 2 (1976) 29–59.

[25] Dazu Weippert, Edom 442 f. 449–451. M. Noth glaubte, auch den Esaviden-Stammbaum in Gen 36,10–14 hierher stellen zu sollen. Aber das trifft nicht zu; vgl. Weippert, Edom 451–453.

[26] Das Material bei M. Noth, a.a.O., S. 47 ff.

Natürlich ist mit einem geschichtlichen Werde- und Wandlungsprozeß des sakralen Stämmebundes Israel zu rechnen, worauf Spuren im System hindeuten. Es fällt auf, daß an der Sechszahl der Leastämme hartnäckig festgehalten wird. Im literarisch jüngeren System, in dem Levi fehlt und Ephraim und Manasse je für sich gezählt werden, ist Gad an die Stelle von Levi getreten, doch wohl um die Sechszahl der Leasöhne nicht aufgeben zu müssen. Bedenkt man, daß die Landnahme der Leastämme wahrscheinlich früher erfolgte als die der Rahelstämme, dann legt sich die Vermutung nahe, daß die Leastämme vor der Ausbildung der Zwölfer-Amphiktyonie einmal als Sechser-Amphiktyonie organisiert waren: eine Art Vorstufe der endgültigen israelitischen Amphiktyonie. Zentralheiligtum der Amphiktyonie war die Lade Jahwes: ein Kasten mit Tragstangen in der Funktion eines Podestes für den unsichtbaren Gottesthron [27], ursprünglich vielleicht ein altes Wanderheiligtum der Nomaden [28], nach der Landnahme jedoch an einem Kultort aufgestellt, der dann den Mittelpunkt der Amphiktyonie bildete. Hier entsteht allerdings eine Schwierigkeit; denn der Aufstellungsort der Lade Jahwes scheint im Laufe der Zeit mehrfach gewechselt zu haben. Nach Noths Auffassung stand sie zunächst im alten, ehemals kanaanäischen Orakelterebinthenheiligtum bei Sichem *(Tell Balāṭa)*. Das ist freilich nur in dem dtr Abschnitt Jos 8,30–35 (V. 33) ausdrücklich bezeugt. Noth glaubte es aber auch aus Dtn 11,29f.; 27 und Jos 24 [29] erschließen zu dürfen. Überdies gab er zu bedenken, daß Jahwe gerade in der Gegend von Sichem unter dem Kultnamen „El (oder Jahwe), der Gott Israels" verehrt worden ist (Gen 33,20; Jos 8,30; 24,2. 23). Später stand die Lade im Gilgal bei Jericho [30] (Jos 3/4) und in Bethel *(Bētīn)*; für das letztere vgl. Ri 20,26–28 und vielleicht Gen 35,1–7 E/P. [31] Zuletzt befand sie sich im Heiligtum von Silo *(Ḫirbet Sēlūn)* (1. Sam 1–3; bes. 3,3; 4), ehe sie an die Philister verlorenging [32].

Die Deutung des israelitischen Zwölfstämmeverbandes als Amphiktyonie war ein großartiges Konzept. Es ermöglichte das Verständnis dessen, was das Gemeinsamkeitsbewußtsein der israelitischen Stämme ausmachte, und zwar im Sinne einer kultisch-sakralen Institution. M. Noth hat freilich nie einen Zweifel daran gelassen, daß es sich um eine Hypothese handelt und nach Lage der Dinge um gar nichts anderes handeln kann. Das ist in der Folgezeit, wenn nicht geradezu vergessen, so doch wenig beachtet wor-

---

[27] So M. Metzger, Gottesthron und Königsthron (Habil.-Schrift Hamburg 1969) 417–502. Zur Lade und ihren Schicksalen s. im übrigen u. S. 197f.

[28] Vgl. Ex 25,10–22 P^g; 37,1–9 P^s; Num 10,35f.; Jer 3,16f.

[29] Vgl. J. L'Hour, L'Alliance de Sichem. RB 69 (1962) 5–36. 161–184. 350–368. Zu Sichem vgl. auch E. Nielsen, Shechem: A Traditio-Historical Investigation (1959^2).

[30] Gilgal ist noch nicht lokalisiert. Ein neuer Vorschlag: *Suwwānet eṯ-Ṯanīye,* ca. 1,7 km nordöstl. von Jericho. Vgl. B. M. Bennet, The Search for Israelite Gilgal. PEQ 104 (1972) 111–122.

[31] Dazu A. Alt, Die Wallfahrt von Sichem nach Bethel [1938]. KS 1,79–88.

[32] Zum Problem des Zentralheiligtums vgl. auch W. H. Irwin, Le sanctuaire central israélite avant l'établissement de la monarchie. RB 72 (1965) 161–184.

den. Die Faszination des Erklärungsmodells ließ dasselbe mehr und mehr als unumstößliche Gewißheit erscheinen. Man hat Türme von Theorien darauf errichtet[33] und durch allzu üppige Phantasie die These selbst gelegentlich diskreditiert. Hier ist nicht der Ort, dem weiter nachzugehen. Denn es gibt historische Gründe, die dazu zwingen, in eine kritische Auseinandersetzung mit der Amphiktyonie-Hypothese einzutreten: ein Geschäft, das nicht lange nach Noths grundlegender Studie etwas zögernd und zunächst ohne nennenswerten Widerhall begann und inzwischen zum kritischen Abbau der Hypothese geführt hat[34]. Nicht alles, was vorgebracht worden ist und wird, hat gleiches Gewicht. Es kommt darauf an, die Hauptgesichtspunkte herauszustellen. Es sind ihrer drei:

1. Zunächst ist der Finger auf die von Anfang an schwächste Stelle der Amphiktyonie-Hypothese M. Noths zu legen: der israelitische Zwölfstämmeverband hatte kein gemeinsames Zentralheiligtum. Die These, daß das vorstaatliche Israel eine Amphiktyonie gewesen sei, ist auf Grund eines Analogieschlusses gewonnen. Von einer Analogie muß man aber verlangen, daß die konstitutiven Elemente der miteinander zu vergleichenden Größen vergleichbar sind. Konstitutives Element der griechisch-italischen Amphiktyonien ist das Zentralheiligtum, d.h. der allen gemeinsame Kultort. Einen solchen hatte Israel nicht. Die Lade Jahwes ist kein Kultort, sondern ein Kultgegenstand. Amphiktyonien, die auf einen Kultgegenstand zentriert sind, gibt es nicht. Ebensowenig gibt es Amphiktyonien mit wechselndem Kultort als Zentralheiligtum. Es kommen aber weitere Schwierigkeiten hinzu, die die Auskunft unmöglich machen, dann sei Israel eben eine um die Lade Jahwes versammelte *quasi*-Amphiktyonie gewesen – also gewissermaßen eine Teilanalogie. Denn die Lade Jahwes ist als gesamtisraelitisches Kultobjekt im AT nicht zu belegen. Die Stellen, an denen sie scheinbar als ein solches auftaucht (z.B. Num 10,35f.; Ex 25,10–22; 37,1–9), stehen eindeutig unter dem Zwang der Generalisierung und Nationalisierung der Vorgeschichte Israels, sind mithin historisch unbrauchbar. In den alten Lade-Erzählungen aber (1. Sam 4–6; 2. Sam 6) ist sie nicht mehr als ein Kultobjekt der mittelpalästinischen Stämme von regional begrenzter Bedeutung. Das zeigen auch ihre Aufstellungsorte, von denen überhaupt nur Silo und später Jerusalem historisch gesichert sind[35]. Daß David die Lade nach Jerusalem überführte (2. Sam 6), beweist nicht, daß auch Juda an ihr als an einem alten gesamtisraeliti-

[33] Zur Forschungsgeschichte nach M. Noth vgl. O. Bächli, Amphiktyonie im AT. ThZ Sonderband 6 (1977).

[34] Literatur in Auswahl: H.M. Orlinsky, The Tribal System of Israel and Related Groups in the Period of the Judges. Studies in Honor of A.A. Neuman (1962) 375ff. = OrAnt 1 (1962) 11–20; G. Fohrer, AT – „Amphiktyonie" und „Bund"? [1966]. Studien zur atl Theologie und Geschichte (1969) 84–119; G.W. Anderson, Israel: Amphictyony: ʿAM; ḲĀHĀL; ʿĒḎAH. Translating and Understanding the OT, Essays in Honor of H.G. May (1970) 135–151; Weippert, Edom 458–475; R. de Vaux, La thèse de l'amphictyonie israélite. Studies in Memory of P. Lapp (1971) 129ff.; J. Weingreen, The Theory of the Amphictyony in Pre-Monarchial Israel. JANES 5 [= Gaster-Fs] (1973) 427–433; C.H.J. de Geus, The Tribes of Israel. Studia Semitica Neerlandica 18 (1976). Vermittelnde Positionen: R. Smend, Zur Frage der altisraelitischen Amphiktyonie. EvTheol 31 (1971) 623–630; H. Seebass, Erwägungen zum altisraelitischen System der zwölf Stämme. ZAW 90 (1978) 196–220.

[35] Sichem (Jos 8,30–35) ist ein Stück dtr Theorie. Bethel kommt nur in Ri 20,26–28 vor; zu diesem Text s. u. S. 166f.

schen heiligen Gegenstand interessiert war, sondern nur, daß David in ihr – zu Recht – religionspolitische Möglichkeiten sah und Hoffnungen auf sie setzte. Die Lade ist erst im Verlaufe der Geschichte Israels aus regionaler zu gesamtisraelitischer Bedeutung aufgestiegen, und zwar in Verbindung mit Jerusalem und dem salomonischen Tempel, den Josia von Juda 622 v. Chr. als einziges Jahweheiligtum proklamierte. Wer die Lade als vorstaatliches amphiktyonisches Zentralkultobjekt in Anspruch nehmen will, muß vorher von der Existenz Altisraels als Amphiktyonie überzeugt sein, d.h. er muß das unterstellen, was bewiesen werden soll. Wenn das vorstaatliche Israel aber kein Zentralheiligtum hatte, dann war es auch keine Amphiktyonie.

2. Ferner gibt es auch keine eindeutigen Belege für gemeinsame „amphiktyonische" Aktionen des israelitischen Zwölfstämmeverbandes. Dabei ist das Hauptgewicht nicht auf die Kriege, überhaupt nicht auf außenpolitische Handlungen, zu legen. Das mit der „Amphiktyonie" nicht identische Israel des Deboraliedes (Ri 5)[36] ist kein Argument gegen die Amphiktyonie-Hypothese. Denn die griechisch-italischen Amphiktyonien sind religiöse Bünde ohne außenpolitische Aktivitäten. Das Israel der Deboraschlacht könnte durchaus eine Symmachie (Kampfgemeinschaft) gewesen sein, deren Glieder gleichzeitig und unabhängig von ihrer Teilnahme am Kriege auch Amphiktyonen waren. Entscheidend ist vielmehr das völlige Fehlen gemeinsamer religiös-kultischer Handlungen des iraelitischen Zwölfstämmeverbandes. Was immer man amphiktyonisch glaubte deuten zu sollen – das Bundeserneuerungsfest in Sichem mit der Verkündigung des amphiktyonischen Gottesrechts (Dtn 27; Jos 24; Ex 19ff.) und viele andere Begehungen[37] –, erweist sich bei unvoreingenommener Betrachtung als eins von dreien: als wissenschaftliche Fiktion unserer Gegenwart, als mosaische Fiktion Israels oder als regional begrenzte und keineswegs gesamtisraelitische religiös-kultische Überlieferung. Die Dinge liegen ganz ähnlich wie beim Zentralheiligtum: die amphiktyonische Theorie ist vorgängig und vorrangig; sie produziert ihre Beweismittel selbst. Wenn aber das vorstaatliche Israel keine gemeinsamen sakralen Pflichten und Begehungen kannte, dann war es auch keine Amphiktyonie.

3. Die griechisch-italischen Amphiktyonien waren Institutionen indogermanischer Völkerschaften mit bäuerlicher oder städtischer Kultur. Keine von ihnen hat, soweit erkennbar, eine nomadische Vorgeschichte gehabt oder sonst irgendwelche Beziehungen zum Nomadismus unterhalten. Auf der anderen Seite sind die aramäischen und die späteren protoarabischen Stämmeföderationen, mit denen Israel zuerst verglichen werden muß, Einrichtungen nomadischer Bevölkerungsgruppen oder solcher, die eine nomadische Vorgeschichte hatten. Im ganzen weiten Bereich der seßhaften Bauern- und Stadtbevölkerung der syropalästinischen Landbrücke und Mesopotamiens gibt es solche Bünde nicht. Auch dieser Tatbestand problematisiert die Vergleichsmöglichkeit des israelitischen Zwölfstämmeverbandes mit den Amphiktyonien der alten Mittelmeerwelt.

Wenn aber das vorstaatliche Israel keine Amphiktyonie gewesen ist: was ist dann der Sinn der Rede vom Zwölfstämmeverband? Nach dem gegen-

[36] S. u. S. 160–163.

[37] Vgl. z.B. H.-J. Kraus, Gottesdienst in Israel (1962²). Demgegenüber kritisch: G. Fohrer, Geschichte der israelitischen Religion (1969) § 10; F.-E. Wilms, Freude vor Gott. Kult und Fest in Israel (1981).

wärtigen Stande der Einsicht bleibt nur eine Alternative: kein sakraler Bund, sondern eine politische Föderation. Das müßte dann für alle gleich oder ähnlich gearteten Verbände gelten. Leider gewähren die kargen Nachrichten des AT keinen Einblick in das Funktionieren der aramäischen und protoarabischen Verbände. Immerhin ist aber eines erkennbar: sie sind in nahezu allen bekannten Fällen vormonarchisch, d.h. sie gehen jeweils der Staatsgründung mit monarchischer Spitze, Zentralregierung und Verwaltungsapparat voraus. So ist es auch bei Israel. Nimmt man an, daß die vorderorientalischen Zwölfer- und Sechserverbände politische Stämmeföderationen waren, dann ergibt sich folgendes Bild: Die Nichtseßhaften haben es schwer, sich politisch zu organisieren. Sie haben es vor allem deshalb schwer, weil ihre partikularen, sippen- und stammesgebundenen Interessen mit denen anderer Sippen und Stämme kollidieren. Das gilt auch für Regionen, in denen Nichtseßhafte mit Seßhaften zusammenleben, mit Seßhaften z. B., die vor nicht langer Zeit selbst noch nicht seßhaft waren. Das Zusammenleben ist bestimmt von Auseinandersetzungen, Fehden, Razzien, Überfällen, von der Blutrache, mit einem Wort: von der Anarchie. Die Bildung von Stämmeföderationen ist ein Versuch, die Anarchie zu überwinden, die Interessen zu domestizieren, Frieden, Ordnung und Recht möglich zu machen[38]. Dabei ist die Unterordnung unter die Grundsätze des genealogischen Denkens außerordentlich hilfreich: die verwandtschaftliche Zusammengehörigkeit ist selbst schon ein Ordnungsfaktor. Fiktive Genealogien binden regional-geographisch zusammengehörige Gruppen so aneinander, daß sie zum Ausgleich fähig werden. Die Regelung der innen- und außenpolitischen Angelegenheiten bleibt den Gliedern einer solchen Föderation selbst überlassen. Zusammenkünfte der Notabeln der Einzelstämme zur Besprechung von Fragen, die alle gemeinsam betrafen, wird es gegeben haben. Ebenso darf man, wie im Falle Israels, mit Stämmekoalitionen gegen einen gemeinsamen Feind (Symmachien) rechnen[39]. Auseinandersetzungen innerhalb der Föderation waren begrenzbar und kontrollierbar; sie blieben sozusagen „in der Familie". Unter bestimmten Bedingungen und zu gegebener Zeit konnte die Organisation des politischen Stämmeverbandes in Monarchie umschlagen oder – weniger dramatisch – in Monarchie übergehen. Stämmeföderationen solcher Art gibt es bei den arabischen Beduinen der Neuzeit[40] ebenso wie bei den Arabern des Altertums und des Mittelalters. Sie kommen, bei aller gebotenen Zurückhaltung, als Analogiefälle für

---

[38] Vgl. dazu, wenn auch vielleicht zu sehr auf die Verhältnisse bei den Steppen- und Wüstennomaden eingeschränkt, Weippert, Edom 469–475.

[39] S. u. S. 159ff.

[40] Material bei M. Frhr. v. Oppenheim, Die Beduinen I (1939), II (1943); die Bände III (1952) und IV, 1 (1967) von W. Caskel. E.A. Knauf, Untersuchungen zur Geschichte der Ismaeliter (Diss. Kiel 1981) 48 f., hat für die Föderation *Šumuʾil*/Ismael des 8.–6. Jh. v. Chr. auf die Analogie des *Šammar*-Reiches der *Ibn Rašīd* hingewiesen; vgl. W. Caskel, Die Beduinen III, S. 37–44. Der Umschlag in Monarchie kann an der Entstehung des Staatsgebildes der *Ibn Saʿūd* (Saudi-Arabien) beobachtet werden.

den israelitischen Stämmeverband eher in Betracht als die griechisch-italischen Amphiktyonien.

Die Deutung des vorstaatlichen Israel als einer politischen Stämmeföderation ermöglicht die Beantwortung vieler, wenn auch nicht aller Fragen. Zunächst wird verständlich, warum Israel sich nicht nur gegenüber den Kanaanäern, sondern auch gegenüber seinen „aramäischen Verwandten" abgrenzte. Das hatte regional-politische Gründe. Die im Seßhaftwerdungsprozeß befindlichen Nomaden ein und derselben Region organisierten sich als Stämmeföderation; die Region war Palästina beiderseits des Jordans. Die aramäischen Gruppierungen des Ostjordanlandes, die unter den Namen Edomiter, Seïriter, Moabiter und Ammoniter bekannt sind, hatten bereits etwas früher Föderationen oder monarchische Staaten gebildet. Also war die palästinische Region unter Abzug der Gebiete der eben genannten Gruppen der geographische Raum, in dem sich das früheste Israel konstituierte. Das würde bedeuten, daß man die Religion als Wirkungsfaktor bei der Bildung der israelitischen Föderation zunächst gewissermaßen abzukoppeln hätte: nicht die Religion, schon gar nicht die Jahwereligion, war das Agens, sondern regional-politische Gegebenheiten. Welcher Religion, oder besser: welchen Religionen die israelitischen Stämme in dieser Frühphase anhingen, wissen wir nicht. Vielleicht verehrten sie Vätergötter[41], z.T. wohl auch die Fruchtbarkeitsgötter des Kulturlandes. Daß Jahwe noch keine Rolle spielte, zeigt auch der Umstand, daß der Name „Israel" das Element El, nicht Jahwe, enthält. Verständlich wird ferner das Fehlen gesamtisraelitischer Aktionen, die relative Vereinzelung der Stämme, ihr gelegentliches Zusammenwirken in Koalitionen gegen äußere Feinde. Denn das gehört zur Funktionsweise solcher Stämmeföderationen: sie überlassen die Regelung der inneren und äußeren Angelegenheiten den Stämmen selbst, begünstigen aber natürlich die Bildung temporärer Symmachien. Man hilft, wenn es nötig und möglich ist, dem Bruder in der Not. Des weiteren wird die Zwölfzahl verständlich. Sie ist, genau genommen, ein Theorieprodukt. Die zugrundeliegende Theorie ist die genealogische: die Stämmeföderation versteht sich nach dem Modell der Familie; alle sind Abkömmlinge ein und desselben Vaters. Durch Zahlen wie 12 oder auch 6 werden das In-sich-Geschlossensein und die Vollständigkeit der Familie dargestellt. Es ist möglich, daß diese Zahlen, auf die geschichtliche Wirklichkeit projiziert, ursprünglich gar nicht „echt" sind. In Wirklichkeit werden es nicht immer gerade sechs oder zwölf Stämme gewesen sein, die sich zu einer Föderation verbanden[42]. Außerdem ist damit zu rechnen, daß sich die Zahl der Glieder einer solchen Föderation veränderte: neue Stämme traten hinzu, alte verschwanden durch Fusion oder aus welchen Gründen immer. In der genealogischen Theorie aber sind es stets sechs oder zwölf, und die Theorie ist Ge-

---

41 S. u. S. 79–81.

42 E.A. Knauf, a.a.O. (Anm. 40) 47 hat versucht, die Grundschicht der Ismaeliterliste in Gen 25,13–15 P zu isolieren und kommt für die *Šumu'il*-Föderation im 7. Jh. v. Chr. auf 7 Stämme.

genstand der interpretierenden Überlieferung unter den Nachgeborenen. Man kann die Veränderungen im System des israelitischen Zwölfstämmeverbandes als Stufen der Interpretation begreifen, nicht unbedingt nur einer spekulativen Interpretation, sondern auch einer an der Wirklichkeit kontrollierten Deutung. Diese Auffassung relativiert natürlich die oben[43] vorgetragenen Überlegungen zum Alter des Systems. Man müßte jetzt sagen: das System kann der geschichtlichen Wirklichkeit Israels deshalb nie ganz entsprochen haben, weil es nicht auf die Seite dieser Wirklichkeit, sondern auf die Seite der Theorie gehört. Schließlich wird auch verständlich, daß sich in der israelitischen Stämmeföderation langsam ein spezifisch israelitisches Gemeinsamkeitsbewußtsein ausbildete. Und hier kommt die Religion doch wieder ins Bild. Jahwe kam eindeutig von außen hinzu, mit der „Moseschar" oder den Gruppen, die die Traditionen vom Auszug und vom Gottesberg trugen; wir wissen nicht, wann. Aber Jahwe war zur religiösen Dominanz bestimmt; die Stämme fielen ihm zu. Sie hatten innerhalb der Föderation von Anfang an ein gewisses Gemeinsamkeitsbewußtsein gehabt, insofern als sie ihren Verband genealogisch verstanden – aber es kann nicht zweifelhaft sein, daß die Verehrung Jahwes als mächtiger Impuls zur Ausbildung einer neuen Qualität des Gemeinsamkeitsbewußtseins wirken mußte. Die israelitische Stämmeföderation wurde das, was das Deboralied *„Volk Jahwes"* nennt (Ri 5,11. 13)[44]. Sie begann überhaupt erst jetzt, ein Volk im vollen Sinne des Wortes zu werden. Wenn oben[45] erklärt wurde, zur Volkwerdung gehöre die Besinnung auf gemeinsame Schicksale, so kann man jetzt hinzufügen: Jahwe ist den Stämmen Israels zum Schicksal geworden.

Der Vorzug des hier vorgetragenen Konzeptes besteht nicht zuletzt darin, daß es nicht den Anschein erweckt, wir wüßten viel und wüßten es genau. Wir können nicht mehr als die Rahmenbedingungen angeben. Dabei darf man die Fragen nicht verschweigen, die das Konzept unbeantwortet läßt oder deren Tendenz ihm entgegenläuft. Wenn Israel von Hause aus ein regional-politischer Verband war, warum gehörten dann Gruppen wie die Kalibbiter, Keniter, Othnieliter und Jerachmeeliter[46] nicht dazu, die in derselben Region lebten und deren Vorgeschichte der der „israelitischen" Gruppen entsprach? Mehr noch: die auch Jahweverehrer wurden? Das ist verwunderlich, es sei denn, sie hätten in der Frühphase der Föderation tatsächlich dazugehört, wofür ja auch ihre Einbindung in die theoretische Geschichte der klassischen Heilszeit und ihr schließliches Aufgehen in Groß-Juda sprechen würde. Ihre Sonderstellung könnte mit den Zwängen der genealogischen Theorie zusammenhängen, die dazu führte, diese eigentlich zugehörigen Gruppen nur noch als sozusagen assoziierte Mitglieder der

---

[43] S. 61 f.

[44] Zu diesem Ausdruck vgl. N. Lohfink, Beobachtungen zur Geschichte des Ausdrucks *ʿm Jhwh*. Probleme biblischer Theologie, Fs G. v. Rad (1971) 275–305; A. R. Hulst, ThHAT 2 (1976) s. v. *ʿam/gōj* Volk (bes. 4).

[45] S. o. S. 52.

[46] S. u. S. 132.

Föderation zu betrachten. Ebenso schwierig ist eine zweite Frage: Warum entstanden aus der einen Stämmeföderation zwei Monarchien? Es ist dies das Problem der Sonderstellung des Stammes Juda in der Staatenbildungszeit und wohl auch schon vorher[47]. Man pflegt in diesem Zusammenhang auf die Trennwirkung des südlichen kanaanäischen Städtequerriegel's hinzuweisen[48], sicherlich zu Recht. Trennte dieser Querriegel aber nicht auch schon in vorstaatlicher Zeit den israelitischen Norden vom judäischen Süden so, daß eine Nord und Süd umfassende Stämmeföderation überhaupt unwahrscheinlich wird? Ist mithin „Gesamtisrael" nicht vielleicht doch eine Fiktion, die das davidisch-salomonische Reichsgebilde voraussetzt? Unter dieser Voraussetzung ist freilich der Juda-Spruch des Mosesegens (Dtn 33,7) unverständlich, in dem Jahwe gebeten wird, das bedrängte Juda „zu seinem Volk", d.h. zu Israel, zurückzubringen. Dieser Spruch wird mit guten Gründen für vorstaatlich gehalten, und wenn er es ist, dann beweist er die Zugehörigkeit Judas zum vorstaatlichen Israel und zugleich die Gefährdung dieser Zugehörigkeit. Man müßte dann annehmen, daß die Trennwirkung des südlichen kanaanäischen Querriegels stärker wurde, je weiter der Sedentarisationsprozeß fortschritt und je näher die Stämmeföderation an die Staatenbildung heranrückte. Schließlich: wenn das Zwölfstämmesystem ein Theorieprodukt ist, das die historische Wirklichkeit des vorstaatlichen Israel nicht getreu abbildet, wie erklären sich dann die festgehaltenen Altertümlichkeiten im System, z.B. die Spitzenstellung Rubens? Vielleicht erklären sie sich einfach daraus, daß genealogische Systeme ihrer Natur nach konservativ sind. Hier ist abzubrechen; sonst entsteht der Eindruck, wir wüßten doch auf alle Fragen eine Antwort. Das ist nicht der Fall. Die aufgeworfenen und viele weitere Fragen bleiben unbeantwortet und erinnern schmerzlich an die Grenzen des historischen Erkenntnisvermögens.

Exkurs: Die Hebräer

Bisher ist von Aramäern, Israeliten, Kanaanäern, Protoarabern und anderen Gruppierungen die Rede gewesen. Wie steht es mit den Hebräern? Ist „Hebräer" (*ʿibrī*) nicht das eigentliche Ethnikon, die Volksbezeichnung für Israel, oder doch zumindest ein Wechselbegriff für „Israelit"? Die Frage kann mit einem hohen Grade von Wahrscheinlichkeit verneint werden.

Nach dem atl Befund ist „Hebräer" keine Bezeichnung, die Israel vorzugsweise und zu allen Zeiten auf sich selbst angewandt hätte. Es gibt nur 33 Belege, gegenüber mehr als 2500 für „Israel"! Die Belege verteilen sich auf wenige abgrenzbare Textbereiche: die Josephsgeschichte (Gen 39,14. 17; 40,15; 41,12; 43,32); die Exodus-Erzählungen, deren Schauplatz Ägypten ist (Ex 1,15f. 19; 2,6f. 11. 13; 3,18; 5,3; 7,16; 9,1. 13; 10,3); die Erzählungen von den Philisterkämpfen (1. Sam 4,6. 9; 13,3. 19; 14,11. 21; 29,3). Dabei fällt auf, daß „Hebräer" in der Mehrzahl der Fälle entweder Selbstbezeichnung von Israeliten gegenüber Fremden oder Bezeichnung

---

[47] S. u. S. 131–133.

[48] S. u. S. 121.

für Israeliten im Munde von Fremden ist – oft mit dem Unterton der Demut und Selbstverkleinerung einerseits, der Geringschätzung und Verachtung andererseits. Hinzu kommen Belege aus dem Rechtsleben (Ex 21,2; Dtn 15,12; Jer 34,9. 14): in ihnen ist „Hebräer" Bezeichnung für einen Sklaven auf Zeit, vielleicht für einen sog. Schuldsklaven, der sich wegen Zahlungsunfähigkeit in die befristete Sklaverei seines Gläubigers hat begeben müssen[49]. Aus nachexilischer Zeit gibt es dann freilich zwei Belege für den ethnischen Gebrauch des Wortes (Gen 14,13; Jona 1,9)[50]. Genauere Untersuchung zeigt, daß auch Dtn 15,12 und Jer 34,9. 14 auf dem Wege zu diesem Sprachgebrauch sind.

Dieser Befund spricht insgesamt nicht für die ethnische Deutung des Ausdrucks „Hebräer". Es scheint sich vielmehr um Menschen minderen Ranges und geringen Standes zu handeln, um solche, die von anderen geringgeschätzt werden und auch selber nicht immer sehr viel von sich halten: also eine soziale, nicht ethnische Kategorie. Eben dies trifft nun auch auf Menschengruppen zu, die in außeralttestamentlichen literarischen Quellen des 2. Jt. v. Chr. für alle Länder des Fruchtbaren Halbmondes bezeugt sind. Sie heißen in Keilschrifttexten Mesopotamiens und Kleinasiens *ḫapiru* (Sumerogramm: SA.GAZ), in ugaritischen Texten *ʿprm*, in Ägypten *ʿpr(.w)*. Als Grundform ist entweder *ʿapīru* (plur. *ʿapīrū*) oder *ʿapiru* (plur. *ʿapirū*) anzusetzen[51]. Diese *ʿapiru*-Leute sind weder ein Volk noch gar eine Gruppe von Völkern[52], sondern Menschen unterschiedlicher Herkunft, die außerhalb der Gesellschaftsordnung stehen: unstete Elemente minderen Rechts und oft geringen wirtschaftlichen Vermögens, *outlaws* der bronzezeitlichen Städte, die sich zu ihrem Schutz und zur Sicherung ihres Lebens in Abhängigkeitsverhältnisse begeben mußten (Arbeiter, Söldner) oder ein freies Leben als Räuber und Wegelagerer führten. Mit den *ʿapiru*-Leuten können die *ʿibrīm* „Hebräer" in der Tat sprachlich und sachlich zusammengestellt werden. Es ist auch keineswegs auszuschließen, daß Elemente der in den Amarnabriefen des 14. Jh. v. Chr. für Palästina bezeugten *ḫapirū* (SA.GAZ) im späteren Israel aufgegangen sind: sozial abgesunkene Menschen aus den Kanaanäerstädten, die sich auch der nomadischen Lebensweise zuwenden konnten[53]. Aber das ändert nichts daran, daß es kein „hebräisches Volk" gegeben hat, daß „Hebräer" und „Israelit" keine Synonyme sind und daß Israeliten, auch wenn sie Hebräer genannt werden, nicht pauschal den *ʿapiru*-Leuten zuzurechnen sind. Erst in nachexilischer Zeit, unter veränderten Bedingungen, wird „Hebräer" hier und dort als Volksbezeichnung üblich, wie denn auch die Griechen und Römer, die palästinisch-aramäische Form *ʿebrāyā* aufnehmend, die Juden gelegentlich als Ἑβραῖοι bezeichnet haben. Hier liegen die Ursachen für die im rabbinischen Judentum aufkommende Bezeichnung *lāšōn ʿibrīt* für die hebräische Sprache[54].

---

[49] Vgl. N. P. Lemche, The „Hebrew Slave". Comments on the Slave Law Ex. XXI 2–11. VT 25 (1975) 129–144; E. Lipiński, L'„esclave hébreu". VT 26 (1976) 120–124.

[50] Vgl. N. P. Lemche, „Hebrew" as a National Name for Israel. Studia Theologica 33 (1979) 1–23.

[51] Materialsammlungen und Deutungen: J. Bottéro, Le problème des *Ḫabiru* à la 4me rencontre assyriologique internationale. Cahiers de la Société Asiatique 12 (1954); M. Greenberg, The *Ḫab/piru*. American Oriental Series 39 (1955); R. Borger, Das Problem der *ʿapīru* („*Ḫabiru*"). ZDPV 74 (1958) 121–132; M. Weippert, Die Landnahme der israelitischen Stämme in der neueren wissenschaftlichen Diskussion. FRLANT 92 (1967) 66–102; ders., Abram der Hebräer? Biblica 52 (1971) 407–432.

[52] Anders, jedoch nicht überzeugend, K. Koch, Die Hebräer vom Auszug aus Ägypten bis zum Großreich Davids. VT 19 (1969) 37–81.

[53] S. u. S. 125.

[54] Tos. Megilla 2,6; Mischna Jadajim 4,5 u. ö.

KAPITEL 5

Die Vorgeschichte Israels: die nachmaligen Israeliten vor der Landnahme

Israel ist auf dem Boden des palästinischen Kulturlandes entstanden. Die Phase seiner Entstehung und ersten Existenz, seines Beginns und seiner Entfaltung, ist historisch unter dem Leitbegriff „Frühgeschichte Israels" darzustellen[1]. Sie reicht bis zur Staatenbildung unter den Königen Saul und David. Daraus ergibt sich, daß alles, was voraufgeht, unter der Überschrift „Vorgeschichte Israels" zu behandeln ist – unbeschadet der Tatsache, daß das AT die Entstehung Israels bereits in Ägypten behauptet und von da an mit seiner Existenz als einer fertigen Größe unter der Führung Jahwes und Moses rechnet.

Es ist nicht so, daß wir über die Vorgeschichte Israels gar nichts wüßten[2]. Denn im Israel der Zeit nach der Landnahme, mehr noch nach der Staatenbildung, sind zahlreiche Überlieferungen über die Vorzeit umgelaufen und früher oder später verschriftet worden: Traditionen über die Zeit, in der sich die Israeliten und ihre Vorfahren noch nicht oder noch nicht endgültig im Gelobten Lande befanden und in der die göttliche Verheißung des Landbesitzes zwar gegeben, aber noch nicht erfüllt war. Aus dem überlieferten Bestande lassen sich drei große Themen herausschälen, um die diese Traditionen kreisen und auf die sie sich beziehen: die Erzväter, der Auszug aus Ägypten und der Bundesschluß am Gottesberg in der Wüste. Diese Themen sind im Laufe der Zeit zu Grundpfeilern des Glaubens ganz Israels geworden; sie sind aus ihrer ursprünglich begrenzten Bedeutung herausgewachsen und haben gesamtisraelitisches Format erlangt. In ihnen fand Israel, nachdem sein Entstehungsprozeß abgeschlossen war, seine nationale und religiöse Identität. Das literarische Endresultat des komplizierten Überlieferungsprozesses ist der Pentateuch oder – da das Deuteronomium als selbständige Größe zu gelten hat – der Tetrateuch von Genesis bis Numeri. Niemand mit historisch geschultem Auge wird die Darstellung des Tetrateuch im ganzen und die in ihm vereinigten Einzelüberlieferungen mit Geschichtsschreibung verwechseln. Ebensowenig aber sollte zweifelhaft sein, daß die Traditionen der Vorzeit geschichtliche Erinnerungen bewahren,

---

[1] S. u. Teil II; S. 117 ff.

[2] Wir wissen freilich auch wieder nicht so viel, wie es nach dem groß angelegten Versuch einer Rekonstruktion der Vor- und Frühgeschichte Israels scheinen könnte, den N. K. Gottwald vorgelegt hat: The Tribes of Jahweh. A Sociology of the Religion of Liberated Israel, 1250–1050 B. C. E. (1979). Die Debatte über dieses 916 Seiten starke Buch, in dem G. E. Mendenhalls soziologische Ansätze aufgenommen und zu einem Gesamtbilde von beachtlicher Geschlossenheit ausgebaut werden, hat noch nicht ernsthaft begonnen. Sie ist notwendig und wird die atl Wissenschaft noch gründlich beschäftigen. In einer Darstellung der Geschichte des Volkes Israel wie der hier vorgelegten kann in eine kritische Würdigung der Arbeit Gottwalds noch nicht eingetreten werden.

die aus der uns vorliegenden Endgestalt unter Anwendung historischer Methoden erhoben und ausgewertet werden müssen. Die Bemühung darum ist um so nötiger, als außerisraelitische literarische Quellen zur Vorgeschichte Israels nur sehr karg fließen. Und die Ergebnisse der archäologischen Erforschung Palästinas – Material ersten Ranges für den Historiker! – sind ohne ständige Rücksicht auf die literarische Überlieferung des AT entweder stumm oder führen in die Irre. Der Historiker der Vorgeschichte Israels ist in einer ähnlichen Lage wie sein Kollege, der aus Quintus Fabius Pictor bei Polybios, aus Livius und Dionysios von Halikarnassos die römische Geschichte *ab urbe condita* bis zur Begründung der Republik erheben soll. Wie bei ihm wird sich zeigen, daß dem Materiale mit historischen Methoden mehr geschichtliche Einsichten abzugewinnen sind, als man zunächst erwarten sollte.

1. Die Erzväter

Das einzige literarische Dokument, das Überlieferungen von den Erzvätern aufbewahrt hat, ist die Genesis (Gen 12–35). Man ist gut beraten, sich mit allem Nachdruck klarzumachen, daß aus der Genesis nicht etwa das Bild einer Erzväterepoche der Geschichte Israels oder gar des Alten Orients erhoben werden kann. Israel existiert zur Zeit der Erzväter noch nicht einmal nach dem Selbstzeugnis des AT, und der Alte Orient bleibt weitgehend draußen vor der Tür. Die Genesis erzählt nichts anderes als eine Familiengeschichte über drei Generationen mit sehr beschränktem Horizont, fast ohne Wirkungen nach außen und von außen. Von den gewaltigen politischen und kulturellen Entwicklungen und Veränderungen, die der Alte Orient im 2. Jt. v. Chr. erlebte, sind die Traditionen von den Erzvätern – wenn überhaupt – nur am Rande und kaum wahrnehmbar berührt worden.

Sieht man einmal von der schönen, überwiegend friedevollen, „patriarchalischen" Grundstimmung der Erzvätergeschichten ab, so ist einer der ersten Eindrücke, die sie vermitteln, der des unsteten Wanderlebens der Väter. Diese Patriarchen, denen doch das Gelobte Land verheißen ist, wohnen nicht etwa im Lande oder tun das immer nur vorübergehend, bis zum nächsten Aufbruch. Sie wandern mit ihren Familien und Herden unverdrossen von Ort zu Ort; erst im Tode finden sie ihre verdiente Ruhe. Entfernungen spielen dabei keine Rolle; es werden Tausende von Kilometern zurückgelegt. Man mag sagen: die Erzväter sind Nomaden, und Ortsveränderungen sind bei Nomaden nicht ungewöhnlich. Aber selbst unter dieser Voraussetzung sind die Wege der Erzväter merkwürdig und verworren[3]. Die Konsequenz erscheint unausweichlich: diese Wege können keine geschichtlichen, sondern müssen überlieferungsgeschichtliche Gründe haben. Betrachtet man nun die Orte, die die Väter auf ihren Wanderungen berühren, dann fällt auf,

[3] Der Versuch, sie am Kartenbilde anschaulich zu machen, grenzt ans Groteske; vgl. z.B. E.G. Kraeling, Rand McNally Bible Atlas (1956) 63. 83 oder Y. Aharoni – M. Avi-Yonah, Macmillan Bible Atlas (1968) 25–27.

daß keineswegs alle Landschaften Palästinas auch nur annähernd gleichmäßig vertreten sind. Keiner der Väter hat je seinen Fuß in die Küstenebene oder ins Hügelland gesetzt; keiner ist in Galiläa gewesen. Der nördlichste Punkt, der erwähnt wird, ist Sichem. Es ist eine relativ begrenzte Anzahl von Ortschaften, an denen die Väter – meist nur vorübergehend – weilen. Sie liegen alle in Mittel- und Südpalästina und im Ostjordanland; einige von ihnen werden mehrfach genannt. Es sind die folgenden: Sichem (*Tell Balāṭa.* Gen 12,6f.; 33,18–20; 34; 35,1–5); Bethel (*Bētīn.* Gen 12,8; 13,3f.; 28,10 –22; 35,6–15); Mamre (*Ḥaram Rāmet el-Ḫalīl.* Gen 13,18; 18; 35,27); Hebron (*el-Ḫalīl.* Gen 23; 25,9f.; 35,27); Beerseba (*Bīr es-Sebaʿ.* Gen 21,22–33; 22,19; 26; 23–33); Gerar (*Tell eš-Šerīʿa?* oder *Tell Abū Ḥurēra?*[4] Gen 20,1–18; 26,1–22); Beerlachajroi (Gen 16,14; 24,62; 25,11); Gilead (*Ḫirbet Ǧelʿad.* Gen 31,44–54); Machanaim (*Tell Ḥeǧǧāǧ.* Gen 32,2f.); Pnuel (*Tilāl eḏ-Ḏahab.* Gen 32,23–33) und Sukkoth (*Tell Dēr ʿAllā.* Gen 33,17). Das Repertoire ist nicht sehr groß. Man sieht deutlich: die Patriarchenüberlieferungen haften an bestimmten Orten, und zwar oft an ein und denselben. Daraus folgt, daß die Wanderungen nichts anderes sind als sekundäre Verknüpfungen, Redaktionsarbeit, durch welche die Väter an die Orte gebracht werden, auf die es ankommt und an denen die Erzählungen spielen. Die Orte sind wichtiger als die Väter selbst. Dieses Urteil wird bestätigt, wenn man sich die formkritische Seite der Sache klarmacht. Denn die Erzählungen sind ganz offenkundig nicht Elemente von Erzväterbiographien und erst recht keine Geschichtsschreibung. Sie sind vielmehr von Hause aus selbständige Sagen, in sich geschlossen und oft ohne Rücksicht auf den Kontext verständlich, mehr oder weniger fest zu Sagenfolgen oder Sagenkränzen kompositorisch verbunden[5]. Löst man sie aus dem Zusammenhang, in dem sie jetzt stehen, und betrachtet sie je für sich, dann erhalten sie das ihnen zukommende historische Gewicht. Es zeigt sich auf einmal, daß man von den Erzvätern selbst leider sehr wenig Konkretes erfährt, ja daß sie in vielen Fällen zufällig und austauschbar sind. Nicht zufällig und nicht austauschbar sind die Orte, an denen die Sagen spielen. Dabei handelt es sich zwar nicht in allen, aber doch immerhin in sechs Fällen um Heiligtümer, von denen es heißt, daß Gott an ihnen erschien und mit einem begnadeten Offenbarungsträger, dem Patriarchen, redete (Sichem, Bethel, Mamre, Beerlachajroi, Machanaim, Pnuel). Dadurch wird der vorher profane Ort zur heiligen Stätte: die Theophanie begründet Heiligtum und Kultus. Hier liegt auch einer der Gründe für die „patriarchalische", friedliche Grundstimmung der Genesis: es zucken keine

[4] Vgl. Y. Aharoni, IEJ 6 (1956) 26–32.

[5] Vgl. H. Gressmann, Sage und Geschichte in den Patriarchenerzählungen. ZAW 30 (1910) 1ff.; O. Eißfeldt, Stammessage und Novelle in den Geschichten von Jakob und seinen Söhnen [1923]. KS 1, 84–104; R. Kilian, Die vorpriesterlichen Abrahamsüberlieferungen. BBB 24 (1966). Unter den Sonderaspekten der skandinavischen Traditionsgeschichte: D.A. Knight, Rediscovering the Tradition of Israel: The Development of the Traditio-Historical Research of the OT with Special Considerations of Scandinavian Contribution. SBL, Diss. Series 9 (1975²).

Blitze, und Gott verkehrt mit den Menschen fast so, als wären sie seinesgleichen. Sagen solcher Art sind Gründungssagen, ätiologische Sagen[6] – und das gilt auch in vielen Fällen, in denen sich die Gründung nicht auf ein Heiligtum und seinen Kultus bezieht, sondern auf etwas anderes, z. B. auf einen Namen (Gen 21,31; 26,33; 33,17) oder auf einen Gebietsanspruch (Gen 31,44–54) oder auf was immer.

Zu den Heiligtumsgründungssagen ist historisch noch mehr zu bedenken. Es läßt sich in einigen Fällen beweisen, in anderen zumindest wahrscheinlich machen, daß die durch Gottesoffenbarungen an die Väter begründeten Heiligtümer schon längst existierten, bevor Israel entstand und bevor die Patriarchen, die es als seine Väter betrachtete, im Lande nomadisierten. Die Geschichte dieser Heiligtümer reicht weit ins kanaanäische Zeitalter zurück, in die Mittlere und Frühe Bronzezeit oder gar noch weiter. Dann aber kann ihre Gründung nicht im Zusammenhang mit Israels Patriarchen erfolgt sein, und es erhebt sich der Verdacht, daß auch die Gründungssagen selbst älter sind als die Patriarchen. Der Verdacht erhält Nahrung, wenn man auf die Spuren achtet, die noch in der biblischen Endgestalt der Sagen auf hohes vorisraelitisches, vorpatriarchalisches Alter hindeuten. Dazu gehören jene eigentümlichen Gottesbezeichnungen, die nichts anderes sind als Appellativa kanaanäischer Gottheiten an den Heiligtümern Palästinas: *'ẹ̄l ʿōlām* von Beerseba (Gen 21,33), *'ẹ̄l bẹ̄t'ẹ̄l* von Bethel (Gen 31,13; 35,7), *'ẹl b^erīt* oder *baʿal b^erīt* von Sichem (Ri 9,4. 46), vielleicht auch *'ẹ̄l rō'ī* von Beerlachajroi (Gen 16,13). Dazu gehören ferner Spuren polytheistischer oder polydämonistischer Vorstellungen, die hier und dort noch durchscheinen. In Gen 18,1–16 z. B.[7] wird berichtet, daß „drei Männer" den Abraham in Mamre besuchten, sich von ihm bewirten ließen und ihm die Geburt eines Sohnes ankündigten. Es ist mit Händen zu greifen, daß diese drei Männer in der vorisraelitischen Fassung der Sage Gottheiten gewesen sind[8]. In Israel wußte man der Schwierigkeit nicht anders Herr zu werden als durch den Kunstgriff, einen der drei Männer mit Jahwe zu identifizieren und die beiden anderen zu dienstbaren Engelwesen zu degradieren. Aber diese Gewaltlösung ist der Sage in ihrer Endgestalt noch abzuspüren. Der erzählerische Ausgleich ist nicht gelungen, weil man sich nicht dazu verstehen konnte, zwei von den drei Männern verschwinden zu lassen. So gehen drei und eins und eins und drei durcheinander, und die Verlegenheit Abrahams teilt sich dem Leser mit[9]. Ähnlich verhält es sich

---

[6] S. o. S. 27.

[7] Keine Heiligtumsätiologie, sondern eine sog. Theoxenie: eine Sage davon, wie Menschen Gottheiten bewirten. Auch der Jahwist hat sie nicht als Kultgründungssage angesehen; vgl. Gen 13,18.

[8] Vgl. die griech. Sage von dem böotischen Greis Hyrieus, den Zeus, Poseidon (oder Apollo) und Hermes in Menschengestalt besuchten, um ihm zu einem Sohn, dem Jäger Orion, zu verhelfen (bei Ovid, Fasti 5, 494–535).

[9] Man kann verstehen, daß Gen 18 im frühen Christentum einer der atl *loci classici* für die Trinitätslehre geworden ist. Eine jüdische Vorstufe dazu bei Philo Alexandrinus.

mit Gen 32,2f.: Jakob begegnet einem ganzen Schwarm göttlicher Wesen und ruft aus: *maḥ^anẹ̄ ᵓ^elōhīm zē* „das ist das Götterheer!" Der israelitische Erzähler hat die Götter zu Gottesboten *(malᵓ^akẹ̄ ᵓ^elōhīm)* gemacht, wodurch die Sage ihres polytheistischen Inhalts beraubt und für Israel annehmbar wurde. Wenn aber die Sagen älter sind als Israel und seine Patriarchen, dann hat Israel die kanaanäischen Offenbarungsgottheiten durch Jahwe und die Offenbarungsträger durch einen oder mehrere Patriarchen ersetzt. In diesem Lichte betrachtet, werden die Heiligtumsgründungssagen zu Zeugnissen für einen folgenreichen historischen Tatbestand: Israel hat sich nach der Landnahme die alten kanaanäischen Heiligtümer[10] zu eigen gemacht, hat Anspruch auf sie erhoben und ihre sakrale Würde auf Jahwe zurückgeführt, der sich den Erzvätern schon vor der Landnahme dort offenbart haben sollte. Damit ist aber noch ein zweites verbunden: Israel hat nicht irgendwen und vor allem keine Israeliten zu Offenbarungsträgern in den Heiligtumsgründungssagen gemacht, sondern Abraham, Isaak und Jakob. Das bedeutet, daß Israel sich mit diesen Gestalten eng verbunden fühlte, daß es sie und niemanden sonst als seine Väter und zugleich auch als die Väter seiner Religionsausübung betrachtete. Wer waren diese Männer?

Man darf nicht den Fehler begehen, diese Frage zu rasch in der einen oder anderen Weise beantworten zu wollen. Man muß sich langsam an sie herantasten[11]. Zunächst einmal ist überblicksweise – und ohne Anspruch auf Vollständigkeit – zusammenzustellen, was die Überlieferung über die Lebensweise der Erzväter zu sagen weiß, auf die Gefahr hin, daß dabei ältere Züge mit jüngeren vermischt erscheinen, d.h. ohne historische Differenzierung. Die Erzväter lebten nicht in festen Häusern, sondern in Zelten (Gen 12,8; 13,3. 5. 12. 18; 18,1ff.; 25,27; 26,25; 31,25. 33f.). Ihr Haupterwerbszweig war die Viehzucht, und zwar vornehmlich die Kleinviehzucht (Schafe und Ziegen), wenn auch nicht ausschließlich; es kommen auch Rinder, Esel und sogar Kamele vor (Gen 12,16; 15,9; 20,14; 21,27; 24,10ff.; 26,14; 27,9; 30,28–43; 31,17; 32,6. 8. 15f. u.ö.). In der Viehzucht beschäftigten sie Hirten (Gen 13,7f.; 26,20). Daneben aber betrieben sie Landwirtschaft (Gen 26,12; 27,28. 37) und Weinbau (Gen 27,28. 37). Sie ernährten sich von den Erzeugnissen der Viehzucht und des Ackerbaus: von Brot, Milch und Fleisch (Gen 18,6–8). Gelegentlich gingen sie auch auf die Jagd (Gen 25,27; 27,3ff.). Ihre Rechtsstellung und soziale Position im Kultur-

---

10 Eine Übersicht über den Bestand bei G.R.H. Wright, Pre-Israelite Temples in the Land of Canaan. PEQ 103 (1971) 17–32.

11 Literatur in Auswahl: A. Jepsen, Zur Überlieferungsgeschichte der Vätergestalten. Wiss. Zeitschrift d. Karl-Marx-Universität Leipzig, gesellsch.- und sprachwiss. Reihe 3 (1953/54) 265–281; S. Mowinckel, Rahelstämme und Leastämme. BZAW 77 (1958) 129ff.; F. Vattioni, Nuovi aspetti del problema dei Patriarchi biblici. Augustinianum 4 (1964) 331–357; Th.L. Thompson, The Historicity of the Patriarchal Narratives. The Quest for the Historical Abraham. BZAW 133 (1974); J. van Seters, Abraham in History and Tradition (1975); A. Lemaire, Les *benê Jacob.* Essai d'une interprétation historique d'une tradition patriarchale. RB 85 (1978) 321–337. Eine gute Zusammenfassung der gegenwärtigen Problemlage bei W. McKane, Studies in the Patriarchal Narratives (1979).

land war die der Schutzbürger (Gen 21,23; 23,4). Sie waren in der Lage, Grundbesitz zu erwerben (Gen 23; 33,19). Ihr Verhältnis zu den Bewohnern der festen städtischen und dörflichen Siedlungen war das einer relativen Unabhängigkeit und Distanz. Sie schlossen Verträge mit ihnen (Gen 21,22–31; 26,16–33; 31,44–54), traten unter Umständen auch einmal in den Dienst der seßhaften Kulturlandbauern (Gen 29,15ff.) und trieben mit ihnen gegebenenfalls *commercium* und *connubium* (Gen 34,8f. 21). Mit einem Wort: sie führten eine nichtseßhafte, nomadische Existenz. Allerdings entspricht das Bild nicht der Lebensweise der heutigen Transhumanz-Nomaden. Kein Wort verlautet davon, daß die Väter mit ihren Familien und Herden kalendarisch regelmäßig aus der Steppe ins Kulturland und wieder zurück gezogen wären. Ihr Leben entsprach vielmehr dem der sog. Bergnomaden oder Kulturlandnomaden, die sich immer im Kulturland und an seinen Rändern aufhalten, und zwar als Nichtseßhafte zwischen den Städten und Dörfern, vorzugsweise in den Gebieten, die nicht allzu dicht mit Städten und Dörfern besetzt sind[12]. Genau das ist aber auch die Lebensweise der Frühisraeliten gewesen[13] oder doch jedenfalls die Lebensweise eines Teiles jener Gruppen, aus denen sich das frühe Israel gebildet hat. Diese Übereinstimmung führt zu der naheliegenden historischen Vermutung, daß die Erzväter prominente Frühisraeliten, oder besser: Urisraeliten, gewesen sind. Mit dieser Vermutung befinden wir uns nahe an dem, was das AT von den Patriarchen behauptet: es betrachtet sie als Urahnen Israels. Das ist genealogisch gemeint. Beim Verzicht auf Genealogie und Biologie bleibt am Ende ein historisch sehr wahrscheinliches Bild: die Erzväter als Sippenoberhäupter von Kulturlandnomaden, die regional und zeitlich zu jenen Gruppen gehörten, aus denen später Israel hervorgegangen ist, oder die im späteren Israel aufgegangen sind.

Eine weitere Beobachtung kommt hinzu. Die Erzväterüberlieferungen lassen sich nicht gleichmäßig über die in Frage kommenden Landschaften Palästinas verteilen. Vielmehr bevorzugen bestimmte Regionen bestimmte Patriarchen. Die überwiegende Mehrzahl der Sagen, in denen Abraham und Isaak die Hauptrolle spielen, gehören in den Süden Palästinas, einige davon an den äußersten Südrand des Kulturlandes, in die Bucht von Beerseba und in die Südwüste. Sehr aufschlußreich sind z.B. die beiden Sagen Gen 21,22–33 und 26,16–33: beide handeln von demselben Sachverhalt, einmal mit Abraham, das andere Mal mit Isaak. Sie zeigen die Väter historisch glaubwürdig als Kleinviehnomaden mit Ackerbau, die mit den Bewohnern der Stadt Gerar in Verhandlungen mit dem Ziele einer vertraglichen Verständigung stehen. Abimelech, der Stadtfürst von Gerar, hat die Oberhoheit über das betreffende Gebiet. Abraham und Isaak stehen mit ihren Leuten als „Schutzbürger" *(gērīm)* unter Rechtsschutz. Ein Streit um Grundwasserbrunnen wird schiedlich-friedlich beigelegt, und zuletzt schließt man einen

[12] Vgl. V.H. Matthews, Pastoralists and Patriarchs. BA 44 (1981) 215–218.

[13] S.u.S. 126f.

feierlichen Pakt im Heiligtum von Beerseba. Diese Sagen schildern eine für Nomaden typische Situation. Doch nicht nur sie, auch die meisten anderen Abraham-Isaak-Traditionen sind im Süden zu Hause; Mamre bei Hebron ist der nördlichste Punkt. Fragt man, welche Teile des späteren Israel gerade diese Patriarchen als ihre Väter angesehen haben könnten, dann legt es sich nahe, an Juda und Simeon, vielleicht überhaupt an den „Südflügel", d.h. an die Leagruppe, zu denken. Bei Jakob dagegen liegen die Dinge anders[14]. Er ist der Patriarch der Rahelgruppe. Was von ihm erzählt wird, spielt überwiegend in Mittelpalästina und im Ostjordanland. Die Differenz hat sich später in der gesamtisraelitischen Genealogie niedergeschlagen. Da die erste systematische Ausformung der Traditionen von Israels Vorgeschichte, soweit wir sehen können, bei den Rahelstämmen erfolgte, wurde Jakob als Patriarch der Rahelgruppe der eigentliche Stammvater Israels und erhielt den Ehrennamen „Israel" (Gen 32,23–33; 35,9f.). Ob es eine Gruppe dieses Namens in Mittelpalästina vor den Rahelstämmen gegeben hat, deren Namen Jakob gewissermaßen übernahm, muß offenbleiben[15]. Es lag in der Konsequenz des Systems, daß die Eponyme der zwölf Stämme Jakobs Söhne wurden. Aber die ursprüngliche Zugehörigkeit allein der Rahelgruppe zu Jakob ist in der Überlieferung noch deutlich erkennbar: Jakob liebte Rahel mehr als die ihm wider Willen aufgenötigte Lea (Gen 29,16–28). Als dann die Traditionen bei den Stämmen der Leagruppe im Süden weiterentwickelt wurden, kamen Abraham und Isaak ins System. Sie wurden Jakob genealogisch als Vater und Großvater vorgeordnet. Das geschah nicht nur deswegen, weil der Platz des eigentlichen Stammvaters, des Prototyps Israels, durch Jakob bereits besetzt war. Es spiegelt sich darin wahrscheinlich auch ein gewisser Vorrang der Leagruppe gegenüber der Rahelgruppe, und dieser Vorrang kann kaum anders als chronologisch aufgefaßt werden: die Leagruppe gelangte früher zur Seßhaftigkeit als die Rahelgruppe. Während die nachmaligen Israeliten im Süden schon landsässige Bauern geworden waren, lebten sie in Mittelpalästina noch als Nomaden.

Gibt es aber ausreichende Gründe dafür, die Erzväter überhaupt für historische Gestalten zu halten, oder sind sie nicht vielmehr fiktive Ahnherren von Menschengruppen, Eponyme wie die zwölf Söhne Jakobs? Früher hat man das in der atl Wissenschaft tatsächlich behauptet, hat auch in Erwägung gezogen, ob die Väter nicht vielleicht Märchenfiguren oder gar depotenzierte Götter gewesen sein könnten. Solche Ansichten werden heute kaum mehr vertreten; denn es gibt beachtliche positive Gründe für die Historizität der Patriarchen. Ihre Namen sind geläufige westsemitische Personennamen. Abraham ist eine stammerweiterte Nebenform zu Abram, wie der Patriarch bekanntlich bis Gen 17,5 heißt, und dieses wiederum ist

---

[14] Vgl. E. Otto, Jakob in Sichem. Überlieferungsgeschichtliche, archäologische und territorialgeschichtliche Studien zur Entstehungsgeschichte Israels. BWANT VI, 10 (1979).

[15] Vgl. L. Wächter, Israel und Jeschurun. Schalom, Fs A. Jepsen (1971) 58–64.

gleich *'Abīrām* ein sog. Ersatzname mit der Bedeutung „der Vater ist hoch", d. h. er ist tot, und das Kind ist sein Ersatz[16]. Isaak *(Yiṣḥāq)* ist entweder ein Hypokoristikon zu **Yiṣḥaq-'ēl* „Gott möge lächeln" (über dem Kinde, d. h. ihm wohlgesinnt sein)[17] oder ein Zärtlichkeitsname „Er lächelt" (das Kind, nach der Geburt). Jakob *(Ya'aqōb)* ist wahrscheinlich Kurzform von **Ya'-qåb-'ēl* „Gott möge schützen"[18]. Wären die Väter Eponyme, dann müßte sich zeigen lassen, daß ihre Namen als Gruppennamen gebraucht werden. Das ist aber nicht der Fall; es gibt keine Gruppe Abraham, keine Sippe Isaak, keinen Stamm Jakob[19]. Die Patriarchen sind Individuen. Hinzu kommt ein Indiz aus der Religionsgeschichte, dessen Bedeutung für das Problem der Historizität der Erzväter nicht unterschätzt werden darf[20]. Man hat schon immer bemerkt, daß in der Väterüberlieferung eigentümliche Gottesbezeichnungen auftauchen: „der Gott (deines, meines, unsres) Vaters Abraham/Isaak/Jakob" (Gen 26,24; 28,13; 32,10; 46,1; Ex 3,6 u. ö.), „der Gott Nahors" (Gen 31,53), „der Schreck Isaaks" (Gen 31,42; 53)[21] und „der Starke Jakobs" (Gen 49,24; Jes 1,24 u. ö.). Diese Bezeichnungen sind so konstruiert, daß der Name eines Patriarchen im Genetiv von einem Gottesappellativum abhängig ist, meistens von *'elōhīm,* niemals von *'ēl.* Die Verbindung kann durch die Apposition „Vater" (im sing., plur. und mit Suffixen) erweitert oder der Patriarchenname durch „Vater" ersetzt werden. Aus diesem Sachverhalt hat zuerst A. Alt die religionsgeschichtlichen Konsequenzen gezogen[22]. Er hat gezeigt, daß es sich dabei nicht – wie die Tradition glauben machen will – von allem Anfang an um Jahwe handelt, den man später „Gott der Väter" nannte und anachronistisch in die Vorzeit hinaufdatierte, sondern um die Spur eines vorisraelitischen Religionstyps, der dann auf ähnliche Weise jahwisiert worden ist wie die kanaanäischen Gottheiten der Kulturlandheiligtümer. Dieser Religionstyp hat bestimmte, charakteristische Merkmale. Er ist polytheistisch, d. h. es gibt nicht einen Vätergott, sondern mehrere Vätergötter. Der „Schreck Isaaks" und der „Starke Jakobs" sind nicht identisch. Der Polytheismus wird an einer Stelle

---

[16] Vgl. J. J. Stamm, Die akkadische Namengebung. MVAeG 44 (1939) § 40; ders., Hebräische Ersatznamen. Assyriological Studies 16 (1965) 413–424. Andere Deutungen wie „der (göttliche) Vater ist hoch", „liebe den Vater!" (Gressmann, Landsberger; von ostsem. *ra'āmu* „lieben") oder „er ist groß, was seinen Vater anbelangt" (d. h. von guter Herkunft; Albright), sind wenig wahrscheinlich oder ausgeschlossen.

[17] Noth, PN 210.

[18] Noth, PN 177 f. In den Texten von Mari begegnet dieser Name in der Form *Ya(ḫ)qub-ila* mit der Kurzform *Yaqubi*; vgl. M. Noth, Mari und Israel. Eine Personennamenstudie [1953]. ABLAK 2, 213–233; bes. 225. 232.

[19] In der Poesie kann Jakob als Synonym zu Israel auftreten (Num 23,7. 10. 21. 23 u. ö.). Aber das besagt natürlich nichts.

[20] Zum Komplex der hier einschlägigen Fragen vgl. H. Weidmann, Die Patriarchen und ihre Religion im Lichte der Forschung seit J. Wellhausen. FRLANT 94 (1968); A. Ammassari, La religione dei Patriarchi (1976).

[21] Die Bezeichnung *paḥad Yiṣḥāq* wurde eine Zeit lang aus dem Ugaritischen als „der Verwandte Isaaks" gedeutet; vgl. aber D. R. Hillers, *Paḥad Yiṣḥāq.* JBL 91 (1972) 90–92.

[22] A. Alt, Der Gott der Väter [1929]. KS 1, 1–78; Ergänzungen in PJB 36 (1940) 100–103.

noch handfest greifbar. Es heißt im Zusammenhang eines Vertragsabschlusses zwischen Jakob und Laban: „Der Gott Abrahams und der Gott Nahors mögen (!) zwischen uns richten, der Gott ihres Vaters!" (Gen 31,53). Die Überlieferung hat an dieser im Sinne der Jahwereligion anstößigen Eidesformel Operationen vorgenommen, um den Polytheismus verschwinden zu lassen, ohne daß das ganz gelungen wäre: die Hinzufügung der Formel „der Gott ihres Vaters" (fehlt in LXX!), die die beiden Gottheiten als nur eine, nämlich Jahwe, erscheinen lassen will, und die vom samaritanischen Pentateuch und der LXX gebotene sing. Verbalform „er möge richten" statt der plur. Form des masoretischen Textes. Das zweite Hauptmerkmal besteht darin, daß die Vätergötter nicht oder jedenfalls nicht ursprünglich an heilige Stätten gebunden sind, sondern an Personen und ihren Anhang: eben an die Väter, deren Namen sie tragen. Alt schloß daraus, daß sie von Hause aus nicht in den Bereich der seßhaften Bauern, sondern in den der nichtseßhaften Nomaden gehören. Personalgötter ähnlicher Art gibt es mehr als ein Jahrtausend später auch bei den Nabatäern und Palmyrenern, deren teils aramäisch, teils griechisch abgefaßte Inschriften aus Petra, Palmyra und dem Ḥaurān Gottesbezeichnungen wie *'lh Qṣyw, 'lh Mnbtw,* θεὸς Αὔμου, θεὸς Ἀρκεσιλάου u.a. enthalten. Nach A. Alt ist die religionsgeschichtliche Entwicklung wie folgt zu rekonstruieren. Die Vätergottreligion wird durch die Offenbarung einer Gottheit an eine bestimmte, individuelle, unverwechselbare menschliche Person begründet, genauer: durch das Offenbarungserlebnis der Person, deren Namen in der Bezeichnung festgehalten ist. Mit der Seßhaftwerdung der Nomadengruppen, die sich auf die Väter berufen, werden auch die Vätergötter sozusagen seßhaft; sie verschmelzen mit den El-Numina der kanaanäischen Heiligtümer. Im Zuge der Ausbildung des gesamtisraelitischen Gemeinsamkeitsbewußtseins erfolgt einerseits die Singularisierung der Vätergötter – aus den mehreren wird einer – und andererseits die Gleichsetzung mit Jahwe, von dem es nun heißen kann, er sei es von Anfang an gewesen, der sich den Vätern offenbart habe. Ein ähnliches Schicksal der Angleichung an den großen Gott haben im Zeitalter des Hellenismus auch die Personalgötter der Nabatäer und Palmyrener erlebt: der θεὸς Αὔμου erscheint dann in der Gestalt des Ζεὺς Ἀνίκητος Ἥλιος θεὸς Αὔμου. Nun ist in den beiden letzten Jahrzehnten unter verschiedenen Aspekten Kritik an A. Alts Rekonstruktion geübt worden[23]. In der Tat kann man beachtliche religionsphänomenologische und religionsgeschichtliche Bedenken ins

---

[23] Literatur in Auswahl: F.-M. Cross, Yahveh and the God of the Patriarchs. HThR 55 (1962) 225–259; K.T. Andersen, Der Gott meines Vaters. Studia Theologica 16 (1962) 170–188; O. Eißfeldt, Jahwe, der Gott der Väter [1963]. KS 4, 79–91; H. Vorländer, Mein Gott. Die Vorstellungen vom persönlichen Gott im Alten Orient und im AT. AOAT 23 (1975); B. Diebner, Die Götter des Vaters. Eine Kritik der „Vätergott"-Hypothese A. Alts. Dielheimer Blätter zum AT 9 (1975) 21–51; N. Wyatt, The Problem of the „God of the Fathers". ZAW 90 (1978) 101–104; J. van Seters, The Religion of the Patriarchs in Genesis. Biblica 61 (1980) 220–233.

Feld führen. Alts Qualifikation der Vätergottreligion als nomadisch, verbunden mit der These vom Transhumanz-Nomadismus im 2. Jt. v. Chr., ist ebenso fraglich wie die einfache Parallelisierung der Vätergötter mit den nabatäisch-palmyrenischen Personalgöttern. Aber in die Erörterung dieser Fragen muß hier nicht eingetreten werden. Wenn es dabei bleibt, daß der „Gott der Väter" keine späte Konstruktion, sondern ein Relikt aus der Vorgeschichte Israels ist – und dafür spricht trotz van Seters u. a. Einwänden nach wie vor alles –, dann ist die Konsequenz unausweichlich, daß die Väter historische Gestalten waren, wie immer man sich ihr Bild und ihr Verhältnis zu den nachmaligen Israeliten vorstellen will. Die Religion der Väter hat gewiß einen wesentlichen Beitrag zur Religion des späteren Volkes Israel geleistet: einen nicht präzise bestimmbaren Beitrag freilich, da wir zu wenig von ihr wissen und mit Spekulationen zurückhaltend sein sollten.

Läßt sich der Überlieferung noch mehr und vor allem Genaueres über die Erzväter entnehmen? Über ihre Zeit und ihre individuellen Lebensumstände? Charakter und Gestalt der Erzvätersagen sind der Beantwortung dieser Fragen nicht günstig. Von einer auch nur einigermaßen zuverlässigen Datierung der Patriarchen mit Hilfe der Archäologie kann nicht die Rede sein[24]. Der Versuch W. F. Albrights, die Väter als Eselskarawanenführer auf den internationalen Handelsrouten zu Beginn des 2. Jt. v. Chr. zu deuten[25], verliert sich im Dunkel des nicht mehr Erkennbaren und ist mit einer Fülle von hypothetischen Hilfsannahmen und Unwahrscheinlichkeiten belastet[26]. Nicht besser steht es mit den Versuchen, die Väter auf dem Wege über kulturhistorische Beobachtungen geschichtlich und chronologisch genauer zu bestimmen: durch Überlegungen zu ihren Namen, ihren Sitten und Bräuchen, den Rechtsvorstellungen der Patriarchenüberlieferung, den Beziehungen zu den Keilschrifttexten von Nuzi-Arrapḫa u. a. m.[27] Man kommt mit alledem nicht weiter als bis zu der allgemeinen Feststellung, daß die Väter und die Sagen, die von ihnen erzählen, in den weiten Rahmen der altorientalischen Kultur des 2. und beginnenden 1. Jt. v. Chr. hineingehören. Auch mit der gerade in diesem Zusammenhang oft strapazierten Angabe, Abraham habe aus „Ur in Chaldäa" gestammt und sei von dort nach Ḫarrān im Euphratknie aufgebrochen (Gen 11,28 R^P; 11,31 P; 15,7), ist historisch nichts anzufangen. Ur ist *Tell el-Muqayyar* in Südbabylonien, im 3. und 2. Jt. v. Chr. ein bedeutendes politisches und religiöses Zentrum der Sumerer und Akkader[28]. Daß Abraham dort zu Hause gewesen sei, ist am

[24] Vgl. W. Leineweber, Die Patriarchen im Licht der archäologischen Entdeckungen. Die kritische Darstellung einer Forschungsrichtung. EH 23, 127 (1980).

[25] W. F. Albright, Abram the Hebrew: A New Archaeological Interpretation. BASOR 163 (1961) 36–54; ders., Yahwe and the Gods of Canaan (1968) 47–49.

[26] Vgl. R. de Vaux, Histoire 217–220 und M. Weippert, Abram der Hebräer? Bemerkungen zu W. F. Albrights Deutung der Väter Israels. Biblica 52 (1971) 407–432.

[27] Vgl. den Überblick bei R. de Vaux, Die hebräischen Patriarchen und die modernen Entdeckungen (1961) bes. 55–86.

[28] Über die englischen Ausgrabungen 1922–1934 unterrichtet zusammenfassend Sir L. Woolley, Ur in Chaldäa. Zwölf Jahre Ausgrabungen in Abrahams Heimat (1956).

festesten in der Priesterschrift (6./5. Jh. v. Chr.) verankert. Die Stadt wird dabei stets *'Ūr Kaśdīm* genannt, und die *Kaśdīm* „Chaldäer" sind nicht vor dem 9. Jh., als Herrenschicht erst im 7. Jh. in Babylonien aufgetreten[29]. Südbabylonien spielt im AT als Herkunftsgebiet Abrahams eine ganz untergeordnete Rolle. Weitaus beachtlicher sind seine und der anderen Patriarchen Beziehungen zu den Aramäern Obermesopotamiens (Gen 11,31; 12,4; 24; 29–31). Wer eine gewaltige Wanderung Abrahams durch ganz Mesopotamien annehmen will, soll daran nicht gehindert werden. Sehr viel wahrscheinlicher ist der Gedanke an eine späte Konstruktion, für die sich immerhin drei Gründe nennen lassen: 1. Abraham sollte dorther stammen, wo die Urgeschichte katastrophal geendet hatte, aus dem Lande des Turmes von Babel (Gen 11,1–9); 2. Ur war in neubabylonischer Zeit (6. Jh. v. Chr.) durch den Kultus des Mondgottes Nannar-Sîn eng mit dem obermesopotamischen Ḫarrān verbunden; 3. In Südbabylonien wohnten seit 586 judäische Exulanten, denen Abrahams Aufbruch und Auszug ein Zeichen der Hoffnung auf Heimkehr sein mochte. Aus eben dieser Zeit datiert die priesterschriftliche Quelle des Pentateuch.

Gen 14 schließlich, der einzige Text, der einen der Erzväter in größere geschichtliche Zusammenhänge hineinstellt, ist historisch ganz unbrauchbar. Das Kapitel gehört zu keiner der Pentateuchquellen. Abraham erscheint in ihm als Kriegsmann; das ist das letzte, worauf der Leser gefaßt ist. Diese und andere Merkwürdigkeiten machen freilich auch den Reiz der Erzählung aus. Es verwundert nicht, daß viel historischer Scharfsinn und ebensoviel abenteuerliche Spekulationslust an sie gewandt worden sind[30]. Folgendes wird berichtet. Vier Großkönige des Nordens und Ostens hatten fünf Kleinkönige am Südende des Toten Meeres zwölf Jahre lang unterjocht. Im dreizehnten Jahre wagten die Kleinkönige den Abfall, und im vierzehnten Jahre veranstalteten die Großkönige eine gemeinsame Strafexpedition. Es kam zur Schlacht im Tale von Siddim, in deren Verlauf die Kleinkönige schwer aufs Haupt geschlagen wurden. Mit reicher Beute und vielen Gefangenen zogen die Sieger davon. An dieser Stelle kommt Abraham plötzlich und unversehens ins Bild. Denn unter den Gefangenen befindet sich sein Neffe Lot. Er bietet 318 Mann auf[31] und macht sich an die Verfolgung der Großkönige. Er erreicht sie in der Gegend von Dan, schlägt sie, nimmt ihnen Gefangene und Beute ab und verfolgt sie bis über Damaskus hinaus. Nach seiner Rückkehr bringt ihm Melchisedek, der Priesterkönig von Salem, Brot und Wein und segnet ihn. Abraham gibt ihm den Zehnten von allem und liefert dem König von So-

---

[29] Einzelheiten bei J. A. Brinkman, A Political History of Post-Kassite Babylonia. AnOr 43 (1968) 260 ff.

[30] Literatur in Auswahl: W. F. Albright, The Historical Background of Genesis XIV. JSOR 10 (1926) 231–269; F. Cornelius, Wer ist Amraphel in Gen. 14? ZAW 70 (1958) 255 f.; K. Jaritz, Gen. XIV. ZAW 72 (1960) 1–7; M. C. Astour, Political and Cosmic Symbolism in Gen. 14 and its Babylonian Sources. Biblical Motifs: Origins and Transformations, ed. A. Altmann (1966) 65–112; J. A. Emerton, Some False Clues in the Study of Genesis XIV. VT 21 (1971) 24–47; ders., The Riddle of Genesis XIV. Ebenda 403–439; W. Schatz, Genesis 14. EH 23,2 (1972).

[31] 318 ist die Zahl der Tage im Jahr, an denen der Mond sichtbar ist. Weiteres bei St. Gevirtz, Abram's 318. IEJ 19 (1969) 110–113.

dom alles aus, was er erbeutet hat. Eigentlich genügt ja schon diese Inhaltsangabe. Die Unmöglichkeiten im einzelnen aufzuzählen und zu begründen, würde zu viel Platz erfordern. Einige Hinweise müssen genügen. In Gen 14 sind mindestens drei Stücke verhältnismäßig locker miteinander verbunden: der Kriegsbericht (V. 1–11), die Abrahamgeschichte (V. 12–17. 21–24) und die Melchisedek-Episode (V. 18–20). Von diesen dreien erweckt der Kriegsbericht am ehesten den Anschein, als lägen ihm geschichtliche Erinnerungen zugrunde. Aber welche? Das vermag bis zur Stunde niemand zuverlässig zu sagen, auch R. de Vaux nicht, der sich sehr um Gen 14 bemüht und vor allem die ungewöhnliche Marschroute der Großkönige[32] verständlich zu machen versucht hat[33]. Er rechnet damit, daß die Aktion gegen die Kleinkönige am Toten Meer nur eine Episode innerhalb eines größeren Unternehmens war: eines Unternehmens zur Kontrolle der Handelsverbindungen zwischen Syrien und Arabien entlang dem ostjordanischen Königsweg. Aber abgesehen davon, daß damit allenfalls die Operationen im Ostjordanland erklärt werden könnten, nicht jedoch die Abstecher nach Kadesch und nach Dan, vermag de Vaux ebensowenig wie andere das Unternehmen geschichtlich zu lokalisieren. Er setzt es, und mit ihm Abraham, ins 19. Jh. v. Chr. Doch weder aus diesem noch aus anderen Jahrhunderten ist eine politisch-militärische Aktion bekannt, an der zugleich Babylonien, Elam und das Hettiterreich beteiligt waren. Dergleichen kann es nicht gegeben haben. Auch die Namen der Großkönige helfen nicht weiter. Sie lesen sich, als ob ein später Autor auf der Suche nach fremden, altertümlichen Namen ein historisches Lexikon aufgeschlagen, darin aber nur die Stichworte, nicht die Artikel gelesen hätte. Amraphel von Sinear (Babylonien) ist auf keinen Fall, wie früher oft vermutet, *Ḫammurapi* von Babylon, sondern entspricht dem akkad. Namen *Amar-pī-el*[34]; ein König dieses Namens ist aus dem syrischen Qatna bekannt. Ariok von Ellasar(?) ist vermutlich der hurritische Name *Arrīwuk,* den z. B. ein Sohn Zimrilims von Mari trägt. Kedorlaomer ist zwar ein geläufiger elamischer Name *(Kuter-laqamar),* aber gerade unter den zahlreichen Königen von Elam nicht belegt. Tideal ist wahrscheinlich hettit. *Tut/dḫaliya* – aber welcher König dieses Namens, und warum heißt er „König der Völker"? Mit alledem ist nichts anzufangen. Gen 14 ist wohl doch nichts anderes als ein spätes, nachexilisches Kunstgebilde. Zu welchem Zwecke es geschaffen wurde, ist nicht zu erkennen; vielleicht unter anderem, um zu zeigen, wie auch der selige Erzvater Abraham einmal in die große Politik verstrickt wurde. Die Melchisedek-Episode dürfte freilich älter sein[35].

Das für den Glauben und das Geschichtsverständnis Wesentliche liegt nicht in den Vätersagen als Einzelgebilden, sondern darin, daß die Erzväter zu Ahnen ganz Israels und zu Trägern der göttlichen Verheißung von Nachkommenschaft und Kulturlandbesitz geworden sind. Die klassischen Erzväterverheißungen (Gen 12,1–3. 7; 13,14–17; 15; 17; 28,13–15 u. ö.) gehören zu literarisch verschiedenen, zeitlich voneinander weit getrennten Schichten. Sie sind zweifellos von der späteren gesamtisraelitischen Tradi-

---

[32] Astarot-Qarnaim (*Tell ʿAštara* bei *Šēḫ Saʿd*) – Ham(?) – Qirjataim (*Ḫirbet el-Qurēye* unweit *Maʿīn*) – Seïr bis El Paran(?) – *ʿĒn Mišpāṭ* = Kadesch (*ʿĒn Qdēs* und *ʿĒn Qudērāt*) – Haṣaṣon Thamar(?) – Tal Siddim(?).

[33] Die hebräischen Patriarchen etc. (Anm. 27) 34–44.

[34] Vgl. W. v. Soden, WdO I,3 (1948) 198.

[35] S. u. S. 204 mit Anm. 30.

tion geformt worden[36]. Aber die Sache, um die es dabei geht, kann älter sein; der Grundbestand kann durchaus in die Zeit der Patriarchen, in die Vorgeschichte Israels, hinaufreichen. Es ist vielleicht nicht zufällig, daß sich die Spuren des „Gottes der Väter" mehr als einmal gerade im Zusammenhang mit den Erzväterverheißungen finden. Wenn es richtig ist, daß die Väter und ihre Sippen „Urisraeliten" waren, dann könnte ihr Ansehen nicht zuletzt auch darin begründet gewesen sein, daß sich die an sie ergangenen Verheißungen zu erfüllen begonnen hatten: sie mehrten sich und lebten als Nomaden im Übergang zur Seßhaftigkeit im Kulturland. Israel konnte später die Kunde von ihnen aufnehmen und ausbauen, so daß nun Israels eigene Landnahme als ein längst vorbereitetes Werk göttlicher Führung erschien. Alle diese Erwägungen, so hypothetisch sie immer sein mögen, sprechen für die Datierung der Väter nicht allzu lange vor der Landnahme und für ihre Zugehörigkeit zu jenen Menschengruppen, aus denen Israel selbst hervorgegangen ist.

2. *Der Auszug aus Ägypten*

Vom Aufenthalt Israels in Ägypten und von seinem Auszug berichten Ex 1–15. Obwohl die Darstellung in höherem Grade als bei den Erzvätersagen den Eindruck einer zusammenhängenden und fortlaufenden Geschichtserzählung macht, kann doch nicht zweifelhaft sein, daß auch sie das Ergebnis eines teils vorliterarischen, teils literarischen Werde- und Kompositionsprozesses ist[1]. Vor allem aber ist zu bedenken, daß die Tradition für uns in der generalisierten und nationalisierten Gestalt vorliegt, die ihr das spätere Israel gegeben hat. Die schwierige und nur teilweise lösbare Aufgabe des Historikers besteht darin, durch kritische Reduktion von der Endgestalt der Überlieferung zu Aufenthalt und Auszug als Themen der Vorgeschichte Israels zu gelangen.

Um aus Ägypten ausziehen zu können, muß man erst einmal eingewandert sein. Daraus folgt: zu einem nicht näher bestimmbaren Zeitpunkt sind Menschen, die zu den Vorläufern und Vorfahren des späteren Israel gehören, lange vor ihrer palästinischen Landnahme nach Ägypten gekommen. Dieser Vorgang hat Spuren in der atl Überlieferung hinterlassen: z.B. in Gen 12,10–20 und natürlich in der Josephsgeschichte (Gen 37. 39–50). Historisch ist davon auszugehen, daß die Vorläufergruppen des späteren Israel Nomaden waren. Diese Voraussetzung befindet sich ja auch in Übereinstimmung mit der atl Tradition, wie die Erzvätergeschichten deutlich zeigen. Nomaden aber sind beweglich und in der Lage, ihr Vorzugsgebiet

---

[36] Vgl. J. Hoftijzer, Die Verheißungen an die drei Erzväter (1956); C. Westermann, Die Verheißungen an die Väter. Studien zur Vätergeschichte. FRLANT 116 (1976).

[1] Zur Analyse vgl. G. Fohrer, Überlieferung und Geschichte des Exodus. BZAW 91 (1964); G.W. Coats, A Structural Transition in Exodus. VT 22 (1972) 129–142. Sehr eigenwillige Auffassungen vertreten P. Weimar – E. Zenger, Exodus. Geschichten und Geschichte der Befreiung Israels. SBS 75 (1975).

unter bestimmten Bedingungen gegen ein anderes einzutauschen. Bergnomaden im Kulturland mit ihrem verhältnismäßig geringen Aktionsradius sind dabei gewiß weniger mobil gewesen als Nomadengruppen der Steppen- und Wüstengebiete, jene etwa, die in ägyptischen Texten unter dem Sammelnamen *Šȝśw* (Schasu) erscheinen[2]. Die Gründe, die zu Nomadenbewegungen in Richtung Ägypten führen konnten, waren verschiedener Art: Wanderlust, Neugier, die Nötigung, Feinden auszuweichen und was immer man sich vorstellen will. Vor allem aber sind klimatische Ursachen in Betracht zu ziehen. In Jahren, in denen die Regenmenge geringer war als sonst, konnten die Nomaden in ernsthafte wirtschaftliche Schwierigkeiten geraten, und zwar um so mehr, je weiter entfernt von den Gebirgen und je weiter draußen in den Steppen- und Wüstengebieten sie sich aufhielten. Der Mangel an Nahrung für Mensch und Vieh konnte sie veranlassen, sich aufzumachen und ins Nildelta zu ziehen, wo die Bedingungen auf Grund der hydrographischen Verhältnisse Ägyptens bedeutend besser waren als in den Heimatgebieten. Hierher gehört das Motiv von Hungersnot und Teuerung, das in den Erzählungen der Genesis eine nicht geringe Rolle spielt (Gen 12,10; 26,1; 41,55–42,3; 43,1f.). Solche Zusammenhänge und Möglichkeiten sind beim Thema der Einwanderung nach Ägypten zu bedenken.

Seit der Erschließung des ägyptischen Schrifttums im 19. Jh. hat man sich immer wieder darum bemüht, Spuren der Einwanderung der nachmaligen Israeliten in ägyptischen Texten aufzufinden. Das ist nicht gelungen und aus verschiedenen Gründen aussichtslos. „Israel" ist erst nach der sog. Landnahme in Palästina entstanden, und wir würden die Menschen, deren Nachkommen später dorthin gelangten, in ägyptischen Texten selbst dann nicht erkennen, wenn sie als Einwanderer ins Nildelta namentlich aufgeführt wären. Außerdem hat der Vorgang, der uns so stark interessiert, für die Ägypter sicherlich sehr viel geringere Bedeutung gehabt. Und schließlich waren die Ägypter an dergleichen gewöhnt; denn das Problem des nomadischen Zuzugs von Osten war für sie stets aktuell. Ägypten ist seit alters genötigt gewesen, seine Grenze auf der Ostseite des Deltas gegen die Nomaden aus den Regionen der Isthmuswüste und der Sinaihalbinsel abzusichern und die Nomadenbewegungen unter Kontrolle zu halten. Dem dienten Befestigungsanlagen, Militärposten und Forts. Der Name für die Bitterseen am Ostrande des Deltas *(km-wr)* wird bereits in den Pyramidentexten des Alten Reiches mit dem Deutezeichen „Mauer" geschrieben. Das Problem des Verhältnisses zu den „elenden Asiaten" beschreibt sehr eindrücklich ein Passus aus dem historischen Abschnitt der Lehre für König Merikare um 2100 v. Chr.[3]. Zu Beginn des Mittleren Reiches, unter König Amenemhet I. (1991–1962), sind Abwehranlagen im Ostdelta bezeugt; vgl. Sinuhe B 16f.: „Ich erreichte die ‚Mauern des Herrschers', die gemacht worden sind, um die Nomaden abzu-

[2] S. u. S. 86. 101.

[3] Z. 91–100. Übersetzungen: A. Erman, Die Literatur der Ägypter (1923) 116; AOT[2], 35; ANET[3], 416f. Vgl. A. Scharff, Der historische Abschnitt der Lehre für König Merikare. Sitzungsberichte d. Bayr. Akad. d. Wiss., phil.-hist. Abt. (1936) Heft 8.

wehren, um die Sandläufer niederzuschlagen."[4] Es wird sich um renitente Sandläufer gehandelt haben. Im Falle friedlicher Zuwanderung waren die Ägypter im allgemeinen tolerant und bereit, die Nomaden nach genauer Kontrolle am Grenzort passieren zu lassen. Wie das geschah, lehrt der Brief eines ägyptischen Grenzbeamten an seinen Vorgesetzten aus der Zeit Sethos II. (1200–1194). Er steht im Pap. Anastasi VI, 53–60 und lautet: „Eine andere Mitteilung für meinen [Herrn]: Wir sind damit fertig geworden, die *Šꜣśw*-Stämme von Edom durch die Festung des Merenptah in *Ṯkw* passieren zu lassen, bis zu den Teichen von *Pr-Itm* (= Pithom) des Merenptah in *Ṯkw*, um sie und ihr Vieh durch den guten Willen des Pharao, der guten Sonne eines jeden Landes, am Leben zu erhalten. Im Jahre 8, (am Tage) [der Geburt] des Seth, [während der Zeit der 5 Schalttage]. Ich habe sie auf einem Schriftstück bringen lassen zu dem (Orte), [wo] sich mein Herr befindet, zusammen mit den Namen der anderen Tage, an denen die Festung des Merenptah in *Ṯ[k]w* [von *Šꜣśw*-Stämmen?] passiert wurde."[5] Dieser Text ist in mehrfacher Hinsicht interessant und als Illustrationsmaterial zur Einwanderung der nachmaligen Israeliten geeignet. Er stammt ungefähr aus der Zeit, die für die Einwanderung in Frage kommt; er dürfte kaum mehr als ein Jahrhundert jünger sein. Er betrifft *Šꜣśw*-Nomaden von Edom: eine Regionalbezeichnung, die uns aus dem AT hinlänglich vertraut ist, auch wenn wir über das Verhältnis dieser Edom-Nomaden zu den Edomitern südöstlich des Toten Meeres nichts Genaues wissen. Es ist die Ansicht vertreten worden, daß die Ägypter seit der Mitte der 18. Dynastie zwischen Nomaden, die südlich einer Linie von Raphia *(Refaḥ)* bis zum Südende des Toten Meeres unterwegs waren *(= Šꜣśw)*, und solchen nördlich dieser Linie *(= ʿpr.w)* differenzierten[6]. Wie dem auch sei: jedenfalls waren die nach Ägypten einwandernden *Šꜣśw* von Edom in Not; sie sollen „am Leben erhalten" werden. Schließlich weisen die geographischen Namen des Textes in die Gegend des *Wādī eṭ-Ṭumēlāt* im Ostdelta, und eben diese Gegend ist es auch, die für den Aufenthalt der nachmaligen Israeliten in Ägypten in Betracht kommt[7]. So ist der Brief eines Grenzbeamten zwar kein unmittelbares Zeugnis für die Einwanderung der Menschen, die uns interessieren, aber er zeigt, wie man sich die Sache vorzustellen hat[8].

---

[4] AOT², 56; ANET³, 19; TGI³, 2f.

[5] AOT², 97; ANET³, 259; TGI³, 40f. Bearbeitung: R. A. Caminos, Late Egyptian Miscellanies (1954) 293–296.

[6] So W. Helck, Die Bedrohung Palästinas durch einwandernde Gruppen am Ende der 18. und am Anfang der 19. Dynastie. VT 18 (1968) 472–480. Zum *Šꜣśw*-Problem insgesamt: R. Giveon, Les bédouins Shosou des documents égyptiens (1971) und M. Weippert, Semitische Nomaden des 2. Jt. Über die *Šꜣśw* der ägyptischen Quellen. Biblica 75 (1974) 265–280. 427–433.

[7] S. u. S. 89.

[8] Zu allen Fragen des Ägyptenaufenthaltes der nachmaligen Israeliten vgl. S. Herrmann, Israels Aufenthalt in Ägypten. SBS 40 (1970); H. Engel, Die Vorfahren Israels in Ägypten. Forschungsgeschichtlicher Überblick über die Darstellungen seit R. Lepsius. Frankfurter Theol. Studien 27 (1979).

Viel Scharfsinn ist an die Frage gewendet worden, welche Gruppen des späteren Israel nach Ägypten hinüberwechselten. Denn daß es einfach die Vorfahren der zwölf Stämme waren, wie die generalisierende und nationalisierende Tradition des AT glauben machen will, ist ausgeschlossen. Israel entstand in Palästina; auch seine Gliederung in Gruppen und Stämme gehört dorthin und nicht in die Zeit vor der Landnahme. Nun weist die Überlieferung mit großer Eindeutigkeit auf Joseph hin, der nach Ägypten verschlagen wurde und dort zu hohen Ehren gelangte (Gen 37. 39–50). Joseph ist ein Sohn der Rahel. Waren es die Vorfahren der Rahelgruppe, die nach Ägypten kamen? Sie scheinen später erst im zweiten Stadium der Landnahme in Palästina seßhaft geworden zu sein[9]; also könnte ihre Einwanderung nach Ägypten ungefähr zur selben Zeit erfolgt sein, in der die Leagruppe im Kulturland Fuß faßte. Freilich kann man auch anders argumentieren: die Rahelgruppe war nach Osten, die Leagruppe dagegen nach Süden orientiert. Sind also die Vorfahren der späteren Leastämme in Ägypten gewesen? Es ist immerhin auffallend, daß Mose als Levit ausgegeben wird (Ex 2,1; 6,16–20). Wenn Vorfahren der Rahelgruppe in Ägypten waren, hätte Mose dann nicht eher als Josephit oder Benjaminit erscheinen müssen? Es sei denn, Moses Abstammung sollte den priesterlichen Leviten späterer Zeiten einen berühmten Stammvater verschaffen, den sie allerdings in der Gestalt Aarons schon hatten.

Die Überlegungen sind hier abzubrechen; denn sie beruhen auf zwei falschen Voraussetzungen:

1. Sie beruhen auf der Voraussetzung, daß aus der Josephsgeschichte der Genesis historische Informationen zur Vorgeschichte Israels gewonnen werden könnten[10]. Das ist nicht der Fall. Die Josephsgeschichte ist ein wahrscheinlich relativ junges Element innerhalb der pentateuchischen Konzeption. Sie enthält an einigen Stellen Reste der älteren Pentateuchquellen (Gen 41,50–52J; 46,1aβ–5a E?; 48 JEP; 50,23–25 E?), die den Übergang der Jakobsippe von Palästina nach Ägypten ja auch erzählt haben müssen. Der sog. jehovistische Redaktor (R^{JE}) ersetzte die ältere Darstellung durch die vom Geiste der Weisheit geprägte Josephnovelle[11], die sich trotz beachtlicher Vertrautheit ihres Verfassers mit Tatsachen und Formen der ägyptischen Administration, des Titelwesens und der Sprache nicht sicher datieren läßt[12]. Vor allem aber ist sie von vornherein unter gesamtisraelitischem Aspekt gestaltet und bietet keinerlei Möglichkeiten, stammesgeschichtliche Hintergründe aufzudek-

---

[9] S. o. S. 61.

[10] Vgl. z. B. O. Kaiser, Stammesgeschichtliche Hintergründe der Josephsgeschichte. VT 10 (1960) 1–15.

[11] Vgl. H. Donner, Die literarische Gestalt der atl Josephsgeschichte. Sitzungsberichte d. Heidelberger Akad. d. Wiss., phil.-hist. Kl. 2 (1976). Zum weisheitlichen Charakter G. v. Rad, Josephsgeschichte und ältere Chokma [1953]. GS, 272–280; ders., Die Josephsgeschichte. Bibl. Studien 5 (1964[4]).

[12] Vgl. J. Vergote, Joseph en Égypte. Génèse chap. 37–50 à la lumière des études égyptologiques récentes. Orientalia et Biblica Lovaniensa 3 (1959) [frühe Ramessidenzeit]; D. B. Redford, A Study of the Biblical Story of Joseph. SVT 20 (1970) [Saïtenzeit].

ken. Es kann nicht nachdrücklich genug vor zwei Gefahren gewarnt werden: vor der Gefahr der ägyptologischen Überinterpretation und vor der Gefahr verfehlter stammesgeschichtlicher Konsequenzen[13].

2. Sie beruhen ferner auf der Voraussetzung, daß die Gruppierungen, unter denen sich das spätere Israel in Palästina darstellt, bereits vor der Landnahme vorhanden gewesen seien. Das aber ist keineswegs sicher; es ist eher unwahrscheinlich. Denn so, wie die Frage nach der Zugehörigkeit der Ägyptengruppe gewöhnlich gestellt und versuchsweise beantwortet wird, hat sie das Migrations- oder das Penetrationsmodell der israelitischen Landnahme[14] als Hintergrund. Wenn man davon ausgeht, daß die späteren Israeliten von außen nach Palästina eingedrungen sind, und zwar in verschiedenen Phasen und Schüben teils von Süden, teils von Osten, dann kann man in der Tat ein vorpalästinisches Gemeinsamkeitsbewußtsein der an diesem Vorgang beteiligten Gruppen voraussetzen, und dann sind die größeren Gruppierungen – Rahel und Lea, aber vielleicht auch schon die zwölf Stämme – Größen, die ansatzweise bereits in der Wüste existierten. In diesem Falle ist die Frage, zu welcher Gruppierung die Ägypten-Leute gehört haben, sinnvoll, wenn auch nicht sicher zu beantworten. Macht man aber mit der Landnahme als einem sozusagen innerpalästinischen Vorgang ernst, bei dem nur in geringem Maße mit Zuzug von außen zu rechnen ist, dann ist die Frage sinnlos oder doch zumindest falsch gestellt. Dann besteht nämlich die Landnahme darin, daß sich Nomaden unterschiedlicher Art und Herkunft in Palästina ihrer Gemeinsamkeiten bewußt wurden und zur Seßhaftigkeit übergingen: die Stämme und Großgruppierungen sind ebenso wie „Israel" als ganzes Produkte des Kulturlandes. Verhält es sich so, dann kann man höchstens fragen, zu welcher der in Palästina entstandenen Gruppen die Ägypten-Leute nach ihrem Auszug stießen, mit welchen sie zuerst in Berührung kamen und welchen sie zuerst ihre Traditionen übermittelten. Aber die Herkunfts- und Zugehörigkeitsfrage ist damit nicht beantwortet und kann nicht beantwortet werden.

Die eingewanderten Nomaden sind jedenfalls nicht vom Kulturland am Nil aufgesogen worden, und zwar trotz des Menschenhungers, der für Ägypten in allen Phasen seiner Geschichte charakteristisch war. Die Gründe dafür sind unbekannt. Vielleicht erschwerte die soziale Struktur der Nomadenverbände ihre Ägyptisierung, und das mag für Nomaden überhaupt gegolten haben. Auf diese Art hat es sich die Josephsgeschichte zurechtgelegt: „Da sprach Joseph zu seinen Brüdern und zu seiner väterlichen Familie: Ich will hinaufgehen, dem Pharao Bericht erstatten und ihm sagen: Meine Brüder und meine väterliche Familie, die im Lande Kanaan waren, sind zu mir gekommen. Und zwar sind diese Leute Kleinviehnomaden *(rōʿę ṣōn)* und haben ihr Kleinvieh, ihre Rinder und ihre ganze Habe

---

[13] Die Forschung zur Josephsgeschichte ist in lebhafter, nicht immer vernünftiger Bewegung. Vgl. A. Meinhold, Die Gattung der Josephsgeschichte und des Estherbuches: Diasporanovelle II. ZAW 88 (1976) 72–93; G.W. Coats, From Canaan to Egypt: Structural and Theological Context for the Joseph Story. CBQ, Monograph Series 4 (1976); H. Seebass, Geschichtliche Zeit und theonome Tradition in der Joseph-Erzählung (1978); I. Willi-Plein, Historische Aspekte der Josephsgeschichte. Henoch 1 (1979) 305–331; H. Chr. Schmitt, Die nichtpriesterliche Josephsgeschichte. BZAW 154 (1980).

[14] S. u. S. 123f.

mitgebracht. Wenn euch nun der Pharao rufen läßt und fragt: Was ist euer Beruf? so antwortet: Deine Knechte sind Viehzüchter von Jugend auf bis jetzt, wir sowohl als unsere Vorfahren – damit ihr im Lande Gosen bleiben dürft. Die Kleinviehnomaden sind nämlich den Ägyptern insgesamt ein Greuel." (Gen 46,31–34) Demgegenüber ist Gen 47,11 ein Stück fehlgeleiteter Theorie: „Joseph wies seinem Vater und seinen Brüdern Wohnsitze an und gab ihnen Grundbesitz *(ʾaḥuzzā)* im Lande Ägypten, im fruchtbarsten Teil des Landes, im Lande Ramses, wie der Pharao befohlen hatte." Das ist Seßhaftwerdung. Wäre sie erfolgt, dann hätte es keinen Auszug aus Ägypten gegeben.

Das Aufenthaltsgebiet der Nomadengruppen in Ägypten heißt in der Josephsgeschichte und in den Plagenerzählungen „Land Gosen" (Gen 45,10; 46,28f. 34; 47,1. 4. 6. 27; 50,8; Ex 8,18; 9,26). Obwohl dieser Name in ägyptischen Texten nicht vorkommt[15], kann das Gebiet zuverlässig lokalisiert werden. Die Septuaginta nennt in ihrer freien Wiedergabe von Gen 46,28f. den Ortsnamen Ηρωων πόλις *(Hērōōn pólis)*. Das führt auf das *Wādī eṭ-Ṭumēlāt* zwischen dem östlichsten (pelusischen) Nilarm des Deltas und dem Krokodilsee *(Birket et-Timsāḥ)* im achten unterägyptischen Gau, dem „östlichen Harpunengau". Der ganze Westteil dieses *Wādī* ist im Altertum durch einen See aufgefüllt gewesen, der sich aus Entwässerungskanälen und abgezweigten Flußarmen speiste[16]. Die bohairische Übersetzung hat im selben Zusammenhang den Ort Pithom aus Ex 1,11: *Pr-Itm-Ṯkw* oder *Ṯkw* im *Wādī eṭ-Ṭumēlāt*. Das Verhältnis von Pithom und ägypt. *Ṯkw* ist nicht ganz eindeutig geklärt. Es handelt sich nach aller Wahrscheinlichkeit um die Region des *Tell Reṭābe* unmittelbar östlich des *Wādī*-Sees. Dabei könnte *Ṯkw* der Name der Stadt und *Pr-Itm* „Haus des Atum" der Name des dazugehörigen Atumtempels gewesen sein. Im Tempelareal lagen die „Teiche" aus dem Brief eines Grenzbeamten an seinen Vorgesetzten[17]. Wenn demgegenüber Gen 47,11 erklärt, Joseph habe seine Familie „im Lande Ramses" angesiedelt, dann ist diese Angabe wohl von der Tradition beeinflußt, nach welcher die „Israeliten" beim Bau der Ramsesstadt mitwirkten (Ex 1,11) und von dort aus den Auszug begannen (Ex 12,37; Num 33,3. 5).

Ex 1,8–12 berichtet sodann im Sagentone, in Ägypten sei „ein neuer König" zur Regierung gekommen, „der Joseph nicht kannte", und damit habe die Bedrückung der „Israeliten" begonnen. Daraus ist historisch soviel zu entnehmen, daß sich die Ägypter eines Tages entschlossen, die Arbeitskraft der eingewanderten Nomaden für ihre Bauvorhaben zu nutzen. Das war nichts Ungewöhnliches. Schließlich durfte man Nomaden, die der bäuerlichen Gesellschaft nicht gerade sehr nützlich sind, im Sinne einer Gegenleistung für die erteilte Weideerlaubnis als ungelernte Arbeiter beschäftigen.

---

[15] Vgl. A.H. Gardiner, JEA 5 (1918) 218ff.

[16] R. North, Archeo-Biblical Egypt (1967) 80–86 denkt an die weiter westlich gelegene Region, die später *Arabia* genannt wird (um und südlich *Phacussa = Faqūs*).

[17] Vgl. W. Helck, *Ṯkw* und die Ramsesstadt. VT 15 (1965) 35–48.

Ex 1,11 nennt Bauarbeiten bei der Errichtung oder dem Ausbau zweier sog. „Vorratsstädte" (*ʿārē miskᵉnōt*)[18]: Pithom und Ramses[19]. Pithom (Herodot II, 158: Πάτουμος) ist der *Tell Reṭābe* im *Wādī eṭ-Ṭumēlāt*[20], und Ramses ist die Deltaresidenz der Ramessiden der 19. und 20. Dynastie, deren voller Name lautet: „Haus des Ramses, des Geliebten Amuns, der groß ist an siegreicher Kraft". Es ist zuverlässig bekannt, daß Ramses II. (1290–1224) bereits in seinen ersten Regierungsjahren eine Residenzstadt im östlichen Nildelta zu bauen begann. Einer der Gründe dafür mag die exzentrische Lage des alten Theben gewesen sein; möglich ist auch, daß die Pharaonen der 19. Dynastie aus dem Ostdelta stammten. Diese Ramsesstadt ist in der schönen Literatur der Ägypter hymnisch gepriesen worden[21]. Das Problem ihrer Lokalisation hat in den letzten Jahrzehnten eine lebhafte Debatte ausgelöst, in der vor allem A. Alts Theorie einer Großraumresidenz zwischen Tanis (*Ṣān el-Ḥagar*) als Tempelstadt und *Qanṭīr* als Residenz- und Verwaltungszentrum eine Rolle spielte[22]. Inzwischen ist durch Ausgrabungen deutlich geworden, daß die Ramsesstadt auf einem Gelände von etwa 10 km² Ausdehnung zwischen *Tell ed-Dabʿa* (= Auaris) im Süden und *Qanṭīr* im Norden gelegen hat, ca. 20 km südlich von Tanis und ca. 60 km westlich des Suezkanals[23]. Wenn es in Ps 78,12. 43 heißt, die Israeliten hätten sich im „Gefilde von Tanis" (*śᵉdē Ṣoʿan*) aufgehalten, dann ist das eine ungefähre Angabe, die wahrscheinlich damit zusammenhängt, daß man in späterer Zeit Tanis für die Ramsesstadt hielt.

Nach alledem kann nicht zweifelhaft sein, daß Ramses II. als „Pharao der Bedrückung" zu gelten hat und daß die hinter Ex 1 stehenden Ereignisse in die erste Hälfte des 13. Jh. v. Chr. fallen. Die Anfänge der Geschichte Israels, wie das AT sie darstellt, verzahnen sich mit der Geschichte des ägyptischen Neuen Reiches. Es gelingt zum ersten Male, wenigstens einen Teil des späten Israel in größere historische Zusammenhänge hineinzustellen und diese Zusammenhänge zuverlässig zu datieren.

Aber das ist leider nur ein ganz kurzer historischer Lichtblick. Danach versinkt alles wieder im Dunkel. Bereits der Versuch, etwas Genaueres über die Ägyptengruppe zu ermitteln, ist zum Scheitern verurteilt. Läßt man sich bei der Suche nach den Hintergründen vom AT leiten, dann ist und bleibt es am wahrscheinlichsten, semitische Nomaden nach Art der *Šȝśw* anzunehmen, die ins Ostdelta eingewandert waren und dort in die Mühle der ägypti-

---

[18] Vgl. akkad. *maškantu/maškattu* „Depot" (W. v. Soden, AHW 2 (1972) 627.

[19] Zusammenfassend W. H. Schmidt, Exodus. BK II, 1 (1974) 36–38.

[20] Die Auffassung von E. P. Uphill, Pithom and Ramses: Their Location and Significance. JNES 27 (1968) 291–316; 28 (1969) 15–39, Pithom sei mit Heliopolis identisch (s. LXX zu Ex 1,11!), hat keinerlei Wahrscheinlichkeit für sich.

[21] Übersetzung der Lieder auf die Ramsesstadt: A. Erman, Die Literatur der Ägypter (1923) 337–341; ANET³, 470.

[22] A. Alt, Die Deltaresidenz der Ramessiden [1954]. KS 3, 176–185.

[23] M. Bietak, *Tell ed-Dabʿa* II. Der Fundort im Rahmen einer archäologisch geographischen Untersuchung über das ägyptische Ostdelta. Denkschriften der Österreich. Akademie d. Wiss., Bd. IV (1975).

schen Frondienstpraxis gerieten. Allerdings gibt es in ägyptischen Texten keine sicheren Belege dafür, daß die Ägypter eingewanderte Nomaden zum Frondienst preßten. Deshalb hat man auch an eine Arbeiterabteilung unterschiedlicher ethnischer Zusammensetzung gedacht, der es gelang, dem Fondienst zu entfliehen[24]. Dabei wäre nicht in erster Linie die auffallend häufige Bezeichnung der „Israeliten“ als „Hebräer“ geltend zu machen[25], die einfach einen sozial minderen Status anzeigen könnte; denn einerseits ist nicht genau bekannt, was „Hebräer“ in diesen Texten bedeutet[26], und andererseits sind die Texte Jahrhunderte nach den Ereignissen konzipiert, so daß der Gebrauch des Ausdrucks „Hebräer“ auch sozusagen theoretische Gründe haben kann. Wichtiger ist vielleicht der Hinweis auf Ex 12,38 – wonach allerlei zugelaufenes Volk zusammen mit den „Israeliten“ auszog. Ist das erfunden – kann man dergleichen erfinden? – oder eine Erinnerung an die ethnische Uneinheitlichkeit der Ägyptengruppe? Freilich ist auch die Theorie einer geflohenen Arbeiterabteilung nicht beweisbar. Deshalb wird man besser bei der vom AT nahegelegten Annahme bleiben, daß die Ausziehenden vorher eingewanderte Nomaden waren.

Auf die Frage, wie lange die Nomaden im „ägyptischen Sklavenhause“ verblieben, gibt es keine sichere Antwort. So gewiß Ramses II. der „Pharao der Bedrückung“ ist, so ungewiß ist der „Pharao des Auszugs“. In Betracht kommen Ramses II. selbst, der 66 Jahre lang regierte, sein Sohn und Nachfolger Merenptah (1224–1204) oder erst Sethos II. (1200–1194). Sehr viel weiter wird man kaum heruntergehen dürfen. Eine genauere Datierung des Auszugs ist leider auch mit Hilfe eines berühmten ägyptischen Monumentes nicht möglich: der sog. Israel-Stele aus dem 5. Regierungsjahr des Merenptah (1219), die Sir W. M. Flinders Petrie 1896 in der thebanischen Totenstadt gefunden hat[27]. Es handelt sich um ein Siegeslied auf die militärischen Erfolge des Pharao gegen die Libyer und über die Wirkungen dieser Erfolge auf die Hettiter und die Bewohner Palästinas. Z. 26–28 lauten[28]: „Die Fürsten sind niedergeworfen und sagen: Schalom! Keiner erhebt mehr seinen Kopf unter den Neun Bogen. Libyen ist verwüstet, Ḫatti ist friedlich, Kanaan ist mit(?) allem Schlechten erobert, Askalon ist fortgeführt und Gezer ist gepackt; Jenoam ist zunichte gemacht. Israel liegt brach und hat kein Saatkorn, *Ḫr* (= Syrien und Palästina) ist zur Witwe geworden für Ägypten. Alle Länder insgesamt sind in Frieden. Jeder, der umherschweifte, ist gefesselt durch den König von Ober- und Unterägypten *Bꜣ-n-Rꜥ*, geliebt von Amun, den Sohn des Re Merenptah, der mit Leben beschenkt ist wie

---

[24] So vor allem W. Helck, Die Beziehungen Ägyptens zu Vorderasien (1971²) 581; ders. auch in VT 18 (1968) 480 und ThLZ 97 (1972) 180.

[25] Ex 1,15f. 19; 2,6f. 11. 13; 3,18; 5,3; 7,16; 9,1. 13; 10,3.

[26] S. o. S. 70f.

[27] Vgl. die ältere Darstellung von W. Spiegelberg, Der Aufenthalt Israels in Ägypten im Lichte der ägyptischen Monumente (1904) und jetzt vor allem H. Engel, Die Siegesstele des Merenptah. Biblica 60 (1979) 373–399.

[28] AOT², 20–25; ANET³, 376–378; TGI³, 39f.

Re ewiglich." Das ist der älteste außerbiblische Beleg für den Namen Israel, hieroglyphisch . Das Personaldeutezeichen gibt zu erkennen, daß eine Menschengruppe gemeint ist; demgegenüber haben die palästinischen Ortsnamen Askalon, Gezer und Jenoam (*Tell en-Nā'am* ca. 20 km nördl. von Bethschean?) das Deutezeichen „Fremdland" ( ). Was aber ist das für ein Israel? Dem Text der Stele ist nicht mehr zu entnehmen, als daß es 1219 irgendwo in Palästina eine Grupe von Menschen gab, die sich „Israel" nannte. Diese Gruppe näher zu bestimmen, besteht keinerlei Chance. Sollte die Auszugsgruppe den Namen Israel mit nach Palästina gebracht haben, dann müßte angenommen werden, daß der Auszug noch unter Ramses II. stattfand. Aber das ist ganz ungewiß. Denn es könnte ja auch eine Gruppe gemeint sein, die sich in Palästina bereits „Israel" nannte, während die Auszugs-Leute noch im ägyptischen Sklavenhause fronten. Es ist zu beachten, daß der Name Israel die Gottesbezeichnung El, nicht Jahwe, enthält. Oder waren es die Rahelstämme, bei denen der Name Israel nach atl Tradition zuerst auftaucht (Gen 32,23–33)? Aber man nimmt gewöhnlich und mit guten Gründen an, daß die Rahelgruppe später im Kulturland Fuß faßte als andere Verbände, die in Gesamtisrael aufgingen. Also waren es die Leastämme? Dann müßte aber doch in der Überlieferung eine Spur erwartet werden, die darauf hindeutet, daß der Name Israel dort zu Hause war. Nicht Abraham oder Isaak, sondern Jakob erhält den Ehrennamen Israel! Überdies können wir nicht einmal sicher sein, daß sich die Verbände „Lea" und „Rahel" im 13. Jh. v. Chr. schon gebildet hatten. Mit einem Worte: wir wissen nichts. Auch auf Grund der widersprüchlichen chronologischen Angaben des AT kann der Auszug nicht datiert werden. 1. Kön 6,1 behauptet, der Tempel Salomos sei 480 Jahre nach dem Auszug aus Ägypten gebaut worden. Damit kämen wir in die Zeit um 1440 v. Chr., in die Epoche Thutmoses' III. und Amenophis' II. Das ist unsinnig; auch sollte man bedenken, daß 480 = 12 × 40 ist. Nicht besser steht es mit den runden Zahlen 430 (Ex 12,40 P) und 400 (Gen 15,13) für die Jahre des Aufenthalts der Israeliten in Ägypten. Selbst die Angabe von Gen 15,16 – drei bis vier Generationen, d.h. etwa hundert Jahre für den Ägyptenaufenthalt – scheint zu hoch gegriffen. Dabei ist noch nicht einmal berücksichtigt, daß wir das Einwanderungsdatum kennen müßten, um mit solcher Chronologie den Auszug datieren zu können.

Die Ereignisse beim Auszug und am Schilfmeer sind von der Sage ganz umwoben und in das Licht der Heilsgeschichte getaucht, und zwar womöglich in noch höherem Grade als bei anderen Stoffen der Vorgeschichte Israels. Historisch ist das alles nicht mehr zu fassen und darzustellen. Auf die Gefahr der Trivialität hin könnte man folgenden Kern herausschälen: einer Nomadengruppe, die in ägyptischem Frondienst stand, gelang es, den Ägyptern davonzulaufen und ein Wasserhindernis am Deltarande zwischen sich und ihre Verfolger zu bringen. Wie aber nimmt sich das aus im Vergleich zu den Tönen, mit denen Israel die Ereignisse in Prosa und Poesie gefeiert hat! „Die Israeliten brachen von Ramses auf in Richtung Sukkoth, ungefähr 600000 Mann zu Fuß, die Männer allein gezählt, ohne Frauen und Kinder“ (Ex 12,37) ... „Die Prophetin Mirjam, Aarons Schwester, nahm die Pauke zur Hand, und alle Frauen zogen hinter ihr her mit Pauken und Reigentänzen. Und Mirjam sang ihnen zu: Singt Jahwe! Denn er ist hoch erhaben! Rosse und Reiter hat er ins Meer gestürzt!“ (Ex 15,20f.) Man sieht: nicht das steht im Bewußtsein der Welt, was sich dereinst wirklich ereignete, sondern das, was in Israels Sagen und Singen daraus geworden ist. Wir stehen beeindruckt vor dem Triumph der Wirkungsgeschichte über die Geschichte.

Die historischen Schwierigkeiten werden nicht geringer, wenn man sich klarmacht, daß der Auszugs- und Schilfmeerkomplex (Ex 12,37f. 13,17 – 14,31; vgl. Num 33,5–10) literarisch nicht einheitlich, sondern ein kunstvolles redaktionelles Kompositionsprodukt ist. Die literarische Analyse führt an dieser Stelle zu einigermaßen sicheren Resultaten; allenfalls in Ex 14,5–12 sind Zweifel anzumelden. Nach der Terminologie der Neueren Urkundenhypothese sind alle drei klassischen Pentateuchquellen beteiligt; J, E und P. Diese Chiffren sollen hier traditionell gebraucht werden, ohne daß damit ein Urteil über Art, Umfang und Alter der „Quellen“ verbunden wäre; E gilt zudem neutral für Stücke, von denen nur soviel sicher ist, daß sie weder zu J noch zu P gehören. Auf J entfallen: Ex 12,37f.; 13,20–22; 14,5b–6. 10bα. 13. 14. 19b. 20. 21aβ. 24. 25b. 27aβb. 30. 31. Zu P gehören: Ex 14,1–4.8–10a. 15–18. 21aαb. 22. 23. 26. 27aα. 28. 29. Für E bleiben: Ex 13,17–19; 14,5a. 7. 11. 12. 19a. 25a. Sieht man näher zu, dann unterscheiden sich die drei Darstellungen hinsichtlich des Ablaufs und der Lokalisation erheblich. Einig sind sie sich anscheinend nur im Hinblick auf den Ausgangspunkt: die Ramsesstadt. Der Jahwist läßt „Israel“ von dort zunächst nach Sukkoth ziehen (12,37; 13,20). Sollte dieser Ort, was keineswegs sicher ist, mit *Ṯkw (Tell Reṭāḇe?)* im *Wādī eṭ-Ṭumēlāt* identisch sein, dann könnte man auf den Gedanken kommen, hier seien zwei verschiedene Traditionen ausgleichend miteinander verbunden worden: Aufbruch aus der Ramsesstadt und aus dem Lande Gosen. Die nächste Station ist „Etham am Rande der Wüste“ (13,20), von dem wir auch nicht annähernd wissen, wo es gelegen hat. Jahwe zieht dem Volke bei Tag in einer Wolkensäule und des Nachts in einer Feuersäule voran (13,21f.). Die Ägypter entschließen sich zur Verfolgung (14,5b–6) und erreichen das Volk unweit des Ortes, an dem dann das Meerwunder stattfindet (14,10b). Dafür kommen nach Lage der Dinge am ehesten die Bitterseen oder das Nordende des Golfes von Suez in Betracht[29]. Die elohistischen Stücke schildern es anders. Die Ramsesstadt wird in ihnen zwar nicht ausdrücklich als Aufbruchsort genannt, ergibt sich aber mit Wahrscheinlichkeit aus der Route. Diese wie-

---

[29] Die altchristliche Tradition hat stets die Nordspitze des Golfes von Suez als Ort des Meerwunders angesehen; vgl. H. Donner, Pilgerfahrt ins Heilige Land. Die ältesten Berichte christlicher Palästinapilger (4.–7. Jh.) (1979) 97f. 304–306.

derum wird *via negationis* beschrieben: Gott verhindert, daß das Volk auf der alten Verbindungsstraße zwischen Ägypten und Palästina entlang der Mittelmeerküste[30] zieht, was anscheinend die Absicht gewesen war; er läßt es statt dessen „auf den Weg in die Wüste in Richtung des Schilfmeeres *(yam sūf)*" abbiegen (13,17 f.). Verbirgt sich dahinter eine alte Tradition oder wollte E eine ihm bekannte Überlieferung, nach der das Volk tatsächlich die Küstenstraße benutzt hatte, ausschließen, um das Meerwunder wie J lokalisieren zu können? Denn eben das ist anscheinend der Fall: *yam sūf* ist nicht wie in 1. Kön 9,26 der Golf von *ʿAqabā*, sondern der von Suez oder das Seengebiet nördlich davon. Die Priesterschrift schließlich macht die genauesten Ortsangaben. Sie führen nun in der Tat auf die Küstenstraße am Mittelmeer[31]. Der Bericht (14,2) ist allerdings nicht ganz klar. Jahwe befiehlt dem Volk durch Mose, umzukehren – man erfährt nicht, von welchem Wege. Dann sollen sie sich „vor Pi-Hachiroth"(?) lagern, „zwischen Migdol und dem Meer, vor *Baʿal Ṣ^e^fōn* dem Meere gegenüber". Migdol ist wahrscheinlich *Tell el-Ḥēr* nordöstlich der ägyptischen Grenzfestung *Ṯl* (Sile) zwischen der Küstenstraße und dem Mittelmeer, und Baal Zaphon ein Hügel in der Nähe der ehemaligen Ortschaft *Maḥammēdīye* am Westende der *Ṣabḫāt el-Berdawīl*, des *lacus Sirbonicus* der Alten. Das Gelände liegt etwa 15 km östlich von Pelusium *(Tell Faramā)*. Auf dem Hügel ist in hellenistisch-römischer Zeit der Nachfolger des Baal Zaphon, Zeus Kasios, verehrt worden; er galt als Beschützer der Seefahrenden und Reisenden, besonders im gefährlichen Gebiet des Sirbonischen Sees. P hat damit das Meerwunder am Sirbonischen See lokalisiert, einer nicht immer leicht zu passierenden Lagune des Mittelmeeres. Wir wissen nicht, ob es sich dabei um eine alte Tradition handelt, die J und E entweder nicht kannten oder ausschlossen, oder um eine späte, gelehrte Lokalisation des Ereignisses an einer passenden und bekannten Stelle[32]. Der außergewöhnlich interessante, im Gegensatz zu den meisten anderen Darstellungen auf genauer Ortskenntnis beruhende Vorschlag von M. Bietak[33] zur Lokalisierung der Exodus-Route und des Schilfmeerwunders überzeugt zwar auf den ersten Blick, ist aber doch nicht ganz unproblematisch. Bietak identifiziert das Schilfmeer (*yam sūf* = ägypt. *pꜣ-ṯwfj*) mit einer Zunge des ca. 30 km ostnordöstlich der Ramsesstadt *(Tell ed-Dabʿa – Qanṭīr)* gelegenen *Ballāḥ*-Sees und Baal Zaphon mit dem heutigen *Defenne* oder einem Ort in der Nähe desselben. Der Vorschlag hat die Topographie des Ostdeltas für sich

---

[30] Vgl. A. H. Gardiner, The Ancient Military Road between Egypt and Palestine. JEA 6 (1920) 99–116.

[31] Vgl. O. Eißfeldt, Baal Zaphon, Zeus Kasios und der Durchzug der Israeliten durchs Meer. Beiträge zur Religionsgeschichte des Altertums 1 (1932). Dazu kritisch M. Noth, Der Schauplatz des Meerwunders [1947]. ABLAK 1, 102–110.

[32] Vgl. insgesamt H. Cazelles, Les localisations de l'Exode et la critique littéraire. RB 62 (1955) 321–364. Informativ, wenn auch problematisch: M. Haran, The Exodus Route in the Pentateuchal Sources. Tarbiz 40 (1970/71) 113–143.

[33] A.a.O. (s. Anm. 23) 135–137 und 217–220 mit Abb. 45.

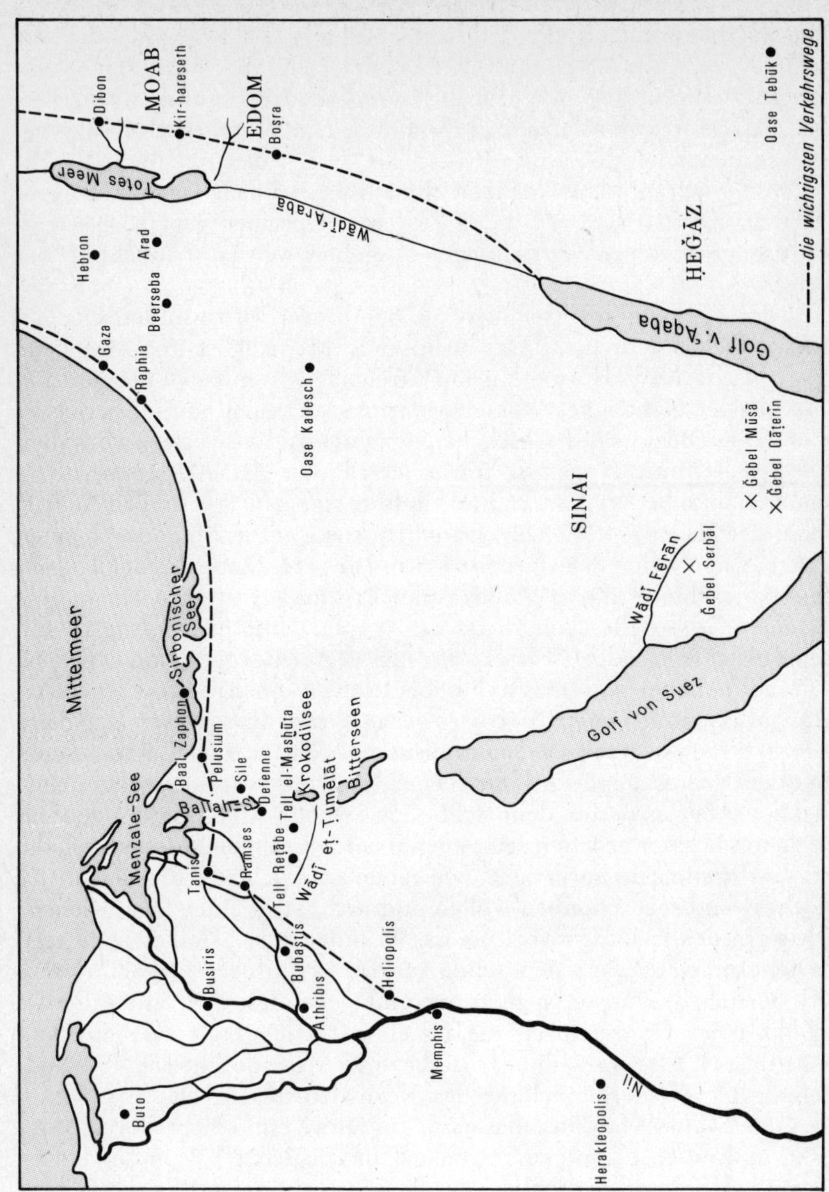

Karte 2: Ägypten und die Sinai-Halbinsel z. Zt. des Exodus

und die allgemeine historische Wahrscheinlichkeit nicht gegen sich. Er fußt hauptsächlich auf den Angaben der Priesterschrift, aber nicht allein: und hier liegt das Problem der im übrigen faszinierenden Deutung. Denn Bietak hat die literarische Analyse des Zusammenhanges unberücksichtigt gelassen und behandelt den atl Bericht so, als sei er eine einheitliche Erzählung, deren geographische Angaben alle auf einer Ebene lägen. Daß aber alle Schichten von Ex 13,17 – 14,31 JEP von denselben genauen geographisch-topographischen Vorstellungen ausgehen, werden wir nicht hoffen dürfen.

Auch der Hergang der Ereignisse am Schilfmeer wird von den Quellen unterschiedlich beschrieben. Das auslösende Moment ist in jedem Falle eine ägyptische Militärformation mit Streitwagen, die das Volk verfolgt und nun in der Nähe eines Wasserhindernisses erreicht hatte. J berichtet, daß Jahwe zu Beginn des Geschehens einen Positionswechsel vornahm. War er bisher vorangezogen, so trat er jetzt hinter „Israel", genauer: zwischen Israel und die Ägypter, und verhinderte so einen ägyptischen Angriff während der Nacht (14,19b. 20). Dann trocknete er das Meer durch einen die ganze Nacht wehenden starken Ostwind aus (14,21 aβ). Als der Tag anbrach, verursachte er durch bloßes Anblicken im ägyptischen Heere eine Panik, einen Gottesschrecken, so daß die Ägypter – kopflos vor Angst – den soeben zurückkehrenden Wassern geradeswegs entgegenrannten (14,24. 25b. 27aβb). Israel war längst hinüber; Jahwe allein hatte es gerettet (14,30f.). Bis zum heutigen Tage wird gerne darauf hingewiesen, daß diese Schilderung gewissermaßen „naturalistische" Züge trage: eine seichte Bucht oder Meereszunge wird durch eine Art *Scirocco* vorübergehend ausgetrocknet. Aber es müßte denn schon ein sehr heftiger *Scirocco* und ein sehr seichtes Wasser gewesen sein; auch ist nicht recht einzusehen, wie die ägyptische Streitmacht darin zugrunde gehen konnte. Zweifellos hat auch J ein Gotteswunder beschreiben wollen und nicht etwa einen „natürlichen" Vorgang. In der Fassung von P ist das Wunder zum Mirakel gesteigert. Mose hebt seine Hand mit dem schon aus den ägyptischen Plagen bekannten Zauberstab, die Wasser spalten sich und stehen fest wie Mauern rechts und links einer Gasse, durch die Israel trockenen Fußes ziehen kann (14,21 aαb. 22). Als Israel hinüber ist, bewirkt Mose durch erneute Handaufhebung die Wiederherstellung des Normalzustandes. Die Ägypter ertrinken (14,27aα. 28f.). Das alles wird von Jahwe ermöglicht, durch Mose bewirkt, und mit Gottesreden eingeleitet und begleitet[34]. Von der E-Fassung sind nur Fragmente erhalten: der Positionswechsel des Engels Gottes, der dann – vermutlich – die Wagenräder hemmt, so daß die Ägypter nur langsam vorwärtskommen (14,19a. 25a).

Mit einem Wort: wir wissen nicht, wann, wo und wie es geschah. Aber Auszug und Schilfmeerwunder haben sich tief in das Bewußtsein des späte-

---

[34] Der Vorgang erinnert an eine ähnliche Szene aus dem ägyptischen Märchenpapyrus Westcar; vgl. A. Erman, Die Literatur der Ägypter (1923) 67–69.

ren Israel eingegraben. Israel ist nicht müde geworden, daran zu arbeiten, und hat die Überlieferung mit einer Liebe gehegt und bereichert, die nicht ihresgleichen hat. Denn in einem Punkte, dem entscheidenden, ist man sich immer ganz einig gewesen: Jahwe und niemand sonst hatte das alles vollbracht. Nicht Menschenwerk und nicht Naturgeschehen standen am Anfang der Geschichte Israels, wie das AT sie erzählt, sondern Gottes rettende Tat: „Aber ich, Jahwe, bin dein Gott von Ägypten her; einen Gott außer mir kennst du nicht, und einen anderen Retter gibt es nicht!" (Hos 13,4)

3. Der Gottesberg in der Wüste

Die atl Tradition läßt das aus Ägypten ausgezogene und am Schilfmeer wunderbar errettete Volk zum Gottesberg in der Wüste ziehen (Ex 15,22–19,2). Der Bericht ist literarisch nicht einheitlich. Beim Jahwisten und in den „elohistischen" Stücken sind Notizen und Lokalsagen verschiedener Art und Herkunft zwischen Schilfmeerwunder und Gottesberg gestellt, so daß sich eine sekundäre Marschroute ergibt, mit der aus überlieferungsgeschichtlichen Gründen nichts anzufangen ist. Der Darstellung der Priesterschrift könnte ein regelrechtes Stationenverzeichnis zugrunde gelegen haben; ein solches scheint jedenfalls Num 33,11–15 P^s zu sein, vielleicht der Teil eines Wallfahrtsitinerars, das frommen Pilgern den Weg von Palästina zum Gottesberge zeigen wollte[1]. Da nun aber die Örtlichkeiten zwischen Schilfmeer und Gottesberg nicht mehr lokalisiert werden können, läßt sich auch nicht ermitteln, wie sich das spätere Israel den Weg seiner Vorfahren vorgestellt hat. J nennt nach dem Schilfmeer zunächst „die Wüste Schur" (15,22), vermutlich ein Wüstengebiet am Ostrande des Nildeltas. Vielleicht darf man an hebr. *šūr* „Mauer" erinnern (Gen 49,22; 2. Sam 22,30; Ps 18,30) und annehmen, daß eine Wüstenregion östlich der ägyptischen Grenzbefestigungen gemeint ist[2]. Dann kommt das Quellgebiet von Mara (15,23) und danach die Oase Massa-Meriba (17,7), deren Doppelname vielleicht auf ursprünglich zwei Lokalitäten zurückweist[3]. Schließlich trifft „Israel" am Gottesberge ein (19,2b). Nach P zieht das Volk vom Sirbonischen See[4] nach der Oase Elim (15,27), dann in die Wüste Sin zwischen Elim und dem Sinai (16,1) – deren Name vielleicht nur künstlich von „Wüste Sinai" (19,1) unterschieden ist – und schließlich über Raphidim (17,1) zur Wüste Sinai (19,1f.), in der der Gottesberg liegt. Keine dieser Ortsangaben ist auch nur annähernd bestimmbar.

---

[1] So M. Noth, Der Wallfahrtsweg zum Sinai (Nu 33) [1940]. ABLAK 1, 55–74.

[2] Vgl. auch *šūr* als Orts- oder Territorialbezeichnung in Gen 20,1; 25,18; 1. Sam 15,7. Eine andere, kaum überzeugende Auffassung vertritt N. Na'aman, The Shihor of Egypt and Shur that is before Egypt. Tel Aviv 7 (1980) 95–109.

[3] Meriba ist anderwärts im Zusammenhang mit dem Quellgebiet der der Oase von Qadesch genannt; vgl. Num 27,14; Dtn 32,51. Vgl. S. Lehming, Massa und Meriba. ZAW 73 (1961) 71–77.

[4] S. o. S. 94.

Aber dieser Mangel ist nicht weiter zu beklagen. Denn es gibt gute Gründe für die Annahme, daß das Überlieferungsthema vom Gottesberg in der Wüste von Hause aus selbständig war und erst sekundär mit den Traditionen vom Auszug und von der Landnahme verbunden worden ist[5]. Darauf führen vor allem zahlreiche kultisch-religiöse Texte, die die Ereignisse der klassischen Heilszeit Israels vom Auszug bis zur Landnahme rekapitulieren, und in denen der Gottesberg in der Wüste fehlt: z. B. Dtn 6,20–24; 26,5–9; Jos 24,2–13; Ex 15; Ps 78; 105; 135; 136 u. a. m.[6] Natürlich ist damit über das Alter der Gottesberg-Tradition nicht entschieden. Es geht um nichts anderes als um die überlieferungsgeschichtliche Selbständigkeit dieser Tradition, die es ermöglichte, von Israels Heilsgeschichte zu reden, ohne den Gottesberg auch nur zu erwähnen. Diese Isolation aber erschwert die historische Deutung der Überlieferung. Daß geschichtliche Ereignisse dahinterstehen, ist gewiß nicht zu bezweifeln. Sie sind jedoch noch weniger zu fassen als Auszug und Errettung am Schilfmeer.

Die Schwierigkeiten beginnen mit dem Namen und der Lage des Gottesberges. Er hat anscheinend zwei Namen: Sinai (J und P) und Horeb (E und Dtn/Dtr). Wie sich beide zueinander verhalten, ist nicht ganz sicher auszumachen. Immerhin verdient die Theorie Beachtung, daß Horeb von Hause aus eine Regionalbezeichnung im Sinne von „Ödland, Wüstengebiet" war, die den Bergnamen Sinai zeitweilig ersetzte und schließlich selbst sekundär zum Bergnamen wurde[7]. Auch die Lage des Gottesberges ist nicht zuverlässig bekannt. Was das AT darüber mitteilt, ist undeutlich und mehrdeutig. Die Stationen der Pentateuchquellen sind uns unbekannt und waren es wahrscheinlich schon dem alten Israel. Num 33,1–49 ist ein Zusatz zur Priesterschrift; die dort genannten Orte sind überwiegend nicht lokalisierbar. Nach 1. Kön 19,8 wandert der Prophet Elia aus der Wüste südlich von Beerseba „vierzig Tage und vierzig Nächte" zum Horeb; man sieht schon an der Zahlenangabe, daß keine genaue Kenntnis dahintersteht. Dtn 33,2; Ri 5,4f. und Hab 3,3 nennen den Gottesberg parallel zu Seïr = Edom und Pārān, d.h. sie verbinden das Gebiet der Edomiter südöstlich des Toten Meeres mit einer Region im Südwesten der Sinaihalbinsel *(Wādī Fērān)*. Die Gründe dafür sind unbekannt. Mit einem Wort: Israel hat in historischer Zeit nicht viel mehr gewußt, als daß der Gottesberg irgendwo weit im Süden oder Südosten Palästinas lag. Dieser Unsicherheit steht nun aber die Bestimmtheit christlicher Lokaltradition gegenüber. Seit dem 4. Jh. n. Chr. ist der Gottesberg im zentralen Gebirge des Südteils der Sinaihalbinsel[8] fest verankert. Es ist der *Ǧebel Mūsā* (2292 m), in unmittelbarer Nachbarschaft

[5] Grundlegend G. v. Rad, Das formgeschichtliche Problem des Hexateuch [1938]. GS 9–86, bes. 20–33.

[6] Er ist außerhalb des Pentateuch zum ersten Male in Neh 9,6–25 in den Ablauf der Heilsgeschichte hineingenommen.

[7] So L. Perlitt, Sinai und Horeb. Beiträge zur atl Theologie, Fs W. Zimmerli (1977) 302–322.

[8] Vgl. B. Rothenberg (ed.), Sinai. Pharaonen, Bergleute, Pilger und Soldaten (1979).

anderer Berggipfel, die ebenfalls in das christliche Traditionsgeflecht einbezogen sind, hauptsächlich *Ǧebel Qāṭerīn* (2606 m) und *Ǧebel el-Munāǧa* (2097 m). Gegen Ende des 4. Jh. besuchte die Pilgerin Etheria das Gebiet[9]; sie sah auf dem Gipfel des *Ǧebel Mūsā* bereits eine Kirche und berichtet von Mönchsniederlassungen. Zwischen 548 und 562 begründete Kaiser Justinian das Katharinenkloster. Wie es in der Region um 570 aussah, schildert sehr anschaulich ein anonymer Pilger aus Piacenza[10]. Es ist ganz unwahrscheinlich, daß diese Tradition sozusagen aus dem Boden gestampft wurde. Sie dürfte weiter zurückreichen; aber niemand weiß, wie weit. Im Gebiet des etwa 40 km vom Zentralmassiv entfernten *Ǧebel Serbāl* (2060 m) sind zahlreiche nabatäische Inschriften des 2.–3. Jh. gefunden worden, kurze Pilgergraffiti, Visitenkarten von Wallfahrern[11]. Sie bezeugen die Heiligkeit dieser Gebirgsgegend in vorbyzantinischer Zeit, und man mag sich vorstellen, daß die christliche Mönchstradition daran angeknüpft hat[12]. Aber auch dann trennen uns noch immer mehr als 1000 Jahre von der Vorgeschichte Israels. Deshalb kann eine sichere Entscheidung nicht getroffen werden. Es kann sich durchaus um eine gute alte Tradition handeln, ebenso aber auch um die sekundäre Lokalisierung der Gottesberg-Überlieferung an einem imposanten Bergmassiv von traditioneller Heiligkeit. Welchen Wert die Beobachtung hat, daß im Süden der Sinaihalbinsel archäologische Reste aus dem Chalkolithicum (4. Jt. v. Chr.) und dann erst wieder aus nabatäischer und byzantinischer Zeit vorhanden sind[13], muß vorläufig offenbleiben. Der religions- und kultgeschichtliche Grundsatz der Erbfolge der Kultstätten sollte jedenfalls nicht zu gering veranschlagt werden.

Natürlich hat es in neuerer Zeit an anderen Vorschlägen für die Lokalisation des Gottesberges nicht gefehlt. Man hat vor allem auf Ex 19,18 aufmerksam gemacht: „Der Berg Sinai war ganz in Rauch gehüllt, weil Jahwe im Feuer auf ihn herabgefahren war, und der Rauch von ihm stieg auf wie der Rauch eines Schmelzofens, und der ganze Berg bebte heftig." Diese Schilderung läßt an vulkanische Erscheinungen denken. Tätige Vulkane hat es in historischer Zeit auf der Sinaihalbinsel nicht gegeben, wohl aber in Nordwestarabien, auf der Ostseite des Golfes von *ʿAqabā* im nördlichen *Ḥeǧāz*. Sollte der Sinai dort gelegen haben?[14] Man beruft sich dabei gern auf die traditionelle Verbindung des Mose mit den Midianitern (Ex 2,15–22; 4,18 f.; 18; Num 10,29), die tatsächlich in Nordwestarabien zu Hause sind. Wenn aber der Sinai ein Wallfahrtsberg gewesen ist, bedeutet das wenig. Und wer kann mit Be-

---

[9] H. Donner, Pilgerfahrt ins Heilige Land (1979) 82–94.

[10] H. Donner, a.a.O., S. 300–303.

[11] Vgl. J. Euting, Sinaitische Inschriften (1891).

[12] Vgl. B. Moritz, Der Sinai-Kult in heidnischer Zeit. Abh. d. Göttinger Gesellsch. d. Wiss. 16,2 (1916).

[13] Vgl. B. Rothenberg, An Archaeological Survey of South Sinai. PEQ 102 (1970) 4–29.

[14] Für die Region südlich der Oase *Tebūk* plädierte H. Gressmann, Mose und seine Zeit (1913) 409–419. Auch M. Noth hat sich früher für Nordwestarabien ausgesprochen (s. o. Anm. 1); neuerdings mit z. T. anderer Begründung H. Gese, Τὸ δὲ Ἁγὰρ Σινᾶ ὄρος ἐστὶν ἐν τῇ Ἀραβίᾳ (Gal 4,25) [1967]. Vom Sinai zum Zion (1974) 49–62. Kritisch G. I. Davies, VT 22 (1972) 152–160.

stimmtheit sagen, daß in Ex 19,18 historische Erinnerungen festgehalten sind und daß es sich nicht vielmehr um traditionelle Elemente einer Theophanieschilderung handelt, zu der Rauch, Feuer und Erdbeben gehören?[15] Andere wiederum suchten den Gottesberg in der Nähe der Oase von Qadesch-Barnea (*ʿĒn Qdēs* und *ʿĒn Qudērāt*), und zwar unter Berufung auf den Berg oder die Wüste Pārān (Dtn 33,2; Hab 3,3; Num 10,12). Man dachte an einen *Ǧebel Fārān* auf der Westseite des *Wādī ʿArabā*, etwa 80 km westlich von Petra[16], oder an den nicht weit davon gelegenen *Ǧebel ʿArāʾif*[17]. Alle Anzeichen sprechen aber dafür, daß der *Ǧebel Fārān* seine Existenz einem Irrtum verdankt[18]. Ein anderes Pārān als die Oase *Fērān* im gleichnamigen *Wādī* unweit des *Ǧebel Serbāl* ist nicht bekannt und wohl auch nicht anzunehmen. Damit entfällt die Hauptstütze jener kulturlandnahen Lokalisation des Gottesberges. Sollte nach alledem nicht doch das Zentralmassiv der Sinaihalbinsel den Vorzug verdienen?

Wir wissen ferner auch nicht genau, was sich am Gottesberg in der Wüste ereignete. Der atl Bericht (Ex 18,1–20,21; 24; 32–34) ist literarisch geschichtet und schwer zu analysieren. Es ist und bleibt fraglich, ob die Pentateuchquellen J und E überhaupt in ihm vertreten sind. In der Priesterschrift gipfelt die Darstellung der klassischen Heilszeit Israels ohnehin nicht in den Ereignissen am Gottesberg, sondern in der Einrichtung der sog. Stiftshütte (Ex 25–31; 35–40). Inwieweit prädeuteronomische Bestandteile – vor allem in Ex 19 – vorhanden sind, wäre genauer zu untersuchen. In der Endfassung folgen aufeinander: 1. die Einsetzung von Richtern (Ex 18); 2. die Vorbereitung des Volkes (Ex 9,1–15); 3. die Theophanie Jahwes (Ex 19,16–20,21) mit dem Dekalog (Ex 20,1–17); 4. der Bundesschluß (Ex 24)[19] mit Anhängen (Ex 32–34). In diesen literarischen Zusammenhang ist die Rechtssammlung des Bundesbuches (Ex 20,22 – 23,33) vermutlich erst sekundär eingebaut worden. Der komplizierte literarische Entstehungsprozeß hat die wahrscheinlich einfachere Darstellung der Vorstufen verwischt. Man sieht es nicht zuletzt an der absurden Tatsache, daß Mose den Berg insgesamt sechsmal – wenn nicht öfter – besteigen muß, um dann immer wieder zum Volke zurückzukehren und ihm mitzuteilen, was Jahwe gesagt hat (Ex 19,3. 7. 8. 14. 20. 25; 24,9. 13; 32,15. 31; 34,29). Die Hauptabsicht der Vorstufen und der Endfassung ist jedoch noch deutlich zu erkennen: am Gottesberg wird die endgültige Bindung des Volkes an Jahwe vollzogen. Die Überlieferung kennt dabei keinen größeren Kreis von Jahweverehrern, keinerlei Kultgemeinschaft mit anderen Gruppen, z. B. den Midianitern. Jahwe ist mit Israel allein. So vollzieht sich die Verfestigung und Besiegelung des bereits vorher begründeten Sonderverhältnisses zwi-

[15] Vgl. J. Jeremias, Theophanie. WMANT 10 (1965).

[16] Vgl. die Karte von H. Fischer, ZDPV 33 (1910) Taf. VII und H. Guthe, Bibelatlas (1926²) Nr. 4.

[17] R. Kittel, Geschichte des Volkes Israel 1 (1916³) 531–535.

[18] Vgl. E. A. Knauf, Untersuchungen zur Geschichte der Ismaeliter (Diss. Kiel 1981) 13 mit Anm. 98.

[19] Vgl. zuletzt E. W. Nicholson, The Covenant Ritual in Exodus XXIV, 3–8. VT 32 (1982) 74–86.

schen Jahwe und Israel. Israel wird zur Eidgenossenschaft, auf den vom Gottesberge herab mitgeteilten Rechtswillen Jahwes verpflichtet. Die spätere Theologie, vor allem im Deuteronomium und danach, hat das unter den Begriffen „Erwählung" und „Bund" beschrieben: der Bund ist das Siegel auf die Erwählung.

Was ist an alledem historisch? Das ist schwer zu sagen. Natürlich war nicht ganz Israel am Gottesberg; ganz Israel existierte noch nicht. Aber eine Menschengruppe, die selbst oder deren Nachkommen später in Israel aufgingen, ist am Gottesberg gewesen. Sicher hat diese Gruppe dort nicht das erlebt, was in Ex 18–34 geschrieben steht. Aber sie muß etwas erlebt haben, das traditionsbildend wirken konnte und gewirkt hat. Die Annahme legt sich nahe, daß diese Menschengruppe am Gottesberge mit Jahwe in Berührung gekommen, vielleicht sogar erst mit ihm bekannt geworden ist. Das würde bedeuten, daß Jahwe von Hause aus eine Berggottheit war, ein Bergnumen unwirtlicher Wüstengebiete, das Menschen unterschiedlicher Herkunft zu gemeinsamer Verehrung anzog. Darauf führen auch teils ältere, teils jüngere Texte des AT, die den Berg oder zumindest seine Region auch dann noch als Aufenthaltsort Jahwes kennen, als dieser längst zusammen mit Israel in Palästina heimisch geworden war (Dtn 33,2; Ri 5,4f. = Ps 68,8f.; Hab 3,3f.; 1. Kön 19).

Die Verbindung eines Gottes mit einem Berg, manchmal sogar – was auf Jahwe nicht zutrifft – die Namensidentität beider, ist religionsgeschichtlich nichts Ungewöhnliches[20]. Von Interesse ist in diesem Zusammenhang eine inzwischen berühmt gewordene Angabe in den Ortslisten Amenophis III. aus dem nubischen *Sōleb* und denen Ramses II. aus *ʿAmāra*-West[21]: *tȝ šȝśw y-h-wȝ* „das Land der *Yhwȝ*-Nomaden" oder „das Land *Šȝśw – Yhwȝ*". Die verschiedenen möglichen Übersetzungen zeigen die Unsicherheit an. Niemand weiß, ob *Yhwȝ* eine Landschaft, ein Ort, ein Berg, ein Gott oder einfach eine menschliche Person ist. Immerhin wird man auf den Südosten Palästinas gewiesen; denn in der Liste von *ʿAmāra*-West steht unweit der *Šȝśw – Yhwȝ* „das Land der Šȝśw *Sʿrr*", und das ist nach hoher Wahrscheinlichkeit Seïr/Edom. Relativ weiträumig operierende *Šȝśw*-Nomaden sind auch sonst zwischen Palästina und Ägypten bekannt[22]. Die fragliche Gegend und die fragliche Zeit (13./12. Jh. v. Chr.) stimmen mit den Bewegungen nomadischer Gruppen, die später in Israel aufgingen, so gut zusammen, daß die Verführung groß ist, die Hieroglyphenfolge *Yhwȝ* für eine Spur des Jahwenamens zu halten. Man muß hinsichtlich des Ursprungs und des ersten Orts Jahwes nicht weiter in die Einzelheiten gehen. Denn Jahwes Geschichte begann in großem Stile erst dann, als er der Gott Israels geworden war, und sein ursprünglicher Charakter als Berggottheit der Wüste versank so sehr im Dunkel der Vorgeschichte, daß nur noch wenige Spuren darauf hindeuten.

---

[20] Vgl. Baal Zaphon, Baal Hermon, Baal Libanon, Gott Karmel; zum letzteren Tacitus, Hist. II, 78, 3: *est Iudaeam inter Syriamque Carmelus, ita vocant montem deumque.*

[21] S. o. S. 86, Anm. 6. Ferner: S. Herrmann, Der atl Gottesname. EvTheol 26 (1966) 281–293; M. Görg, Anfänge israelitischen Gottesglaubens. Kairos 18 (1976) 256–264.

[22] S. o. S. 86.

Eine Menschengruppe also, die später in Israel aufging, mag am Gottesberg in der Wüste auf Jahwe gestoßen sein. Sie stellte sich unter seinen Anspruch und Willen und nahm ihn mit nach Palästina. Welche Menschengruppe? Auch das wissen wir nicht. Waren es die aus Ägypten Ausgezogenen? Das ist möglich, wenn nicht wahrscheinlich. Wie erklärt sich dann aber die Tatsache, daß Auszug und Gottesberg überlieferungsgeschichtlich getrennte Größen sind, die erst im Verlaufe des Überlieferungsprozesses miteinander verbunden wurden, und das verhältnismäßig spät? Oder waren es Menschen, die zu den späteren Leastämmen stießen? Oder zur Rahelgruppe? Darüber ist nichts Sicheres in Erfahrung zu bringen; man könnte die Überlegungen, die oben zu Auszug und Schilfmeerwunder angestellt wurden[23], hier wiederholen. Es bleibt leider dabei: die Gottesberg-Überlieferung gehört zu den dunkelsten Kapiteln der Vorgeschichte Israels.

4. *Die Wüstenwanderung*

Vom Gottesberg aus zieht das Volk unter der Führung des Mose langsam und umständlich durch die Wüste in Richtung auf das Land Kanaan[1]. Die Stationen, die es dabei berührt, sind überwiegend unbekannt und nicht zu lokalisieren[2]. Aus dem Unbekannten heben sich nach dem Aufbruch vom Gottesberg (Num 10,11 ff.) heraus: die Wüste Pārān Num 10,12; 12,16 *(Wādī Fērān)*[3] und die Oase Kadesch Num 13,26; 20,1 (*ʿĒn Qdēs* und *ʿĒn Qudērāt*)[4]. Aber trotz dieser Fixpunkte ist eine auch nur einigermaßen vernünftige und verständliche Route nicht zu rekonstruieren. Auf der Wanderung ereignen sich wiederholte Meutereien des Volkes gegen Mose und gegen Jahwe: das „Murren des Volkes in der Wüste"[5]. Von unterwegs werden Kundschafter ins Gelobte Land ausgesandt (Num 13/14), unter denen Kaleb, der Eponym der später in Hebron wohnenden Kalibbiter, eine prominente Rolle spielt[6]. Den Befehl Jahwes, wieder nach dem Schilfmeer umzukehren (Num 14,25), befolgt Israel nicht. Es riskiert eine Durchbruchsschlacht bei Horma, von der zweimal in verschiedenen Zusammenhängen berichtet wird (Num 14,39–45; 21,1–3), und wird geschlagen. Auf die beständigen Widersetzlichkeiten des Volkes reagiert Jahwe mit Strafen, auch

---

[23] S. o. S. 90 ff.

[1] Vgl. V. Fritz, Israel in der Wüste. Marburger Theol. Studien 7 (1970).

[2] Versuche bei G. I. Davies, The Way of the Wilderness: A Geographical Study of the Wilderness Itineraries in the OT. The Society for OT Study, Monograph Series 5 (1979).

[3] S. o. S. 100.

[4] In dtr und nachexilischen Texten auch Kadesch-Barnea genannt (Num 32,8; 34,4; Dtn 1,2. 19; 2,14; 9,23; Jos 10,41; 14,6 f.; 15,3). Vgl. noch immer H. C. Trumbull, Kadesh – Barnea (1884); auch H. F. Fuhs, *Qādeš* – Materialien zu den Wüstentraditionen Israels. BN 9 (1979) 54–70.

[5] Vgl. G. W. Coats, Rebellion in the Wilderness. The Murmuring Motif in the Wilderness Traditions of the OT (1968).

[6] Vgl. W. Beltz, Die Kaleb-Traditionen im AT. BWANT 98 (1974).

dadurch, daß er eine vierzigjährige Wanderung in der Wüste verordnet (Num 14,33f.; 33,38), bis die rebellische Generation ausgestorben ist. Schließlich erscheint Israel noch einmal in Kadesch (Num 20,1), um von da aus, keineswegs geradlinig, sondern auf verschlungenen Wegen, ins Ostjordanland vorzurücken.

Diese Wüstenwanderung ist das Ergebnis eines komplizierten überlieferungsgeschichtlichen, vor allem aber literarischen Prozesses. Historisch ist damit so gut wie nichts anzufangen. Darauf, daß wir es hier nicht mit Geschichtsschreibung zu tun haben, ist bereits Goethe aufmerksam geworden. Er hat seine Beobachtungen und Schlüsse in einem Jugendaufsatz „Israel in der Wüste" niedergelegt, den er später den „Noten und Abhandlungen zu besserem Verständnis des West-Östlichen Divans" beigab. Die Kernsätze sind immer noch akutell und sollen deshalb hier zitiert werden:

„Die vier letzten Bücher Mosis haben, wenn uns das erste den Triumph des Glaubens darstellte, den Unglauben zum Thema, der, auf die kleinlichste Weise, den Glauben, der sich aber freilich auch nicht in seiner ganzen Fülle zeigt, zwar nicht bestreitet und bekämpft, jedoch sich ihm von Schritt zu Schritt in den Weg schiebt, und oft durch Wohltaten, öfter aber noch durch greuliche Strafen nicht geheilt, nicht ausgerottet, sondern nur augenblicklich beschwichtigt wird, und deshalb seinen schleichenden Gang dergestalt immer fortsetzt, daß ein großes, edles, auf die herrlichsten Verheißungen eines zuverlässigen Nationalgottes unternommenes Geschäft gleich in seinem Anfange zu scheitern droht, und auch niemals in seiner ganzen Fülle vollendet werden kann. – Wenn uns das Ungemütliche dieses Inhalts, der, wenigstens für den ersten Anblick, verworrene, durch das Ganze laufende Grundfaden unlustig und verdrießlich macht, so werden diese Bücher durch eine höchst traurige, unbegreifliche Redaktion ganz ungenießbar. Den Gang der Geschichte sehen wir überall gehemmt durch eingeschaltete zahllose Gesetze, von deren größtem Teil man die eigentliche Ursache und Absicht nicht einsehen kann, wenigstens nicht, warum sie in dem Augenblick gegeben worden, oder, wenn sie spätern Ursprungs sind, warum sie hier angeführt und eingeschaltet werden. Man sieht nicht ein, warum bei einem so ungeheuern Feldzuge, dem ohnehin so viel im Wege stand, man sich recht absichtlich und kleinlich bemüht, das religiose Zeremonien-Gepäck zu vervielfältigen, wodurch jedes Vorwärtskommen unendlich erschwert werden muß. Man begreift nicht, warum Gesetze für die Zukunft, die noch völlig im Ungewissen schwebt, zu einer Zeit ausgesprochen werden, wo es jeden Tag, jede Stunde an Rat und Tat gebricht, und der Heerführer, der auf seinen Füßen stehen sollte, sich wiederholt aufs Angesicht wirft, um Gnaden und Strafen von oben zu erflehen, die beide nur verzettelt gereicht werden, so daß man mit dem verirrten Volke den Hauptzweck völlig aus den Augen verliert." [7]

Der literar- und formkritischen Analyse ergibt sich nun allerdings, daß die Dinge anders liegen als bei den Überlieferungen vom Auszug aus Ägypten und vom Gottesberg in der Wüste. Es handelt sich nicht um einen geschlossenen Überlieferungskomplex, sondern um ein Konglomerat von

---

[7] Aus: Goethe, West-Östlicher Divan. Gesamtausgabe, im Inselverlag zu Leipzig (1949) 202f.

Notizen und Einzelsagen, die teils zwischen Schilfmeer und Gottesberg, teils zwischen Gottesberg und Landnahme angeordnet worden sind. Eine vernünftige Ordnung ist dabei nicht zu erkennen. Fast jedes der Einzelstücke hätte ebensogut an anderer Stelle plaziert werden können, ohne daß man es merken würde. Auch literarische Dubletten kommen vor, die die Selbständigkeit der Stoffe besonders deutlich zeigen. Die hauptsächlichen, isolierbaren Einzelsagen sind die folgenden: Manna und Wachteln (Ex 16,2–36; Num 11,4–24a. 31–34); Wasser aus dem Felsen (Ex 17,1–7; Num 20,2–13); die Amalekiterschlacht (Ex 17,8–16); die Gabe der ekstatischen Prophetie (Num 11,24b–30); der Aussatz Aarons und Mirjams (Num 12,1–15); der Untergang der Rotte Korach (Num 16). Diese Stücke hängen untereinander nicht zusammen; sie sind wie Einzelperlen lose auf die Schnur der Wüstenwanderung gereiht. Auch die früher beliebte Annahme, es habe so etwas wie einen Block von Kadesch-Überlieferungen gegeben, und die Oase Kadesch sei gewissermaßen ein Sammelbecken zur Formierung der ersten Anfänge des späteren Israel gewesen[8], hält kritischer Prüfung nicht stand. Denn von den sog. Kadesch-Überlieferungen (Ex 17,1–7; Num 20,1–13; 27,14; 33,36; vgl. Dtn 32,51; 33,8; Ez 47,19; 48,28; Ps 95,8) ist keineswegs sicher, daß sie alle von Hause aus in Kadesch oder dessen Umgebung spielen; mehr noch: es ist nicht einmal sicher, ob die Verbindung des „Haderwassers" (Massa und Meriba, Meriba und *M^{e}rībat-Qādēš*) mit der Oase Kadesch auf zuverlässiger Tradition oder auf Konstruktion beruht. Von historischem Interesse ist dabei vor allem der Gedanke, der der Gesamtkomposition zugrunde liegt: die Eidgenossenschaft der israelitischen Stämme erhielt bereits in der klassischen Heilszeit feste Formen und Institutionen; sie begann allmählich, in einen Verband mit außen- und innenpolitischen Funktionen überzugehen. Dieser Gedanke lebt von der ungeschichtlichen Voraussetzung, es sei das spätere Zwölfstämme-Israel gewesen, das unter der Führung des Mose durch die Wüste zog. Ist diese Annahme hinfällig, dann zerfällt das Ganze in seine Einzelbestandteile, mit denen der Historiker allein gelassen wird. Er kann allenfalls zwei vertretbare Annahmen machen und am Materiale zu bewähren versuchen:

1. Das spätere Israel in Palästina hat Institutionen und Gegebenheiten, die ihm wichtig waren, ätiologisch in die klassische Heilszeit zurückprojiziert, um ihnen das Gewicht und die Würde mosaischen Ursprungs zu verleihen und sie dadurch sakrosankt zu machen. Ein besonders eindrücklicher Fall dieser Art ist die Geschichte vom Goldenen Kalb (Ex 32): eine polemische Ätiologie gegen die „Goldenen Kälber" des Königs Jerobeam I. von Israel (1. Kön 12,26ff.)[9]. Mose hat dergleichen schon am Gottesberg verurteilt und zertrümmert; damit ist es ein für allemal erledigt.

---

[8] Klassisch: E. Meyer, Die Israeliten und ihre Nachbarstämme (1906, Nachdruck 1967) 51–82; vgl. noch S. Herrmann, Geschichte 108–112.

[9] Dazu jetzt mit viel Forschungsgeschichte J. Hahn, Das „Goldene Kalb". Die Jahwe-Verehrung bei Stierbildern in der Geschichte Israels. EH 23, 154 (1981).

2. Es ist nicht ganz auszuschließen, daß Gruppen, die später in Israel aufgegangen sind, einzelne Wüstentraditionen mitgebracht haben. Dafür kommen Verbände nach Art der *Šśw*-Nomaden in Frage. Das würde heißen: nicht alles, was auf der Wüstenwanderung geschah, ist erst später dorthin verlegt worden; es gibt auch Traditionen, die ursprünglich in die Wüste gehören. Welche es sind, ist freilich kaum mehr zu erkennen, jedenfalls nicht mit der nötigen Sicherheit. Denn auch „Wüstentraditionen" können sich später mit Kulturlandinteressen verbunden haben, und zwar so, daß der Ursprung durch rückprojizierende Ätiologie (Ursprungssage) bis zur Unkenntlichkeit überformt wurde.

Enthält die Sage von der Amalekiterschlacht (Ex 17,8–16) historische Erinnerungen aus der Vorgeschichte Israels? Das ist möglich; nur wissen wir nicht, welche. Die Sage ist weder örtlich noch zeitlich festzulegen. Daß sie nach V. 8 „in Raphidim" spielen soll, ist redaktioneller Zusatz, ganz abgesehen davon, daß wir nicht präzise wissen, wo Raphidim gelegen hat. In der Endfassung des Pentateuch und vielleicht auch schon in Vorstufen desselben, steht sie vor den Ereignissen am Gottesberg in der Wüste; aber das besagt natürlich gar nichts. Die Sage ähnelt den Heldensagen des Richterbuches: Jahwe ist der eigentlich Kämpfende und der Sieger; Mose, Josua und Israel sind nicht viel mehr als Statisten. Die Sage begründet die „Erbfeindschaft" zwischen Israel und den Amalekitern, indem sie sie als Feindschaft Jahwes gegenüber Amalek auffaßt: „Krieg hat Jahwe mit Amalek von Geschlecht zu Geschlecht!" (V. 16) In der Tat kommen die Amalekiter im AT ausschließlich als Feinde Israels vor. Sie bildeten einen Sippenverband am Südrande des palästinischen Kulturlandes (Num 13,29; Gen 14,7). Das einzige, was man historisch glaubhaft von ihnen erfährt, ist, daß David sich militärisch mit ihnen auseinandersetzte (1. Sam 27,8; 30; 2. Sam 8,12). Danach erscheinen sie als eine Art Standardgegner Israels und Judas, bis hinab in nachexilische Zeit immer wieder genannt, wenn man Feinde im Süden oder Osten bezeichnen will (Ri 3,13; 6,3; 7,12; 10,12; Dtn 25,17–19; ganz spät auch 1. Sam 14,48 und 15). Diese nicht ganz verständliche bittere Feindschaft wird in Ex 17,8–16 sozusagen mosaisch legitimiert. Sie kann ihre Ursachen in der Amalekiterfeindschaft vorisraelitischer Gruppen des Südens haben, die später in Israel aufgingen. Sie könnte aber auch aus der Zeit Davids stammen und von da aus in die Wüstenzeit zurückprojiziert sein[10].

Ähnliche Schwierigkeiten entstehen dort, wo vom Stamme Levi die Rede ist. Er ist an zwei Stellen aus der sonst anonymen Masse des Volkes herausgehoben: Ex 32,25–29 und bei der Höllenfahrt der Rotte Korach[11] Num 16 (bes. V. 1. 7f. 10). Beide Erzählungen sind nicht lokalisiert. Der Einbau der einen in die Geschichte vom Goldenen Kalb (Ex 32) könnte auf 1. Kön 12,31 zurückgehen; daß die andere anscheinend in Kadesch spielt, ergibt sich nur aus der redaktionellen Anordnung des Materials. Immerhin aber provozieren beide die Frage, ob die Leviten nicht schon in Israels Vorgeschichte eine Rolle gespielt haben könnten. Von Bedeutung ist in diesem Zusammenhang der gewiß erst in der Königszeit entstandene Levi-Spruch des Mosessegens (Dtn 33,8–11):

---

[10] Vgl. J.H. Grønbaek, Juda und Amalek: Überlieferungsgeschichtliche Erwägungen zu Ex. 17,8–16. Studia Theologica 18 (1964) 26–45.

[11] Vgl. J. Liver, Korah, Dathan and Abiram. ScrH 8 (1961) 189–217.

(8) „Gebt Levi'(?) deine Tummim, und deine Urim deinem Frommen, den du in Massa prüftest, für den du an den Wassern von Meriba kämpftest,

(9) der von seinem Vater sagte , ': Ich sehe ihn nicht! und der seine Brüder nicht ansah , '!
Ja, sie bewahrten dein Wort und beachteten deinen Bund.

(10) Sie lehren Jakob deine Rechtssatzungen und Israel deine Thora, sie bringen Räucherduft in deine Nase und Ganzopfer auf deinen Altar.

(11) Segne Jahwe, seinen Wohlsstand und habe Gefallen am Werk seiner Hände!
Zerschmettere ‚die Lenden' seiner Gegner und die ihn hassen, daß sie sich nicht erheben!"[12]

Natürlich setzt der Spruch die priesterlichen Funktionen und Privilegien der Leviten voraus: sie haben Jahwes Rechtswillen zu hüten und lehrend zu verkündigen[13], außerdem obliegen ihnen der Kultus und das Orakelwesen[14]. Der Spruch ist also jünger als Gen 49,5–7[15]. Er begründet das levitische Priestertum durch ein Ereignis der klassischen Heilszeit: Levi hatte sich illoyal gegenüber seinem Sippenverbande zugunsten seiner ausschließlichen Bindung an Jahwe verhalten. Das erinnert an Ex 32,25–29. Aber diese „Levitenperikope" ist eindeutig nicht bei Massa und Meriba lokalisiert, wie umgekehrt in den Massa und Meriba-Traditionen (Ex 17,2–7; Num 20,2–13) der Stamm Levi keinerlei Rolle spielt. Die Ätiologie kann nicht ohne weiteres aus dem vorhandenen atl Material geschöpft sein. Gab es eine verlorene Massa-Meriba-Überlieferung, in der von Levi ähnliches berichtet wurde wie in Ex 32,25–29? Und sollte diese Überlieferung Erinnerungen daran bewahrt haben, daß Levi bereits in einem sehr frühen Stadium im Süden begann, priesterliche Funktionen auszuüben – für welche Gottheit immer? Geschah das im Anschluß an die Katastrophe von Gen 34? Auch das sind Fragen, auf die niemand eine Antwort hat.

Was schließlich folgt, gehört nicht mehr zum Thema der Wüstenwanderung, sondern ins ostjordanische Kulturland. Die Edomiter verweigern dem Volke die Durchzugserlaubnis und zwingen es, Edom östlich zu umgehen (Num 20,14–21). Der Marsch durch das moabitische Gebiet (Num 21,13–20) verläuft ohne Schwierigkeiten. Dann aber trifft „Israel" auf den Amoriterkönig Sihon von Hesbon (Num 21,21–32; Jos 12,2f.), der den Moabitern die Landschaft *el-Belqā* bis zum Arnon entrissen hatte

---

[12] V. 8: Am Anfang muß etwas ausgefallen sein. LXX haben δότε Λευι, was man früher gern als aus δὸς τῷ Λευι entstanden erklärte: „gib dem Levi ...". Das würde gut passen. Aber IV Q Test. 4,14 hat *hbw llwy* (plur.!), wonach oben versuchsweise übersetzt ist. Zu *nsh* und *ryb* vgl. O. Eißfeldt, Zwei verkannte militärtechnische Termini im AT [1955]. KS 3, 354–358. – V. 9: „und von seiner Mutter" und 9bβ sind Zusätze. – V. 11: Mit dem Samaritanus ist *mtny* statt MT *mtnym* zu lesen.

[13] Vgl. P.J. Budd, Priestly Instructions in Pre-Exilic Israel. VT 23 (1973) 1–14.

[14] Die beiden hauptsächlichen Monographien: W. Graf Baudissin, Die Geschichte des atl Priesterthums (1889); A.H.J. Gunneweg, Leviten und Priester. FRLANT 89 (1965). Vgl. ferner A. Cody, A History of OT Priesthood. AnBib 35 (1969); M. Haran, Temples, Temple Service in Ancient Israel (1978).

[15] S. u. S. 131.

(V. 26). Es kommt zur Schlacht bei Jahas (*Ḫirbet Libb?*), in der Sihon geschlagen und des Gebietes vom Arnon bis zum Jabbok beraubt wird (V. 23 f.). Ähnliches wiederholt sich dann in der Schlacht bei Edreï (*Derʿā*) gegen den König Og von Basan (Num 21,33–35; Jos 12,4 f.): „Israel" gelangt in den Besitz des Gebietes zwischen dem Jabbok und dem Südfuß des Hermon (Jos 13,5)[16]. Diese sehr unterschiedlichen Überlieferungen und Konstruktionen gehören bereits zum Thema der Landnahme. Sie sind sekundär generalisiert und nationalisiert worden. Historisch ist ihnen zunächst zu entnehmen, daß Edom und Moab früher zur Staatlichkeit gelangt sind als Israel. Was den König Sihon von Hesbon (*Ḥesbān*) betrifft, so kann die Auseinandersetzung mit ihm nicht aus der Luft gegriffen sein. Er hat seinen ursprünglichen Überlieferungsort in Num 21,21–32, besonders in dem altertümlichen Liede V. 27–30[17]. Wahrscheinlich war er ein Lokalherrscher in und um Hesbon, mit dem Gruppen, die später zu Israel gerechnet wurden, aneinandergerieten. Ist das eine Landnahmeüberlieferung des Stammes Ruben[18]? Jedenfalls ist Sihons Herrschaft ebenso generalisiert, ausgeweitet und erhöht worden wie das ihn bekämpfende „Israel". Og von Basan (*en-Nuqrā*) vollends ist historisch nicht mehr greifbar. Er gehört ursprünglich in den späten Zusammenhang von Dtn 3,1–7 und Jos 12,4 f. und ist in Israels Bewußtsein überhaupt nur deshalb getreten, weil ein Analogon zu Sihon nötig war, dem der Rest des Ostjordanlandes kriegerisch abgenommen werden konnte[19]. Woher er stammt und welche Rolle er gespielt haben könnte, ist ganz ungewiß, zumal die nachmaligen Israeliten im Lande Basan nicht gesiedelt haben.

Exkurs: Mose

Ausgewählte Literatur: E. Meyer, Die Israeliten und ihre Nachbarstämme (1906, Nachdruck 1967); P. Volz, Mose. Ein Beitrag zur Untersuchung über die Ursprünge der israelitischen Religion (1907); G. Beer, Mose und sein Werk (1912); H. Gressmann, Mose und seine Zeit (1913); P. Volz, Mose und seine Zeit (1932); M. Buber, Moses (1952²); E. Auerbach, Moses (1953); H. Cazelles u. a., Moïse, l'homme de l'alliance (1955); H. H. Rowley, Mose und der Monotheismus. ZAW 69 (1957) 1–21; H.-J. Kraus, Die prophetische Verkündigung des Rechts in Israel.

[16] Zu den überlieferungsgeschichtlichen, literarischen und geographischen Problemen vgl. grundsätzlich M. Wüst, Untersuchungen zu den siedlungsgeographischen Texten des AT. I. Ostjordanland. BTAVO 9 (1975) 9–57. Vgl. ferner M. Noth, Die Nachbarn der israelitischen Stämme im Ostjordanlande [1946–1951]. ABLAK 1, 434–475; W. A. Sumner, Israel's Encounters with Edom, Moab, Sihon and Og According to the Dtr. VT 18 (1968) 216–228; J. R. Bartlett, Sihon and Og, Kings of the Amorites. VT 20 (1970) 257–277; J. van Seters, The Conquest of Sihon's Kingdom: A Literary Examination. JBL 91 (1972) 182–197.

[17] M. Noth, Nu 21 als Glied der „Hexateuch"-Erzählung [1940/41]. ABLAK 1, 75–101. Der Versuch von J. R. Bartlett, The Historical Reference of Numb. XXI, 27–29. PEQ 101 (1969) 94–100, das Lied als ein Spottlied auf Davids Moabiterkämpfe zu deuten, das in einen falschen Zusammenhang gestellt worden ist, überzeugt nicht.

[18] S. u. S. 143.

[19] Vgl. M. Wüst, a.a.O., S. 42–52.

ThSt 51 (1957); R. Smend, Jahwekrieg und Stämmebund. FRLANT 84 (1963) 87–97; A.H.J. Gunneweg, Mose in Midian. ZThK 61 (1964) 1–9; H. Schmid, Mose. Überlieferung und Geschichte. BZAW 110 (1968); S. Herrmann, Mose. EvTheol 28 (1968) 301–328; W. Coats, Moses in Midian. JBL 92 (1973) 3–10.

Niemand weiß genau, wer Mose war. Der Versuch, ein geschichtlich zuverlässiges Bild von ihm zu gewinnen, ist ein Dauerthema der atl Wissenschaft. Im Pentateuch ist Mose die zentrale Figur der klassischen Heilszeit Israels. Er ist unter und neben Jahwe alles in allem. Ohne ihn erscheint auf den ersten Blick nichts von dem auch nur denkbar, was über den Auszug aus Ägypten, das Schilfmeerwunder, die Ereignisse am Gottesberg, die Wüstenwanderung und die beginnende Landnahme erzählt wird. Aber gerade diese schlechthin überragende Stellung des Mose ist die Ursache der historischen Problematik. Denn es will trotz oder gerade wegen der Massen von Erzählungsstoff über Mose nicht gelingen zu erfahren, wer und was dieser Mann eigentlich gewesen ist. Er verbirgt sich hinter dem Stoff. Auf ihn trifft in Abwandlung ein geflügeltes Wort aus Schillers Prolog zur Wallenstein-Trilogie zu: „Von der Parteien Gunst (nicht Haß) verwirrt, schwankt sein Charakterbild in der Geschichte." Man muß die Gründe dieser Unsicherheit aufsuchen und benennen.

1. Die gesamte spätere Tradition hat den Auszug aus Ägypten als Geburtsstunde des Volkes Israel betrachtet und gefeiert, als das große Heilsereignis, mit dem Jahwe die Führung seines erwählten Volkes einleitete. Der Auszug und das Schilfmeerwunder markieren den Beginn der klassischen Heilszeit, der gegenüber die Geschichte Israels nach der Landnahme nicht viel mehr als eine epigonale Fortsetzung ist, überwiegend eine Geschichte des Abfalls von Jahwe und des Kampfes gegen diesen Abfall. Das war auch in der Heilszeit selbst schon vorgebildet gewesen. Während sich die Last aber später auf viele Schultern verteilte, trug Mose sie in der Heilszeit allein. Er trug auch die gewaltigen Segnungen allein, die Israel durch seine Vermittlung zuteil wurden. Bei solcher Lage der Dinge konnte es nicht ausbleiben, daß die nachgeborenen Generationen ihre Anschauungen, Ideale und Wünsche in die klassische mosaische Zeit zurückverlegten und nicht müde wurden, an der Überlieferung über diese Zeit gestaltend und umgestaltend zu arbeiten. So wurden das Israel der idealen Heilszeit und sein Führer Mose zu Magneten, die Traditionen und Stoffe unterschiedlicher Herkunft anzogen, darunter sicher auch solche, die ursprünglich weder mit dem nachmaligen Israel noch mit Mose etwas zu tun gehabt hatten. Die Einsicht, daß die Gesamtüberlieferung vielschichtig und von Idealen und Gefühlen überlagert ist, zwingt den Historiker zu besonderer Behutsamkeit. Mose steht im wachsenden Glanz der israelitischen Heilsgeschichte, und zwar so sehr, daß seine geschichtliche Gestalt hinter diesem Glanze kaum mehr wahrzunehmen ist.

2. Die Überlieferungen vom Auszug aus Ägypten und von dem, was ihm folgte, liegen hauptsächlich in Gestalt von Sagen vor. Die Gattung der Sage folgt ihren eigenen Gesetzen. Sie vereinfacht komplizierte geschichtliche Konstellationen und Prozesse, konzentriert sie wie mit einem Brennglas oder bricht sie wie durch ein Prisma. Das hat Folgen für den Personalbestand. Er ist stark reduziert. In der Regel handelt auf der einen Seite eine Hauptfigur – das ist Mose –, und auf der anderen Seite steht das Volk Israel als eine Einheit, weder nach Stämmen noch nach sonstigen Gruppen gegliedert. Nur selten einmal heben sich Gruppen aus der homogenen Masse heraus: der Stamm Levi (Ex 32,25–29), die Ältesten Israels (Ex 24,1. 9 u.ö.), die Rotte Korach (Num 16). An Einzelpersonen herrscht großer Mangel: der Pha-

rao, Aaron[1], Mirjam, Josua, Eldad und Modad (Num 11,26f.), Dathan und Abiram (Num 16), auch gelegentlich Nichtisraeliten wie Jethro/Reguel (Ex 18 u.ö.) oder Hobab (Num 10,29–32) und Kaleb (Num 13/14). In der nachexilischen Priesterschrift und ihren Anhängen ist das Bild differenzierter. Aber für das ältere Sagenmaterial gilt die Regel der einen zentralen Hauptfigur, und diese Stelle konnte mit keinem anderen als Mose besetzt werden, der auf diese Weise wahrscheinlich auch in Sagen hineingelangt ist, in denen er ursprünglich nicht zu Hause war.

3. Die Zusammenfügung des Sagenmaterials zu einem größeren Ganzen ist das Ergebnis eines komplizierten überlieferungs- und redaktionsgeschichtlichen Prozesses. Die Einzelstoffe haben sich dabei um drei große Themen gruppiert: die Herausführung aus Ägypten und das Schilfmeerwunder (Ex 1–15), die Führung durch die Wüste und der Bundesschluß am Gottesberg (Ex 15,22 – 20,21; 24; 32–34; Num 10,11 – 12, 16) und die Hineinführung in das Kulturland (Num 13; 14; 16; 20; 25; 32; Dtn 34). In jedem dieser drei Überlieferungskreise dominiert die Gestalt des Mose, und jeder vermittelt ein anderes Mosebild, oft sogar mehrere Mosebilder. Daß die Arbeit des Historikers dadurch außerordentlich erschwert wird, liegt auf der Hand.

Verhältnismäßig einfach ist die Beantwortung der Fragen, die die Geburtsgeschichte des Mose (Ex 2,1–10) aufwirft. Diese Geschichte ist unhistorisch. Es handelt sich um eine von vielen Fassungen der Wanderlegende vom ausgesetzten Heldenkind. Dergleichen hat man im Altertum von berühmten Gestalten immer wieder erzählt, in den Grundzügen übereinstimmend, in den Einzelheiten abweichend: von König Sargon I. von Akkad aus der 2. Hälfte des 3. Jt. v. Chr.[2], vom Perserkönig Kyros II. (559–530 v. Chr.)[3], von Zeus auf Kreta, von Romulus und Remus u.a.[4] Damit erledigen sich alle Spekulationen über Inhalt und Auswirkungen einer vornehmen ägyptischen Erziehung, die Mose als Pflegekind einer pharaonischen Prinzessin genossen haben könnte: von Apg 7,22 und Hebr 11,23–26 bis zu Sigmund Freuds großen religionskritischen Abhandlungen „Der Mann Moses und die monotheistische Religion“ (1937–1939) und zu Thomas Manns Novelle „Das Gesetz“ (1943/44), die mit dem eindrucksvollen Satze beginnt: „Seine Geburt war unordentlich, darum liebte er leidenschaftlich Ordnung, das Unverbrüchliche, Gebot und Verbot.“ Wir wissen nichts Genaues über die Herkunft des Mose. Wir wissen mit an Sicherheit grenzender Wahrscheinlichkeit aber immerhin soviel, daß er in Ägypten geboren wurde; denn sein Name ist ägyptisch[5]. Mose, hebr. *Mōšē*, gehört in den Zusammenhang ägyptischer Personennamen von der Wurzel *mśj* „gebären“, z.B. nach dem Typ „Gott NN ist es, der ihn geboren hat“ (*Rʿ-mś-św* = Ramses, *Ḏḥwtj-mś-św* = Thutmoses) oder „Gott NN ist geboren“ (*Rʿ-mś* = Ramose). Es gibt auch im Ägyptischen Kurzformen davon (*Mś-św* oder *Mś* = Mose), ohne theophores Ele-

---

[1] Vgl. H. Valentin, Aaron. Eine Studie zur vor-priesterschriftlichen Aaron-Überlieferung. OBO 18 (1978).

[2] AOT[2], 234f.; ANET[3], 119; W. Beyerlin (ed.), Religionsgeschichtliches Textbuch zum AT. ATD.E 1 (1975) 123f.

[3] Herodot I, 107–122.

[4] Übersicht bei W.H. Schmidt, Exodus. BK II, 1 (1974) 55–57.

[5] Vgl. J.W. Griffiths, The Egyptian Derivation of the Name Moses. JNES 12 (1953) 225–231; auch W. Helck, VT 15 (1965) 43–47.

ment[6]. Dem ist die aus der Gesamtüberlieferung gerade noch vertretbare Vermutung hinzuzufügen, daß Mose trotz seines ägyptischen Namens kein Ägypter, sondern ein „Asiat" (ägypt. *ˁ3m*), ein Semit, gewesen ist. Nach Ägypten eingewanderte und in Ägypten lebende Semiten haben ihren Kindern häufig ägyptische Namen gegeben[7]. Insoweit hat man historisch einigermaßen festen Boden unter den Füßen.

Aber damit ist die Frage „Wer war Mose?" keineswegs beantwortet. Die Versuche, der geschichtlichen Gestalt des Mose näherzukommen, bedienen sich gewöhnlich des Mittels der Analogie. Sie wollen Mose aus dem Vergleich mit anderen Gestalten und Typen der Weltgeschichte verstehen, d. h. sie wollen ihn nach Maßgabe erreichbarer Analogien kategorisieren, als Repräsentanten bestimmter geschichtlicher Erscheinungen darstellen. Das ist ein historisch durchaus legitimer Weg. Es fragt sich nur, wieweit er an die geschichtliche Figur des Mose heranführt. Denn jeder dieser Versuche kann sich auf mehr oder minder gewichtige Elemente der atl Tradition stützen; jeder enthält, wenn man so will, Richtiges. Aber keiner deckt das Ganze, jeder ist der Kritik zugänglich, und bei keinem ist ausgemacht, inwieweit er das historische Problem erhellt oder verdunkelt. Dessen ungeachtet soll hier eine repräsentative Auswahl an Kategorien vorgestellt werden, unter denen man Mose zu verstehen versucht hat[8]. Mose war

1. eine *mythische Figur,* ein depotenzierter Mondgott oder eine Heilbringer-Gottheit (H. Winckler, P. Jensen). Diese um die Jahrhundertwende beliebte Auffassung wird heute mit Recht von niemandem mehr vertreten.

2. ein *Religionsstifter* nach Analogie Zarathustras, Jesu und Muḥammads (H. Ewald, G. Beer, W. Eichrodt). Für einen Religionsstifter charakteristisch ist die neue Gotteserkenntnis, die er vermittelt, und die sich daraus ergebende Aufgabe. Wir wissen aber von der durch Mose vermittelten neuen Gotteserkenntnis nichts wirklich zuverlässig; denn gerade in dieser Hinsicht ist die ideale Übermalung des Bildes aus späteren Epochen mit Händen zu greifen. Brachte Mose den Israeliten den Monotheismus? Aber der entwickelt sich religionsgeschichtlich langsam vor unseren Augen und ist nicht vor dem 6. Jh. v. Chr. voll ausgebildet. Verkündigte er den Gotteswillen als Gesetz? Aber die Gesetzesmaterialien des Pentateuch sind – zumindest in ihrer überwiegenden Mehrzahl – sehr viel jünger als Mose und stammen aus anderen Lebenskreisen. Machte er die Israeliten oder wenigstens eine Gruppe ihrer Vorfahren mit Jahwe bekannt? Das wäre möglich, ist aber nicht beweisbar und jedenfalls gegen die atl Tradition. Die israelitische Religion ist erst im palästinischen Kulturland entstanden, in das Mose nicht gehört. Wenn er überhaupt etwas „stif-

---

6 Die volksetymologische Herleitung des Namens von der hebr. Wurzel *mšh* „ziehen" in Ex 2,10 („denn aus dem Wasser habe ich ihn gezogen") ist sprachlich falsch und historisch wertlos.

7 Vgl. G. Posener, Les asiatiques en Égypte sous les XIIe et XIIIe dynasties. Syria 34 (1957) 145–163; ferner die Personennamen der Elephantine-Papyri und der aramäischen Steininschriften, Papyri und Ostraka aus Ägypten.

8 Vgl. R. Smend, Das Mosebild von Heinrich Ewald bis Martin Noth. Beiträge zur Geschichte der bibl. Exegese 3 (1959); E. Oßwald, Das Bild des Mose in der kritischen atl Wissenschaft seit J. Wellhausen. Theol. Arbeiten 18 (1962). Im folgenden werden jeweils in Klammern die Namen der hauptsächlichen Vertreter der betreffenden Auffassung ohne weitere Literaturhinweise angegeben.

tete", dann allenfalls eine Art vorisraelitischer Jahweverehrung. Aber diese Vermutung versinkt im Dunkel der Vorgeschichte[9].

3. ein *Reformator,* d.h. ein Sonderfall des Religionsstifters (H. Ewald, E. König, N. Söderblom). Hierzu erheben sich dieselben kritischen Fragen wie zu 2.

4. ein *Volksgründer* (J. Wellhausen, H. Gunkel). Gemeint ist die Schaffung eines „geistigen Gemeinbewußtseins" als Voraussetzung für die Landnahme und für die Einrichtung auf dem Boden des palästinischen Kulturlandes. Aber das israelitische Gemeinbewußtsein ist, soweit wir heute sehen können, überhaupt erst in Palästina entstanden, und das der Theorie zugrunde liegende Landnahmebild ist überholt.

5. ein *Ordensgründer* (P. Volz, W. Caspari, E. Sellin). Mose gründete eine „Jahwe-Liga" innerhalb Israels, eine Gruppe, die sich dem Dienst an Jahwe und der Durchsetzung seines Ausschließlichkeitsanspruches mit besonderem Eifer hingab. Aber das beruht alles auf Rückprojektionen späterer Verhältnisse und Bedingungen.

6. ein *Theologe,* ein Mann der Theorie und der Lehre (H. Ewald, P. Volz, O. Procksch, W.F. Albright). Diese Auffassung verbindet sich zumeist mit dem sog. mosaischen Monotheismus, der religionsgeschichtlich als ernst zu nehmende Möglichkeit ausscheiden muß[10].

7. ein *Zauberer,* ein Wundertäter der Wüste, Schlangenbeschwörer, Quellenfinder, Orakelerteiler (G. Beer). Inwieweit aber darf man die Sagen, in denen dergleichen erzählt wird, für die Erkenntnis der geschichtlichen Gestalt des Mose nutzen?

8. ein *Gesetzgeber* wie Solon und Lykurg. Als solcher lebt Mose seit alters im Bewußtsein des Morgen- und des Abendlandes. Aber die ihm zugeschriebenen Gesetzescorpora sind jünger als er, und der Dekalog, für den immer einmal wieder – kaum zu Recht – mosaische Herkunft behauptet wird, reicht nicht aus.

9. ein *Prophet,* genauer: der Prototyp des von Gott beauftragten Propheten (H. Ewald, B. Duhm, R. Kittel, O. Procksch, Th. Vriezen). Das ist die Theorie des Deuteronomiums (Dtn 18,9–22), das die Prophetie auf Mose projiziert hat, weil er als der klassische Mittler des Jahwewillens galt. Aber auch die Prophetie ist ein Gewächs des Kulturlandes, und das Bild Moses als eines Propheten ist aus der späteren israelitischen Prophetie gewonnen.

10. ein *Priester* (J. Wellhausen, E. Meyer, E. Hölscher, E. Auerbach). Mose war Levit[11] und einer der Ahnherren des israelitischen Priestertums. Ihm oblag die Thora-Erteilung, bekanntlich eine der priesterlichen Hauptfunktionen[12]. Aber auch das Priestertum, zu dem mehr als nur Thora-Erteilung gehört, ist im Kulturland entstanden.

11. ein *Charismatiker* nach Art der Großen Richter, ein *môšîaʿ* „Retter, Heiland" (A. Alt, R. Smend). Seine Rettungstat war die Herausführung aus Ägypten. Auch hier könnte an die Rückprojektion einer Einrichtung des Kulturlandes gedacht wer-

---

[9] Vgl. K. Koch, Der Tod des Religionsstifters. Kerygma und Dogma 2,8 (1962) 100ff.

[10] B. Lang (ed.), Die Geburt des biblischen Monotheismus (1981).

[11] Zur Problematik vgl. W.H. Schmidt, Exodus. BK II,1 (1974) 65–67.

[12] Man beruft sich dabei gern auf Ri 18,30 – wo mit einem Teil der LXX-Überlieferung, Itala Lugdunensis und Vulgata „Mose" statt MT „Manasse" gelesen werden soll.

den, obgleich einzuräumen ist, daß diese Auffassung einem kleinen Teile der Mose-Überlieferung (Ex 2–15; 17,8–16) tatsächlich entspricht.

12. der *Träger des „mosaischen Amtes"*, eines Amtes zur Verkündigung des amphiktyonischen Gottesrechts, das prophetische, richterliche und bundesmittlerische Funktionen in sich vereinigte (H.-J. Kraus). Das ist eine Verlegenheitslösung. Ein Amt von solcher Komplexität ist in Israels Vorgeschichte undenkbar, und die Amphiktyonie-Hypothese ist aufzugeben[13].

Bisher nicht genannt, weil ausführlicher kritischer Erörterung würdig, ist die Behandlung des Mose-Problems durch M. Noth[14]: eine großartige und bedenkliche Theorie. Noth ist von der richtigen Einsicht ausgegangen, daß Mose für uns nicht sogleich eine Gestalt der Geschichte, sondern erst einmal der Überlieferungsgeschichte ist. Er dominiert in allen Überlieferungsthemen der klassischen Heilszeit Israels. Da diese Themen aber erst im Laufe der Zeit zu einem größeren Ganzen zusammengewachsen und komponiert worden sind, ist es ganz unwahrscheinlich, daß Mose von Hause aus in jedem von ihnen die Zentralfigur war. Daraus ergibt sich die Frage, in welchem der verschiedenen Überlieferungskreise er ursprünglich beheimatet war. Jedes der Heilsgeschichtsthemen hat gute Gründe, Mose für sich in Anspruch zu nehmen. Noths Auffassung zufolge ist die Verbindung des Mose mit dem Gottesberg-Komplex relativ schwach, und zwar deswegen, weil dieser Komplex überlieferungsgeschichtlich jung ist und in den alten Geschichtssummarien fehlt[15]. Nicht besser steht es mit der Führung durch die Wüste. Zwar ist Mose hier der Held zahlreicher Einzelsagen, nicht aber Zentralfigur eines Überlieferungskomplexes; denn einen solchen gibt es weder für die Wüstenwanderung noch für Kadesch. Auch in den Überlieferungskreis „Herausführung aus Ägypten" gehört Mose ursprünglich wohl nicht. Sein ägyptischer Name hat kein Gewicht; seit der ägyptischen Hegemonie im 2. Jt. v. Chr. konnten ägyptische Personennamen überall in Palästina und Südsyrien getragen werden, auch bei den Nomaden am Rande des Kulturlandes. Ex 3/4 – die Sage von der Berufung des Mose im Wüstengebiet der Midianiter, mit denen er verschwägert war – ist überlieferungsgeschichtlich sekundär: eine Vorwegnahme der Gottesbergtradition von Ex 18–20. Es handelt sich um eine Kultätiologie, die in den Sog der Gottesbergüberlieferung geraten und von ihr geprägt worden ist. Als Offenbarungsträger in einer Kultätiologie aber ist Mose ebensowenig ursprünglich wie die Patriarchen. So bleibt nur noch das Überlieferungsthema „Hineinführung ins Kulturland". Hier findet Noth die Gestalt des Mose überlieferungsgeschichtlich am festesten verankert, und zwar in der Tradition vom Mosegrab (Dtn 34,1–12 dtr/P). Gräber sind im Altertum vielfach überlieferungsbildend gewesen. Daraus zieht Noth den historischen Schluß: Mose war ein ostjordanischer Beduinenscheich, dessen Grab in der Nähe des Berges Nebo am Wege der landsuchenden Rahelstämme lag. Die Verehrung seines Grabes und seiner Person brachte ihn in den Pentateuch. Das Sicherste also, was wir von Mose historisch wissen, ist, daß er starb und begraben wurde.

Ist das stichhaltig? Die Frage ist nicht leicht zu beantworten. M. Noth hat die überlieferungsgeschichtliche Methode virtuos und konsequent gehandhabt. Er hat

---

[13] S. o. S. 62 ff.

[14] M. Noth, Überlieferungsgeschichte des Pentateuch (1948) 172–191 und in den Auflagen der Geschichte Israels.

[15] Noth folgt den Thesen G. v. Rads (s. o. S. 98, Anm. 5.).

ihr freilich auch Leistungen zugemutet, die sie nicht erbringen kann. Denn es ist und bleibt fraglich, ob aus überlieferungsgeschichtlichen Beobachtungen auf Geschichte zurückgeschlossen werden kann und darf. Und wenn es möglich und erlaubt sein sollte, dann wären die Bedingungen genau zu beschreiben, die solche Schlüsse zulässig machen. Das hat Noth nicht getan. Die Folge davon ist, daß man überlieferungsgeschichtlich und historisch gegen ihn argumentieren kann, ohne daß beide Argumentationsweisen präzise auseinanderzuhalten sind. Als Beispiel kann man das Mosegrab von Dtn 34 nehmen[16]. Zweifellos sind Grabtraditionen bei den altorientalischen Kulturvölkern oftmals überlieferungsbildend gewesen; manches arabische Heiligengrab *(welī)* wirkt heute noch so. Aber das Entscheidende an Dtn 34 ist gerade, daß Mose eben nicht wie andere Menschen bestattet wurde, sondern daß Jahwe selbst ihn begrub. Niemand außer Jahwe kannte und kennt sein Grab. Dtn 34 weiß nicht mehr, als daß es irgendwo in der Nähe bei Beth-(Baal-) Peor im *Wādī ʿAyūn Mūsā* gelegen hat. Hier müßte also entweder ein unbekanntes Grab als überlieferungsbildend angenommen werden, was schwerlich möglich ist, oder die Kenntnis dieses bedeutenden Grabes erlosch im Laufe der Zeit, was angesichts der ihm zugeschriebenen Rolle auch nicht gerade wahrscheinlich ist. Und ferner müßte die Frage beantwortet werden, wie ein sonst bedeutungsloser ostjordanischer Scheich auf dem Wege über sein Grab zur beherrschenden Zentralfigur der klassischen Heilszeit Israels werden konnte. Die dabei unterstellte produktive Kraft der Rahelstämme ist selbst ein geschichtlich-überlieferungsgeschichtliches Problem – ganz zu schweigen davon, was geschieht, wenn man die von Osten ins Land kommende Rahelgruppe für ein Produkt der Theorie und nicht der geschichtlichen Wirklichkeit hält. Ähnlich steht es mit Mose in Ägypten. Für die Annahme Noths, daß ägyptische Personennamen seit dem 2. Jt. v. Chr. allerorten in Palästina und Südsyrien möglich waren, ist Mose selber der einzige Beleg. Deshalb wird man bis zum Beweise des Gegenteils annehmen müssen, daß er aus Ägypten stammte. Wenn er aber aus Ägypten stammte, dann legt sich seine Lokalisierung in jenem Überlieferungskreise nahe, der vom Auszug aus Ägypten handelt. Der Zusammenhang von Ex 3,1–4,17 enthält gewiß ein kultätiologisches Motiv – die Gotteserscheinung im Dornbusch von 3,2–6 –, ist aber insgesamt keine Kultlegende. Denn er läuft in allen Fassungen (J, E oder prädeuteronomisch) auf die Berufung des Mose zur Führerschaft beim Auszug hinaus; das gilt auch für die priesterschriftliche Version in Ex 6, die keine Beziehungen zur Dornbuschsage hat. In einer Berufungserzählung aber ist Mose nicht ohne weiteres auswechselbar. Das Motiv der Berufung hat auch nichts mit der Gottesberg-Tradition von Ex 18–20 zu tun. Um einen Analogiefall heranzuziehen: in den Erzvätersagen hat der „Gott der Väter" selbständiges historisches Gewicht, obwohl er in der überlieferten Endgestalt mit dem kanaanäischen El und dem israelitischen Jahwe verbunden ist[17]. Selbständiges historisches Gewicht? Damit durchkreuzt die historische Argumentation unvermeidlich die überlieferungsgeschichtliche. Will man das vermeiden, dann muß man die Berufung des Mose aus der Geschichte herausnehmen und sich die Sache so zurechtlegen: die Gattung der Berufungssage nach Art von Ri 6,11–24 oder Jer 1,5–10 wurde nachträglich auf Mose bezogen und angewandt, und zwar so, daß sie eine ihrerseits schon von der Gottesberg-Tradition überformte Lokalsage – vom Dornbusch –

---

[16] Vgl. auch S. Schwertner, Erwägungen zu Moses Tod und Grab in Dtn 34,5. 6. ZAW 84 (1972) 25–45.

[17] S. o. S. 79–81.

noch einmal überformte. Das ist nicht sehr wahrscheinlich. Ist aber die Berufung des Mose Überlieferungsgrundbestand, dann ist die einfachste Annahme vorzuziehen: daß er nämlich tatsächlich zum Thema „Herausführung aus Ägypten" gehörte.

Wie schwierig der Umgang mit überlieferungsgeschichtlichen Gesichtspunkten ist, zeigt sich auch bei Betrachtung neuerer Ansätze, in denen die Gottesberg-Tradition wieder schärfer in den Blick genommen wird[18]. Es empfiehlt sich, der Argumentation von H. Gese zu folgen. Er geht davon aus, daß das Sonderverhältnis Jahwe – Israel nach Israels Bewußtsein am Gottesberg gestiftet worden war. Das Sinaigeschehen ist die Ätiologie für diese Beziehung, für den Bund. Also gehören die Größen Jahwe und Israel in den Zusammenhang des Gottesbergkomplexes; sie sind dort fest verankert und können weder ersetzt noch ausgetauscht werden. Mit ihnen gehört Mose an den Gottesberg, und zwar als der ebenfalls nicht austauschbare Offenbarungsempfänger und Bundesmittler, von dem es heißt, daß Jahwe mit ihm – und nur mit ihm! – „von Mund zu Mund" (Num 12,8) geredet habe. Dann aber muß die Gottesbergtradition der Auszugstradition überlieferungsgeschichtlich vorgeordnet werden; d.h. die Größen Jahwe, Israel und Mose sind aus der Gottesbergtradition in die Auszugstradition eingetragen worden. Das würde bedeuten: Israel, das sich am Gottesberg begründet sah, hat seine Ätiologie auf Exodus und Schilfmeer projiziert. Es hat sich in einer anonymen Exodusgruppe sozusagen wiedererkannt, hat Jahwe im anonymen Gott des Exodus erkannt und seinen Bundesmittler Mose zum Exodusführer gemacht.

Gese hat darüber hinaus erwogen, ob die Exodusgruppe ihre Errettung ursprünglich vielleicht gar nicht als von einem Gott gewirkt betrachtete, so daß die Rettung erst die Frage nach einem Rettergott provozierte, die dann noch im nomadischen Stadium nach der Berührung mit der Sinaigruppe mit „Jahwe!" beantwortet wurde. Auch das erscheint vernünftig und einleuchtend, obwohl es die Sache nicht vereinfacht, sondern die Probleme umgruppiert. Denn jetzt muß erklärt werden, warum Israel auf die Frage nach seiner Existenz und nach seinem Gott stets mit dem Hinweis auf Auszug und Schilfmeer, nicht auf den Gottesberg, geantwortet hat: Jahwe ist Israels Gott von Ägypten her (Hos 12,10; 13,4 u.ö.). Und ferner muß erklärt werden, wie Mose aus der Sinaitradition in die Exodustradition gelangen konnte; denn der Weg vom Retter zum Offenbarungsempfänger ist überlieferungsgeschichtlich und historisch wahrscheinlicher als die Annahme, ein Offenbarungsempfänger sei zum Retter gemacht worden.

In der jüngsten Vergangenheit und in der Gegenwart ist eine gewisse überlieferungsgeschichtliche Müdigkeit eingetreten. Der Eindruck wächst, daß die überlieferungsgeschichtliche Methode an ihre Grenzen gelangt ist. Die Hoffnung, von ihr könne Hilfe bei der Suche nach der historischen Gestalt des Mose erwartet werden, schwindet mehr und mehr. Eine Tendenzwende scheint sich abzuzeichnen, bis hin zu der Frage oder gar Behauptung, Mose sei möglicherweise eben doch alles in allem gewesen: ägyptischer Semit mit Beziehungen zu den midianitischen Jahweverehrern, Führer beim Auszug und charismatischer Retter am Schilfmeer, Offenba-

---

[18] Mit verschiedenen Perspektiven und Nuancen: W. Beyerlin, Herkunft und Geschichte der ältesten Sinaitraditionen (1961); H. Seebass, Mose und Aaron, Sinai und Gottesberg (1962); H.B. Huffmon, The Exodus, Sinai, and the Credo. CBQ 27 (1965) 101ff.; H. Gese, Bemerkungen zur Sinaitradition [1967]. Vom Sinai zum Zion (1974) 31–48; J.M. Schmidt, Erwägungen zum Verhältnis von Auszugs- und Sinaitradition. ZAW 82 (1970) 1–31; E. W. Nicholson, Exodus and Sinai in History and Tradition (1973).

rungsempfänger und Bundesmittler am Gottesberg und Führer durch die Wüste bis ins Ostjordanland – das alles selbstverständlich nicht mit Gesamtisrael, sondern mit einer Gruppe, der „Moseschar", die dank der Dominanz ihres Führers andere, ursprünglich nicht zugehörige Traditionen anzog und die Ausbildung des Komplexes der klassischen Heilszeit vorbereitete[19]. Die Verzweiflung über die Aporien, in die die Überlieferungsgeschichte führt, fördert auch bei kritischen Alttestamentlern die begreifliche Neigung zu sagen: Laßt es uns ungefähr so nehmen, wie es berichtet wird! Die Entwicklung der Forschung ist abzuwarten. Sie wird vermutlich alte Mosebilder erneuern und neue produzieren. Ob auch neue historische Einsichten, ist zweifelhaft, solange keine neuen Quellen auftauchen. Leider besteht wenig Grund zur Hoffnung auf neue Quellen. Sie müßten außerisraelitischer oder zumindest außeralttestamentlicher Herkunft sein. Von der Geschichte und Überlieferungsbildung abseitiger Nomadengruppen aber hat in der Regel niemand Notiz genommen als diese selbst.

---

[19] So S. Herrmann, Geschichte 91–111, bes. 110f.

TEIL II

Die Frühgeschichte Israels: Beginn und Entfaltung

KAPITEL 1

Die Landnahme der nachmaligen Israeliten in Palästina und ihre Folgen

1. Der Verlauf

Das Problem der Landnahme der israelitischen Stämme in Palästina scheint auf den ersten Blick keine nennenswerten Schwierigkeiten zu bereiten. Wir besitzen über den Hergang und die Abfolge der Ereignisse einen relativ ausführlichen und sehr anschaulichen Bericht: Jos 1–12. Danach geschah in großen Zügen folgendes: Alsbald nach dem Tode des Mose, des Führers in der Auszugs- und Wüstenzeit, zogen die zwölf Stämme Israels, sozusagen mit fliegenden Fahnen und in Marschordnung, unter der Führung Josuas über den Jordan. Priester trugen die Lade Jahwes voran, die den Stämmen die Gegenwart ihres Gottes verbürgte. Israel überzog das Westjordanland mit Krieg, eroberte in großen gemeinsamen Aktionen viele feste Städte der Kanaanäer, zerstörte sie und belegte sie mit dem Bann. Aus zahlreichen Schlachten siegreich hervorgegangen und im Besitze des gesamten, von Jahwe verheißenen Landes, schritt Josua schließlich zur Verteilung oder Verlosung des Kulturlandbesitzes an die einzelnen Stämme (Jos 13–19). Die Stationen dieses kriegerischen Weges waren die folgenden: *Ābēl-Haššiṭṭīm (Tell el-Ḥammām)* als letzter ostjordanischer Rastplatz und Ausgangspunkt der Landnahme (2,1); die Auskundschaftung von Jericho (2); der wunderbare Jordanübergang auf der Höhe von Jericho und der Aufenthalt im Lager von Gilgal (3–5)[1]; die Eroberung und Zerstörung von Jericho (6); der Aufstieg durch die Ebene Achor *(Wādī en-Nuwēʿime)* ins Gebirge und die Eroberung und Zerstörung von Ai (*et-Tell* bei *Dēr Dubwān;* 7–8); das Schutzbündnis mit den Einwohnern von Gibeon (*el-Ǧīb;* 9)[2]; die Schlacht bei Gibeon gegen eine Koalition von Jerusalem, Hebron,

[1] Vgl. E. Vogt, Die Erzählung vom Jordanübergang Josue 3–4. Biblica 46 (1965) 125–148; F. Langlamet, Gilgal et les récits de la traversée du Jourdain. Cahiers de la RB 11 (1969).

[2] Vgl. Ch. F. Fensham, The Treaty between Israel and the Gibeonites. BA 27 (1964) 96–100; J. Blenkinsopp, Gibeon and Israel. The Role of Gibeon and the Gibeonites in the Political and Religious History of Early Israel (1972); J. Halbe, Gibeon und Israel. VT 25 (1975) 613–641.

Jarmuth, Lachisch und Eglon (10,1–15); die Eroberung und Zerstörung von Makkeda *(Bēt Maqdūm?)*, Libna *(Tell Bornāṭ)*, Lachisch *(Tell ed-Duwēr?)*[3], Eglon *(Tell ʿĒṭūn?)*, Hebron *(el-Ḫalīl)* und Debir *(Ḫirbet er-Rabūḍ)* auf dem judäischen Gebirge und im Hügelland (10,28–43)[4]; die große Schlacht an den Wassern von Merom mit der Eroberung und Zerstörung von Hazor *(Tell Waqqāṣ)* im hohen Norden (11,1–15); den Beschluß bildet ein Verzeichnis der von Israel besiegten Könige des Ost- und des Westjordanlandes (12)[5]. Das Ergebnis der Landnahme wird in Jos 11,16–20 so beschrieben: „So nahm Josua dieses ganze Land ein, das Gebirge, das ganze Südland, das ganze Land Gosen[6], das Hügelland, die ʿArābā, das Gebirge Israels und das dazugehörige Hügelland, vom kahlen Gebirge an, das nach Seïr aufsteigt, bis Baal-Gad in der Talebene des Libanon am Fuße des Hermon; und alle ihre Könige bekam er in seine Gewalt und schlug und tötete sie. Lange Zeit hatte Josua mit allen diesen Königen Krieg geführt. Es gab keine Stadt, die sich den Israeliten friedlich unterworfen hätte, mit Ausnahme der Hiwwiter, die Gibeon bewohnten; alles mußten sie militärisch erobern. Denn von Jahwe war es so gefügt, daß er ihr Herz verstockte, so daß sie den Kampf gegen Israel aufnahmen, damit man den Bann an ihnen vollstrecken konnte, damit ihnen keine Schonung zuteil wurde, sondern man sie ausrottete, wie Jahwe dem Mose befohlen hatte." Wer bis hierher gelesen hat, der weiß, wie Israels Landnahme in Palästina vonstatten ging und was sich dabei zutrug.

Man muß heute kaum mehr ausführlich begründen, daß dieses Landnahmebild historisch unbrauchbar ist. Es behandelt die Landnahme als eine große gemeinsame Aktion des Zwölfstämmeverbandes Israel. Wir wissen aber, saß sich „Israel" in Stufen und Stadien überhaupt erst auf dem Boden des palästinischen Kulturlandes gebildet hat und daß es sich dabei um einen lange andauernden Vorgang handelte, der noch im Zeitalter der Staatenbildungen nicht völlig abgeschlossen war. Sodann betrachtet der Bericht des Josuabuches Palästina als ein einheitliches Ganzes, ohne die landschaftlichen und politischen Unterschiede in den Blick zu bekommen. Das Landnahmebild ist ebenso generalisiert und nationalisiert wie die Ereignisse der klassischen Heilszeit. Die Einzelschilderungen betreffen auch nicht annähernd alle Teile Palästinas gleichermaßen. Sie enden in den meisten Fällen mit dem Bann, und gebannte Ortschaften dürfen nicht wieder besiedelt werden. Im Kulturland wird gewissermaßen eine *tabula rasa* geschaffen. Israel zieht in ein Land, dessen Bewohner weitgehend ausgerottet sind, um dort ungestört einen völligen Neubeginn zu erleben. Es kommt hinzu, daß

---

[3] Zweifel an der Identität bei G. W. Ahlström, Is *Tell ed-Duweir* Ancient Lachish? PEQ 112 (1980) 7–9.

[4] Vgl. K. Elliger, Josua in Judäa. PJB 30 (1934) 47–71.

[5] Vgl. V. Fritz, Die sog. Liste der besiegten Könige in Josua 12. ZDPV 85 (1969) 136–161.

[6] Natürlich nicht die ägyptische Landschaft dieses Namens, sondern das Gebiet einer kanaanäischen Stadt Gosen, deren Lage unbekannt ist. Vermutungen bei M. Noth, Zur historischen Geographie Südjudäas. 1. Das Land „Gosen" [1935]. ABLAK 1, 197–204.

man den Zusammenhang bei näherem Zusehen als eine sekundäre Kombination aus ursprünglich selbständig gewesenen Einzelstücken erkennen kann: überwiegend Sagen, viele davon ätiologischer Art und manche beim besten Willen weder historisch noch archäologisch irgendwo anzuknüpfen und verständlich zu machen. Jericho z.B. ist in der Spätbronzezeit nicht zerstört worden, und Ai war zur Zeit der Landnahme längst das, was sein Name besagt, ein „Trümmerhaufen", seit der Frühbronzezeit (3. Jt. v. Chr.) nicht mehr städtisch besiedelt. Es gibt keinen einzigen sicheren Fall, in dem die Angaben der ersten Hälfte des Josuabuches archäologisch „bestätigt" werden könnten; selbst die nachweisbare Zerstörung von Hazor in der Spätbronzezeit kann verschiedene Ursachen haben. Mit einem Wort: der Bericht von Jos 1–12 stammt in der vorliegenden Gestalt aus dem dtr Geschichtswerk; er ist mehr als ein halbes Jahrtausend jünger als die Ereignisse, die er beschreibt und deutet. Es ist klar, daß hier die geschichtliche Wirklichkeit der Landnahme einer Theorie von der Landnahme geopfert worden ist.

Man kann gerade noch erkennen, auf welche Weise das geschah. Am Anfang standen Einzelüberlieferungen, die überwiegend auf dem Territorium des Stammes Benjamin beheimatet waren (Jos 2–9) und ursprünglich wohl auch diesen Stamm allein betrafen. Damit wurden ein Abstecher nach Süden (Jos 10) und einer nach Norden (Jos 11) ziemlich lose kombiniert. Die wahrscheinlich schon vor dem Deuteronomium einsetzende Generalisierung und Nationalisierung der kombinierten Stoffe sollte das Bild vermitteln, ganz Israel habe ganz Palästina erobert. Aber diese Konsequenz konnte erst gezogen werden, als ganz Palästina tatsächlich israelitisch geworden war, d.h. nicht vor der Zeit Davids und Salomos. Danach war sie im Sinne eines Postulates, eines theoretischen Anspruches, möglich. Die dtr Zusammenfassungen und Programme in Jos 1; 23 und 11,16–20 lassen deutlich erkennen, daß der Territorialbestand des davidischen Reiches in die Landnahmezeit zurückprojiziert wurde: Jahwe mußte den Stämmen Israels jenes große Gesamtgebiet von Anfang an zugewiesen haben, das David faktisch beherrschte. Die Landnahmedarstellung des Josuabuches legitimiert also einen Gebiets- und Herrschaftsanspruch, der in der davidisch-salomonischen Ära vorübergehend realisiert und danach als Ideal lebendig geblieben war.

Vor allem aber muß man sich klarmachen, daß es außerhalb des Josuabuches atl Nachrichten über die Landnahme gibt, die mit jener Landnahmetheorie keineswegs zusammenstimmen. Von ihnen wird noch mehrfach die Rede sein. Das Hauptgewicht gebührt einer Versfolge innerhalb des 1. Kapitels des Richterbuches, das insgesamt ein Konglomerat von kleinen Geschichten und Notizen zur Landnahmethematik ist[7]: Ri 1,19. 21. 27–35. Es

[7] Vgl. G.E. Wright, The Literary and Historical Problem of Joshua 10 and Judges 1. JNES 5 (1946) 105–114; E. O'Doherty, The Literary Problem of Judges 1,1 – 3,6. CBQ 28 (1956) 1–7; C.H.J. de Geus, Richteren 1:1 – 2:5. VT 16 (1966) 32–53. Sehr kritisch hinsichtlich des historischen Wertes: A.G. Auld, Judges 1 and History: A Reconsideration. VT 25 (1975) 261–285.

handelt sich dabei um eine Auflistung israelitischer Stämme mit besonderer Berücksichtigung der Städte und Territorien, die sie ihm Verlaufe ihrer Landnahme einzunehmen nicht in der Lage gewesen waren. Die Stämme werden in der Vereinzelung vorgeführt; jeder hat seine eigene Landnahme. Kein Wort verlautet von einer großen Aktion Gesamtisraels, kein Wort von Josua. Zwar geht auch dieser Text von dem Anspruch aus, ganz Palästina habe Israel rechtmäßig zu gehören, aber sein Inhalt besteht gerade darin zu zeigen, daß dieser Anspruch in der Landnahmezeit nicht verwirklicht werden konnte. Erst „als Israel erstarkt war, machte es sich die Kanaanäer fronpflichtig; vertreiben konnte es sie nicht" (V. 28), d.h. nicht vor der davidisch-salomonischen Epoche, die denn auch die obere Grenze für die Abfassung des Textes ist. So läßt sich aus Ri 1,19. 21. 27–35 der territoriale Besitzstand der meisten westjordanischen Stämme *via negationis* rekonstruieren; es handelt sich um nichts anderes als um ein „negatives Besitzverzeichnis" (A. Alt). Geht man an diesem Verzeichnis entlang, dann stellen sich die Dinge folgendermaßen dar: Juda setzte sich im Gebirge fest, konnte jedoch nicht in die Küstenebene vordringen, weil deren Bewohner „eiserne Wagen", d.h. Streitwagen mit Eisenbeschlägen, besaßen. Damit sind die Kanaanäer und die Philister gemeint. Die anderen Stämme konnten folgende Ortschaften nicht einnehmen: 1. Benjamin: Jerusalem; 2. Manasse: Betschean (*Tell el-Ḥöṣn* bei *Bēsān*), Thaanach *(Tell Taʿannek)*, Dor (*el-Burǧ* bei *eṭ-Ṭanṭūra*), Jibleam (*Ḫirbet Belʿame* bei *Ǧenīn*), Megiddo *(Tell el-Mutesellim);* 3. Ephraim: Gezer *(Tell Ǧezer);* 4. Sebulon: Kitron (?), Nahalol (?); 5. Asser: Akko, Sidon, *Machaleb (*Maḥālib* an der Mündung des *Nahr Qāsimīye*)[8], Achzib *(ez-Zīb)*, Aphek (?), Rechob (?); 6. Naphtali: Beth-Schemesch *(el-ʿAbēdīye)*, Beth-Anath (?); 7. Dan: Har Cheres (= *ʿīr šemeš* Jos 19,41 = *er-Rumēle* bei *ʿĒn Šems*)[9], Ajjalon *(Yālō)*, Saalbim (?). Dieses Dokument gestattet weitreichende historische Schlußfolgerungen. Mit Ausnahme von Jerusalem liegen alle genannten Ortschaften, soweit sie sich lokalisieren lassen, in den Ebenen Palästinas: der Küstenebene, der Ebene von Akko, der Ebene von Megiddo und der Bucht von Bethschean; hinzu kommen wenige aus dem Hügelland westlich von Jerusalem. Das aber bedeutet, daß das Siedlungsland der israelitischen Stämme zunächst vorzugsweise, wenn nicht ausschließlich, in den Gebirgsregionen Palästinas gelegen hat. Die bewaldeten Gebirge waren in den Bronzezeiten (3./2. Jt. v. Chr.) nur dünn und vielfach gar nicht mit kanaanäischen Städten besetzt. Eben dort und eben deshalb gelang es den Stämmen fürs erste, Fuß zu fassen. Auch späterhin haben alle bedeutenden Zentren der israelitischen Geschichte im Gebirge und nicht in den Ebenen gelegen. Der Sachverhalt hat sich im Bewußtsein Israels tief eingeprägt. Noch in der Königs-

---

[8] So ist nach dem Konsonantentext von Jos 19,29 in Ri 1,31 statt MT *Aḥlāb* zu lesen; die noch folgende Ortschaft *Ḥelbā* ist als Variante dazu zu streichen.

[9] Anders K.-D. Schunck, Wo lag *Har Ḥeres?* ZDPV 96 (1980) 153–157: ein Bergzug namens „Schorfberg" mit einer Ansiedlung (*Ḫirbet Ḥirša* oder *Ḫirbet Ḥarsīs*) in der Nähe von Ajjalon.

zeit läßt 1. Kön 20,23 die Aramäer sagen: „Ein Berggott ist ihr Gott, darum haben sie uns überwunden. Aber könnten wir in der Ebene mit ihnen kämpfen, dann wollten wir sie gewiß überwinden!" Als erstes Ergebnis ist festzuhalten, daß die israelitische Landnahme eine beachtliche Veränderung der politischen Karte Palästinas eingeleitet hat: zum ersten Male begannen die Gebirgsgegenden eine nennenswerte Rolle zu spielen.

Das negative Besitzverzeichnis lehrt jedoch noch mehr. Es zeigt sich nämlich, daß das Siedlungsgebiet der israelitischen Stämme auf den Gebirgen an zwei Stellen durch ostwestlich verlaufende Querriegel fester kanaanäicher Städte unterbrochen war, die das Territorium Israels gewissermaßen drittelten:

1. der nördliche kanaanäische Querriegel: Bethschean, Jibleam, Thaanach, Megiddo – man kann die Linie bis nach Dor an der Mittelmeerküste weiterziehen. Dieser Querriegel folgt der Erstreckung der Ebene von Megiddo, die ja auch geographisch die Regionen des zentralpalästinischen und des galiläischen Gebirges voneinander trennt. Das Bild wird aufs glücklichste durch die literarischen Quellen des 2. Jt. v. Chr. bestätigt und ergänzt. Denn die genannten Ortschaften und noch einige dazu, sind als kanaanäische Herrensitze in den ägyptischen Ortslisten seit Thutmoses III. und z. T. in den Amarnabriefen bezeugt. Die Geschichte des nördlichen kanaanäischen Querriegels reicht also mindestens bis ins 15. Jh. v. Chr. und wahrscheinlich noch weiter zurück.

2. der südliche kanaanäische Querriegel: Jerusalem, Ajjalon, Har-Cheres, Saalbim, Gezer. Hierher gehören ferner aus Jos 9,17: Gibeon *(el-Ǧīb),* Kephira *(Ḫirbet Kefīre),* Beeroth *(el-Bīre?)* und Kirjath-Jearim (*Dēr al-Azhar* bei *Abū Ġōš*). Auch die Ortschaften des südlichen Querriegels sind durch ägyptische Texte und durch die Amarnabriefe schon für das 2. Jt. v. Chr. bezeugt. Der südliche kanaanäische Querriegel ist von ganz besonderer Bedeutung. Denn er deckt sich nicht mit landschaftlichen Gegebenheiten, sondern reicht von der Wasserscheide des Gebirges bei Jerusalem bis hinaus ins Hügelland bei Gezer. Er zerschneidet die zusammenhängende zentralpalästinische Gebirgsregion in zwei Hälften; er zerschnitt damit auch das Siedlungsgebiet der Stämme auf dem Gebirge. Gerade deshalb hat er historisch sehr viel nachhaltiger gewirkt als der nördliche Querriegel, der die ohnehin vorhandene Landmarke der Ebene von Megiddo sozusagen politisch unterstrich.

Aus alledem ergibt sich, daß die Landnahme Israels ganz anders verlaufen ist als beispielshalber die der Philister. Die Philister kamen in die Küstenebene, setzten sich dort in längst vorhandenen Städten fest, übernahmen die Formen des kanaanäischen Stadtstaatensystems und alsbald auch die Lebensweise der Kanaanäer. Die israelitischen Stämme dagegen mieden fürs erste die bestentwickelten Landesteile Palästinas, verharrten auf den Gebirgen in relativer Isolation und erlagen den Verlockungen der kanaanäischen Stadtkultur nicht sogleich. Das ist für das Verständnis des Landnahmevorgangs außerordentlich wichtig.

Aber eben an dieser Stelle entsteht das Hauptproblem, das in diesem Abschnitt zu erörtern ist. Wir haben uns daran gewöhnt, „Landnahme" zu sagen. Was ist damit eigentlich gemeint, und wer war es, der Land genommen hat? Der Begriff der Landnahme ist neutral; er besagt nichts über die Vorstellungen, die man historisch damit zu verbinden hat. Leider stehen der Lösung des Problems nahezu unüberwindliche Schwierigkeiten im Wege. Das liegt zum einen am Charakter der zur Verfügung stehenden schriftlichen Quellen, denen wir mit unseren Fragen Antworten abverlangen, die sie weder geben wollen noch können. Es liegt zum anderen aber auch daran, daß man auf folgende zwei Fragen jeweils mit Gründen unterschiedliche Antworten geben kann: Was können archäologische Entdeckungen und Einsichten für die Erhellung des Problems der Landnahme leisten? Welchen Wert haben historische Analogien mit ähnlichen, zeitlich und regional näher oder ferner stehenden Erscheinungen und Ereignissen?

Es empfiehlt sich, mit einer formalen Definition zu beginnen: Landnahme ist Sedentarisation, d. h. die Seßhaftwerdung vorher nichtseßhafter Gruppen. Nichtseßhafte nennt man Nomaden. Das Fehlen der Seßhaftigkeit ist das einzige gemeinsame Kennzeichen der zahlreichen unterschiedlichen Gruppen und Typen von Nomaden, die es gibt. Wir sagen also: die ältesten Israeliten waren Nomaden – und wissen dabei freilich noch nicht mehr, als daß sie zunächst nicht seßhaft waren. Hier ist an die Problematik des Begriffs „Nomaden" zurückzuerinnern, von der in einem früheren Kapitel die Rede war[10]. Die Nomaden haben Land genommen, d. h. sie sind zu seßhafter Lebensweise übergegangen, und zwar – wie wir sahen – in den Gebirgsregionen Palästinas. Die palästinischen Gebirge waren im Altertum in erheblichem Maße bewaldet; ihr heutiger, verkarsteter Zustand ist das Resultat jahrhundertelanger Abholzung. Wenn sich die israelitische Landnahme im Gebirge vollzog, dann heißt das, daß dort Wald gerodet werden mußte, um Ackerland zu gewinnen und dörfliche Siedlungen anlegen zu können. In der Tat hat die archäologische Erforschung der Gebirgsregionen ergeben, daß dort in der 1. Eisenzeit (ca. 1200–1000 v. Chr.) zahlreiche neue Siedlungen auftauchen, die vorher nicht bestanden hatten. Das ist das Ergebnis einer mühevollen, länger andauernden Kolonisationsarbeit, die zu leisten war: ein Grund mehr dafür, daß wir originale schriftliche Aufzeichnungen aus diesem Zeitraum und Gebiet nicht besitzen. Wer Wälder roden muß, der schreibt nicht.

Das alles sind freilich nur die Rahmenbedingungen. Sieht man von der traditionellen Auffassung ab, die Dinge hätten sich einfach so zugetragen wie sie im AT von Num 13 bis Ri 1 berichtet werden, dann gibt es im wesentlichen drei Verstehensmodelle, die die Vorgänge im einzelnen erklären wollen[11]:

---

[10] S. o. S. 47 ff.

[11] Eine ausgezeichnete kritische Darstellung und Würdigung bietet M. Weippert, Die Landnahme der israelitischen Stämme in der neueren wissenschaftlichen Diskussion. FRLANT 92 (1967).

1. das Migrationsmodell: Es ist nach der kritischen Auflösung des vom AT dargebotenen Landnahmebildes bereits seit der zweiten Hälfte des 19. Jh. entwickelt worden[12]. Charakteristisch für dieses Modell ist die Auflösung der Landnahme in eine Mehrzahl von Landnahmen. Nicht ein einheitliches Gesamtisrael, sondern mehrere Wellen nomadischer Einwanderer kamen aus der Wüste von verschiedenen Seiten und zu verschiedenen Zeiten nach Palästina und setzten sich dort fest. Sie wuchsen erst auf dem Boden Palästinas zu „Israel" zusammen. Der Vorgang vollzog sich manchmal friedlich, vor allem dort, wo die Seßhaftwerdung nicht auf Widerstände traf, z.B. auf dem Gebirge. Er vollzog sich aber öfter noch kriegerisch, und zwar dort, wo der Siedlungswille der Nomaden in Konflikt mit den Rechten und Ansprüchen der kanaanäischen Vorbewohnerschaft Palästinas geriet. Da mußten Städte erobert und zerstört werden, und in diesem Sinne war die Landnahme tatsächlich ein *„conquest"*, eine Eroberung. Die Vorgänge sind in den Kriegserzählungen des Numeri- und Josuabuches abgebildet, nur eben generalisiert und nationalisiert. Sie müssen auf verschiedene, teils von Süden, teils von Osten kommende Einwanderer verteilt werden; unter diesen Gruppen war auch diejenige, die unter der Führung des Mose aus Ägypten gezogen war und Jahwe mitgebracht hatte. Das Migrationsmodell empfahl sich seit der Entwicklung der palästinischen Grabungsarchäologie auch dadurch, daß es zu bestimmten archäologisch nachweisbaren Tatbeständen anscheinend zwangslos in Beziehung gesetzt werden konnte: es lag nahe, die Zerstörungshorizonte palästinischer Städte in der späten Bronzezeit und beginnenden 1. Eisenzeit jenen von außen einwandernden Gruppen ursächlich zuzuschreiben[13]. Die Vorzüge des Modells liegen auf der Hand: es ist ein kritisches Modell, das sich aber dennoch nicht allzu weit vom biblischen Bilde der Landnahme entfernt, und es ermöglicht die angemessene Berücksichtigung dessen, was man im englischsprachigen Raum *„archaeological evidence"* nennt. Gegen das Modell sind allerdings gewichtige kritische Fragen aufzuwerfen. Die Hauptfrage lautet: Was waren das für kriegerische Nomaden, die, von außen kommend, Palästina teils friedlich besetzten, teils militärisch eroberten? Gruppen, die zu solchen Aktionen in der Lage gewesen wären, sind aus dem Alten Orient des 2. und beginnenden 1. Jt. v. Chr. sonst nicht bekannt. Welchen Stellenwert sollen in diesem Modell verstreute atl Nachrichten erhalten, die von der Unterlegenheit der Frühisraeliten gegenüber den Kanaanäern sprechen?[14] Leistet die *„archaeological evidence"*, was sie leisten soll? Erstens mit Blick auf ihre grundsätzliche Mehrdeutigkeit und zweitens unter Berücksichtigung des Umstandes, daß viele der Eroberungssagen ätiologisch sind,

---

[12] Zusammenfassungen des älteren Standes der Diskussion: L.B. Paton, Israel's Conquest of Canaan. JBL 32 (1913) 1–53; H.H. Rowley, From Joseph to Josua (1950).

[13] Vgl. zusammenfassend B. Mazar, The Exodus and the Conquest. WHJP I,3 (1971) 69–93; Y. Aharoni, The Settlement of Canaan. Ebenda S. 94–128.

[14] Vgl. Num 13,28; Ri 1,19ff.; Jos 17,16; Ri 4,3 u.ö.

d. h. bereits bestehende Zustände erklären wollen? Wie verhält sich das Modell genau zur kritischen Interpretation der atl Landnahmetexte?

2. das Penetrationsmodell: Es ist zuerst und am nachhaltigsten von A. Alt entwickelt worden[15]. Die Landnahme ist das Ergebnis der Transhumanz von Kleinviehnomaden der Steppen- und Wüstenränder[16]. Die Transhumanz-Nomaden trieben in den Waldregionen des Gebirges zunächst sommerliche Weidewirtschaft, bis das Pendel der Transhumanz für sie langsam ausschwang und sie stufenweise zur Seßhaftigkeit und zu bäuerlicher Lebensweise übergingen. Der Vorgang vollzog sich zunächst friedlich und dauerte längere Zeit. Erst in einem zweiten Stadium, der von Alt so genannten Phase des „Landesausbaus", kam es hier und dort zu kriegerischen Auseinandersetzungen mit den Kanaanäern, von denen die biblischen Eroberungssagen ferne Reflexe sein können. Die Transhumanz-Nomaden gehörten zu einer der großen Wellen, die von Zeit zu Zeit aus der Wüste, dem bevölkerungspolitischen Regenerationsareal der Länder des Fruchtbaren Halbmondes, in die Kulturländer einsickern und eindringen: zur sog. aramäischen Völkerwelle. Gegen dieses Konzept kann man ernsthaft weder die Reihenfolge der biblischen Darstellung – erst Eroberung, dann Ansiedlung – noch die *„archaeological evidence"* geltend machen. Das Modell hat den Vorzug, daß es die Streiflichter des AT besser und einleuchtender erklärt als das Migrationsmodell. Es vermittelt, wenn man so sagen darf, eine Vorstellung von höherer historischer Wahrscheinlichkeit. Seine schwächste Stelle ist wiederum das Nomadenproblem. Alt ging von der modernen Analogie des palästinischen Beduinentums aus und projizierte es zurück in die Zeit gegen Ende des 2. Jt. v. Chr. Es ist aber inzwischen höchst fraglich geworden, ob es Transhumanz-Nomaden damals überhaupt gegeben hat. Die Nomaden der altorientalischen Texte des 2. Jt. sind überwiegend nichtseßhafte sog. Ziehbauern, teils in der Tat am Rande des Kulturlandes lebend, teils aber auch im Kulturland zwischen den städtischen und dörflichen Siedlungen (Bergnomaden, Kulturlandnomaden). Sie können in Bewegung geraten und von einem Ort zum anderen ziehen, müssen das aber keineswegs und können durchaus auch auf relativ begrenztem Raum in ihren Zelten leben, ohne nennenswerte Bewegungen. Die klimatisch bedingte Transhumanz jedenfalls, mit der das Modell steht und fällt, ist weder im 2. noch im 1. Jt. v. Chr. sicher bezeugt. Das vermindert den Wert der Analogie und läßt die daraus gezogenen Folgerungen problematisch erscheinen. Die großen Nomadenwellen, zeitweilig aus der Wüste gegen die Kulturländer brandend, hat es nach dem gegenwärtigen Stande der Einsicht nicht gegeben.

3. das soziologische Modell: Es wurde 1962 von G. Mendenhall begründet[17], und zwar in kritischer Auseinandersetzung mit den beiden anderen

---

[15] A. Alt, Die Landnahme der Israeliten in Palästina [1925]. KS 1, 89–125; ders., Erwägungen über die Landnahme der Israeliten in Palästina [1939]. Ebenda S. 126–175.

[16] S. o. S. 46 f.

[17] G. Mendenhall, The Hebrew Conquest of Palestine. BA 25 (1962) 66-87; ders., The Tenth Generation (1973).

Modellen. Diese gehen von drei Grundvoraussetzungen aus: 1. die Israeliten kamen von außen nach Palästina; 2. sie waren Nomaden; 3. ihre Solidarität beruhte auf ethnischer Verwandtschaft. Diese drei Voraussetzungen sind nach Mendenhalls Urteil falsch. Zwar gab es in der Spätbronzezeit Nomaden, doch waren sie weder sozial noch politisch von Bedeutung. Der entscheidende soziale Gegensatz war nicht der zwischen Bauern und Nomaden, sondern der zwischen Städtern und Landbewohnern. Die Entwicklung führte dazu, daß sich Individuen und Menschengruppen, die im Gegensatz zur herrschenden Ordnung in den Städten standen, aus dieser Ordnung ausgliederten und Ackerbau wie Viehzucht nicht mehr im Verbunde mit der städtischen feudalen Gesellschaft, sondern ohne und gegen sie betrieben. Es handelte sich um sozial Deklassierte, Entwurzelte, *outlaws,* die schließlich zur Revolte gegen die Städte übergingen, ermutigt, angeführt und unterstützt durch die aus Ägypten gekommene Moseschar, die Jahwe mitgebracht hatte. Diese *outlaws* entsprachen den *Ḫapirū* der Amarnazeit[18]. Deshalb ist es sachgemäß, wenn das AT die Frühisraeliten als „Hebräer" bezeichnet. Nach diesem Konzept war die Landnahme das Ergebnis eines sozialen Umschichtungsprozesses innerhalb des palästinischen Kulturlandes, ohne nennenswerten Zugang von außen, abgesehen von der Zwangsarbeitergruppe aus Ägypten. Das Solidaritätsbewußtsein Israels hat keine ethnischen, sondern ausschließlich religiöse Gründe: Jahwe wurde der Gott der mit der bestehenden Ordnung Zerfallenen. Das soziologische Modell ist von J. Dus und vor allem von N.K. Gottwald weiterentwickelt worden[19]. Es hat fraglos große Vorzüge. Nicht nur entspricht es besser als die beiden anderen Modelle dem Ertrag der neueren ethnosoziologischen Forschung[20]; es erklärt auch den scharfen Gegensatz der Frühisraeliten zu den Kanaanäern der Städte und kommt ohne die Annahme größerer Wanderbewegungen aus. Problematische Größen wie das kriegerische Raubnomadentum und das friedliche Transhumanz-Nomadentum spielen in ihm keine Rolle. Andererseits bleiben viele Fragen offen. Der Charakter der *Ḫapirū* des 2. Jt. v. Chr. ist ebensowenig abschließend geklärt wie die Frage eines möglichen Zusammenhanges der Frühisraeliten mit diesen Gruppen[21]. Die Annahme, daß die Moseschar, aus Ägypten kommend und im Ostjordanland beginnend, sozusagen die Fackel der Revolte der *outlaws* gegen die städtische Ordnung entzündet habe, ist ebenso problematisch wie das durch atl Nachrichten kaum zu begründende Revolten-Modell

---

[18] S. o. S. 70f.

[19] Vgl. J. Dus, Das Seßhaftwerden der nachmaligen Israeliten im Lande Kanaan. CV 6 (1963) 263–275; N.K. Gottwald, Were the Early Israelites Pastoral Nomads? Rhetorical Critizism (1974) 223–255; ders., Domain Assumptions and Society Models in the Study of Premonarchical Israel. SVT 28 (1975) 89–100; ders., The Tribes of Yahweh. A Sociology of the Religion of Liberated Israel, 1250–1050 B.C.E. (1979).

[20] Vgl. schon G.P. Murdock, Social Structure (1949); C. Lévi-Strauss, Les structures élémentaires de la parenté (1949).

[21] S. o. S. 70f.

überhaupt – wobei man freilich gleich hinzufügen muß, daß auch das Transhumanz-Modell durch die Landnahmetexte des AT nicht eigentlich begründbar ist. Aber wenn Mendenhall recht haben sollte: müßte man dann die Frühisraeliten nicht wenigstens auch, vielleicht sogar vorzugsweise in den Ebenen Palästinas zwischen den Kanaanäerstädten antreffen? Sie leben aber überwiegend in den Gebirgsregionen. Und schließlich: das nomadische Erbe ist in Israels Überlieferung so stark, daß die Ablehnung jeder nomadischen Vorgeschichte Israels keine historische Wahrscheinlichkeit für sich hat. So könnte man sagen: auch beim soziologischen Modell ist das Nomadenproblem die Hauptsache, an der sich vieles, wenn nicht alles entscheidet.

Ein abschließendes Urteil über den Vorgang der israelitischen Landnahme wird sich nach dem gegenwärtigen Stande der Kenntnis kaum fällen lassen[22]. Man kann sich auch nicht einfach für eines der drei beschriebenen Modelle entscheiden. Auszugehen ist jedenfalls vom Nomadenproblem; was an früherer Stelle darüber gesagt wurde, braucht hier nicht wiederholt zu werden[23]. Israel hat stets gewußt und festgehalten, daß seine Väter Nomaden, d.h. Nichtseßhafte, waren. Nur müssen wir uns daran gewöhnen, das Phänomen des Nomadentums sehr viel differenzierter zu sehen, als das bisher gewöhnlich geschehen ist. Der Begriff „Nomaden" ist gewissermaßen ein Dach, unter dem sich Gruppen verschiedener Art und Herkunft sammeln. Ihnen allen ist die Nichtseßhaftigkeit gemeinsam, und ihre Landnahme besteht darin, daß sie seßhaft werden, nicht mehr in Zelten, sondern in Häusern leben und Ortschaften gründen. Darin besteht das Wesen dieses Prozesses, nicht im Übergang von der Viehwirtschaft zum Ackerbau; denn sowohl landsässige Bauern wie Nomaden treiben Ackerbau und Viehzucht. Allenfalls mag man beim Sedentarisationsprozeß ein gewisses Überwiegen des Ackerbaus über die Viehzucht annehmen. Mehr als eine Rahmenvorstellung über die Landnahme der Israeliten in Palästina ist nicht zu gewinnen. Sie sieht folgendermaßen aus:

Überwiegend viehzüchtende, aber auch Ackerbau treibende Nomaden unterschiedlicher Art und Herkunft gingen in einem länger andauernden Prozeß vorwiegend in den Gebirgsgegenden zu seßhafter bäuerlicher Lebensweise über. Die Gruppen, die das taten, waren in der Hauptsache „Bergnomaden" im Kulturland, nicht Zugewanderte von außerhalb des Kulturlandes. Sie sind nach aller Wahrscheinlichkeit, zumindest teilweise, aus sozial abgesunkenen Elementen der Städte hervorgegangen und haben sich von den Städten in die dünner besiedelten Gebirgsregionen zurückgezogen, wo sie Wald rodeten und nach einer Phase nichtseßhafter nomadi-

---

[22] Neuere Literatur in Auswahl: Y. Aharoni, Nothing Early and Nothing Late: Re-Writing Israel's Conquest. BA 39 (1976) 55–76; A. Malamat, Israelite Warfare and the Conquest of Canaan (1978); V. Fritz, Die kulturhistorische Bedeutung der früheisenzeitlichen Siedlung auf der *Ḫirbet el-Mšāš* und das Problem der Landnahme. ZDPV 96 (1980) 121–135; ders. auch in BASOR 241 (1981) 61–73.

[23] S. o. S. 47–49.

scher Existenz langsam zu eigener, von den Städten unabhängiger bäuerlicher Seßhaftigkeit übergingen. Diese Gruppen wurden vermutlich durch *outlaws* aus den Städten laufend gespeist und ergänzt, jedenfalls solange, bis das Stadium der Seßhaftigkeit erreicht war und die neue dörfliche Sozialordnung sich gefestigt hatte. Allerdings müssen auch Nomaden mit weiträumigerer Lebensweise, nach Art der *Š3św* der ägyptischen Quellen, von außen hinzugestoßen sein. Denn die in der atl Tradition festgehaltene Überzeugung, Israel sei aus der Wüste gekommen, kann nicht einfach auf Erfindung beruhen – es gibt kein Motiv für eine solche Erfindung. Man wird mit der Annahme nicht fehlgehen, wenn man die Anstöße zur Bildung eines israelitischen Gemeinsamkeitsbewußtseins vor allem diesen teils von Süden, teils von Osten gekommenen Gruppen zuschreibt. Sie haben Jahwe mitgebracht, dessen Heimat mit Sicherheit nicht das palästinische Kulturland gewesen ist. Sie haben auch die Überlieferungen vom Auszug aus Ägypten, vom Durchzug durchs Schilfmeer und vom Bundesschluß am Gottesberg in der Wüste mitgebracht. Sie sind zur Dominanz bestimmt und zur Dominanz fähig gewesen. Im Lande trafen sie auf Bergnomadengruppierungen, und im Zuge der Seßhaftwerdung bildeten sich je nach den regionalen Gegebenheiten die Großgruppen der israelitischen Stämme heraus, und zwar als Sekundärprodukte; denn die Sippen- und Familienordnung ist älter als der Stamm. Diese Menschen fühlten sich anderen, unter ähnlichen Bedingungen lebenden, verbunden, d.h. verwandt: nämlich mit denen, die wir generalisierend als Aramäer bezeichnen. So kann man sagen: *die Landnahme und der erste Anfang des Volkes Israel fallen zusammen;* es sind zwei Seiten ein und derselben Sache.

Eine Datierung des Landnahmevorgangs ist schon deshalb nicht möglich, weil es sich bei allen beteiligten Gruppen um einen allmählichen, längere Zeit in Anspruch nehmenden Prozeß des Übergangs von nomadischer Lebensweise über die Rodung des Waldes bis zur Anlage dörflicher Siedlungen handelte. Die unterste Grenze ist die Staatenbildung um 1000 v. Chr.; von da an ist es nicht mehr zu nennenswerten Verschiebungen im territorialen Besitzstand der Stämme gekommen. Also kommen für die Landnahme das 12./11. Jh. v. Chr. in Betracht, für die allerersten Anfänge vielleicht auch schon das 13. Jh.

Exkurs: Josua

Josua war ein Ephraimit (Num 13,8. 16; Jos 24,30; Ri 2,9). Er erscheint in der atl Überlieferung zunächst als Diener (Ex 24,13; Num 11,28; Jos 1,1 u.ö.), dann als Amtsnachfolger des Mose (Num 27,12–23; Dtn 1,38; 34,9), als Führer der israelitischen Stämme bei der Landnahme (Jos 1–24), als Vollender des von Mose begonnenen Werkes. Nahezu alle Landnahmetraditionen, jedenfalls aber die des Josuabuches, sind mit seiner Person verbunden. Er ist die dominierende Figur nach der klassischen Heilszeit, wie es Mose in der klassischen Heilszeit gewesen war. Wenn nun aber das Landnahmebild des AT generalisiert und nationalisiert ist, wenn wir ferner bei den israelitischen Stämmen mit unterschiedlichen, komplizierten Landnahmevorgängen zu rechnen haben, wenn es also „die Landnahme" Gesamtisraels gar nicht gegeben hat, wenn sich Gesamtisrael vielmehr erst auf dem Boden des palästinischen Kulturlandes bildete, dann kann die dem Josua im AT zugeschriebene Rolle nicht geschichtlich sein, sondern muß – wie im Falle des Mose auch – überlieferungsgeschichtlich erklärt werden. Das hat A. Alt in einem bedeutenden, vielbeachteten Aufsatz getan[1]. Er ist dabei von der Grabstätte Josuas ausgegangen, die nach Jos 24,30 und Ri 2,9 in Timnat-Serach oder Timnat-Cheres *(Ḫirbet Tibne)* auf dem ephraimitischen Gebirge gelegen war. Die genealogische Überlieferung ist also im Recht, wenn sie Josua als Ephraimiten ansieht. War er das, dann gehörte er geschichtlich in die Landnahme jener Gruppen, die sich als Stamm Ephraim auf dem Gebirge konstituiert haben. Alt sah das durch Jos 17,14–18 und Jos 24 bestätigt. In die anderen Landnahmeüberlieferungen gelangte er durch seine Rolle in der Schlacht bei Gibeon (Jos 10,1–15): seine Funktion war dabei die eines charismatischen Retters nach Art der Großen Richter[2], dem von da aus auch andere und schließlich alle Errettungen und Eroberungen zugeschrieben wurden[3]. Seine Gestalt hatte also ein ähnliches Schicksal wie die des Mose: durch die feste Verbindung mit einer Überlieferung der Magnet für viele Überlieferungen zu werden. Man kann gegen Alt nicht mit der Unsicherheit der Grabtradition argumentieren, wie das im Falle der Mose-Theorie M. Noths möglich und nötig war[4]. Denn das Josuagrab scheint bekannt gewesen zu sein; seit dem 4. Jh. n. Chr. wußten noch Juden und Christen genau, wo es lag[5], und erst im Mittelalter ist die Tradition erloschen. Fraglich an Alts scharfsinniger Konstruktion ist hauptsächlich der angenommene Übergang Josuas in die benjaminitischen Landnahmesagen von Jos 2–9 auf dem Wege über Jos 10,1–15. Denn wenn diese Sagen wirklich streng auf Benjamin beschränkt gewesen wären, könnte man sich das nur mühsam vorstellen. Aber es würde ja auch die Annahme genügen, daß die Überlieferungen von Jos 2–9 der Rahelgruppe zugehören, deren südlicher „Flügel" Benjamin und Ephraim umfaßt. Also ist denkbar, daß die Gestalt Josuas von jeher in den durch Jos 2–10 bezeichneten Überlieferungskreis gehörte, daß also die mittelpalästinische Zentralfigur zur gesamtpalästinischen Zentralfigur wurde. In diesem Falle wäre der historische Josua ein Kriegsmann gewesen, der im Spätstadium der Landnahme Ephraims und Benjamins, als es zu vereinzelten kriegerischen Auseinandersetzungen mit Kanaanäerstädten kam, eine bedeutende Rolle spielte: so bedeutend immerhin, daß er der Held ätiologischer Landnahmesagen werden konnte, deren Hintergrund jedenfalls nicht tatsächliche Eroberungen gewesen sind.

---

[1] A. Alt, Josua [1936]. KS 1, 176–192.

[2] S. u. S. 156.

[3] Der Bericht über die Schlacht bei Gibeon enthält ein sehr altertümliches Überlieferungsstück, den berühmten Sonne-Mond-Spruch aus dem „Buch des Aufrechten" (*sefer hayyāšār;* Jos 10,12f.). Es ist Spielerei, das Ereignis mit Hilfe dieses Spruches datieren zu wollen, wie öfter versucht wird; vgl. J. F. A. Sawyer, Joshua 10,12–14 and the Solar Eclipse of 30 Sept 1131 B. C. PEQ 104 (1972) 139–146.

[4] S. o. S. 113.

[5] Vgl. J. Jeremias, Heiligengräber in Jesu Umwelt (1958) 46–48.

2. *Die Folgen*

Im Anschluß an die Erwägungen über den allgemeinen Hergang der Landnahme sind die Sonderschicksale der einzelnen israelitischen Stämme ins Auge zu fassen, soweit man sie noch erkennen kann. Dabei wird aus Gründen der Einfachheit im folgenden immer von „den Stämmen" gesprochen, als ob diese Größen von allem Anfang an fertig vorhanden gewesen wären. Um falsche Vorstellungen zu vermeiden, muß man sich gegenwärtig halten, daß sie in Wirklichkeit Produkte des Landnahmevorgangs sind. Abgesehen vom „negativen Besitzverzeichnis" (Ri 1,19.21.27–35) und verstreuten Nachrichten, vor allem des Richterbuches, stehen folgende Quellen zur Verfügung:

1. theoretische Abhandlungen zur Stämmegeographie Israels im Ost- und im Westjordanland: Num 32; 33,50 – 34,29; (35) und Jos 13–19 (20. 21). Die zweieinhalb Stämme des Ostjordanlandes werden in Num 32 behandelt. Davon ist Jos 13 abhängig [1]. Man muß also innerhalb des Komplexes von Jos 13–19 zwischen Jos 13 und Jos 14–19 unterscheiden. In Jos 14–19 sind im wesentlichen zwei Dokumente verarbeitet: a) ein System der Stammesgrenzen, d.h. eine Beschreibung der Grenzen der einzelnen Stammesgebiete nach Grenzfixpunktreihen [2]. Darin können Traditionen erhalten sein, die in die Zeit vor der Staatenbildung zurückreichen. Die Endfassung allerdings bietet nicht einfach den tatsächlichen Kulturlandbesitz der Stämme nach der Landnahme, sondern geht von der generellen Annahme aus, daß ganz Palästina den israelitischen Stämmen gehöre und von Anfang an gehört habe. b) eine Liste der Ortschaften des Staates Juda nach seiner Einteilung in zwölf Verwaltungsbezirke unter König Josia, d.h. also ein Dokument des späten 7. Jh. v. Chr.[3] Es handelt sich insgesamt um theoretische Stämmegeographie, an der jahrhundertelang bis hinab in nachexilische Zeit gearbeitet worden ist, und zwar mit dem Ziele, Besitzstand und Grenzen der Stämme immer genauer zu erfassen. Das Material waren die aus der Endgestalt schwer zu isolierenden älteren Nachrichten, die mit zunehmender Entfernung von der historischen Wirklichkeit Gegenstand exegetischer und kombinatorischer Bemühungen wurden. Das Resultat ist eine nicht leicht durchschaubare stämmegeographische Fiktion [4].

---

[1] Der Nachweis bei M. Wüst, Untersuchungen zu den siedlungsgeographischen Texten des AT. I. Ostjordanland. BTAVO B 9 (1975).

[2] Vgl. A. Alt, Das System der Stammesgrenzen im Buche Josua [1927]. KS 1, 193–202; M. Noth, Studien zu den historisch-geographischen Dokumenten des Josua-Buches [1935]. ABLAK 1, 229–280; O. Bächli, Von der Liste zur Beschreibung. Beobachtungen und Erwägungen zu Jos 13–19. ZDPV 89 (1973) 1–14.

[3] Vgl. A. Alt, Judas Gaue unter Josia [1925]. KS 2, 276–288; Z. Kallai-Kleinmann, The Town Lists of Judah, Simeon, Benjamin and Dan. VT 8 (1958) 134–160; F.M. Cross – G.E. Wright, The Boundary and Province Lists of the Kingdom of Judah. JBL 75 (1956) 202–226; Y. Aharoni, The Province List of Judah. VT 9 (1959) 225–246.

[4] Vgl. H. Weippert, Das geographische System der Stämme Israels. VT 23 (1973) 76–89; Z. Kallai, Territorial Patterns, Biblical Historiography and Scribal Tradition. A Programmatic Survey. ZAW 93 (1981) 427–432.

2. *Stammesspruchsammlungen:* Gen 49 (Jakobsegen), Dtn 33 (Mosesegen) und ergänzend Ri 5,14–18 (aus dem Deboralied). Diese Sammlungen enthalten überwiegend kurze, charakterisierende Sprüche über die Stämme Israels. Es sind teils Lobsprüche, teils Tadel- oder gar Spottverse, die im Kreise der Stämme schon vor der Staatenbildung umliefen – nicht alle freilich, einige sind sicherlich spätere Kompositionen und Kunstgebilde. Außerdem sind die Sprüche vielfach redaktionell überarbeitet worden. Dennoch sind sie wertvolle Quellen zur historischen Ermittlung des Ergebnisses der Landnahme [5].

a) Simeon und Levi

Simeon und Levi scheinen in einem sehr frühen Stadium der Landnahme den Versuch unternommen zu haben, auf dem Gebirge in der Gegend von Sichem Fuß zu fassen (Gen 34). Der Versuch endete mit einer Katastrophe, die das Schicksal der beiden Stämme besiegelte [6]. Im späteren Zwölfstämmesystem werden sie nur noch aus Gründen der Zwölfzahl mitgeführt. Levi schied aus dem Kreis der landnehmenden Stämme aus. Seine Angehörigen werden teils in anderen Stämmen aufgegangen sein, teils übernahmen sie priesterliche Funktionen: „Dem Stamm der Leviten jedoch verlieh Mose keinen Erblehensbesitz. Jahwe, der Gott Israels, der ist ihr Erblehensbesitz, wie er ihnen verheißen hat." (Jos 13,33) Levi ist, zumindest in der Theorie, aus einem Stamm zu einer Berufsgemeinschaft geworden. Als solche erscheint er auch in Dtn 33,8–11: ein Spruch, der vermutlich in der frühen Königszeit vor der endgültigen Ausbildung des levitischen Priesterprivilegs entstand (V. 8/11) und dessen Rückerinnerung an Ereignisse in der Südwüste (V. 8b/9a) [7] sich nicht mehr aufklären läßt [8]. Nicht ganz so drastisch war der Niedergang des Stammes Simeon. Immerhin kam er im Verlaufe der Landnahme nicht mehr zum Zuge, sank auf den äußersten Süden des Kulturlandes zurück und verfiel völliger Bedeutungslosigkeit. Die Simeoniten nomadisierten in der Bucht von Beerseba (1. Chron 4,24–43), gerieten wohl auch einmal in Konflikt mit städtischen Siedlungen (Ri 1,17) und gingen schließlich, sekundär seßhaft geworden, in Groß-Juda auf [9]. Simeon fehlt im negativen Besitzverzeichnis und in Dtn 33. Nach Jos 19,1–9 ist ihm in der stämmegeographischen Theorie der südlichste Verwaltungsbezirk des Reiches Juda als „Erblehensbesitz" zugewiesen. Gen 49,5–7:

---

[5] Vgl. E. Täubler, Biblische Studien (1958); H.-J. Zobel, Stammesspruch und Geschichte. BZAW 95 (1965); C. M. Carmichael, Some Sayings in Gen 49. JBL 88 (1969) 435–444.

[6] S. o. S. 60.

[7] Vgl. Ex 17,2.7; 32,25–29; Num 20,2–13.

[8] S. o. S. 105f.

[9] N. Na'aman, The Inheritance of the Sons of Simeon. ZDPV 96 (1980) 136–152 rechnet mit einem höheren Grade der Selbstbehauptung Simeons. Die Eroberung von Horma (bislang nicht sicher lokalisiert) sei der Beginn simeonitischer Seßhaftwerdung gewesen.

(5) „Simeon und Levi sind Brüder, Werkzeuge der Gewalttat sind
ihre Waffen(?)[10].
(6) Mit ihrem Kreis will ich nichts zu schaffen haben, mit ihrer Gemeinschaft nicht verbunden sein.
Denn in ihrem Zorn haben sie Männer gemordet, in ihrem Grimm Stiere verstümmelt.
(7) Verflucht ist ihr Zorn, daß er so stark, und ihr Grimm, daß er so hart war!
Ich werde sie zerteilen in Jakob, zerstreuen in Israel."

Der Spruch ist schwer zu beurteilen. Er erweckt den Anschein hohen Alters, da er von einer Schicksalsgemeinschaft der beiden Stämme spricht und das Priestertum Levis mit keinem Worte erwähnt. Es könnte sein, daß er auf Ereignisse anspielt, wie sie auch in Gen 34 reflektiert werden. Auf der anderen Seite liest er sich wie ein relativ spätes Kunstgebilde, das sich altertümlich gibt: ein prophetisches Fluchorakel, das den Niedergang beider Stämme mit einem Ereignis aus grauer Vorzeit begründen und auf einen Beschluß Jahwes zurückführen will. Jedenfalls sind Simeon und Levi als Faktoren der Geschichte Israels ausgeschieden.

b) Juda

Die Wohnsitze des Stammes Juda lagen auf dem südlichen Teil des zentralpalästinischen Gebirges[11], etwa zwischen Jerusalem und Hebron, jedoch ohne diese beiden Städte (Ri 1,19; Jos 15). Im Zentrum dieses Gebietes lag Bethlehem, das noch in der Amarnazeit „eine Stadt des Landes Jerusalem" gewesen war (EA 290,15f.) und das die Judäer anscheinend übernahmen. Nach Norden hin war das Gebiet durch den südlichen kanaanäischen Querriegel begrenzt. Im westlich anschließenden Hügellande haben die Judäer im Laufe der Zeit mehr und mehr Fuß gefaßt[12]; auch Gen 38 (Adullam = *Ḫirbet eš-Šēḫ Maḏkūr*) weist darauf hin. Bis in die Küstenebene der Philister ist Juda natürlich nicht vorgedrungen. Das eigentliche Siedlungsgebiet blieb immer das Gebirge *(har Yᵉhūdā)*, von dem der Stamm seinen Namen hat[13]. Nach Süden hin war Ausdehnung möglich, und Juda hat dort sicher Interessengebiete gehabt (1. Sam 27,10). Allerdings befanden sich zwischen dem Gebirgsabfall südlich von Hebron und den Weidegebieten der Simeoniten in der Bucht von Beerseba die Wohnsitze mehrerer

---

[10] Vermutungen bei S.W. Young, A Ghost Word in the Testament of Jacob (Gen 49,5)? JBL 100 (1981) 335–342 und M. Cohen, VT 31 (1981) 472–492.

[11] R. de Vaux, The Settlement of the Israelites in Southern Palestine and the Origins of the Tribe of Judah. Translating and Understanding the OT, Essays in Honor of H.G. May (1970) 108–134.

[12] Vgl. A.F. Rainey, The Administrative Division of the Shephela. Tel Aviv 7 (1980) 194–202; B. Mazar, The Early Israelite Settlement in the Hill Country. BASOR 241 (1981) 75–85.

[13] Anders A.R. Millard, The Meaning of the Name Judah. ZAW 86 (1974) 216–218.

anderer Gruppen, die weder zu Juda noch zu Simeon gehörten und merkwürdigerweise überhaupt nicht zu „Israel" gerechnet wurden. Sie waren allenfalls das, was man heute Assoziierte der Gemeinschaft nennen würde. Es sind die folgenden: a) die Kalibbiter: ein Sippenverband der Kenizziter in und um Hebron (Num 13–14). Teile der Kenizziter sind auch unter den Edomitern vertreten (Gen 36,11. 42). Jos 14,6–15 will erklären, warum die Stadt Hebron Kaleb, dem Eponym der Kalibbiter, zugefallen ist[14]. b) die Othnieliter: ebenfalls ein Sippenverband der Kenizziter in und um Debir (*Ḫirbet er-Rabūḍ* nördl. von *eḍ-Ḍāherīye*). Sie führten sich, oder Israel führte sie auf einen Eponym namens Othniel zurück (Jos 15,15–19; Ri 1,11–15). c) die Keniter: ein Sippenverband südlich und südöstlich von Hebron (Jos 15,57; Ri 1,16[15]; 1. Sam 30,29) mit Anteil an der Südwüste (1. Sam 27,10). Versprengte nomadische Keniter begegnen sogar in der Ebene von Megiddo (Ri 4,11. 17; 5,24). Der kenitische Eponym Kain steht hinter der Sage von Gen 4,1–16. d) die Jerachmeeliter: ein nicht genau bestimmbarer und lokalisierbarer Sippenverband südlich von Juda mit Anteil an der Südwüste (1. Sam 27,10; 30,29). Über diese „nichtisraelitischen" Gruppen gewann Juda im Laufe der Zeit die Hegemonie. Die Beziehungen werden zunächst wirtschaftlicher und religiöser Art gewesen sein; immerhin lagen in der fraglichen Gegend bedeutende Heiligtümer wie Mamre und Beerseba. So bildete sich Groß-Juda heraus, das unter David als Staat Juda in Erscheinung trat (2. Sam 2,1–4). Diese Entwicklung ist in Gen 49,8–12 vorweggenommen:

(8) „Juda, du, dich preisen deine Brüder; deine Hand ist auf dem Nacken deiner Feinde.
Die Söhne deines Vaters werfen sich vor dir nieder …
(9) Ein junger Löwe ist Juda. Vom Raubzug, mein Sohn, bist du heraufgestiegen.
Er kauert, lagert wie ein Löwe und wie eine Löwin – wer mag ihn aufreizen?
(10) Das Szepter wird nicht von Juda weichen, noch der Kommandostab zwischen seinen Füßen,
bis … kommt, dem der Völker Gehorsam gehört.
(11) Der bindet an den Weinstock sein Eselsfüllen, an die Edelrebe sein Eseljunges.
Der wäscht in Wein sein Gewand, in Traubenblut sein Kleid;
(12) die Augen trüber als Wein, die Zähne weißer als Milch."[16]

---

[14] R. North, Caleb. BeO 8 (1966) 167–171; W. Beltz, Die Kaleb-Traditionen im AT. BWANT 98 (1974).

[15] Dazu S. Mittmann, Ri 1,16f. und das Siedlungsgebiet der kenitischen Sippe Hobab. ZDPV 93 (1977) 213–235.

[16] V. 8: Möglicherweise ist eine poetische Halbzeile ausgefallen. V. 10: In die Debatte um das rätselhafte Wort *šylh (šīlō)* soll hier nicht eingetreten werden; vgl. zusammenfassend C. Westermann, Genesis. BK I, 22. 23 (1981) 262f. Mir ist noch immer die alte Konjektur *mō-š^{e}lō* „sein Herrscher" (F. Giesebrecht) am wahrscheinlichsten.

Die Interpretation dieses aus drei Teilen (V. 8/9/10–12) bestehenden Spruches ist strittig[17]. Gute Gründe sprechen für die Annahme eines Kunstgebildes, das Gegenwart (V. 8), Vergangenheit (V. 9) und Zukunft (V. 10–12) des Staates Juda beschreibt: ein Stück Jerusalemer Hoftheologie, ausmündend in die Erwartung des davidischen Messias. Ganz anders lautet Dtn 33,7:

> „Erhöre, Jahwe, die Stimme Judas, und bringe ihn zu seinem Volk!
> ‚Mit deinen Händen streite' für ihn, und sei eine Hilfe gegen seine Feinde!"[18]

Dieser Spruch stammt zweifellos aus vorstaatlicher Zeit. Daß er die sog. Reichsteilung voraussetze, wie man gemeint hat, ist ganz unwahrscheinlich; denn es gibt keinerlei Anzeichen dafür, daß die Trennung von Nord und Süd im Nordreich Israel bedauert worden wäre und daß dort Hoffnungen auf „Wiedervereinigung" bestanden hätten. Dann aber ist er im vorstaatlichen Norden entstanden und beredter Ausdruck eines gesamtisraelitischen Zusammengehörigkeitsbewußtseins, das Juda einschloß – und zugleich eine Klage darüber, daß Juda von den Nordstämmen durch den südlichen kanaanäischen Querriegel getrennt war. Er reflektiert ein fortgeschrittenes Stadium der Volkwerdung Israels und dürfte in die Zeit nicht lange vor der Staatenbildung gehören. Der Ausdruck „Volk" (*ʿam)* für Gesamtisrael wird wie in Ri 5,11. 13 gebraucht, ohne daß Juda im Deboraliede auch nur genannt wäre.

c) Benjamin

Sieht man von Dan im zweiten Stadium seiner Landnahme ab, dann ist das Stammesgebiet von Benjamin[19] mit Abstand das kleinste in Israel. Es reichte von der Wasserscheide des Gebirges zwischen Jerusalem und Bethel in Gestalt eines spitzwinkligen Dreiecks hinunter in den Jordangraben bis nach Jericho (Jos 18,11–28; Ri 1,21). Da aber der Ostabhang des südlichen ephraimitischen Gebirges wüstenhaft und fast ganz unbesiedelt war, bleibt faktisch nur ein schmaler Streifen zu beiden Seiten der Wasserscheide und Jericho mit seinem Umland. Man wundert sich, daß ein Stamm von solcher Winzigkeit eine doch immerhin beachtliche Rolle in der Geschichte Israels gespielt hat; er stellte bekanntlich den ersten König von Israel. Das hängt sicherlich nicht zuletzt mit seiner günstigen verkehrsgeographischen Lage zusammen. Denn das benjaminitische Territorium wurde von wichtigen Verkehrswegen geschnitten oder begrenzt: Jerusalem – Sichem, Jerusalem –

---

[17] Vgl. auch A. Caquot, La parole sur Juda dans le Testament lyrique de Jacob (Genèse 49,8–12). Semitica 26 (1976) 5–32.

[18] Zu lesen ist *bᵉyādēḵā rīb* statt MT *bᵉyādāw rāb* „mit seinen Händen stritt er (für ihn)".

[19] Zur Geschichte des Stammes vgl. K.-D. Schunck, Benjamin. Untersuchungen zur Geschichte und Entstehung eines israelitischen Stammes. BZAW 86 (1963).

Jericho, Bethel – Jericho, dazu auch Jerusalem – Beth-Horon – Gezer – Küstenebene. Die Bedeutung dieser Wege ist noch daran erkennbar, daß sie alle in römischer Zeit als Straßen ausgebaut und gepflegt worden sind. Der Name Benjamin bedeutet „Sohn von rechts", d.h. des Südens; er ist also von den Angehörigen des nördlich anschließenden „Hauses Joseph" gegeben worden und signalisiert die Zusammengehörigkeit der Stämme der Rahelgruppe. Nomadenverbände unter der Bezeichnung *DUMU*^{MEŠ}*-ya-mi-na = Banū-yamīna* begegnen auch in den Texten von Mari am mittleren Euphrat. Man hat die Benjaminiten für versprengte Gruppen dieses größeren Verbandes gehalten, aber das ist angesichts der geographischen Distanz von ca. 1000 km und des zeitlichen Abstandes von mehr als einem halben Jahrtausend ganz unwahrscheinlich. Ein Name dieser Art konnte überall gebildet werden. Gen 49,27 gibt Einblick in die Lebensweise und den Lebensunterhalt der vorstaatlichen Benjaminiten:

> „Benjamin ist ein reißender Wolf; am Morgen frißt er den Raub, und zum Abend hin verteilt er die Beute."

Sie waren Wegelagerer, Karawanenräuber, wilde Gesellen, vor denen sich in acht zu nehmen hatte, wer auf den Verbindungsstraßen reiste. Dtn 33,12 ist jünger:

> „‚Benjamin' ist der Liebling Jahwes; er wohnt in Sicherheit ‚allezeit'.
> ‚Der Höchste' beschirmt ihn und wohnt zwischen seinen Schultern."[20]

Hier ist deutlich ein Heiligtum auf dem Territorium Benjamins vorausgesetzt; es liegt „zwischen seinen Schultern", d.h. Berghängen, Bergseiten[21]. In Betracht kommen Bethel und Jerusalem, nicht Gilgal bei Jericho, das in der Ebene liegt. Nimmt man die Dualform von *k^{e}tēfāw* „seine Schultern" wörtlich und nicht allgemein im Sinne von Gebirgsregion, dann kann nur Jerusalem gemeint sein[22]. Darauf deutet auch das Verbum *škn* für das „Wohnen" Gottes[23] und die allerdings emendierte Gottesbezeichnung „der Höchste" (Gen 14,19f.). Möglicherweise stammt der Spruch erst aus der späten Königszeit.

---

[20] Benjamin ist vermutlich durch Haplographie mit der Einleitungsformel verlorengegangen. Es ist zu beachten, daß der Name des Stammes im Corpus des jeweiligen Spruches stets genannt wird, zweimal auch am Anfang (bei Dan V. 22 und Naphtali V. 23). Das *kål-hayyōm* ist umzustellen. Das doppelte *ʿālāw* ist stilistisch unerträglich. Wahrscheinlich ist eins davon aus *ʿelyōn* verderbt und verstellt worden.

[21] Vgl. Num 34,11; Jos 15,8. 10; 18,12 u.ö.

[22] Es gehört bis in die Zeit Josias theoretisch zu Benjamin; vgl. Jos 15,8; 18,16. 28; Ri 1,21.

[23] Vgl. Dtn 12,11; 14,23; 16,6. 11; 26,2 u.ö.

d) Dan

Der Stamm Dan hat in einem ersten Stadium der Landnahme zunächst westlich von Benjamin, auf dem Gebirgsabfall und im Hügelland, Fuß zu fassen versucht (Ri 1,34f.). Dort spielen auch die Geschichten von Dans größtem Sohn, dem Kraftmenschen Simson (Ri 13–16). Der Versuch konnte jedoch nicht gelingen, weil in diesem Gebiet die Kanaanäerstädte des südlichen Querriegels dominierten. So ist der Stamm Dan zum Abzug gezwungen worden und hat sich in einem zweiten Stadium der Landnahme in der oberen Jordansenke festgesetzt, wo es ihm gelang, der Stadt Lajisch *(Tell el-Qāḍī)* Herr zu werden, die er in Dan umbenannte (Ri 18)[24]. Der Vorgang spiegelt sich auch in Jos 19,40–48; das Ergebnis liegt Num 34,7–11 zugrunde, wo es überdies den Anschein hat, als habe Dan auch auf die östlich gelegene Gebirgstafel *(Ǧōlān)* ausgegriffen. Jedenfalls handelte es sich um einen ungewöhnlichen Fall, da sich die israelitischen Stämme anfangs von den Kanaanäerstädten eher fernhielten. Wir befinden uns eben bereits in einem Spätstadium der Landnahme, in dem es geschehen konnte, daß ein kleiner Stamm sozusagen zur Stadt wurde und wohl auch die kanaanäische Stadtstaatenverfassung übernahm. Der Name Dan ist nicht völlig klar; vielleicht handelte es sich um einen Personennamen[25]. Gen 49,16f. lautet:

(16) „Dan schafft seinem Volke Recht wie irgendeiner der Stämme Israels!
(17) Dan sei eine Schlange am Wege, eine Hornviper am Pfade, die das Pferd in die Fesseln beißt, so daß sein Reiter rückwärts herunterfällt!"

Das ist eine Kombination aus zwei Sprüchen. Der erste rühmt die Autonomie des Stammes trotz seiner Kleinheit und exzentrischen Lage. Der zweite scheint auf Wegelagerei anzuspielen. Tatsächlich lag Dan in der Nähe der Verbindungsstraße, die Damaskus mit der Mittelmeerküste bei Akko und bei Tyrus verband. Möglich ist auch, daß die Daniten auf dem *Ǧōlān* die Straße von Damaskus nach Rabbath-Ammon *(ʿAmmān)* unsicher gemacht haben. Darauf führt auch Dtn 33,22:

„Dan ist ein junger Löwe, der aus Basan hervorspringt."

Basan *(en-Nuqrā)* ist entweder eine Qualifikation des Löwen – ein Basanslöwe, d.h. ein besonders wilder Löwe –, oder es ist geographisch gemeint. Etwas merkwürdig klingt der Tadel von Ri 5,17a:

„Dan – warum geht er als Fremdling auf die Schiffe?"

---

[24] Vgl. M. Noth, Der Hintergrund von Ri 17–18 [1962]. ABLAK 1, 133–147; A. Malamat, The Danite Migration and the Pan-Israelite Exodus-Conquest. Biblica 51 (1970) 1–16; zu den seit 1966 andauernden Grabungen: A. Biran, Tel Dan. BA 37 (1974) 26–51; ders., BA 43 (1980) 168–182.

[25] Noth, PN 187. Auch Gen 49,16 spielt mit dem Verdum *dyn* „richten", und die Bedeutung ist sogar noch im arabischen *Tell el-Qāḍī* festgehalten.

Sollte gemeint sein, daß sich Daniten in den Dienst der seefahrenden Phöniker der Mittelmeerküste begeben haben[26]?

e) Joseph

Neben dem „Haus Juda" ist das „Haus Joseph" der größte und bedeutendste Stammesverband des frühen Israel. Seine Wohnsitze lagen auf dem Nordteil des zentralpalästinischen Gebirges zwischen Bethel und dem Südrand der Ebene von Megiddo (Jos 16–17). Der Name Joseph ist zweifelsfrei ein Personenname. Joseph ist kein Stamm, sondern ein Verband von Stämmen, und zwar hauptsächlich der Stämme Manasse und Ephraim. Die Genealogie drückt das so aus, daß sie Manasse und Ephraim als Söhne des Joseph betrachtet (Gen 41,50–52 J); ihre Legitimität als selbständige Stämme wird durch einen familienrechtlichen Anerkennungsakt von seiten des Patriarchen Jakob zusätzlich gesichert (Gen 48 JEP). Manasse wohnte im Nordteil des „josephitischen" Gesamtgebietes, in der später „Samaria" genannten Landschaft, Ephraim im Südteil; die Grenze zwischen beiden verlief etwa 5–10 km südlich von Sichem[27]. Beide Gebiete sind geographisch und politisch von unterschiedlicher Gestalt. Der manassitische Norden ist landschaftlich offener und sanfter als der ephraimitische Süden; außerdem lagen dort mehr Kanaanäerstädte als anderswo auf dem Gebirge, vor allem natürlich Sichem. Die Manassiten setzten sich zwischen den Kanaanäerstädten fest: der Stamm lebte gewissermaßen in Gemengelage und Symbiose mit den Kanaanäern (Ri 9; 1. Chron 7,14–19). Das alles trifft auf Ephraim nicht zu. Die „josephitische" Zusammengehörigkeit beider Stämme ist ein ungelöstes Problem. Entweder ist „Joseph" ein Verband von Sippen gewesen, die in frühester Zeit zusammengehörten, dann aber unterschiedliche Landnahmesituationen antrafen und sich in Manasse und Ephraim teilten. Oder es handelte sich ursprünglich um zwei Verbände, deren Schicksalsgemeinschaft erst sekundär zur Konstruktion des scheinbar übergreifenden „Hauses Joseph" führte. Schicksalsgemeinschaft ist freilich nirgendwo deutlich zu erkennen. Ephraim ist wie Juda von Hause aus ein Landschaftsname *(har Efrayim),* Manasse ein Personenname[28], der vielleicht auf eine Führerpersönlichkeit zurückdeutet. Die Sache wird dadurch noch komplizierter, daß die Überlieferung einen zweiten Stammesnamen nennt, von dem wir nicht genau wissen, in welchem Verhältnis er zu Manasse stand: Machir (Num 32,39f.; Jos 17,1; Ri 5,14). Auch das ist ein Personenname[29]. Haben in der Geschichte des Stammes zwei Führerpersönlichkeiten einander abgelöst oder trennte sich ein Großverband in zwei kleinere Verbände? Oder ist Machir eine selbständige Größe, die erst später, aus welchen Gründen immer, mit Manasse theoretisch fusioniert wurde?

---

[26] Mehr als man wissen kann, weiß Y. Yadin, „And Dan, why did he remain in ships" (Judges V, 17). AJBA 1 (1968) 9–23.

[27] Vgl. K. Elliger, Die Grenze zwischen Ephraim und Manasse. ZDPV 53 (1930) 265–309.

[28] Noth, PN 222: Ersatzname.

[29] Noth, PN 231 f.

Wir wissen es nicht. – Die Geschichte des „Hauses Joseph“ ist überhaupt voll von Rätseln. Man trifft Ephraimiten und Manassiten nicht nur auf dem zentralpalästinischen Gebirge, sondern merkwürdigerweise auch im Ostjordanland: Ephraim im alten Lande Gilead, einer schönen und fruchtbaren Hochebene geringen Ausmaßes südlich des Jabbok, die heute *Arḍ el-ʿArḍe* heißt (Ri 12,4); Manasse im bewaldeten Bergland nördlich des Jabbok, dem sog. *ʿAǧlūn,* auf den der Name Gilead schließlich übergriff[30]. Allerdings ist hier zu differenzieren: es heißt in der älteren Überlieferung, daß Machir dort gesessen habe (Num 32,39–42; Dtn 3,15; Jos 17,1), während die generalisierte und nationalisierte Landnahmetheorie davon spricht, daß bereits Mose das Gebiet dem halben Stamm Manasse gegeben habe (Jos 1,12; 13,7. 29–31; 22,1–34)[31]. Wie soll man das verstehen? M. Noth hat die Auffassung vertreten, der von der Landnahmetheorie behauptete Verlauf sei geradezu umzukehren: ephraimitische und manassitische, genauer: machiritische Sippen hätten die ostjordanischen Gebiete vom Westjordanland aus kolonisiert[32]. Neuerdings mehren sich jedoch die Stimmen, die die manassitische Besiedlung des Ostjordanlandes für das Ergebnis später schriftgelehrter Arbeit am überlieferten Material halten[33]. Die Gründe, die dafür geltend gemacht werden, erscheinen einleuchtend. Wie kommt es dann aber, daß ein ganzer gileaditischer Überlieferungskomplex, darunter ätiologische Ortssagen, fest mit der Person Jakobs, des Patriarchen der Rahelgruppe, verbunden ist (Gen 31,21–33,17)? Der sog. „ostjordanische Jakob“ signalisiert Beziehungen des Hauses Joseph zum Ostjordanland, deren Art und Umfang noch zu bestimmen bleiben. – Die Josephsprüche des Jakob- und des Mosesegens (Gen 49,22–26; Dtn 33,13–17) gehören zu jener Kategorie poetischer Texte, die in der atl Wissenschaft phasenweise für sehr alt oder für sehr jung gehalten werden[34]. Sie sind voneinander nicht unabhängig; wahrscheinlich ist der des Mosesegens älter als der des Jakobsegens. Das ist hier nicht im einzelnen zu untersuchen. Jedenfalls genügt die Zitation von Dtn 33,13–17:

(13) „... gesegnet von Jahwe ist sein Land
mit der Himmelsgabe ‚von oben‘, aus der Urflut, die unten liegt;
(14) mit der Gabe, die die Sonne hervorbringt, und der Gabe, die die Monde sprossen lassen;

---

[30] Vgl. M. Ottoson, Gilead. Tradition and History. Coniectanea Biblica, OT Series 3 (1969).

[31] Vgl. M.H. Segal, The Settlement of Manasseh East of the Jordan. PEFQSt 50 (1918) 124–131; A. Bergman (= Biran), The Israelite Tribe of Half-Manasseh. JPOS 16 (1936) 224–254.

[32] M. Noth, Das Land Gilead als Siedlungsgebiet israelitischer Sippen [1941]. ABLAK 1, 347–390; Gilead und Gad [1959]. Ebenda 489–543.

[33] Vgl. M. Wüst (s. o. S. 129, Anm. 1); A. Lemaire, Galaad et Makîr. VT 31 (1981) 39–61.

[34] Ähnlich auch die Bileam-Orakel in Num 23 und 24, zu denen in der Tat Beziehungen bestehen; vgl. Dtn 33,17 mit Num 23,22 und 24,8 u.ä.

(15) ‚mit der Gabe' der urzeitlichen Berge und der Gabe der vorzeitlichen Hügel;
(16) mit der Gabe des Landes und seiner Fülle und dem Wohlgefallen dessen, der im Dornbusch wohnt:
‚das soll kommen' auf das Haupt Josephs, auf den Scheitel des Nasiräers seiner Brüder!
(17) ‚Der Erstgeborene ist ein Stier', hat Hoheit, Wildochsenhörner sind seine Hörner;
mit ihnen stößt er die Völker alle, ‚bis' an die Enden der Erde." [35]

Mit Sprüchen dieser Art ist historisch nicht viel anzufangen. In liturgischem Stil werden die Fruchtbarkeit und Prosperität Josephs gepriesen und gewünscht, auch seine Durchsetzungskraft gegen Feinde. Wir wären klüger, wenn wir wüßten, wen oder was „Joseph" hier bedeutet. Die Einzelaussagen – Jahwe als Dornbuschbewohner, der Nasiräer (d.h. der Gottgeweihte) seiner Brüder, die Pfeilschützen (Gen 49,23), der Starke Jakobs und Hirte des Israelsteines (Gen 49,24) – bewegen sich auf dem Niveau poetischer Allgemeinheit und machen doch wohl eher den Eindruck eines Kunstgebildes aus einer Zeit, in der es das „Haus Joseph" nicht mehr gab. Selbst wenn einzelne Motive älter sein sollten, bekommt man sie historisch nicht in den Griff.

g) Issachar und Sebulon

Die Stämme Issachar und Sebulon gehören zusammen. Issachar wohnte im östlichen Teil des untergaliläischen Berglandes und reichte in die von Kanaanäern besiedelte Bucht von Bethschean hinein (Jos 19,17–23). Die Wohnsitze Sebulons lagen im westlichen Teil Untergaliläas (Jos 19,10–16). Die ungefähre Grenze zwischen beiden Gebieten markierte der Tabor *(Ǧebel eṭ-Ṭōr)*. Issachar fehlt im negativen Besitzverzeichnis; über Sebulon handelt kurz Ri 1,30. Höchst bemerkenswert ist der Issacharspruch des Jakobsegens Gen 49,14 f.:

(14) „Issachar ist ein knochiger Esel, der zwischen den Gabelhürden lagert.
(15) Da sah er, daß die Heimat schön und das Land lieblich sei, und beugte seinen Rücken zum Lasttragen und wurde Fronknecht." [36]

---

[35] V. 13: Vermutlich ist ein paralleler Halbvers zu 13 a ausgefallen, in dem der Name Joseph vorkam. Lies *mēʿāl* im Parallelismus zu *taḥat* anstelle von MT *miṭṭāl* „vom Tau". V. 15: *ūmimmeged* ist wahrscheinlicher als *ūmērōš* „und vom Gipfel". V. 16: *tbʾth* ist *forma mixta* aus *tābōnā* und *teʾetē* (von *ʾth*). V. 17: Liest man mit LXX, Peschitta, Vulgata, Samaritanus *šōr* statt MT *šōrō* „sein Stier", dann muß der Artikel vor *bekōr* ergänzt werden. Mit LXX ist *ʿad* zu ergänzen.

[36] Vgl. O. Eißfeldt, Gabelhürden im Ostjordanland [1949]. KS 3, 61–66.

Das heißt nichts anderes, als daß sich Issachar, dessen Epitheton „knochiger Esel" ein Lob ist, in die Abhängigkeit von den Kanaanäerstädten in der Bucht von Bethschean und vielleicht auch der Ebene von Megiddo begeben hat. Seine Landnahme, wenn man von einer solchen überhaupt sprechen darf, vollzog sich anders als bei anderen israelitischen Stämmen: nicht ohne die Kanaanäer, sondern mit ihnen. Dabei geriet Issachar nicht nur wie Manasse in Gemengelage mit den Kanaanäerstädten, sondern opferte seine Selbständigkeit und verschwand denn auch alsbald aus der Geschichte. Der Vorgang wird durch den Amarnabrief AO 7098 [37] des Stadtfürsten Biridiya von Megiddo wahrscheinlich an Amenophis III. näher beleuchtet[38]. Dort ist davon die Rede, daß die zerstörte Stadt *Šunama (Šūnēm, Sōlem)* als ägyptische Domäne unter der Aufsicht des Fürsten von Megiddo wiederaufgebaut wird. Das Land wird durch gemietete Arbeiter *(*$^{\text{LÚ.MEŠ}}$*mazza)* bestellt, die Biridiya sich rühmt, aus *Yapu*[39] herbeigeschafft zu haben. Es wird sich bei diesen *mazza*-Leuten, deren Bezeichnung hebr. *mas* „Fronarbeit" entspricht, um Elemente nach Art der Issachariten gehandelt haben. Das entspricht nun in der Tat Gen 49,14f. und zeigt zugleich an, daß dieser Spruch sehr alt sein muß, zumal Issachar später keine nennenswerte Rolle mehr spielte. Die Issachariten lebten nomadisch[40], und das, was man bei anderen Stämmen Landnahme nennt, vollzog sich bei ihnen durch den freiwilligen Eintritt in kanaanäische Abhängigkeit. Darauf deutet auch der Name Issachar, wahrscheinlich entstanden aus *'īš śākār* „Lohnarbeiter, Tagelöhner". Natürlich ist der Name ebensowenig issacharitisch wie der Spruch. Aus beiden spricht die Verachtung des zwar starken, aber faulen Esels, der nicht hat roden wollen, also die Animosität der Gebirgsstämme gegen den Ebenenstamm. Vielleicht kann man gerade hier einen genaueren Einblick in den Landnahmevorgang gewinnen. Denn es ist durchaus möglich, wenn nicht wahrscheinlich, daß die Issachariten niemals etwas anderes waren als „Lohnarbeiter" der Kanaanäer, d.h. sozial deklassierte Elemente aus den Städten, die sich verdingten. Dann könnte man weiter schließen, daß andere „Israeliten" das auch gewesen sind, nur daß diese sich frei machten und antikanaanäisch konstituierten, während Issachar in der Abhängigkeit verharrte. Aber wie dem auch sei: eine Zeitlang muß Issachar als „Stamm" bestanden haben; das beweist seine Erwähnung im Deboralied Ri 5,15. Waren diese Lohnarbeiter Proselyten des Jahweglaubens geworden und zählten insofern zu Israel? Das wird wahrscheinlich, wenn man Dtn 33,18f. in Betracht zieht:

(18) „Freue dich, Sebulon, über deinen Ausgang, und Issachar, über deine Zelte!

---

[37] Veröffentlicht durch F. Thureau-Dangin, RA 19 (1922) 97f. 108.

[38] Vgl. A. Alt, Neues über Palästina aus dem Archiv Amenophis IV. [1924]. KS 3, 158–175, bes. 169–175.

[39] = *Yaffā* an der Mittelmeerküste, wahrscheinlicher aber *Yāfa* unweit von Nazareth; vgl. Jos 19,12.

[40] Vgl. *mišp*^{e}*tayim* „Gabelhürden" und *m*^{e}*nūḥā* „Ruhe, Heimat, Ansässigkeit"!

(19) Völker rufen sie auf den Berg, dort schlachten sie rechte Schlachtopfer.
Ja, den Überfluß des Meeres saugen sie ein und die verborgenen Schätze des Sandes."

Sebulon und Issachar bildeten eine Art Kultgemeinschaft mit einem gemeinsamen Bergheiligtum, zweifellos auf dem Tabor. Ob auch noch andere Gruppen daran beteiligt waren oder ob „Völker" (V. 19) die beiden Stämme selber bezeichnet, ist ungewiß. Der „Ausgang" (*ṣēt* von *yṣ'*) Sebulons kann vielleicht aus der Formel *yṣ' g^ebūl* (Jos 15,3. 4. 9. 11) erklärt werden: er würde dann etwa „Erstreckung" bedeuten und besagen, daß Sebulon zu regelrechter Landnahme auf einem Territorium gelangte, während Issachar weiter in Zelten, also nomadisch, lebte. Der Nutzen aus dem Seehandel des Mittelmeeres fiel wohl hauptsächlich Sebulon zu, wie auch Gen 49,13 erkennen läßt:

„Sebulon wohnt am Meeresgestade, und zwar am Gestade der Schiffe, und seine Flanke lehnt sich an Sidon."

Dieser Spruch schildert keine Territorialwirklichkeit, sondern erhebt einen Territorialanspruch, wie er nach Ri 1,31 f. ganz ähnlich dem Stamm Asser zugeschrieben wird, von dem das Deboralied (Ri 5,17) ähnliches sagt wie Gen 49,13 von Sebulon. Ob die Ansprüche der beiden benachbarten Stämme zeitweise miteinander konkurrierten? Dafür könnte sprechen, daß auch in einem Zusatz zu Jos 19,28 die Grenze Assers bis Sidon gezogen wird. Vielleicht aber ist die „Flanke an Sidon" in Gen 49,13 spätere Zutat. Immerhin ist nicht auszuschließen, daß beide Stämme zum Mittelmeer hin orientiert waren, mit den Phönikern Handel trieben und vielleicht auch dann und wann Kontingente für die phönikische Seeschiffahrt stellten.

g) Asser

Asser ist nach Gen 30,12 f. ein Silpa-Sohn; er ist also Issachar und Sebulon genealogisch nachgeordnet. Seine Wohnsitze lagen nördlich von Sebulon im westlichen Obergaliläa (Jos 19,24–31), reichten jedoch nicht bis in die Ebene von Akko (Ri 1,31 f.). Der Stamm befand sich in Randlage auf dem landschaftlichen Gefälle zur phönikischen Küste. Man erfährt nicht viel von ihm. Nicht sehr ergiebig ist Gen 49,20:

„Asser – Fettes ist seine Speise; er liefert königliche Leckerbissen."

Geht das auf die landwirtschaftliche Fruchtbarkeit des Gebietes oder auf den Seehandel oder auf beides? Lieferte Asser an den Jerusalemer Hof (1. Kön 4,16; 5,7)? Auch Dtn 33,24 f. hilft nicht viel weiter:

(24) „Der gesegnetste Sohn ist Asser.
Er sei der Liebling seiner Brüder, der seinen Fuß in Öl taucht.
(25) Von Eisen und Erz sind deine Riegel, solange du lebst, ist (sei?) ‚deine Kraft'!"[41]

Es handelt sich um eine Komposition aus zwei oder gar drei Sprüchen. Der Wunsch setzt anscheinend voraus, daß Asser der Liebling nicht ist, der er sein sollte. Jedenfalls ist wieder von der Fruchtbarkeit und dazu von der Abwehr irgendwelcher Feinde die Rede. Weder über das Alter noch über den genauen Inhalt des Spruches ist ein sicheres Urteil zu gewinnen.

h) Naphtali

Die Wohnsitze des Stammes Naphtali lagen im östlichen Obergaliläa, nordwestlich des Sees von Tiberias, reichten aber – wenigstens in der Theorie – an das Ufer des Sees heran und in das *Ḥūle*-Becken hinein (Jos 19,32–39; Ri 1,33). Der Name des Stammes ist wie Juda und Ephraim vermutlich von einer geographischen Bezeichnung abgeleitet (Jos 20,7; Ri 4,6). Naphtali war prominenter Teilnehmer an der Deboraschlacht (Ri 4,10; 5,18); ferner ist möglich, daß die Schlacht an den Wassern von Merom (Jos 11,1–15) eine militärische Auseinandersetzung im Spätstadium der Landnahme war, an der Naphtaliten teilnahmen. Gen 49,21 ist dunklen Sinnes:

„Naphtali ist eine schweifende Hirschkuh, die schöne Reden von sich gibt."

Ist das ein Lob der Beredsamkeit oder ein Tadel wegen Geschwätzigkeit[42]?

Nicht viel heller ist Dtn 33,23:

„Naphtali ist gesättigt mit Wohlgefallen und voll vom Segen Jahwes.
Meer und Südland ‚hat er in Besitz'."[43]

V. 23b macht den Eindruck einer Glosse mit rätselhafter Geographie. Oder sind „Meer" *(yam)* und „Südland" *(dārōm)* einfach Himmelsrichtungen? Dann wäre von naphtalitischer Expansion nach Westen und Süden die Rede. Auf wessen Kosten?

Zusammenfassend ist zu sagen, daß der galiläische Norden kein Kraftzentrum der Geschichte Israels war. Galiläa lag vor Jesus von Nazareth im Schatten der Geschichte, weitab von den Regionen, in denen die Entschei-

---

[41] V. 25: Mit *dåb'ēḵā* ist trotz IV AB II, 21f. (ugarit. *db'tk*) nichts anzufangen. Nach dem Vorgang der LXX ist *m*^{e}*'ōdēḵā* zu vermuten.

[42] Zieht man H. Gunkels Konjektur *'imm*^{e}*rē-šāfer* statt *'imrē-šāfer* vor, dann ergibt sich: „die schöne Kälbchen wirft" (Volkreichtum Naphtalis).

[43] Mit LXX etc. und dem Samaritanus *yīraš* statt MT *y*^{e}*rāšā*.

dungen fielen. Seine Offenheit zur phönikischen Küste ist erst im Zeitalter des Hellenismus geschichtlich zur Wirkung gekommen. So standen die galiläischen Stämme Israels nach der Landnahme gewissermaßen auf verlorenem Posten. Ähnliches gilt für die israelitischen Stämme im Ostjordanland: die ephraimitischen und manassitischen Sippen in Gilead und im Gebirge *ʿAǧlūn,* ferner Gad und Ruben.

i) Gad

Nach Jos 13,24–28 wohnte Gad auf dem Westabfall des ostjordanischen Tafelgebirges zwischen dem Jabbok und dem Nordende des Toten Meeres. Aber die traditionelle Stämmegeographie ist gerade im Ostjordanland durch gelehrte Spekulation in die Irre geführt worden[44]. Jos 13 ist Num 32 nachgeordnet, und nach dem Grundbestande von Num 32 saß der Stamm Gad zwischen dem Arnon *(Sēl el-Mōǧib)* und dem *Wādī Zerqā Māʿīn;* der Hauptort war Dibon *(Ḏībān).* Das ist das Gebiet, das in Jos 13,15–23 fälschlich Ruben zugeschrieben wird. Num 32,34f. entspricht exakt der Angabe in der moabitischen Inschrift des Königs Mēšaʿ (KAI 181, Z. 10): „Und der Mann von Gad wohnte seit jeher im Lande Ataroth." Gen 49,19 lautet:

> „Gad – Streifscharen bedrängen ihn, er aber bedrängt ‚ihre' Ferse."[45]

Der Spruch redet von bedrängter Lage und erfolgreicher Abwehr. Als Gegner kommen die Moabiter in Betracht, die am Gebiet nördlich des Arnon jederzeit interessiert waren. Der Text von Dtn 33,20f. ist problematisch. Vielleicht ist er folgendermaßen zu rekonstruieren:

> (20) „Gesegnet ist, der Gad weiten Raum schafft!
> ‚Gad' hockt wie eine Löwin und zerreißt Arm und Scheitel.
> (21) [Da ersah er das Beste für sich, denn dort war ‚sein Anteil zubereitet'. ‚Da kamen' die Häupter des Volkes.]
> Die Gerechtigkeit Jahwes vollbringt er, und seine Rechtssatzungen zusammen mit Israel."[46]

Bei den nicht eingeklammerten Zeilen könnte man eine Komposition aus zwei oder drei Sprüchen annehmen: 1. ein *marḥabba*-Wunsch[47] für einen Stamm, der sein Gebiet ständig verteidigen muß; 2. ein Spruch nach Art von Gen 49,19; 3. ein Spruch, der die Zugehörigkeit des Stammes Gad zu Israel – ähnlich wie bei Dan (Gen 49,16f.) – trotz seiner exponierten Lage betont. Die eingeklammerten Sätze sind vermutlich Zutaten, und zwar mit Bezug auf Num 32 und Jos 22,9–34[48].

---

[44] Vgl. M. Wüst (s. o. S. 129, Anm. 1).

[45] Mit den alten Übersetzungen *ʿᵃqārām;* der erste Konsonant von V. 20 ist zu V. 19 zu ziehen.

[46] Am Anfang von V. 20b ist wahrscheinlich „Gad" zu ergänzen (Haplographie). In V. 21 vielleicht *ḥelqō mᵉḥuqqāq* statt MT *ḥelqat mᵉḥōqēq;* das folgende *sāfūn* „bedeckt, getäfelt" ist als Glosse zu streichen. Zu lesen ist ferner plur. *wayye'ᵉtāyū* statt MT sing. *wayyẹ̄tẹ̄.*

[47] So der geläufige neuarabische Gruß: „Weiten Raum (schaffe dir Allah)!"

[48] Für V. 21bα kann auch Glosse aus V. 5bα angenommen werden.

j) Ruben

Es ist vermutet worden, daß rubenitische Sippen im Frühstadium der Landnahme versucht haben, im Westjordanland Fuß zu fassen[49]. In der Genealogie erscheint ein Mann namens Hezron sowohl als Nachkomme Rubens wie auch Judas (Num 26,6f. 21f.). Am Nordwestende des Toten Meeres gab es einen auffallenden Felszacken, der *'eben bohan* „Daumenstein" hieß. Die Überlieferung faßte *Bohan* als Personennamen auf: „der Stein des Rubeniten Bohan" (Jos 15,6; 18,17). Es könnte sich dabei freilich auch um spätere Spekulationen handeln. Nach der irregeleiteten Stämmegeographie von Jos 13,15–23 saß Ruben dort, wo sich in Wirklichkeit das Gebiet des Stammes Gad befand. Num 32,37f. läßt dagegen noch erkennen, daß Rubens Wohnsitze nördlich des *Wādī Zerqā Mā'īn* lagen. Städtische Zentren waren Hesbon *(Ḥesbān)*[50] und das nicht sicher lokalisierbare Jaser (*Ya'zēr* Num 32,1 u.ö.). Gen 49,3f. ist ohne jeden Zweifel ein Kunstgebilde:

(3) „Ruben – mein Erstgeborener bist du, meine Stärke und der Erstling meiner Manneskraft,
Vorzug an Hoheit und Vorzug an Kraft.
(4) ‚Weil du überschäumtest' wie Wasser, sollst du nicht den Vorzug haben; denn du bestiegst das Bett deines Vaters.
Damals entweihtest du mein Ehelager, ‚das du bestiegst'."[51]

Der Spruch stammt aus einer Zeit, in der Ruben nicht mehr existierte oder doch zumindest nichts von ihm bekannt war. Er begründet das Ausscheiden Rubens aus Gesamtisrael auf dem Hintergrunde seiner ehemals dominierenden Rolle, die auch daran erkennbar ist, daß dieser Stamm trotz seines Verfalls stets an der Spitze des Zwölfstämmesystems steht. Der Spruch ist jünger als Ri 5,15f., wo immerhin noch nomadische Lebensweise rubenitischer Sippen vorausgesetzt und deren Nichtbeteiligung an der Deboraschlacht getadelt wird. Der Ich-Stil des Patriarchen Jakob und der Rückbezug auf die dunkle, fragmentarisch vorliegende Sagenüberlieferung von Gen 35,22 erweisen den Spruch als relativ spätes, nicht genau datierbares Kunstprodukt[52]. Sehr viel älter ist Dtn 33,6:

„Es lebe Ruben und sterbe nicht, daß seine Mannen wenig werden!"

---

[49] Vgl. C. Steuernagel, Die Einwanderung der israelitischen Stämme in Kanaan (1901) 15ff.; M. Noth, Israelitische Stämme zwischen Ammon und Moab [1944]. ABLAK 1, 391–433.

[50] Vgl. W. Vyhmeister, The History of Heshbon from Literary Sources. AUSS 6 (1968) 158–177.

[51] V. 4: Mit den alten Übersetzungen ist *pāḥaztā* statt MT *pāḥaz* zu lesen, ebenso vermutlich *'ālītā* statt MT *'ālā.*

[52] Vgl. St. Gevirtz, The Reprimand of Reuben. JNES 30 (1971) 87–98.

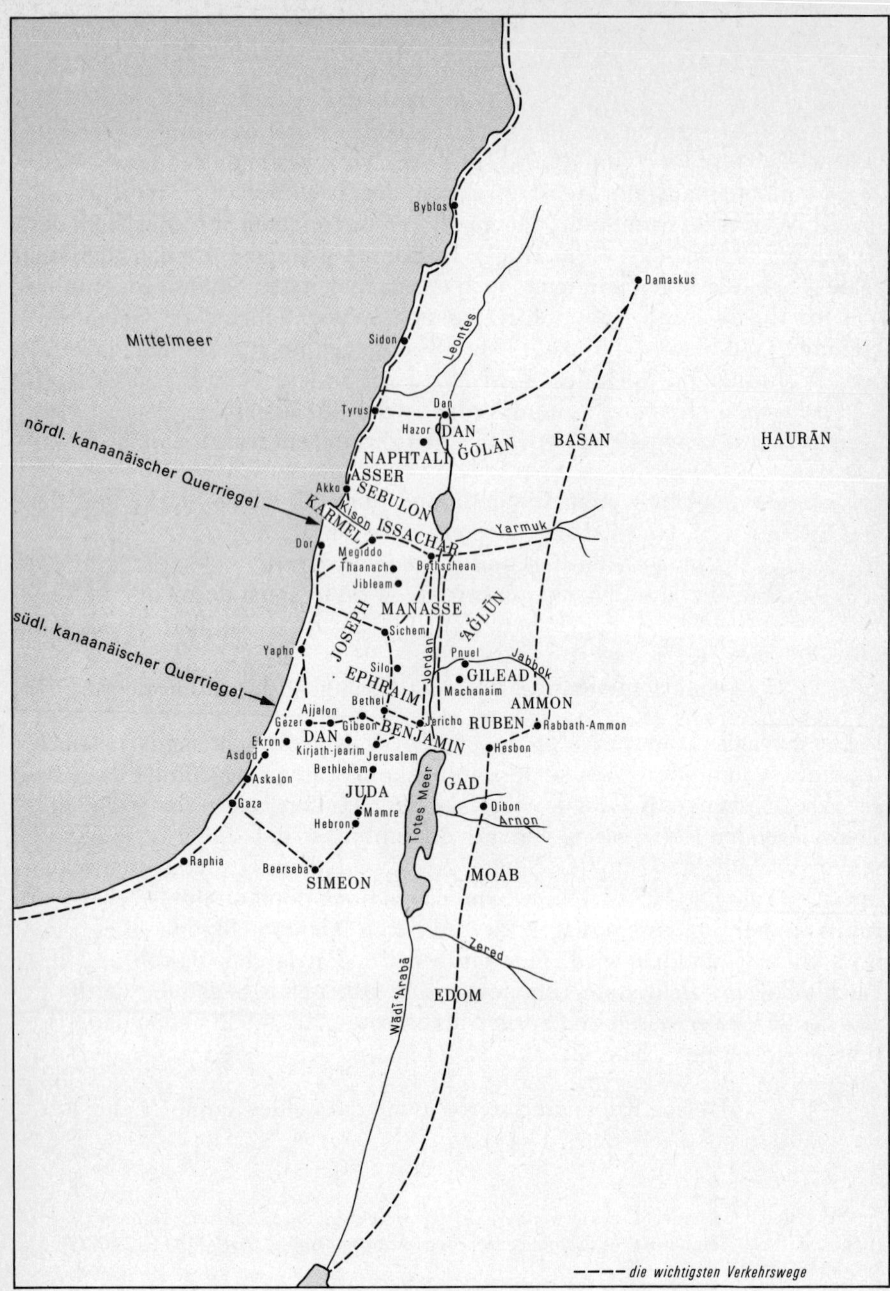

Karte 3: Palästina vor der israelitischen Staatenbildung

Die Existenz Rubens ist hier noch vorausgesetzt, aber er ist ein Stamm, der im Sterben liegt. Trotz der verzweifelten Genesungswünsche hat er sich nicht wieder erholt. Er ist der Expansion der Ammoniter, vielleicht auch der Moabiter und womöglich gar seines südlichen Bruderstammes Gad zum Opfer gefallen.

KAPITEL 2

Formen und Ordnungen des Lebens der israelitischen Stämme in Palästina

Über die Formen und Ordnungen des Lebens der israelitischen Stämme während der sog. Richterzeit ist der atl Überlieferung nur wenig Sicheres zu entnehmen. Das wenige kann zumeist nur auf dem Wege über Kombinationen und Schlußfolgerungen gewonnen werden und ist deshalb von geringem historischen Gewißheitsgrad. Das ist keineswegs selbstverständlich. Denn eigentlich sollte man hoffen und erwarten dürfen, daß die Quellenlage immer besser würde, je näher man an das Zeitalter der Staatenbildungen heranrückt. Leider werden Hoffnung und Erwartung enttäuscht. Die Quellenlage für Israels Frühzeit zwischen Landnahme und Staatenbildung ist ebenso schlecht wie für Israels Vorgeschichte. Quantitativ ist sie sogar noch schlechter. Wir verfügen innerhalb des AT über nicht viel mehr als die im Richterbuch aufbehaltenen und eingerahmten Materialien, von denen die meisten obendrein Israels Bedrohungen und Errettungen betreffen; sie sind hier auszugliedern und im 3. Kapitel gesondert zu behandeln[1]. Hinzu kommen allenfalls noch Streiflichter aus dem Pentateuch, dem Josuabuch und den ersten sechs Kapiteln des 1. Samuelisbuches. Außeralttestamentliche Quellen stehen überhaupt nicht zur Verfügung. Aus den Kanaanäerstädten Palästinas besitzen wir fast gar keine schriftlichen Nachrichten, jedenfalls keine, die Licht auf die Einrichtung der israelitischen Stämme im Kulturland werfen könnten. Und die benachbarten Reiche, insonderheit die schreibfreudigen Ägypter, Assyrer und Babylonier, haben – fast möchte man sagen: selbstverständlich – von der Seßhaftwerdung und Einrichtung der neuen, aber eben kleinen und unbedeutenden Menschengruppen in Palästina keinerlei Notiz genommen. Sie waren ohnehin überwiegend mit sich selber beschäftigt, ihre Expansionskraft erlahmt und ihr Interesse an der syropalästinischen Landbrücke gering. Eben das war Israels große Chance. Aber daß sich da auf der Landbrücke etwas Neues bildete, eine Größe eigener Art und mit politischer Zukunft, haben die Nachbarn – soweit wir sehen können – nicht wahrgenommen.

---

[1] S. u. S. 154ff.

Diese unbefriedigende Quellenlage ist deswegen so sehr zu beklagen, weil die Epoche zwischen Landnahme und Staatenbildung für die Geschichte Israels schlechthin grundlegend und entscheidend gewesen ist. Denn in ihr hat sich die geschichtliche Größe Israel überhaupt erst gebildet; was vorausging, waren Präliminarien und Präludien gewesen, wenn auch solche von großer geschichtlicher Nachwirkung. Aber gerade dieser Vorgang der Entstehung Israels als einer Gemeinschaft von Menschengruppen unterschiedlicher Herkunft und mit verschiedenen Traditionen, einer Gemeinschaft unter der zunächst vielleicht nicht ausschließlichen, aber vorwiegenden und wachsenden Herrschaft des Gottes Jahwe, bleibt fast ganz im Dunkeln. In dieser Epoche muß sich langsam ein israelitisches Gemeinsamkeitsbewußtsein gebildet haben, das es den Stämmen ermöglichte, sich als zusammengehörig und von anderen unterschieden zu erkennen. Ferner ist anzunehmen, daß sich erste, gewiß bescheidene Ansätze zur institutionellen Verfestigung des Gemeinschaftslebens entwickelten, sicher nicht sogleich für Gesamtisrael, wohl aber für Gruppierungen innerhalb Israels. Schließlich müssen bis zu einem gewissen Grade auch erste Möglichkeiten gemeinsamen politischen Handelns genutzt und langsam ausgebaut worden sein. Denn der große Aufbruch der Stämme unter Saul, die Bildung eines nationalen Heerkönigtums, kann nicht sozusagen über Nacht vom Himmel gefallen sein, sondern ist der Abschluß einer voraufgegangenen Entwicklung. Wir wissen fast nichts, jedenfalls aber viel zu wenig darüber. Diese Lücke historischer Kenntnis an fundamentaler Stelle ist umso schmerzlicher, als wir uns zu ihrer Ausfüllung nicht mehr der Amphiktyonie-Hypothese M. Noths bedienen dürfen[2]. Diese Hypothese hatte ein Verstehensmodell geliefert, das es ermöglichte, die Streiflichter des AT zu einem zwar keineswegs lückenlosen, aber in den Hauptlinien deutlichen und in seiner Geschlossenheit eindrücklichen Gesamtbild zu vereinigen. Sie hatte ungefähr dasselbe geleistet wie vor Aufkommen der historischen Kritik das traditionelle Geschichtsbild des AT. Nun aber können wir die wenigen Nachrichten, die wir besitzen, nicht mehr amphiktyonisch deuten. Damit treten sie in ihre Vereinzelung zurück. Vereinzelung ist überhaupt das Stichwort der Epoche. Fast nur in der Vereinzelung, nicht als Gesamtverband, werden die israelitischen Stämme in der Richterzeit hier und dort greifbar. Sie regelten ihre Angelegenheiten jeweils selbst, verbanden sich gelegentlich zu Koalitionen im Falle der Bedrohung von außen, lebten aber sonst weitgehend für sich. Ihre partikularen Institutionen funktionierten regelmäßig und selbstverständlich. Das Regelmäßige, die Normalität, ist aber zumeist nicht Gegenstand der Überlieferung. Das wenige, was sich erkennen oder vermuten läßt, ist im folgenden zusammenzustellen.

1. Ein amphiktyonisches Zentralheiligtum mit regelmäßigen kultischen Begehungen der Abgeordneten des Zwölfstämmeverbandes hat es ebensowenig gegeben wie den sakralen Zwölfstämmeverband selbst. Der große

[2] S. o. S. 62ff.

gemeinsame Bundesfestkult in Israels Frühzeit, sei es in Sichem oder anderswo, ist eine Fiktion, und fiktiv sind mithin alle spekulativen Konsequenzen, die man aus ihm gezogen hat. Aber natürlich gab es zahlreiche *Jahweheiligtümer* im Lande. Nicht immer werden sie deutlich von kanaanäischen Baalsheiligtümern unterschieden gewesen sein; es handelte sich ja um Erbgang und Fusion. Bereits die Erzvätersagen ließen erkennen, daß sich Jahwe der kanaanäischen Kultstätten im Lande auf breiter Front bemächtigte[3]; der Vorgang, den die Überlieferung in die Patriarchenzeit projiziert, vollzog sich jetzt, in der Epoche zwischen Landnahme und Staatenbildung. Unter den Jahweheiligtümern gab es überregionale, solche also, die Angehörige mehrerer Anwohnerstämme zu gemeinsamem Jahwekultus vereinigten und vielleicht auch Wallfahrer aus weiter entfernten Gegenden anzogen. Der Tabor z.B. war gemeinsames Heiligtum für Issachar und Sebulon, zu dem auch andere Stämme, wohl vor allem des Nordens, gewallfahrtet sein mögen (Dtn 33,18f.; Ri 4,6. 14; später noch Hos 5,1). Für die mittelpalästinischen Stämme kommt hauptsächlich Silo *(Ḫirbet Sēlūn)* in Betracht (1. Sam 1,3; 3,1ff.) – ob auch Bethel und Mizpa (Ri 20,26ff.; 21,8), muß offenbleiben, da Ri 19–21 eine problematische Quelle ist[4]. Darf man aus späterer Zeit zurückschließen, dann sind wohl auch Gilgal (Jos 3–5; 1. Sam 11,15) und Beerseba (1. Sam 8,2; 1. Kön 19,3; Am 5,5; 8,14) Heiligtümer von überregionaler Bedeutung gewesen. Da nun an allen diesen Heiligtümern Jahwe verehrt wurde und die Traditionen von Jahwes Handeln lebendig waren, wird man die Funktion solcher überregionalen Kultorte bei der Ausbildung eines israelitischen Gemeinsamkeitsbewußtseins nicht unterschätzen dürfen.

2. Wenn es kein amphiktyonisches Zentralheiligtum gegeben hat, dann gab es auch keine amphiktyonische Priesterschaft, die dort im Namen Gesamtisraels amtiert hätte. Aber natürlich muß mit der Jahwisierung und Israelitisierung der Kulturlandheiligtümer die Bildung und Entwicklung einer *Jahwepriesterschaft* Hand in Hand gegangen sein. Der Vorgang ist historisch nicht mehr zu durchschauen. Das Jahwepriestertum war stellenweise erblich, z.B. in der Familie des Priesters Eli von Silo (1. Sam 1–3, 4,4). Man konnte sich auch einen Hauspriester anheuern, wie die Geschichte von einem Judäer aus Bethlehem zeigt, der bei einem Ephraimiten namens Micha in priesterlichen Dienst trat, dann aber von den Angehörigen des Stammes Dan als Stammespriester mit in den hohen Norden genommen wurde (Ri 17–18). Diese altertümliche Geschichte lehrt auch, daß das priesterliche Privileg des Stammes Levi noch keineswegs durchgesetzt war; es galt noch nicht einmal zu Zeiten König Jerobeams I. einschränkungslos (1. Kön 12,31). Wenn die Geschichte nicht erst später sekundär jahwisiert worden ist, dann lehrt sie ferner, daß sich der Jahwedienst auf nicht gerade „orthodoxe" Weise vollzog, sondern mit späterhin schwer verpönten Objekten – Schnitzbild, Ephod, Teraphim – verbunden war (Ri

---

[3] S. o. S. 75f.

[4] S. u. S. 166f.

17,3. 5; 18,14. 17f. 20. 30f.). Aber von der Vorstellung, die *poena* späterer Zeiten habe auch schon in der Frühzeit gegolten, muß man sich ohnehin freimachen. Die Israeliten haben nicht gezögert, die im Kulturland bei den Kanaanäern seit alters heimischen Kultobjekte und Kultformen zu übernehmen und auf Jahwe zu beziehen. Man feierte die alten Ackerbaufeste und vollzog die alten Opferhandlungen, das alles an den alten heiligen Stätten, deren Geschichte zumeist ins kanaanäische Zeitalter hinaufreichte[5]. Man lebte im Landesüblichen und schloß sich an das Landesübliche an. Selbstverständlich hatte das zur Folge, daß Jahwe mehr und mehr kanaanisiert wurde, daß er sich den Landesgöttern anglich, zu denen er von Hause aus nicht gehört hatte. Das spätere Problem des Verhältnisses von Jahwe und Baal und des Kampfes zwischen beiden hat hier seine Wurzel. Man kann den Vorgang Assimilation oder Amalgamation nennen, muß aber bedenken, daß die urtümliche außerpalästinische Jahweverehrung sozusagen vorisraelitisch gewesen war. Israel bildete sich erst im palästinischen Kulturland, und mit ihm seine Religion. An der Wiege dieser Religion aber hat der Baal gestanden.

3. Wenn es kein amphiktyonisches Zentralheiligtum gegeben hat, dann gab es auch keine Verkündigung amphiktyonischen Gottesrechtes. Dennoch ist der Begriff des *Gottesrechtes* nicht ohne Sinn. Denn es fällt auf, daß das gesamte AT, gleichviel in welchen Zeiten und Teilen, stets von der Grundüberzeugung ausgeht, alles Recht stamme von Jahwe, sei von ihm gegeben. Das macht die Annahme wahrscheinlich, daß die Wurzeln dafür in vorstaatliche Zeit hinaufreichen. Natürlich waren die Israeliten auch in der Rechtspraxis von den Kanaanäern abhängig. Kulturlandrecht wie z.B. das des Bundesbuches (Ex 20,22–23,33) ist ursprünglich kanaanäisch und von Israel adaptiert. Die Adaption aber wurde zunehmend mit dem Gedanken verbunden, das Recht sei Jahwes Wille und sei von ihm in Sätzen ausgesprochen worden. Es ist nicht auszuschließen, daß die Israeliten sich dieses Gedankens in gottesdienstlichen Feiern an den Heiligtümern versicherten, etwa so, daß Rechtssätze vorgetragen wurden und sich die Kultteilnehmer darauf verpflichteten. Aber auch das wird man sich – wenn überhaupt – partikular, allenfalls überregional, nicht jedoch gesamtisraelitisch vorzustellen haben, auch wenn die in Frage kommenden Texte so tun, als sei ganz Israel beteiligt (Dtn 27; Jos 8,30–35; 24,25–28). Diese Texte sind relativ jung; für sie ist die Existenz des gesamtisraelitischen Stämmeverbandes in der Frühzeit, ja schon in der Vorzeit, eine Selbstverständlichkeit. Wiederum ist die einheitsbildende Kraft des von Jahwe autorisierten und sanktionierten Rechtes nicht zu unterschätzen. Es band die Jahweverehrer an den sich in normativen Sätzen ausdrückenden Rechtswillen ihres Gottes, und damit band es sie untereinander. Leider haben wir über den Inhalt des frühen Jahwerechtes keine genaue Kenntnis. Zwar ist anzunehmen, daß es nach anfänglich mündlicher Weitergabe irgendwann einmal schriftlich fixiert

[5] Vgl. R. Dussaud, Les origines canaanéennes du sacrifice israélite (1921).

worden ist und in die umfänglichen Gesetzessammlungen des AT einging. Aber weder Art noch Umfang des frühen Jahwerechtes können aus diesen späteren Sammlungen zuverlässig rekonstruiert werden, schon deshalb nicht, weil wir nicht wissen, wie Form und Inhalt des Jahwerechtes ursprünglich aussahen.

A. Alt hat in einer grundlegenden form- und rechtsgeschichtlichen Untersuchung die Unterschiede zwischen kasuistischen und apodiktischen Rechtssätzen herausgearbeitet[6]. Er glaubte, das kasuistische Recht dem Lebenskreis und der sozialen Struktur der Kulturlandbewohner zuweisen zu sollen, während er das apodiktische Recht für ursprünglich nomadisch hielt. Da nun die Israeliten nach seiner Auffassung von Hause aus Kleinviehnomaden der Steppen- und Wüstenregionen gewesen waren, legte sich die Annahme nahe, das apodiktische Recht sei das eigentliche und jedenfalls das älteste Gottesrecht. Aber die Forschung ist, durch Alt großartig angeregt, auf diesem Felde weitergegangen und hat die Einsicht erbracht, daß die Rechtssammlungen des Alten Orients und so auch des AT beide Rechtsgattungen nur ganz selten in reiner Form enthalten, vielmehr überwiegend in Gestalt gemischter, komplizierter Formen, die klare soziale Unterscheidungen und Zuordnungen nicht ohne weiteres gestatten[7]. Damit ist die geläufige und oft vertretene Interpretation des apodiktischen Rechts als Gottesrecht, womöglich gar als amphiktyonisches Gottesrecht, aus formkritischen und historischen Gründen unmöglich geworden.

4. In Ri 10,1–5 und 12,7–15 ist eine ursprünglich wahrscheinlich zusammengehörige, erst im Verlauf der Redaktion des Richterbuches in zwei Hälften geteilte Liste überliefert, die von den sog. *„Kleinen Richtern"* handelt. Im Gegensatz zu den Großen Richtern[8] werden von diesen Personen keine Erzählungen, sondern nur Notizen mitgeteilt, z.B. so: „Nach ihm richtete Israel der Sebulonit Elon; der richtete Israel zehn Jahre. Dann starb der Sebulonit Elon und wurde in Ajjalon im Lande Sebulon begraben. Nach ihm richtete Israel der Pirʿatonit Abdon, der Sohn Hillels. Der hatte vierzig Söhne und dreißig Enkel, die auf siebzig Eselsfüllen ritten. Er richtete Israel acht Jahre. Dann starb der Pirʿatonit Abdon und wurde in Pirʿaton im Lande Ephraim auf dem Amalekiterberge begraben" (Ri 12,11–15). Auf diese Weise werden mit Einschluß Jephtahs sechs „Kleine Richter" vorgeführt, die aus verschiedenen Stämmen oder Städten kamen; ihre Funktion wird mit der Verbalwurzel *špṭ* umschrieben, und die Liste stellt sie in eine regelrechte Sukzession, eine Amtsnachfolge. Es fällt auf, daß die Amtszeit dieser Männer nicht mit runden, also verdächtigen Zahlen angegeben wird. Mehr als die Liste besitzen wir nicht, und das heißt, daß über die genaue Funktion dieser Kleinen Richter nichts wirklich Sicheres in Erfahrung zu bringen ist. M. Noth hat sie nach dem Vorgange von A. Alt amphiktyonisch gedeutet[9]. Er sah in ihnen die Träger des einzigen uns bekannten gesamtis-

---

[6] A. Alt, Die Ursprünge des israelitischen Rechts [1934]. KS 1, 278–332.

[7] Vgl. vor allem E. Gerstenberger, Wesen und Herkunft des „Apodiktischen Rechts". WMANT 20 (1965).

[8] S. u. S. 156.

[9] M. Noth, Das Amt des „Richters Israels" [1950]. GS II, 71–85; vgl. auch H.-W. Hertzberg, Die kleinen Richter [1954]. Beiträge z. Traditionsgeschichte des AT (1962) 118–125.

raelitischen Amtes der Amphiktyonie und suchte ihre Aufgabe näher zu bestimmen. Dabei ging er von der juridischen Bedeutung der Wurzel *špṭ* „richten" aus und schloß auf eine Tätigkeit der Kleinen Richter im Rechtswesen: freilich nicht in der normalen Rechtspflege und Rechtsprechung; denn diese gehörte im Falle des „bürgerlichen" und des Strafrechtes zu den Obliegenheiten der Gemeindeältesten im Tor[10] und im Falle des Sakralrechtes zu den Aufgaben der Priester. Vielmehr nahm Noth eine Vermutung auf, die bereits A. Klostermann[11] geäußert hatte. Danach war die Pflege des Gottesrechtes die Hauptaufgabe der Kleinen Richter: sie hatten es zu kennen, zu studieren, auszulegen und den Abgeordneten der Stämme auf den amphiktyonischen Festversammlungen vorzutragen. Ihre Funktion war also die eines „Gesetzessprechers", ähnlich der des isländischen *Lögsögumaðr,* der auf dem Allthing das Recht zu verkünden hatte. Diese Theorie steht und fällt mit der Problematik der Amphiktyonie und des amphiktyonischen Gottesrechts. Demgegenüber hat W. Richter schon 1965 darauf hingewiesen, daß die Wurzel *špṭ* wie ihre semitischen Verwandten keineswegs nur „richten", sondern „herrschen, regieren" bedeutet[12]. Er zog daraus andere Konsequenzen: „Es sind aus der Stadt oder den Stämmen stammende, zur zivilen Verwaltung und Rechtsprechung über eine Stadt und einen entsprechenden Landbezirk von den (Stammes-)Ältesten eingesetzte Vertreter einer Ordnung im Übergang von der Tribal- zur Stadtverfassung. Die weitere Entwicklung führt zur monarchischen Verfassung." Natürlich wissen wir auch das nicht ganz genau. Immerhin sprechen folgende Gesichtspunkte für Richters Deutung: die Kleinen Richter sind eine partikulare, nicht gesamtisraelitische Größe; sie stehen auf dem Übergang von der Stammes- zur Städteordnung, der sich in der Tat während der Richterzeit vollzogen haben muß; die Bedeutung der Wurzel *špṭ* ist richtig bestimmt. Die Generalisierung und Nationalisierung des Amtes ist das Werk späterer gesamtisraelitischer Deutung; so auch die Sukzession, die Richter als „Analogie zur königlichen Annalistik" betrachtet. Nach A. Soggin diente die Liste in ihrer Endgestalt auch Datierungszwecken, ähnlich wie bei den assyrischen Eponymen und den römischen Konsuln[13]. Ob man der Neigung nachgeben darf, den Unterschied zwischen Großen und Kleinen Richtern überhaupt zu verwischen[14], erscheint fraglich. Denn dann wären den Kleinen Richtern auch militärische und den Großen Richtern auch zivile Aufgaben zuzuschreiben, wovon aber die Überlieferung – abgesehen vom Ausnahmefall Jephtah[15] – nichts erkennen läßt[16]. Abschließend ist auf die

---

[10] Vgl. L. Köhler, Die hebräische Rechtsgemeinde, in: Der hebräische Mensch (1953) [143–171.

[11] A. Klostermann, Der Pentateuch II (1907) 419ff.

[12] W. Richter, Zu den „Richtern Israels". ZAW 77 (1965) 40–71.

[13] A. Soggin, Das Amt der „Kleinen Richter". VT 30 (1980) 245–248.

[14] So außer W. Richter auch K.-D. Schunck, Die Richter Israels und ihr Amt. SVT 15 (1966) 252–262 und S. Herrmann, Geschichte 150f.; vgl. auch A.L. Hauser, The „Minor Judges" – A Revaluation. JBL 94 (1975) 190–200.

[15] S. u. S. 164f.

[16] Auf Ri 10,1 ist nicht viel zu geben. Das kann ein sekundärer Ausgleichsversuch sein.

nächste außerisraelitische Parallele, die Suf(f)eten von Karthago, hinzuweisen[17].

5. Die *Oberhäupter der einzelnen israelitischen Stämme* scheinen neben anderen Bezeichnungen den Titel *nāśī* (plur. *n^eśī'īm*) getragen zu haben (Num 1,5–16; 13,1–16; 34,17–28 u.ö.)[18]. Der Ursprung dieses Titels ist nicht völlig klar: kommt er von der Formel *nāśā qōl* „die Stimme erheben", heißt also „Sprecher", oder ist seine Bedeutung passivisch im Sinne von „Aufgehobener, Adliger, Anführer"? Jedenfalls ist nicht auszuschließen, daß der Ausdruck von Hause aus die Scheichs nomadischer Verbände bezeichnete (Gen 17,20; 25,16; Num 25,18). In diesem Fall wäre er eine Art nomadisches Erbe in Israel, das unter veränderten Bedingungen zunächst weiterlebte. Man kann ähnliches bei den Arabern des gegenwärtigen Orients beobachten. Zwar ist die allgemein übliche Bezeichnung für den Ortsbürgermeister *muḫtār,* doch nennt man ihn auch *šēḫ*. Über die Funktion der *n^eśī'īm* erfährt man aus dem AT nichts. Die Annahme, sie könnten eine Art gesamtisraelitisches Parlament gebildet haben, entbehrt jeder Grundlage, wie denn überhaupt Versammlungen der Abgeordneten ganz Israels zur Theoriebildung späterer Epochen, nicht jedoch zur geschichtlichen Wirklichkeit des frühen Israel gehören[19].

6. Die *Struktur der israelitischen Stämme*[20] ist aus verstreuten Nachrichten des AT zu erheben (z.B. Jos 7,16–18; 1. Sam 10,20f.). Danach gliederte sich der Stamm *(šẹbeṭ, maṭṭē)* in eine Anzahl von Sippen *(mišpāḥā),* die nach der ungefähren Anzahl ihrer Glieder auch *'elef* „Tausendschaft" genannt werden können. Die Sippe bestand aus Großfamilien (*bēt 'āb* „väterliches Haus" oder einfach *bayit* „Haus"), d.h. der Nachkommenschaft eines gemeinsamen Ahnherrn über drei bis vier Generationen. Die Großfamilie entspricht der griechischen Phratrie und der römischen *gens.* Sie wird keineswegs nur durch verwandtschaftliche Bande zusammengehalten, sondern auch durch gemeinsame Wirtschaft. Man wird mit der Annahme nicht fehlgehen, daß die Sippen in den meisten Fällen älter sind als die Stämme: aus mehreren Sippen bildete sich, z.B. beim Landnahmevorgang, auf Grund gemeinsamer Schicksale ein Stamm. Die Grenzen zwischen den genannten Gruppierungen sind fließend, vor allem bei den Familien, in minderem

---

[17] Vgl. V. Ehrenberg, PW IV A 2 (1932) 643–651; J. Dus, Die „Sufeten Israels". ArOr 31 (1963) 444–469; C. Krahmalkov, Notes on the Rule of the *Šōftīm* in Carthage. Rivista di studi fenici 4 (1976) 153–157; W. Huss, Vier Suffeten in Karthago? Le Muséon 90 (1977) 427–433.

[18] Vgl. M. Noth, Das System der zwölf Stämme Israels. BWANT IV, 1 (1930, Nachdruck 1980) 151–162; J. van der Ploeg, Les chefs du peuple d'Israël et leurs titres. RB 57 (1950) 40–61; E.A. Speiser, Background and Function of the Biblical *Nāśī* [1963]. Oriental and Biblical Studies, ed. Finkelstein and Greenberg (1967) 113–122; T. Ishida, The Leaders of the Tribal Leagues „Israel" in the Pre-Monarchic Period. RB 80 (1973) 514–530.

[19] Vgl. H. Reviv, The Pattern of the Pan-Tribal Assembly in the OT. JNSL 8 (1980) 85–94.

[20] Vgl. W. Thiel, Verwandtschaftsgruppe und Stamm in der halbnomadischen Frühgeschichte Israels. Altorientalische Forschungen IV, Schriften z. Geschichte u. Kultur des Alten Orients (1976) 151–165.

Grade auch bei den Sippen und Stämmen. Naturgemäß ergeben sich immer wieder Überschneidungen, Fusionen, Teilungen und Neubildungen. Unter den Bedingungen bäuerlicher Wirtschaft wirkt sich das erschwerend und komplizierend auf Wirtschaftsstruktur und Bodenverteilung aus. Wir wissen darüber aus vorstaatlicher Zeit zwar nichts, dürfen aber annehmen, daß die Wurzeln späterer Verhältnisse auch in diesem Fall in die Richterzeit zurückreichen. Nach dem klassischen israelitischen *Bodenrecht* galt Jahwe als Eigentümer alles Grundes und Bodens. Die Besitzrechte der Familien sind Jahwes Eigentum bodenrechtlich nachgeordnet, und zwar als grundsätzlich unverkäufliche und vererbungspflichtige Lehen (*naḥ^a^lā,* später *'^a^ḥuzzā*)[21]. Mit der Verschiebung und zunehmenden Komplizierung der Sippen- und Familienverhältnisse mußte die Bodenverteilung in Israel im Laufe der Zeit immer schwieriger werden. Ein gewisses Gegengewicht und Korrektiv war später die Landverteilung durch das Los, die von den Ortsgemeinden dann vorgenommen wurde, wenn Lehnsanteile herrenlos geworden waren[22]. Freilich wissen wir nicht, ob es diese Praxis schon in vorstaatlicher Zeit gab. Vor allem aber ist folgendes wichtig: nach der Seßhaftwerdung und der Anlage oder Übernahme von Ortschaften wurde die größte Einheit, der Stamm, mehr und mehr zu einer bloßen Fiktion. Die stammesmäßige Zusammengehörigkeit mag zwar bestehen geblieben sein, aber mehr als theoretische denn als praktische Größe. Man könnte beinahe sagen, die Ortschaft sei an die Stelle des Stammes getreten. Jedenfalls war der Ortsverband nicht selten identisch mit dem Sippenverband (Mi 5,1 u.ö.), wie denn überhaupt im praktischen Leben die Sippe die größte wirkungsmächtige Gruppierung gewesen zu sein scheint.

7. Das soeben Gesagte ist auf einem Sektor sogleich wieder einzuschränken: auf dem des *Militärwesens.* Zwar hat es zweifellos Aufgebote der einzelnen Sippenverbände gegeben – so ganz deutlich in Ri 6,34 –, aber bei größeren und wichtigeren Fällen mußte der Stammesheerbann antreten, das Aufgebot aller waffenfähigen Männer eines Stammes. Das vorstaatliche Israel kannte kein Berufskriegertum, keine Söldner, keinen Ritteradel, keine Streitwagenformationen. Es kannte ausschließlich den Heerbann der schwerbewaffneten Männer zu Fuß, die für ihre Ausrüstung selbst Sorge zu tragen hatten: die *gibbōrḙ haḥayil,* die „heerbannpflichtigen Grundbesitzer“, ein schwer bewegliches Kampfinstrument. Die Gliederung des Stammesheerbanns entsprach der des Stammes: als Einheiten bezeugt sind die Tausendschaften (*'elef,* plur. *'^a^lāfīm*) und die Fünfzigerschaften (*ḥ^a^miššīm),* also die militärischen Formen der Sippe und der Großfamilie. Hundertschaften und Zehnerschaften werden nur selten genannt[23]. Die Stammes-

---

[21] Vgl. F. Horst, Zwei Begriffe für Eigentum (Besitz): *naḥ^a^lā* und *'^a^ḥuzzā.* Verbannung und Heimkehr, Fs W. Rudolph (1961) 135–156.

[22] Vgl. A. Alt, Micha 2,1–5. ΓΗΣ ΑΝΑΔΑΣΜΟΣ in Juda [1955]. KS 3, 373–381.

[23] Vgl. A. Bertholet, Kulturgeschichte Israels (1919) 189–194; H. Schmökel, Kulturgeschichte des alten Orients (1961) 499–506; R. de Vaux, Das AT und seine Lebensordnungen 2 (1960) 13–20.

heerbannaufgebote, gelegentlich auch einmal in Koalitionen, haben ihre Kriege als Jahwekriege geführt, d.h. Jahwe als Kämpfenden betrachtet und ihm den Sieg zugeschrieben. Man hat daraus bereits für Israels Frühzeit auf eine regelrechte Institution des Heiligen Krieges schließen wollen[24]: Jahwe, der auf der mitgeführten Lade thront, schlägt selber die Feinde Israels, die seine Feinde sind. Ihm werden vor dem Aufbruch Opfer dargebracht, und die Krieger müssen sich im Zustand ritueller Reinheit befinden. Jahwe besiegt die Feinde durch sein persönliches Eingreifen, oft durch einen Gottesschrecken, eine Panik, die sie befällt. Nach dem Siege wird am Feind und seiner ganzen beweglichen und unbeweglichen Habe der Bann (*ḥerem*) vollstreckt. Das bedeutet Ausrottung und völlige Vernichtung; nichts darf in die Hände des Heerbannes fallen. Auf diese Vorstellung vom Heiligen Krieg hat man Türme von Theorien errichtet. Es hat sich aber gezeigt, daß von einer solchen Institution genau genommen gar nicht gesprochen werden kann. Zwar kommen Einzelelemente des geschilderten Ablaufes hier und dort vor; daß das alte Israel aber einmal einen Heiligen Krieg mit allem, was dazugehört, geführt habe, ist in den Quellen nirgendwo bezeugt. Der Heilige Krieg begegnet vorwiegend in der Vorstellung der späten, tertiären Geschichtsschreibung, z.B. der Chronikbücher[25]: und zwar als ein Theorem, das beschreibt, wie Kriege eigentlich hätten geführt werden sollen. Wir haben die Dinge auf das sicher Erkennbare zu reduzieren. Sicher erkennbar ist, daß die israelitischen Stämme ihre Kriege als Jahwekriege geführt haben. Sie unterscheiden sich dabei nicht von ihren orientalischen Nachbarn. Stets wird der Gott als der eigentlich Kriegführende betrachtet, stets und vor allem ist er der Sieger. Wird davon erzählt, dann stellen sich Motive ein, die eben diese Überzeugung beschreiben[26]. Die Theoriebildung ist solchem frühen Erzählen nachgängig. Sie beginnt nicht vor dem Deuteronomium (Dtn 20,1–20) und führt über viele Zwischenstufen bis zum Hl. Krieg im Islam, dem *Ǧihād*.

8. Die *Sozialordnung* der israelitischen Stämme, Sippen und Familien war – wie in allen antiken Kulturen, sonderlich denen des Mittelmeerraumes – patriarchalisch. Spuren eines urtümlichen Matriarchats sind zwar oft vermutet worden, aber nicht nachweisbar. Die Großfamilie unterstand der durch Gesetze eingeschränkten *patria potestas* des Vaters; alle größeren Gruppen wurden von Ältestenkollegien geleitet, d.h. von den Oberhäuptern der vornehmen und vermögenden Familien[27]. Innerhalb der Ortschaften hatten die Ältestenräte dieselben Funktionen wie die aristokratische

---

[24] Vgl. vor allem G. v. Rad, Der Heilige Krieg im Alten Israel (1965⁴).

[25] Zum Begriff der tertiären Geschichtsschreibung vgl. Th. Willi, Die Chronik als Auslegung. FRLANT 106 (1972) 215ff.

[26] Den Wandel in der Beurteilung der Dinge leitete ein: M. Weippert, „Heiliger Krieg" in Israel und Assyrien. ZAW 84 (1972) 460–493; vgl. auch F. Stolz, Jahwes und Israels Kriege. AThANT 60 (1972).

[27] Stammesälteste: Dtn 31,28; 1. Sam 30,26 u.ö. Ortsälteste (Sippenälteste): 1. Sam 11,3; 16,4; 1. Kön 21,8 u.ö.

Oberschicht in den kanaanäischen Städten, anscheinend sogar noch mehr, z.B. die Rechtsprechung im Tore. Ein Ältestenkollegium, das die Belange Gesamtisraels wahrgenommen hätte, gab es nicht. Wo von „Ältesten Israels" die Rede ist, handelt es sich entweder um die gemeinsam auftretenden Ältesten einzelner Stämme (2. Sam 3,17; 5,3; 17,4. 15 u.ö.) oder um eine Fiktion (1. Sam 8,4 u.ö.)[28]. Der neuerdings in die Debatte gebrachte Begriff der „segmentären Gesellschaft"[29] erscheint sehr gut geeignet, die Struktur des vorstaatlichen Israel zu beschreiben: eine „akephale (d.h. politisch nicht durch eine Zentralinstanz organisierte) Gesellschaft, deren politische Organisation durch politisch gleichrangige und gleichartig unterteilte, mehr- oder vielstufige Gruppen vermittelt ist."[30] Obwohl die Analogien, an denen dieser Begriff gewonnen ist, zeitlich und räumlich weit von Israel wegführen, dürfte er von allen Deutungsversuchen der Sache am nächsten kommen.

KAPITEL 3

Bedrohungen und Errettungen der Existenz Israels in Palästina

Die Ereignisse der Zeit zwischen Landnahme und Staatenbildung behandelt das Richterbuch, genauer: Ri 2,6–16,31 mit Anhängen Ri 17–21. Das Richterbuch ist ein Teil des dtr Geschichtswerkes. Während jedoch die dtr Bearbeitung im Buche Josua darin bestanden hatte, die alten vordtr Materialien möglichst unverkürzt zu Wort kommen zu lassen und sie zur Förderung des rechten dtr Verständnisses durch zwei programmatische Reden Josuas (Jos 1 und 23) einzurahmen, wird im Richterbuch ein anderer Weg eingeschlagen. Der Leser erfährt zunächst einmal grundsätzlich, wie sich die Geschichte der Richterzeit abgespielt hat; er liest „eine Art Leitartikel"[1], ein historisches Programm, in welchem ihm die Leitlinien der Geschichte nach Josuas Tod ausführlich mitgeteilt werden (Ri 2,6–3,6). Nach diesem Programm war die Geschichte Israels zwischen Landnahme und Staatenbildung ein unablässiges Auf und Ab, eine beständige Wiederkehr

---

[28] Zum Gesamtkomplex der Probleme: W. Thiel, Die soziale Entwicklung Israels in vorstaatlicher Zeit (1980).

[29] So im Anschluß an Chr. Sigrist vor allem F. Crüsemann, Der Widerstand gegen das Königtum. WMANT 49 (1978) 201–208.

[30] Chr. Sigrist, Regulierte Anarchie. Untersuchungen zum Fehlen und zur Entstehung politischer Herrschaft in segmentären Gesellschaften Afrikas (1967) 30.

[1] J. Wellhausen, Die Composition des Hexateuchs und der historischen Bücher des AT (1963^4) 213.

von Zeiten des Abfalls von Jahwe, der Strafe, der Errettung und des Friedens. Die Israeliten taten, was Jahwe mißfiel; sie verehrten die Baalsgottheiten des Kulturlandes und die Götter anderer Völker und reizten Jahwe dadurch zum Zorn. Die Strafe folgte auf dem Fuß. Jahwe gab sie in die Hand äußerer Feinde, die sie bedrängten, knechteten und ihre Existenz bedrohten. Daraufhin schrien die Israeliten zu Jahwe um Hilfe, und er erbarmte sich ihrer in seiner Langmut und erweckte ihnen Helden, Rettergestalten, denen es gelang, die Gefahr zu bannen und die Feinde zu vertreiben. Nach einer Zeit des Friedens aber begann der Abfall von neuem, ein ums andere Mal bis hin zur Staatenbildung. In dieses, wie man sieht, geschichtstheologische Schema sind die überkommenen älteren Materialien kunstvoll eingetragen: überwiegend Heldensagen, die von der Bedrohung und Errettung Israels oder doch seiner Teile in Palästina erzählen. Dabei werden die Elemente des Programms von Ri 2,6 – 3,6 immer wiederholt und die alten Stoffe an der richtigen Stelle ins Schema eingesetzt: dort nämlich, wo sich Jahwe der Bedrängnis der Israeliten erbarmt und ihre Rettung beschließt. Zum Programm tritt also der sog. Rahmen des Richterbuches, eben jene Wiederholung der Elemente des allgemeinen Geschichtsverlaufes.

Das Problem der literarischen Analyse des Richterbuches ist schwierig und bis zur Stunde nicht abschließend gelöst. M. Noth war noch von einem einzigen Dtr ausgegangen, dem er sowohl das Programm als auch den Rahmen zuschrieb; als Quellen lagen diesem eine ältere Sammlung von Heldensagen (Ehud bis Jephtah) und die Liste der Kleinen Richter vor[2]. Seitdem ist man mehr und mehr auf die Differenzen zwischen dem Programm und den Rahmenstücken aufmerksam geworden[3] und hat die Entstehung des Richterbuches differenzierter sehen gelernt. Nach der gründlichen Analyse von W. Richter[4] ist mit einem nordisraelitischen Retterbuch aus der zweiten Hälfte des 9. Jh. v. Chr. (Ri 3,12 – 9,55) zu rechnen, das insgesamt dreimal dtr bearbeitet worden ist: 1. mit Hinzufügung der Rahmenstücke; 2. mit Hinzufügung von 3,7–11; 3. mit Hinzufügung von 2,7–19 und 10,6–16 sowie der chronologischen Zahlen, Richterformeln und Todesnotizen. Zuletzt sind die Liste der Kleinen Richter, die Simson-Überlieferung (Ri 13–16) und der Anhang (Ri 17–21) hinzugetreten. Man kann die Einzelheiten der literarischen Analyse hier auf sich beruhen lassen. Als sicher oder doch in hohem Grade wahrscheinlich darf gelten, daß dem Richterbuch eine vordtr Sammlung von Rettergeschichten zugrundelag, die stufenweise dtr bearbeitet wurde und schließlich Aufnahme in das dtr Gesamtgeschichtswerk fand.

---

[2] M. Noth, Überlieferungsgeschichtliche Studien (1957²) 47–61.

[3] Zuerst W. Beyerlin, Gattung und Herkunft des Rahmens im Richterbuch. Tradition und Situation, Fs A. Weiser (1963) 1 ff. mit problematischen kultgeschichtlichen Folgerungen.

[4] W. Richter, Traditionsgeschichtliche Untersuchungen zum Richterbuch. BBB 18 (1963, 1966²); ders., Die Bearbeitungen des „Retterbuches" in der deuteronomischen Epoche. BBB 21 (1964); ders., Zu den „Richter Israels". ZAW 77 (1965) 40–72.

Die von Jahwe erwählten Rettergestalten, die Helden der alten Sagen, tragen in der Regel keinen Titel und werden nicht durch eine gemeinsame Bezeichnung zusammengefaßt. Es gibt aber zwei Ausnahmen. In Ri 3,9. 15 begegnet der Ausdruck *mōšīaᶜ* „Retter", der der Erscheinung, die er bezeichnen soll, angemessen und sachgemäß ist. Denn die Heldensagen beschreiben die Tat ihrer Helden mehr als einmal mit dem Verbum *yšᶜ* „retten" (Ri 3,9. 31; 6,14 f. 36 f.; 13,5) und lassen keinen Zweifel daran, daß es die *rūaḥ* Jahwes war, sein Charisma, das sie zu ihren Rettungstaten befähigte. Genau genommen ist also Jahwe selbst der eigentliche Held der Heldensagen, und die „charismatischen Führer"[5] sind seine Werkzeuge. Diesem Sachverhalt ist in den dtr Versen Ri 10,13 f. Rechnung getragen. In Ri 2,16–19 aber – also im dtr Programm und nur dort – werden die Rettergestalten *šōfeṭīm* „Richter" genannt. Dieser Ausdruck beschreibt den Charakter der Charismatiker unzutreffend und ist überhaupt mißverständlich. Denn die alten Helden haben weder etwas mit Rechtspflege, noch mit Rechtsprechung, noch mit herrscherlichen Funktionen zu tun gehabt. Der Ausdruck paßt weitaus besser zu den sog. Kleinen Richtern[6], und ihnen wird er wohl auch ursprünglich zugehört haben. Der Verfasser des dtr Programms ist einem Mißverständnis erlegen. Er nahm an, daß die charismatischen Retter nach ihrer Rettungstat in die Funktion der Kleinen Richter eintraten, und er sah sich in dieser Annahme durch den Umstand bestätigt, daß der Retter Jephtah (Ri 11–12) auch in der Liste der Kleinen Richter (Ri 12,7) vertreten war. Seitdem spricht man neben den „Kleinen Richtern" von den „Großen Richtern", und von daher hat das Richterbuch seinen Namen erhalten.

Bei aufmerksamer Lektüre kann nicht verborgen bleiben, daß sich die Stoffe des vordtr Retterbuches nur mühsam in das dtr Konzept einfügen. Die Deuteronomisten reden im Programm und in den Rahmenstücken stets von Bedrohungen und Errettungen der Existenz ganz Israels im palästinischen Kulturland: das dtr Schema steht von vornherein unter gesamtisraelitischem Aspekt. Demgegenüber lassen die alten Sagen zumeist noch deutlich erkennen, daß sie nicht ganz Israel betrafen, sondern nur einzelne Stämme oder allenfalls Stämmegruppierungen. Außerdem haben die Dtr den Großen Richtern über ihre jeweilige Rettungstat hinaus eine dauernde innenpolitische Funktion zugeschrieben; man kann sagen: sie haben sie nach dem Modell der Kleinen Richter interpretiert. Dafür gibt es sogar eine dtr Chronologie, die nicht auf Überlieferung, sondern auf Erfindung be-

---

[5] Der Ausdruck stammt von Max Weber, Aufsätze zur Religionssoziologie 3 (1923) 47 f. 93 f. u. ö. – Gelegentlich wird angenommen, daß die vordtr Rettergeschichten in prophetischen Kreisen des Nordreiches Israels tradiert wurden. Das führt dann zu der Vermutung, das Charismatikertum sei eine „prophetische" Idee, der keine vorstaatliche Wirklichkeit entsprochen habe. Diese prophetischen Kreise sind aber eine vage Größe, auf die man nicht allzu viel bauen sollte. Der Gedanke, daß Jahwe die Siege bewirkt hat, indem er sich eines menschlichen Ausführungswerkzeuges bediente, steckt bereits in den meisten der alten Erzählungen.

[6] S. o. S. 149–151.

ruht; in ihr herrschen richterliche Amtszeiten von zwanzig, vierzig oder gar achtzig Jahren vor (Ri 3,11. 30; 5,31; 8,28; 13,1; 16,31). Wir haben aber keinerlei Anzeichen dafür, daß die charismatischen Retter wirksam blieben. Sie werden nach ihrer Rettungstat ins „bürgerliche" Leben zurückgekehrt sein; ihr Charisma war ihnen von Jahwe zu bestimmtem Zwecke gegeben und erlosch nach der Befreiung. Alle diese Überlegungen machen deutlich: die dtr Anteile am Richterbuch fallen als historische Quellen aus. Sie sind nichts anderes als theoretische Konstruktionen unter den Leitgesichtspunkten der Generalisierung und Nationalisierung. Damit bietet auch die Anordnung der Ereignisse und Gestalten innerhalb des Rahmens des Richterbuches keinerlei Gewähr für historische Zuverlässigkeit.

Historische Zuverlässigkeit ist für die Rekonstruktion der Geschichte der Richterzeit überhaupt ein unerreichbares Ziel. Es besteht keine Aussicht, ein auch nur einigermaßen umfassendes und den Forderungen der Geschichtswissenschaft genügendes Bild dieser Epoche zu gewinnen. Das liegt nicht an der dtr Aufbereitung, aus der man die älteren Stoffe ja doch isolieren kann. Es liegt am Charakter der älteren Stoffe selbst. Wer kaum etwas anderes als Heldensagen zur Verfügung hat, befindet sich in derselben Lage wie ein Historiker, dem zugemutet würde, die Geschichte der Ostgotenherrschaft in Italien aus dem Sagenkranz um Dietrich von Bern zu entwickeln. Gewiß haben die Sagen Geschichte aufbewahrt, aber stilisiert, mit Ungeschichtlichem untrennbar gemischt und nicht mit dem nötigen Grade von Sicherheit erkennbar. Außerdem ist das Sagenmaterial kaum vollständig auf uns gekommen, sondern in einer Auswahl, deren Ursachen und Prinzipien wir nicht kennen. Wir wollen uns nicht einbilden, die Auseinandersetzungen der israelitischen Stämme mit ihren Feinden zwischen Landnahme und Staatenbildung seien mit dem Auftreten von ausgerechnet sechs charismatischen Rettergestalten (ohne Simson) komplett erfaßt. Wir haben faktisch nicht mehr als ein paar Streiflichter, die nicht alles, sondern nur weniges und auch das nicht sehr hell erleuchten[7].

a) Othniel (Ri 3, 7–11)

Der Abschnitt über Othniel ist dunkel, rätselhaft und historisch unbrauchbar. Es handelt sich nicht um eine Sage, sondern um eine durchweg dtr formulierte und gestaltete Notiz: eine Beispielgeschichte sozusagen, die den nordisraelitischen Charismatikern einen judäischen hinzufügen will. Dabei ist Othniel nicht einmal ein richtiger Judäer, sondern ein Kenizziter aus der Gegend südlich von Hebron. Mehr noch: er ist überhaupt keine historische Figur, sondern der *Heros eponymos* der Othnieli-

---

[7] Zur Epoche insgesamt: E. Täubler, Biblische Studien, Die Epoche der Richter (1958); A. Malamat, The Period of the Judges. WHJP I,3 (1973) 129–163; A.D.H. Mayes, Israel in the Period of the Judges. Studies in Biblical Theology II, 94 (1974); H. Rösel, Die „Richter Israels". Rückblick und neuer Ansatz. BZ.NF 24 (1980) 180–203. Besonders hinzuweisen ist auf den Kommentar zum Richterbuch von A. Soggin, Judges (1981). Probleme der Topographie behandelt H. Rösel, Studien zur Topographie der Kriege in den Büchern Josua und Richter. ZDPV 91 (1975) 159–190; 92 (1976) 10–46.

ter, einer mit den Kalibbitern von Hebron verwandten Untergruppe des Sippenverbandes der Kenizziter (Jos 15,15–19; Ri 1,11–15)[8]. Er kämpft gegen den König Kuschan-Risch'ataim von Aram-Naharaim: ein merkwürdiger Gegner in einem merkwürdigen Krieg. Kuschan steht in Hab 3,7 parallel zu Midian, und *riš'ātayim* heißt einfach „die beiden Bosheiten". Aram-Naharaim ist Obermesopotamien; die früher beliebte Textänderung von „Aram" nach „Edom" ist aufzugeben, da sie dem Zwecke dient, die Geschichte historisch möglich zu machen. Sie ist aber unmöglich. Deshalb sollte man auch nicht mehr versuchen, hinter ihr verborgene große geschichtliche Zusammenhänge mit Scharfsinn und Entschlossenheit ans Licht zu befördern[9].

b) Ehud (Ri 3,12–30)

Die Überlieferung vom Benjaminiten Ehud und seinen Taten liegt in Gestalt einer überaus farbigen und lebendigen Heldensage vor, die freilich mehrfach dtr bearbeitet und gerahmt worden ist. Die Bedrohung, von der sie berichtet, richtete sich ausschließlich gegen den Stamm Benjamin, vielleicht sogar nur gegen eine benjaminitische Sippe namens Gera, der Ehud zugehörte[10]. Sie kam von Eglon, dem König der ostjordanischen Moabiter, dem es gelungen war, den moabitischen Herrschaftsanspruch auf den Jordangraben westlich des unteren Jordanlaufes auszudehnen und die „Palmenstadt" Jericho zu besetzen[11]. Man kann daraus lernen, daß die Theorie, Jericho sei seit der Landnahmezeit bis hinab ins 9. Jh. v. Chr. ein unbesiedelter, verwunschener Ruinenhügel gewesen (Jos 6,26; 1. Kön 16,34), höchst fraglich ist[12]. Durch die moabitische Expansion kam es zum Konflikt mit den Ansprüchen, die Benjamin in dieser Region hatte. Die Sage erzählt, wie es dem tapferen und verschlagenen Ehud, einem Linkshänder, gelang, den Moabiterkönig gelegentlich einer Tributablieferung im Obergemach seines Hauses zu ermorden. Die dadurch entstandene Verwirrung nützte er aus, um mit rasch mobilisierten Benjaminiten und Ephraimiten die Jordanfurten zu sperren und ein Gemetzel unter den fliehenden Moabitern anzurichten – wenn V. 27 f. nicht schon eine redaktionelle Erweiterung ist. Die politisch-geographischen Folgen müssen in vorstaatlicher Zeit, zumindest vorübergehend, als normal gegolten haben: der untere Jordanlauf war die Grenze zwischen Moab und dem Stamme Benjamin, und der östliche Teil des unteren Jordangrabens hieß „Steppengefilde Moabs" (Num 22,1; 33,48)[13].

---

[8] Vgl. M. Noth, Josua. HAT I, 7 (1953²) 90–92.

[9] E. Täubler, Cushan-Rishataim. HUCA 20 (1947) 136–142; A. Malamat, Cushan Rishataim and the Decline of the Near East around 1200 B. C. JNES 13 (1954) 321–342.

[10] Ehuds „Vatersname" Gera ist in Gen 46,21 und 1. Chron 8,3. 5 Sippenbezeichnung.

[11] Daß Eglon eine Koalition aus Moab, Ammon und den Amalekitern zusammengebracht habe (3,13), wird man kaum ernstnehmen dürfen. Es ist ein Versuch der Ausweitung und Vergrößerung der Gefahr; vgl. ähnlich Ri 6,3; 10,11.

[12] Zum archäologischen Befund vgl. H. und M. Weippert, Jericho in der Eisenzeit. ZDPV 92 (1976) 105–148.

[13] Literatur in Auswahl: E. G. Kraeling, Difficulties in the Story of Ehud. JBL 54 (1935) 205–210; H. Rösel, Zur Ehud-Erzählung. ZAW 89 (1977) 270–272; C. Grottanelli, Un passo del libro dei Giudici alla luce della comparazione storico-religiosa: il giudice Ehud ed il valore

c) Šamgar (Ri 3,31)

Die Notiz über *Šamgar ben-ʿAnāt* ist sekundär in den dtr Zusammenhang von 3,30 und 4,1 eingestellt worden, und zwar vermutlich deshalb, weil Šamgar im Deboralied (5,6) zu Datierungszwecken genannt wird. Dennoch verdient sie etwas mehr Vertrauen als der Abschnitt über Othniel. Zwar scheint das aus Ri 15,14–17 bekannte Erzählmotiv vom großen Erfolg mit einer geringen Waffe wirksam geworden zu sein, aber der Name ist sicher keine Erfindung. *Šamgar* könnte ḫurritischen oder westsemitischen Ursprungs sein[14]; *ben-ʿAnāt* ist Herkunftsbezeichnung[15] oder allenfalls ein militärischer Titel. Die nächste stilistische Parallele findet sich in den Notizen über die Taten von Davids Helden (2. Sam 23,8ff.). Möglicherweise war Šamgar ein kanaanäischer Stadtfürst, der wegen seiner Gegnerschaft zu den Philistern die Sympathie der ihm benachbarten israelitischen Gruppen genoß[16].

d) Barak und Debora (Ri 4–5)

Über die große militärische Auseinandersetzung einer Koalition israelitischer Stämme mit den Kanaanäern in der Ebene von Megiddo unterrichten zwei Texte: a) eine Prosaerzählung von der Gattung der Heldensagen (Ri 4) und b) ein poetisches, den Ereignissen zeitlich nahestehendes Siegeslied, das sog. Deboralied (Ri 5). Das ist ein außergewöhnlicher Glücksfall. Beide Texte beziehen sich eindeutig auf dasselbe Ereignis, weichen aber in den Einzelheiten beträchtlich voneinander ab. Über ihr Verhältnis zueinander ist viel nachgedacht worden. Man wird heute davon ausgehen dürfen, daß der Darstellung des Deboraliedes im großen und ganzen der Vorzug gebührt[17].

a) Gegner der Israeliten ist nach Ri 4 ein Kanaanäerfürst namens Sisera aus der Stadt Haroseth mit dem Zusatz „der Völker" *(Ḥᵃrōšet haggōyīm)*. Der Ort ist nicht sicher lokalisiert; er dürfte am Bache Kison *(Nahr el-Muqaṭṭaʿ)* im Durchgangsgebiet zwischen der Ebene von Megiddo und der Bucht von Akko gelegen haben[18]. Der Name Sisera ist sicher nicht semitisch. Man hat an indoeuropäischen, illyrischen oder ḫurritischen Ursprung gedacht, und das könnte eine Verbindung Siseras mit den Seevölkern nahelegen. Bereits in der vordtr Erzählung ist Sisera zum Feldherrn des Königs Jabin von Hazor degradiert worden. Die Dtr haben das übernommen, ohne zu bedenken, daß Hazor bereits in der Zeit Josuas zerstört und König Jabin

---

della mano sinistra. Atti del I convegno italiano di Studi del Vicino Oriente antico (1978) 35–45.

[14] Zur Wurzel *mgr* im Westsemitischen vgl. P. Bordreuil – A. Lemaire, Nouveaux sceaux hébreux, araméens et ammonites. Semitica 26 (1976) 44–63 (Nr. 33).

[15] Vgl. palästinische Ortsnamen wie Beth-Anat oder Anatot.

[16] Literatur in Auswahl: Ch. Fensham, *Shamgar ben ʿAnath.* JNES 20 (1961) 197f.; E. Danelius, *Shamgar ben ʿAnath.* JNES 22 (1963) 191–193; A. van Selms, Judge *Shamgar.* VT 14 (1964) 294–309; P.C. Craigie, A Reconsideration of *Shamgar ben Anath.* JBL 91 (1972) 239f.

[17] Anders z.B. M. Noth, Geschichte Israels (1953^2) 139f.

[18] Älterer Ansatz: *Tell el-ʿAmr* bei *Ǧisr el-Ḥāriṯīye.* Doch ist aus archäologischen Gründen *Ḫirbet el-Harbaǧ* (isr. Name *Tel Regev*) wahrscheinlich vorzuziehen.

damals umgebracht worden sein soll (Jos 11,10–15). Über die Gründe des militärischen Zusammenstoßes mit Sisera erfährt man nichts. Die Erzählung berichtet, daß eine Prophetin namens Debora, die anscheinend auf dem zentralpalästinischen Gebirge im Gebiet des Stammes Benjamin zu Hause war (V. 5), den Naphtaliten Barak ben Abinoam zum charismatischen Retter designierte. Es kommt zur Schlacht in der Ebene von Megiddo. Die Heerbannaufgebote der beiden Stämme Sebulon und Naphtali – nur sie! – steigen unter Führung Baraks vom Berge Tabor *(Ǧebel eṭ-Ṭōr)* herab in die Ebene, den Kanaanäern entgegen, deren Lager sich bei Haroseth am Bache Kison befindet. Aus dem Untergang der kanaanäischen Streitwagen und Fußtruppen kann sich Sisera zunächst retten; er wird aber alsbald während eines Erschöpfungsschlafes von einer kenitischen Nomadenfrau namens Jael im Zelt getötet. Als Barak eintrifft, findet er nur noch Siseras Leiche. – Die Erzählung läßt mancherlei zu wünschen übrig. Gegner sind auf der einen Seite nur Sisera und sein Heer, auf der anderen Seite nur die Heerbänne der Stämme Sebulon und Naphtali. Die Ortsangaben sind nicht völlig klar. Gründe und Verlauf der Schlacht bleiben im Dunkeln[19].

b) In dem hochaltertümlichen, textlich schwierigen Deboraliede (Ri 5) stehen einander als Gegner gegenüber: auf der einen Seite die „Könige von Kanaan“ (5,19), vielleicht nicht unter ausschließlicher Führung, wohl aber mit prominenter Beteiligung des Sisera (5,20. 26); auf der anderen Seite „Israel“ (5,2. 7–9. 11), das „Volk Jahwes“ (5,11. 13), eine Koalition von immerhin sechs israelitischen Stämmen. Das setzt zweifellos ein fortgeschrittenes Stadium der Entwicklung des israelitischen Gemeinsamkeitsbewußtseins voraus. Das Deboralied läßt noch erkennen, welche Gründe zum Krieg zwischen Israel und den Kanaanäern führten: „Zur Zeit des Šamgar ben Anath, zur Zeit der Jael, hörten die Wege auf, und die Pfadläufer gingen verschlungene Wege“ (5,6). Das war schwerlich etwas anderes als die Sperrung der Hauptverkehrsstraßen für die Israeliten durch die Kanaanäer. Bedenkt man, daß die Schlacht in der Ebene von Megiddo entbrannte, dann kann nicht zweifelhaft sein, daß die Kanaanäerstädte des nördlichen Querriegels aktiv geworden waren und die Verbindungswege von Süden nach Norden und von Osten nach Westen, die durch die Ebene liefen, unterbrochen hatten. Die Folge war eine empfindliche Störung der Kommunikationsmöglichkeiten zwischen den israelitischen Stämmen in Galiläa, in Zentralpalästina und im Ostjordanland. Erneut wird deutlich, daß solche Kommunikation erwünscht, wenn nicht notwendig geworden war, und daß sie

---

[19] Literatur in Auswahl: A. Alt, Megiddo im Übergang vom kanaanäischen zum israelitischen Zeitalter [1944]. KS 1, 256–273; A. Malamat, Hazor, „The Head of all those Kingdoms“. JBL 79 (1960) 12–59; V. Fritz, Das Ende der spätbronzezeitlichen Stadt Hazor Stratum XIII und die biblische Überlieferung in Josua 11 und Richter 4. UF 5 (1973) 123–139; P. Weimar, Die Jahwekriegserzählungen in Ex. 14, Jos. 10, Ri. 4 und I. Sam. 7. Biblica 57 (1976) 38–73, bes. 51–62. Weiteres bei A. Soggin, Judges (1981) 60f.

von den Kanaanäern als Bedrohung empfunden wurde. Doch Druck erzeugt Gegendruck, und so kam für Israel die Stunde der Bewährung in einer großen, stämmeübergreifenden Aktion unter der Führung der Debora, einer „Mutter in Israel“ (5,7), und des von ihr designierten Barak[20]. Der Sänger nennt und lobt die Stämme, die an dieser Aktion beteiligt waren: Ephraim, Benjamin, Machir, Sebulon, Issachar und Naphtali (5,13–15. 18) – die Stämme also, die in erster Linie betroffen waren[21]. Er tadelt aber auch die Stämme, die sich hätten beteiligen sollen, jedoch aus verschiedenen Gründen nicht beteiligt haben: Ruben, Gilead, Dan und Asser (5,15 b–17) – also Randstämme aus Galiläa und dem Ostjordanland. Daraus gewinnen wir ein altertümliches Zehnstämme-Israel, altertümlich auch deswegen, weil Machir und Gilead statt der sonst üblichen Namen Manasse und Gad(?) stehen. Juda und Simeon werden nicht einmal erwähnt, gehörten also offensichtlich nicht zu diesem Zehnstämme-Israel. Das hat seinen Grund sicherlich darin, daß der südliche kanaanäische Querriegel diese Stämme derart von denen der Mitte, des Nordens und des Ostens abkapselte, daß man auf ihre Hilfe und Beteiligung gar nicht erst rechnete[22]. Der Zusammenstoß erfolgte auf einem Schlachtfeld von etwa 10–15 km Länge in Nordwest-Südost-Richtung, ungefähr zwischen Thaanach *(Tell Taʿannek)* und Megiddo *(Tell el-Mutesellim)*. Östlich und nordöstlich von Megiddo gibt es ein Quellgebiet und mehrere perennierende Bäche, darunter der Oberlauf des Kison *(Nahr el-Muqaṭṭaʿ)*: die „Wasser von Megiddo“, die in der schönen und dramatischen Schlachtenschilderung 5,19–22 ausdrücklich genannt werden:

(19) „Könige kamen, kämpften; damals kämpften die Könige Kanaans
bei Thaanach an den Wassern Megiddos: Silberbeute gewannen sie nicht.
(20) Vom Himmel her kämpften die Sterne, von ihren Bahnen aus kämpften sie mit Sisera.
(22) Damals stampften die Pferdehufe: Attacke, Attacke seiner Hengste!

---

[20] Der Designationsspruch liegt in 5,12 vor: „Steh auf, Barak, und fange deine ‚Fänger‘, Sohn Abinoams!“

[21] Dabei mag die herausgehobene Rolle Sebulons und Naphtalis in 5,18 zur Reduktion auf diese beiden Stämme in Ri 4 geführt haben, wenn nicht umgekehrt 5,18 einen im Deboraliede sekundären Reflex von Ri 4 darstellt (so R. de Vaux, Histoire ancienne d'Israel 2: La Période des Juges, 1973, 100–103).

[22] A. Weiser, Das Deobralied. ZAW 71 (1959) 67–97 deutet das Lied als Liturgie eines Festes zum Gedenken und zur kultischen Vergegenwärtigung der Deboraschlacht. Dabei ist die Aufzählung der Stämme nichts anderes als eine Art Anwesenheits- bzw. Abwesenheitsliste der am Feste Beteiligten. Abgesehen davon, daß man sich gerade das letztere nur mühsam vorstellen kann, ist die These ein Symptom der Festerfindungsfreudigkeit der fünfziger und beginnenden sechziger Jahre.

(21) Der Bach Kison riß sie fort, der Bach Kison floß ihnen entgegen(?).
Tritt auf, meine Seele, mit Macht!"[23]

Es hat den Anschein, als habe die Schlacht im Winterhalbjahr stattgefunden, etwa zur Zeit der Früh- oder Spätregenfälle; denn im trockenen Sommer führt der Oberlauf des Kison so gut wie kein Wasser. Wie dem auch sei: trotz der besseren Ausrüstung der Kanaanäer mit Streitwagen ging Israel aus dem Kampfe als Sieger hervor. Sisera fand den Tod durch die Hand der Nomadenfrau Jael wie in Ri 4[24]. Die Frage, zu welchem Zeitpunkt der vorstaatlichen Geschichte Israels die Deboraschlacht stattfand, ist nicht leicht zu beantworten. Berücksichtigt man aber das gewiß allmähliche Entstehen eines israelitischen Gemeinsamkeitsbewußtseins und den Umstand, daß die Stämme zu Anfang der Richterzeit kaum zu einem Waffengange dieses Ausmaßes mit den Kanaanäern in der Lage waren, dann wird ein spätes Datum wahrscheinlicher als ein frühes: erste Hälfte, vielleicht gar erst zweite Hälfte des 11. Jh. v. Chr., nicht lange vor König Saul[25]. – Durch die Deboraschlacht ist der nördliche kanaanäische Querriegel weder beseitigt noch außer Kraft gesetzt worden. Aber der Sieg brachte die Befreiung vom unmittelbaren Druck und bewies die zentripetalen Kräfte des Zusammenhalts, die in Israel lebendig waren. Das ist im später hinzugefügten Schlußvers des Liedes ganz richtig festgehalten: „So müssen alle deine Feinde zugrundegehen, Jahwe! Aber die dich liebhaben, sind wie der Aufgang der Sonne in ihrer Pracht!" (5,31) Darüber hinaus sind die Nachwirkungen des Ereignisses auf das Bewußtsein der israelitischen Stämme kaum zu überschätzen: die Schlacht an den Wassern von Megiddo zeigte ihnen, zum ersten Male und sogleich in großem Stile, wozu sie bei gemeinsamem Vorgehen unter der Führung Jahwes in der Lage waren. Es verminderte sich die Furcht vor den Streitwagen der Kanaanäer.

[23] V. 21 und 22 sind wahrscheinlich miteinander zu vertauschen, und zwar aus zwei Gründen: die Attacke der kanaanäischen Streitwagen erfolgte doch wohl vor dem Zusammenbruch des Angriffs im Wasser des Baches Kison (dann beziehen sich die Verbalsuffixe V. 21 auf die Pferdehufe und Hengste V. 22); die Selbstermunterung des Sängers deutet, auch wenn sie sekundär sein sollte, auf das Ende eines Abschnitts. In V. 22 ist *ʿiqq^{e}bẹ̄-sūsīm dah^{a}rōt* statt MT *ʿiqq^{e}bẹ̄-sūs middah^{a}rōt* zu lesen. Das Appellativum *ʾabbīr* „Starker" bezeichnet den Hengst auch in Jer 8,16; 47,3; 50,11. In V. 22 ist das zweite *naḥal* als Dittographie oder Entzifferungsversuch des verderbten Textes zu streichen; statt MT *q^{e}dūmīm* ist vielleicht *qidd^{e}mām* zu lesen (Sellin).

[24] Literatur in Auswahl: O. Grether, Das Deboralied (1941); G. Gerleman, The Song of Deborah in the Light of Stylistics. VT 1 (1951) 168–180; R. Smend, Jahwekrieg und Stämmebund. FRLANT 84 (1963) 10–19; H.-J. Zobel, Stammesspruch und Geschichte. BZAW 95 (1965) 44–52; D.N. Freedman, Early Israelite History in the Light of Early Israelite Poetry. Unity and Diversity (1975) 3–34; M.D. Coogan, A Structural Analysis of the Song of Deborah. CBQ 40 (1978) 132–166; G. Garbini, Il cantico di Debora. La parola del passato 178 (1978) 5–31; A. Soggin, Judges (1981) 79–101 (mit Lit.).

[25] Vgl. bes. A.D.H. Mayes, The Historical Content of the Battle against Sisera. VT 19 (1969) 353–360.

Der Weg wurde frei für die sich im Laufe der Zeit mehr und mehr verstärkende Überlegenheit der israelitischen Stämme über die kanaanäischen Stadtstaaten. Die historischen Gewichte verlagerten sich in Palästina langsam aus den Ebenen in die Gebirgsregionen. Auch die Wirkungen auf die sich bildende israelitische Nationalreligion sind beträchtlich gewesen: Jahwe hatte sich als gegenwärtig erwiesen; er war vom Gottesberg in der Wüste eigens zum Schlachtort geeilt (5,4f.). Man sah: Jahwe hatte Israel nicht nur begründet, sondern auch aus schwerer Gefährdung errettet.

e) Gideon (Ri 6–8)

Ri 6–8 enthält eine dtr gerahmte und bearbeitete Sammlung von Sagen und Anekdoten über die Berufung und über die Taten des Abiesriten Gideon aus Ophra im Stamm Manasse[26]. Den Einzelstücken der Sammlung ist traditionsgeschichtliches und literarisches Wachstum noch vielfach anzusehen. Nicht nur die literarische Analyse ist schwierig; auch der Historiker wird gut daran tun, sich in Zurückhaltung zu üben[27]. Denn die Formung durch die Gesetze der Sagenüberlieferung macht es im Falle Gideons besonders schwer, hinter die Kulissen zu sehen. – Das Auftreten Gideons als Charismatiker fällt in eine Zeit, da midianitische Kamelreiterhorden von Osten her ins Westjordanland eindrangen[28]. In der dtr Einleitung (6,2–5) wird die Midianitergefahr nach dem Modell der Bedrückung durch eine auswärtige Macht geschildert: heuschreckengleich fallen midianitische Scharen ins Land, verwüsten die Äcker, verzehren die Früchte des Landes bis nach Gaza hin und zwingen die zitternden Israeliten, sich in Höhlen und Felsklüften zu verstecken. Das ist historisch ganz unwahrscheinlich. Denn eine Bedrückung dieses Ausmaßes hätte doch auch den Widerstand der kanaanäischen Stadtstaaten wecken müssen. Oder sparten die Midianiter deren landwirtschaftliche Nutzflächen kunstvoll aus? Und schließlich genügt ein einziger Sieg Gideons am Ostrande der Ebene von Megiddo mit anschließender Verfolgung, um die Midianitergefahr ein für allemale zu beseitigen: ein Sieg obendrein, den er anscheinend nur mit einer kleinen Schar – seinen Abiesriten? – erfocht. Selbst wenn die Beteiligung von ganz Manasse, Asser, Sebulon, Naphtali (6,35) und Ephraim (7,24 – 8,3) mehr

[26] Zur Lage von Ophra s. u. S. 171, Anm. 9.

[27] Literatur in Auswahl: A. Malamat, The War of Gideon and Midian, a Military Approach. PEQ 84 (1952) 61–65; L. Alonso-Schökel, Heros Gedeon. VD 32 (1954) 1–20; E. Kutsch, Gideons Berufung und Altarbau. ThLZ 81 (1956) 75–84; W. Beyerlin, Geschichte und heilsgeschichtliche Traditionsbildung. VT 13 (1963) 1–25; W. Richter, Traditionsgeschichtliche Untersuchungen zum Richterbuch. BBB 18 (1966²) 112–246; A. Soggin, Das Königtum in Israel. BZAW 104 (1967) 15–20; L. Schmidt, Menschlicher Erfolg und Jahwes Initiative. Studien zu Tradition, Interpretation und Historie in den Überlieferungen von Gideon, Saul und David. WMANT 38 (1970) 15–53; J.A. Emerton, Gideon and Jerubbaal. JThSt.NS 27 (1976) 289–312.

[28] Vgl. O. Eißfeldt, Protektorat der Midianiter über ihre Nachbarn im letzten Viertel des 2. Jt. v. Chr. [1968]. KS 5, 94–105; W.J. Dumbrell, Midian – a Land or a League? VT 25 (1975) 323–337.

sein sollte als eine sekundäre Erweiterung, wäre das – verglichen mit der Deboraschlacht – immer noch eine verhältnismäßig kleine Stämmekoalition. Es ist historisch wahrscheinlicher, sich die Midianitergefahr eher bescheiden vorzustellen. Die Schnelligkeit der Kamele ermöglichte den Midianitern Raubzüge und Razzien über größere Entfernungen, und um mehr als das, was man auf arabisch *ġazwa* nennt, wird es sich nicht gehandelt haben. Wahrscheinlich vermieden die Midianiter die Territorien der Kanaanäerstädte in den Ebenen und schlugen sich lieber ins Gebirge, wo weniger Widerstand zu erwarten war: nicht in unwegsames Gebirgsgelände, sondern in das durch Straßen erschlossene Gebirge, z.B. des Stammes Manasse, aus dem sie im Falle der Gefahr rasch wieder abziehen konnten. Dort aber wurden sie den israelitischen Kleinbauern in der Tat gefährlich: sie nahmen ihnen den mühsam erarbeiteten Ertrag der Felder und Weiden und verbreiteten, rasch kommend und gehend, elementaren Schrecken. In dieser Not wurde Gideon durch einen Engel Jahwes in Ophra zum Charismatiker berufen (6,11–24). Er sammelte seinen eigenen manassitischen Sippenverband Abiesri (6,34), diesen vor allem, obwohl man nicht ausschließen kann, daß sich ihm Hilfswillige aus anderen gefährdeten Regionen zugesellten. Mit einer kleinen Schar mutiger Genossen überfiel er die Midianiter an einem strategisch besonders günstigen Ort: am Ostausgang der Ebene von Megiddo, von wo aus man hinunter in die Bucht von Bethschean und weiter ins Ostjordanland gelangen kann, unweit der Harod-Quelle (*ʿAyn Ǧālūd),* also irgendwo am Oberlauf des „Goliathṣflusses" (7,1–22). Die Sage hat das Ereignis als Jahwekrieg stilisiert: sie erzählt von der Geringfügigkeit und Schwäche der Krieger Gideons, von Gideons Angst und von dem Gottesschrecken, den Jahwe unter den Midianitern hervorrief. Später folgte Gideon den flüchtenden Midianitern bis ins Ostjordanland (8,4–21)[29] und nahm ihnen ein für allemale die Lust zu weiteren Einfällen ins palästinische Kulturland. Der Sieg Gideons, den wir schlechterdings nicht datieren können, hat sich dem Bewußtsein Israels tief eingeprägt. Noch Jahrhunderte später erinnerte man sich seiner: „Denn sein lastendes Joch und das Kummet auf seiner Schulter, den Stecken seines Treibers hast du zerbrochen wie am Midianstag" (Jes 9,3)[30].

f) Jephtah (Ri 10,6 – 12,6)

Auch die Jephtah-Überlieferung[31] ist eine dtr gerahmte, generalisierend und nationalisierend (10,9) bearbeitete Sammlung von Sagen und Anekdo-

---

[29] Zur Topographie vgl. S. Mittmann, Die Steige des Sonnengottes (Ri 8,13). ZDPV 81 (1965) 80–87; H. Rösel, ZDPV 92 (1976) 16–24.

[30] Zum Schluß des Gideon-Überlieferungskomplexes und zu Ri 9 s. u. S. 170–173.

[31] Literatur in Auswahl: W. Richter, Die Überlieferungen um Jephtah. Biblica 47 (1966) 485–556; S. Mittmann, Aroer, Minnith und Abel Keramim (Jdc 11,33). ZDPV 85 (1969) 63–75; M. Wüst, Die Einschaltungen in die Jiftachgeschichten, Ri. 11,13–26. Biblica 56 (1975) 464–479; A. Soggin, Il galaadita Jefte, Giudici XI, 1–11. Henoch 1 (1979) 332–336; H. Rösel, Jephtah und das Problem der Richter. Biblica 61 (1980) 251–255.

ten. Der Gileadit Jephtah befreite die ephraimitischen Sippen (12,4) des Landes Gilead *(Arḍ el-ʿArḍe)* vom Druck der Ammoniter, die einen Teil des Gebietes und vielleicht auch die Ortschaft Gilead selbst *(Ḫirbet Ǧelʿad)* besetzt hatten. Jephtah war nicht gerade bürgerlicher Herkunft (11,1); er war ein *outlaw,* der Anführer eines zweifelhaften Haufens von Abenteurern (11,3) und im Kriegsgeschäft sicher nicht unerfahren. Kein Wort verlautet von seiner charismatischen Berufung[32]. Es sind die Ältesten von Gilead und niemand sonst, die sich in der Not seiner erinnern und ihm das Amt eines *qāṣīn* antragen (11,5 f.), was hier etwa soviel wie „Militärdiktator" bedeuten wird. Mehr noch: sie machen ihn zum „Haupt" Gileads (11,8–11) – ein Anzeichen dafür, daß der ostjordanische Jephtah als einziger unter den Großen Richtern auch nach seiner Siegestat ein Amt bekleidete. Jedenfalls gelang es ihm, die Ammoniter aus Gilead hinauszuwerfen, und dieser Erfolg begründete seine Berühmtheit in Israel und war gewiß auch die Voraussetzung dafür, daß er auf Lebenszeit in das Amt des Kleinen Richters eintrat (12,7).

g) Simson (Ri 13–16)

Simson ist der in jedem Sinne und mit Abstand größte Sohn des Stammes Dan. Die Simson-Überlieferung[33], nur notdürftig dtr gerahmt und sicher nicht Bestandteil einer vordtr Retter-Sammlung, enthält Stoffe anderer Art und Gattung als sonst im Richterbuch: keine Heldensagen, sondern Anekdoten und Schwänke, literarische Kleinkunst, allerdings auch eine lange Geburts- und Nasiräerweiheerzählung (13,2–25). Schauplatz ist der Westrand des zentralpalästinischen Gebirges und das anschließende Hügelland: die Gegend, in der der Stamm Dan im ersten Stadium seiner Landnahme Fuß zu fassen versucht hatte[34]. Simson stammte aus Zorea *(Ṣarʿa).* Schauplatz ist aber auch die philistäische Küstenebene; denn die Philister und nicht etwa die Kanaanäerstädte des südlichen Querriegels waren seine Gegner. Insofern läßt die Simson-Überlieferung Entwicklungen vorausahnen, die erst später im Zeitalter der Staatenbildungen zu voller Wirkung gekommen sind. Simson war ganz zweifellos kein Charismatiker wie Ehud, Barak und Gideon, auch kein Militärführer wie Jephtah. Er war ein Einzelkämpfer, ein Berserker von kolossaler Körperkraft, der nach dem Grundsatz handelte: Der Starke ist am mächtigsten allein! Seine Aktionen gegen die Philister, mit denen er verschwägert war (14,1 u. ö.), beschränkten sich darauf, daß er ihnen hier und dort Schaden zufügte, ihnen Streiche spielte, böse Scherze mit ihnen trieb: er veranstaltete einen bedrohlichen Rätselwettstreit (14,10–18), erschlug mal eben dreißig Mann in Askalon (14,19), jagte Füchse mit Fackeln an den Schwänzen in die Getreidefelder (15,1–8),

---

[32] Ri 11,29 ist sekundär.

[33] Literatur in Auswahl: J. Blenkinsopp, Structure and Style in Judges 13–16. JBL 82 (1963) 65–76; A.G. van Daalen, Simson (1966); J.A. Wharton, The Secret of Yahweh: Story and Affirmations in Judges 13–16. Interpretation 27 (1973) 48–66; J.L. Crenshaw, Samson (1978).

[34] S. o. S. 135 f.

tötete tausend Philister mit einem Eselskinnbacken (15,9–19), hob die Torflügel von Gaza mit Pfosten und Riegeln aus ihrer Verankerung und schleppte sie nach Hebron (16,1–3). Man weiß nicht recht, was man davon halten soll. Schließlich wurden ihm seine langen Haare zum Verhängnis (16,4–22); er fiel in die Hände der Philister. Sein Abgang von der Bühne der Geschichte erfolgte mit großem Theaterdonner und ist seiner skurrilen Gestalt würdig: er zerbrach die Säulen des philistäischen Dagon-Tempels wie Schilfrohre und begrub sich und die Philister unter den Trümmern (16,23–31).

Daß die vorstaatliche Existenz der israelitischen Stämme in Palästina nicht nur von außen, sondern auch von innen gefährdet war – durch *Spannungen und Konflikte unter den Stämmen* selbst –, ist leicht einzusehen. Darüber gibt es freilich nur schwer deutbare Spuren in der atl Überlieferung. Immerhin sind hier und dort Stammesrivalitäten, vor allem in Mittelpalästina, zu erkennen, die in regelrechte Kriegshandlungen ausarten konnten.

a) Ri 7,24 – 8,3 überliefert eine Anekdote, nach der die Ephraimiten sich bei Gideon darüber beschwerten, daß er sie nicht oder doch nicht ausreichend am Kampfe gegen die Midianiter beteiligt hatte. Sie erhielten eine ironische Abfuhr. Die Anekdote ist deutlich manassitischer Herkunft: Gideon selbst ist Manassit, und die Ephraimiten sind Leute, die zu spät kommen und von Jahwe mit nur geringer Intelligenz ausgestattet worden sind. Man sieht: im Hause Joseph herrschte keineswegs immer eitel Brüderlichkeit, wie umgekehrt – antimanassitisch – auch in Gen 48,13–20 erkennbar ist.

b) Streitigkeiten hat es auch zwischen west- und ostjordanischen Israeliten gegeben. Neben Ri 21,8–12, wonach Westjordanier den Bann an Jabesch in Gilead vollstreckt haben sollen, ist vor allem Ri 12,1–6 einschlägig: der merkwürdige Schibboleth-Krieg Jephtahs und seiner Gileaditen gegen die Ephraimiten. Diese Auseinandersetzung ist historisch nirgendwo sicher anzuschließen. Wir wissen zu wenig davon.

c) Ri 19–21 erzählt die schauerliche Geschichte der Schandtat von Gibea und ihrer Folgen[35]. Sie ist schwer zu deuten. In der Nachfolge J. Wellhausens wurde sie zunächst als eine späte Komposition ohne historischen Hintergrund angesehen[36]. Dann aber interpretierte sie M. Noth als literari-

---

[35] Literatur in Auswahl: M. Noth, Das System der zwölf Stämme Israels. BWANT IV, 1 (1930, Nachdruck 1980) 162ff.; O. Eißfeldt, Der geschichtliche Hintergrund der Erzählung von Gibeas Schandtat [1935]. KS 2, 64–80; G. Fohrer, Tradition und Interpretation im AT. ZAW 73 (1961) 1–30; G. Wallis, Die Anfänge des Königtums in Israel [1962/63]. Geschichte und Überlieferung (1968) 45–65; K.-D. Schunck, Benjamin. BZAW 86 (1963) 57–79; M. Liverani, Messaggi, donne, ospitalità; communicazione intertribale in Giud. 19–21. Studi storico-religiosi 3 (1979) 303–341; H.-W. Jüngling, Richter 19 – ein Plädoyer für das Königtum. AnBib 84 (1981).

[36] Vgl. den forschungsgeschichtlichen Überblick bei H.-W. Jüngling, a.a.O., S. 1–49.

schen Niederschlag eines Amphiktyonenkrieges: ein Stamm der Amphiktyonie, Benjamin, löste durch ein schweres Vergehen gegen das Amphiktyonenrecht eine Strafaktion der übrigen Stämme aus, die zu seiner fast völligen Vernichtung führte. Mit dem Abbau der Amphiktyonie-Hypothese ist diese Deutung obsolet geworden, und man beobachtet heute allenthalben eine Rückwendung zu älteren Positionen. H.-W. Jüngling hat mit beachtlichen Gründen die Auffassung vertreten, die Geschichte sei eine relativ späte Tendenzerzählung, eine Art Plädoyer für die Notwendigkeit des Königtums als innerstaatlichem Ordnungsfaktor. Dafür spricht mancherlei, aber der historische Kern, wenn es denn einen gibt, erschließt sich auf diese Weise nicht. Es könnte sich um eine regionale Auseinandersetzung gehandelt haben, die dann gesamtisraelitisch gedeutet wurde, und zwar so, daß man der Deutung das verhältnismäßig späte Datum noch ansehen kann. Denn Ri 19–21 ist deutlich von anderen atl Texten unterschiedlicher Art und Herkunft abhängig und damit jünger als diese: zum Päderastiebegehren mit dem Angebot des Gastgebers (19,22–24) kann man auf Gen 19,1–8 hinweisen, zum Zerstückelungsmotiv (19,29) auf 1. Sam 11,7, zum Hinterhalt mit Rauchzeichenverabredung (20,29–43) auf Jos 8 u. a. m. Über diese Abhängigkeiten hinaus ist die Erzählung in Kap. 20 so stilisiert, daß ein wunderlicher liturgischer Krieg mit Unterbrechungen durch gottesdienstliche Zwischenfeiern herauskommt. Das Ganze liest sich wie der Niederschlag der Überzeugung späterer Autoren darüber, wie eine innerisraelitische Auseinandersetzung in vorstaatlicher Zeit hätte vonstatten gehen müssen. Es gibt jedoch auch Motive, die nicht einfach auf Erfindung beruhen können, z. B. das Freundschaftsverhältnis des Stammes Benjamin zur Stadt Jabesch in Gilead (21,8 ff.)[37]. Man kommt an den historischen Hintergrund von Ri 19–21 nicht näher heran als bis zu folgenden allgemeinen Feststellungen: Mittelpalästina im Norden des südlichen kanaanäischen Querriegels war bereits in vorstaatlicher Zeit ein spannungsreiches Gebiet, in welchem es die Stämme der Rahelgruppe nicht immer leicht hatten, sich miteinander zu arrangieren. Den schwersten Stand hatte der Stamm Benjamin, dessen Siedlungsgebiet kleiner war als das der anderen Stämme, und der seine günstige verkehrsgeographische Lage anscheinend nicht immer dazu genutzt hat, sich Freunde zu machen (vgl. Gen 49,27).

Es trifft sich gut und ist historisch sachgemäß, daß Teil II mit einem Blick auf Benjamin schließt. Denn Teil III wird mit diesem Stamm beginnen: der „reißende Wolf" hat den ersten König von Israel gestellt.

---

[37] Vgl. 1. Sam 11; 31,11–13; 2. Sam 2,4–7.

TEIL III

Das Zeitalter der Staatenbildungen

KAPITEL 1

Die Gründung des Reiches Israel durch Saul

Die Bildung israelitischer Nationalstaaten auf dem Boden Palästinas hat auffallend lange auf sich warten lassen. Ob sie sehr viel später erfolgte als die Staatenbildung der ostjordanischen Randvölker Ammon, Moab und Edom, läßt sich nicht mit Sicherheit sagen. Immerhin gibt es zumindest für Ammon und Moab Hinweise, die den Schluß auf die Existenz monarchischer Staaten bereits während der israelitischen Richterzeit gestatten[1]. Aber auch unbeschadet des Vergleichs mit den Nachbarvölkern ist hinreichend deutlich, daß die israelitischen Stämme nach der Landnahme zunächst längere Zeit im Zustand der Staatenlosigkeit verharrten. Die Gründe für diesen Sachverhalt sind unterschiedlicher Art. Zum einen ist die besondere Lebensform der Stämme im Kulturland zu bedenken. Israel war zunächst nicht viel mehr als ein politisch sehr locker gefügter, territorial uneinheitlicher, im Inneren nicht spannungsfreier Verband von Stämmen unter der gemeinsamen Verehrung des Gottes Jahwe. Dieser Verband überließ die Sorge um den äußeren und inneren Bestand den einzelnen Sippen und Stämmen selbst und in besonderen Notlagen allenfalls Stämmegruppierungen. Israelitisch ausgedrückt: er überließ die Errettung aus Gefährdungen und Bedrohungen Jahwe, der von Fall zu Fall Charismatiker erweckte, um Gefahren von Israel und seinen Teilen abzuwenden. Solange die Bedrohungen akut und punktuell waren, mochte das genügen. Die Notwendigkeit einer einheitlichen Zusammenfassung aller Kräfte in einem Nationalstaat bestand nicht. Zum anderen aber müssen innere Hemmungen gegen Staatenbildung und Königtum wirksam gewesen sein, von denen die atl Überlieferung noch Spuren erkennen läßt. Zwar sind die sog. antiköniglichen oder königskritischen Texte des AT[2] überwiegend, wenn nicht

---

[1] Für Ammon: Ri 11,1 ff.; für Moab: Ri 3,12 ff. und vielleicht Num 21,26–30. Zu den Verhältnissen in Edom (Gen 36!), die in dieser Hinsicht nicht ganz eindeutig sind, vgl. Weippert, Edom 469–475.

[2] Vgl. vor allem Dtn 17,14–20; Ri 8,22 f.; 9,8–15; 1. Sam 8; 10,17–27; 11,12–14; Hos 3,4; 7,3; 13,10 f.

durchgängig, in späteren Zeiten entstanden und spiegeln die Polemik gegen die bereits bestehende Institution des Königtums[3]. Aber das entscheidende Motiv der Ablehnung des Königtums, der theokratische Herrschaftsanspruch Jahwes, ist nach aller Wahrscheinlichkeit schon im vorstaatlichen Israel lebendig gewesen: nicht als theokratische Verfassung, wie in nachexilischer Zeit, wohl aber als Überzeugung, daß Israel eines Königs nicht bedürfe, weil es den König Jahwe habe. Nirgendwo wird das grundsätzlicher ausgesprochen als in Ri 8,22f.: „Da sprachen die Israeliten zu Gideon: Herrsche über uns, du und dein Sohn und dein Enkel! Denn du hast uns aus der Hand der Midianiter errettet. Gideon antwortete ihnen: Ich werde nicht über euch herrschen, auch mein Sohn wird nicht über euch herrschen, Jahwe wird über euch herrschen!“[4] In diesem theokratischen Prinzip wird die Bindung Israels an den Willen und den Herrschaftsanspruch seines Gottes sichtbar: das also, was Israel als geschichtliche Größe begründet hatte, seine Eigenart ausmachte und unverlierbar war.

Gleichwohl ist es in Israel schließlich zur Staatenbildung gekommen. Doch zunächst war Lehrgeld zu zahlen. Es erfolgte ein erster, zum Scheitern verurteilter Staatenbildungsversuch durch den Manassiten Abimelech (Ri 9)[5]. Die literarischen Probleme des Kapitels sind schwer zu lösen. Wahrscheinlich ist ein alter, vorstaatlicher Grundbestand durch mehrere Bearbeitungen hindurchgegangen, in denen die antikönigliche Tendenz zunehmend zur Geltung kam[6]. Ungewiß ist ferner, ob das Kapitel ursprünglich zum dtr Geschichtswerk gehörte oder nicht. M. Noth[7] glaubte diese Frage positiv beantworten zu sollen, und zwar unter Hinweis auf Ri 8,28–35, den dtr Überleitungstext vom Gideon-Komplex zur Abimelech-Geschichte. Aber es lassen sich Gegengründe geltend machen, vor allem der Umstand, daß Ri 9 aus dem dtr Rahmen für die Periode zwischen Landnahme und Staatenbildung herausfällt und keine Heldensage nach Art der Überlieferungen von den Großen Richtern ist, sondern eine Geschichtserzählung, ein Stück früher israelitischer Geschichtsschreibung. Wie dem auch sei: Die Tradition hat jedenfalls schon in vordtr Zeit Abimelech mit Gideon verbunden, weil Abimelech der Sohn eines Jerubbaal war und aus

---

[3] Vgl. F. Crüsemann, Der Widerstand gegen das Königtum. Die antiköniglichen Texte des AT und der Kampf um den frühen israelitischen Staat. WMANT 49 (1978).

[4] Vgl. B. Lindars, Gedeon and Kingship. JThSt.NS 16 (1965) 315–326. J. Dishon, Gideon and the Beginnings of Monarchy in Israel. Tarbiz 41 (1972) 255–268 rechnet damit, daß Gideon das Königsangebot angenommen habe. Das ist ganz unwahrscheinlich; vgl. S. E. Loewenstamm, The Lord Shall Rule over you (Judges VIII, 23). Tarbiz 41 (1972) 444f.

[5] Vgl. H. Reviv, The Government of Shechem in the El-Amarna-Period and in the Days of Abimelech. IEJ 16 (1966) 252–257; A. Soggin, Il regno di Abimelek in Sichem (Giudici 9) e le istituzioni della città-stato siro-palestinese nei secoli XV–XI. Studi in onore di E. Volterra VI (1969) 161–189; H. Schmid, Die Herrschaft Abimelechs (Jdc 9). Judaica 26 (1970) 1–11.

[6] Vgl. F. Crüsemann, a.a.O., S. 32–42.

[7] Überlieferungsgeschichtliche Studien (1957^2) 52.

Ophra in Manasse stammte (Ri 9,1). Jerubbaal aber ist der Name, den Gideon nach Ri 6,25–32 erhalten haben soll, und Gideons Heimatort war ebenfalls Ophra (Ri 6,11). Sehr wahrscheinlich war Jerubbaal von Hause aus eine selbständige Gestalt, die in der Überlieferung aber schon früh mit Gideon identifiziert wurde[8]. Ob Abimelech in der Tat der Sohn dieses mit Gideon geglichenen Jerubbaal war oder ob bloße Namensgleichheit vorliegt, ist nicht mehr zu ermitteln.

Der Staatenbildungsversuch des Abimelech kann nur dann verstanden und historisch gewürdigt werden, wenn man Abimelechs Herkunft in Betracht zieht. Von Vaterseite her war er ein Israelit; er stammte aus der manassitischen Ortschaft Ophra. Von Mutterseite her gehörte er zum kanaanäischen Stadtadel von Sichem. Diese eigentümliche Doppelstellung ist ein Symptom der besonderen Situation des Stammes Manasse, der seit der Landnahme in Gemengelage und Symbiose mit den Kanaanäerstädten seines Gebietes lebte. Aus dieser Doppelgesichtigkeit sind nun auch Abimelechs politische Absichten zu begreifen. Was er vorfand, waren kleine und kleinste Einheiten mit zwar nicht identischer, aber ähnlicher Struktur: auf der einen Seite der aristokratisch regierte kanaanäische Stadtstaat von Sichem, auf der anderen Seite das durch manassitische Ortsälteste geleitete Gemeinwesen von Ophra. Beiden fühlte er sich verbunden. So reifte in ihm der Entschluß, die Aristokratie beider Einheiten jeweils durch Monarchie zu ersetzen und die Monarchien in Personalunion zu vereinigen[9]. Es gelang ihm zunächst, die Stadtherren von Sichem dazu zu bewegen, ihm eine Führerstellung einzuräumen, die ungefähr der griechischen Tyrannis entsprochen haben mag. Mit Geldern des sichemitischen Tempels warb er alsdann eine Söldnertruppe aus sozial deklassierten, mit der bestehenden Ordnung zerfallenen Elementen an, drang in Ophra ein und rottete die dortige manassitische Aristokratie aus. Damit hatte er durch Gewaltstreich die Souveränität über Ophra gewonnen, und die Bürger von Sichem zögerten nicht länger, ihn zum König von Sichem auszurufen; der Wechsel von der Oligarchie zur Monarchie scheint in kanaanäischen Stadtstaaten ein normaler Vorgang gewesen zu sein. Die auf diese Weise erworbene Herrschaft konnte als Basis für weitere politische Pläne dienen – eine ungleiche Basis freilich, denn die freiwillige Anerkennung Abimelechs durch die Sichemiten und die gewaltsame Aneignung von Ophra sind miteinander nicht zu ver-

---

[8] Vgl. H. Haag, Gideon – Jerubbaal – Abimelek [1967]. Das Buch des Bundes (1980) 150–158; anders J. A. Emerton, Gideon and Jerubbaal. JThSt.NS 27 (1976) 289–312.

[9] Der Vorgang würde besonders gut verständlich sein, wenn Sichem und Ophra nahe beieinander lagen. Für Ophra gibt es bis zur Stunde keinen überzeugenden Lokalisationsvorschlag. Aus archäologischen und historisch-topographischen Gründen kommt m. E. am ehesten *Tell Ṣōfar* in Betracht, am Ortsausgang von *Nāblus* links der Straße nach Samaria; vgl. vorläufig K. Nandrásky bei H. Donner, ADAJ 8/9 (1964) 89f. Zur Keramik und Oberflächengestalt vgl. P. Bar-Adon u. a., Judaea, Samaria and the Golan. Archaeological Survey 1967–1968 (1972) 164 (unter dem falschen Namen *Tell Ṣūfān*). *Tell Ṣōfar* liegt wenig mehr als 3 km von Sichem *(Tell Balāṭa)* entfernt.

gleichen. Trotz des wahrscheinlich vor allem von manassitischer Seite getragenen Widerstandes gegen sein Königtum setzte sich Abimelech durch. Der Besitz von Sichem, der „ungekrönten Königin von Palästina“ (A. Alt), bot ihm eine topographisch besonders günstige Schlüsselstellung für weitere Expansionsbestrebungen. Abimelechs Ziel scheint darin bestanden zu haben, seine Machtbasis durch Addition und Angliederung weiterer kleiner politischer Einheiten zu verbreitern. Damit hatte er Erfolg. Man sieht es daran, daß er eines Tages seine Residenz nach dem etwa 10 km südöstlich von Sichem gelegenen Aruma *(Tell el-ʿÖrme)* verlegte. Vielleicht läßt das auf interne Schwierigkeiten in Sichem zurückschließen. Es dauerte jedenfalls nicht lange, bis offene Empörung gegen Abimelech ausbrach. Die Sichemiten warben ihrerseits Wegelagerer gegen ihn und betrauten einen Zugereisten namens Gaal mit der Organisation des Widerstandes. Als auch Abimelechs treuer sichemitischer Statthalter Sebul nichts mehr ausrichten konnte, sah sich Abimelech gezwungen, mit Waffengewalt gegen Sichem vorzugehen und seine eigene Basis zu vernichten. Damit hatte er den Ast abgesägt, auf dem er saß, und sein Sturz war nicht aufzuhalten. Das Herrschaftsgebilde zerbrach in seine Teile. Abimelech geriet in die Defensive und fiel schließlich unrühmlich während der Belagerung von Tebez *(Ṭūbāṣ)*: eine Frau warf ihm einen Mühlstein auf den Kopf, der seinen Schädel zertrümmerte; ein Diener gab ihm den Gnadenstoß.

Die Gründe für das Scheitern der Politik Abimelechs liegen auf der Hand. Sein Staatsgründungsversuch war, soweit erkennbar, ausschließlich sein persönliches Werk und wurde nicht von breiteren Kreisen getragen, ganz gewiß nicht von israelitischen. Abimelech konnte sich nicht auf den Heerbann des Stammes Manasse stützen, geschweige denn auf die Heeresaufgebote anderer israelitischer Stämme. Die einzige militärische Formation, über die er verfügte, waren seine Söldner. So konnte kaum ein tragfähiges Gebilde entstehen. Sodann war Abimelechs Unternehmen ganz kanaanäisch gedacht. Es handelte sich nicht um eine nationalstaatliche Innovation, sondern um die territoriale Angliederung kleiner Einheiten an ein stadtstaatliches Zentrum. Dieser Territorialstaat erinnert an das Herrschaftsgebilde des Labaja von Sichem und seiner Söhne oder an den mittelsyrischen Staat Amurru des Abdi-aširta und seines Sohnes Aziru, beide während der Amarnazeit. Übernationale Territorialstaaten aber entstehen in der Regel durch bewußte Aufgabe des primären nationalstaatlichen Prinzips, wie später im Großreich Davids, und bedürfen dringend der institutionellen Verfestigung. Dazu hatte Abimelech keine Zeit, und vielleicht lag dergleichen überhaupt außerhalb seiner Möglichkeiten. Schließlich war wohl auch die Zeit noch nicht reif, Kanaanäer und Israeliten vor ein und denselben Wagen zu spannen; die Gegensätze und Animositäten waren noch zu groß. So war der Staatenbildungsversuch Abimelechs ein Versuch mit untauglichen Mitteln. Was aus ihm allenfalls erwachsen konnte, mußte mit der Person des Initiators fallen. Abimelech hat Israel beispielhaft vorexerziert, auf welchem Wege ein dauerhaftes Staatsgebilde nicht begründet werden konnte.

Sein Fall wird die israelitischen Stämme bewegt und die antiköniglichen Tendenzen nicht unwesentlich verstärkt haben[10].

Wenn es aber richtig ist, daß die Bildung eines israelitischen Nationalstaates nicht mit Notwendigkeit aus den Lebensformen der vorstaatlichen Stämme erwuchs, dann müssen äußere Zwänge wirksam geworden sein: Zwänge, die in der historischen Situation Palästinas um die Wende vom 2. zum 1. Jt. v. Chr. begründet waren. Das ist der Fall, und in diesem Sinne ist das erste israelitische Staatswesen in der Tat ein Notprodukt gewesen. Die Bedrohung, der sich die Stämme ausgesetzt sahen, kam nun freilich nicht von den vorderorientalischen Großreichen am Nil und in Mesopotamien. Denn diese Reiche befanden sich zu jener Zeit im Zustand der Schwäche und waren nicht in der Lage, über ihre Grenzen hinauszugreifen. Zumal das ägyptische Neue Reich, dessen Hegemonie über Mittelsyrien und Palästina keineswegs erloschen war, verfiel unter den späten Ramessiden der 20. Dynastie, den tanitischen Königen der 21. Dynastie und den gleichzeitigen Priesterfürsten des Amun von Theben mehr und mehr. Es war uneins im Innern und seine Herrschaft in außerägyptischen Gebieten stand nur auf dem Papier. Diese allgemeinpolitische Lage begünstigte die israelitische Staatenbildung. Die Bedrohung kam auch nicht von den ostjordanischen Randstaaten, von den Nomaden der Wüstenränder oder gar von den Kanaanäern. Gegen diese Feinde hatten sich die israelitischen Stämme unter der Führung von Jahwe berufener Charismatiker freigekämpft, und das genügte offenbar. Die Bedrohung kam von den Philistern.

Die Philister, ein Teil der Seevölkerbewegung[11], waren zur Zeit Ramses III. und seiner Nachfolger in den Südteil der palästinischen Küstenebene gekommen und vielleicht sogar als Militärkolonen der Ägypter angesiedelt worden. Als die Macht Ägyptens auf das Nilland zurücksank, fühlten sie sich als die natürlichen Nachfolger der ägyptischen Herrschaftsordnung in Palästina. Sie begannen, über das Territorium ihrer Pentapolis an der Küste hinauszugreifen, mit dem Ziel, die anderen Landesteile Palästinas unter ihre Kontrolle zu bringen. Ernsthaften militärischen Widerstand hatten sie dabei zunächst nicht zu erwarten. Ihre Fürsten[12] verfügten über schwerbewaffnete Fußkämpfer (1. Sam 17,4–7), vor allem aber über Söldnerführer, die mit Land belehnt wurden und mit ihren Söldnern zur Heeresfolge verpflichtet waren (1. Sam 27,2–12; 29,1–11). Damit waren sie den schwerbeweglichen Heerbannaufgeboten der israelitischen Stämme überlegen. Einzelheiten der philistäischen Expansion werden hin und wieder in Streiflichtern des AT faßbar. Die Küstenebene bis zum Karmel werden sie gewiß rasch in ihre Hand bekommen haben; man erfährt darüber nichts Näheres, zumal das für Israel noch keine Gefahr bedeutete. Bedenklich wurde es

---

[10] Nicht zufällig ist die Jothamfabel Ri 9,8–15 in die Geschichtserzählung von Abimelech hineinkomponiert worden.

[11] S. o. S. 42f.

[12] *S^erānīm,* vielleicht verwandt mit griech. τύραννοι.

aber, als die Philister im Hügelland erschienen. Bevorzugter Sammelplatz ihrer Streitkräfte war Aphek *(Tell Rās el-ʿAyn)* unweit der Quelle des *Nahr el-ʿŌǧa* (1. Sam 4,1; 29,1). Dort kam es auch zum ersten größeren Zusammenstoß mit einem israelitischen Heerbannaufgebot (1. Sam 4): Israel wurde aufs Haupt geschlagen, und die Lade Jahwes geriet als Beutestück in die Hände der Philister. Dann tauchten die Philister auch in Kegila *(Tell Qīla)* ca. 40 km südwestlich von Jerusalem auf (1. Sam 23,1). Schließlich griffen sie auf das Gebirge über und richteten dort feste Posten *(maṣṣāb, neṣīb)* zur Herrschaftsausübung und Kontrolle ein: im benjaminitischen Gibea (*Tell el-Fūl;* 1. Sam 10,5), in Geba (*Ǧebaʿ;* 1. Sam 13,3) und am Paß von Michmas (*Wādī eṣ-Ṣuwēnīt* bei *Muḫmās;* 1. Sam 13,23), sogar im judäischen Bethlehem (2. Sam 23,14). Von diesen Posten aus sandten sie Streifscharen *(mašḥīt)* im Gebirge umher, um Ordnung zu halten und vielleicht auch um Kontributionen einzutreiben (1. Sam 13,17; 14,15; 23,1). Wie weit die Philister ihre Herrschaft im Gebirge befestigen konnten, ist nicht zu ermitteln; Galiläa und das Ostjordanland waren jedenfalls nicht betroffen. Über die Folgen der philistäischen Expansion unterrichtet 1. Sam 13,19f.: „Ein Schmied aber fand sich im ganzen Land Israel nicht; die Philister dachten nämlich, die Hebräer könnten sich Schwerter oder Spieße herstellen. Vielmehr mußte ganz Israel zu den Philistern hinabgehen, wenn jemand seine Pflugschar, seinen Karst(?), seine Axt und seinen Ochsenstachel schärfen lassen wollte." Das ist nicht mehr und nicht weniger als ein Eisenmonopol, verbunden mit einem Waffenverbot: selbst wenn die Notiz übertreiben und generalisieren sollte, war es doch immerhin ein Zeichen für die lähmenden Wirkungen der philistäischen Oberhoheit.

Aus dieser im Gegensatz zu früheren Gefahren nicht mehr akuten und punktuellen, sondern chronischen Bedrohung ist die israelitische Staatenbildung erwachsen. Das AT berichtet darüber in 1. Sam 8–11[13]. Die literarische Analyse dieser Kapitel ist schwierig[14] und die atl Wissenschaft von einem Konsens weit entfernt. Das berührt natürlich auch die Frage nach der historischen Verwertbarkeit des Quellenmaterials. Man wird davon ausge-

---

[13] Vorauf geht in 1. Sam 7 der Bericht über einen großen Sieg, den Israel unter der Führung Samuels bei Mizpa über die Philister errungen haben soll. Wäre das historisch zuverlässig, dann verstünde man nicht, weshalb die israelitische Staatenbildung überhaupt noch notwendig war. Aber das Kapitel ist eindeutig dtr. Es lag auf der Linie dtr Theologie, die Darstellung der Richterzeit nicht ohne einen Sieg des als „Richter" verstandenen Samuel abzuschließen. Damit ist das Philisterproblem gewaltsam aus der Geschichte beseitigt. 1. Sam 7 ist ein mißglücktes Präludium zur Staatenbildung.

[14] Literatur in Auswahl: J. Wellhausen, Die Composition des Hexateuchs (1899³, 1963⁴) 240–243 – eine Arbeit, von der alle weiteren kritischen Bemühungen auf die eine oder andere Weise abhängig sind; H. Wildberger, Samuel und die Entstehung des israelitischen Königtums. ThZ 13 (1957) 442–469; K.-D. Schunck, Benjamin. BZAW 86 (1963) 80–108; A. Soggin, Das Königtum in Israel. BZAW 104 (1967) 29–45; F. Langlamet, Les récits de l'institution de la royauté. RB 77 (1970) 161–200; F. Crüsemann, a.a.O., S. 54–84. Zur Traditionsgeschichte, verbunden mit literarkritischer Analyse, vgl. auch H. Seebass, ZAW 77 (1965) 286–296; 78 (1966) 148–179; 79 (1967) 155–171.

hen dürfen, daß das Zustandekommen des Komplexes 1. Sam 8–11 (12) ein traditionsgeschichtlich und literarisch komplizierter Vorgang gewesen ist, der nicht mehr in allen Einzelheiten aufgehellt werden kann. Unterschiedliche, miteinander konkurrierende oder einander ergänzende Sagenüberlieferungen über die Entstehung des Königtums verbanden sich mit theologischen Reflexionen über Wesen und Wert des Königtums. Dabei entsteht nicht nur die Frage nach der Abgrenzung der ursprünglichen Einheiten gegeneinander, sondern auch das Problem, ob und inwieweit die Einzelstücke miteinander zusammenhängen oder ob ihr Zusammenhang das Werk redaktioneller Bearbeitung ist. Immerhin ist und bleibt es das Verdienst J. Wellhausens, die elementare Unterscheidung zweier Textgruppen ermöglicht zu haben: einer, die die Entstehung des Königtums mit Wertungen verbindet (die sog. königsfeindliche oder königskritische Reihe: 1. Sam 8,1–22 a; 10,17–27; 11,12–14 und als Anhang 12) und eine andere, die die Erzählungen über die Entstehung des Königtums sozusagen neutral anbietet (die sog. königsfreundliche Reihe: 1. Sam 9,1 – 10,16; 11,1–11. 15). Beide Textgruppen sind sicherlich von Hause aus keine fortlaufenden Erzählungen gewesen, sondern ihrerseits Kompositionsprodukte: ein Tatbestand, der historisch von geringerem Gewicht ist als die Frage ihrer Verläßlichkeit.

1. *1. Sam 8,1–22 a; 10,17–27; 11,12–14; (12)*[15]: 1. Sam 8 ist ein Bericht, in dem die Philister nicht einmal vorkommen[16]. Den ersten Anstoß zur Staatenbildung gibt vielmehr die Unzufriedenheit mit der Art, wie Samuels Söhne ihr Richteramt ausüben. Sie veranlaßt die Ältesten Israels, eines Tages zu Samuel nach Rama zu kommen, um von ihm einen König zu erbitten wie ihn andere Völker auch haben. Das also ist das Hauptmotiv: die Imitation einer Einrichtung, die Israel nicht hat, die aber andere Völker besitzen. Es ist müßig, darüber nachzudenken, welche anderen Völker gemeint sein könnten, die ostjordanischen Randvölker oder die Kanaanäer. Denn es geht nicht um Einzelheiten, sondern ums Prinzip. Das Prinzip versetzt Samuel in große Bestürzung. Er berät sich mit Jahwe, der das Ganze für eine Bedrohung seiner Theokratie erklärt: das Begehren Israels richte sich nicht gegen Samuel, sondern gegen ihn selbst, Jahwe, den eigentlichen König Israels. Trotzdem gibt Jahwe dem Samuel den Auftrag, der Bitte des Volkes zu entsprechen. Er konzediert also das Königtum. Mögen die Israeliten sehen, welche Erfahrungen sie damit machen werden! Jahwe weiß natürlich, daß es schlechte Erfahrungen sein werden. Deshalb verfehlt er nicht, Israel durch den Mund Samuels zu warnen: „Folgendes wird das Recht des Königs sein, der über euch herrschen wird: eure Söhne wird er nehmen, um sie

---

[15] Zur Analyse: M. Buber, Die Erzählung von Sauls Königswahl. VT 6 (1956) 113–173; J. Boecker, Die Beurteilung der Anfänge des Königtums in den dtr Abschnitten des 1. Samuelisbuches. WMANT 31 (1969); R.E. Clements, The Deuteronomistic Interpretation of the Founding of the Monarchy in I Sam VIII. VT 24 (1974) 398–410.

[16] Nimmt man 1. Sam 7 historisch ernst, dann ist das ja auch nicht nötig; s. o. Anm. 13.

bei seinen Wagen und bei seinen Pferden zu verwenden, daß sie vor seinem Wagen herlaufen, und um sie sich als Kommandeure über Tausend und als Kommandeure über Fünfzig anzustellen, und damit sie sein Ackerland pflügen, seine Ernte einbringen und ihm Kriegsbedarf und Wagengeräte anfertigen. Eure Töchter wird er nehmen, daß sie ihm Salben bereiten, kochen und backen. Von euren Feldern, Weinbergen und Ölpflanzungen wird er die besten nehmen und sie seinen Beamten geben. Von eurem Saatland und von euren Weinbergen wird er den Zehnten erheben und ihn seinen Eunuchen und Beamten geben. Eure Sklaven und Sklavinnen, eure besten Rinder und Esel wird er nehmen und für seine Wirtschaft verwenden. Von euren Schafen wird er den Zehnten erheben. Ihr selbst aber werdet seine Sklaven sein! Da werdet ihr an jenem Tage schreien wegen eures Königs, den ihr euch erwählt habt, aber Jahwe wird euch nicht erhören an jenem Tage!" (1. Sam 8,11–18).

Trotz dieser Warnung erweist sich Israel als unbelehrbar, und Jahwe wiederholt noch einmal seine Konzession. Damit endet der Bericht[17]. Über den Charakter dieses Textes kann es keinerlei Zweifel geben: er ist dtr. Er ist mit dtr Vorstellungen gesättigt, bis in den Wortlaut hinein vom deuteronomischen Königsgesetz abhängig (Dtn 17,14–20) und operiert mit Erfahrungen, die Israel erst später mit dem Königtum hat machen können. Das Königtum steht von vornherein unter einem negativen Vorzeichen: zwar ist es ein Königtum, bei dessen Entstehung Jahwe seine Hand im Spiele hat, aber eben eines, mit dem er Israels Untreue und Abfall quittiert, ein Königtum zur Strafe[18]. Wir haben es mit einem der klassischen antiköniglichen Texte des AT zu tun. Als zuverlässige Geschichtsquelle muß dieser Bericht ausscheiden. Nicht viel besser steht es mit den beiden anderen Stücken: 1. Sam 10,17–27 und 11,12–14. 1. Sam 10,17–27 berichtet von der Königskür in Mizpa vermittels des Loses, bei der nach einem komplizierten Ausscheidungsvorgang zuletzt der Benjaminit Saul übrigbleibt. Sehr wahrscheinlich ist diese Geschichte nicht einfach die Fortsetzung von 1. Sam 8,1–22 a; sie setzt aber die Existenz von 8,1–22 a voraus und schließt sich trotz anderer Nuancierung in den Einzelheiten daran an. Auch sie ist ein Zeugnis antiköniglicher Tendenz, obwohl Saul in ihr keineswegs in negativem Lichte erscheint. Man braucht nicht einmal auf die innere Unwahrscheinlichkeit des Vorgangs hinzuweisen, um klarzumachen, daß damit historisch nichts anzufangen ist. 1. Sam 11,12–14 schließlich ist ein Stück, von dem man bezweifeln muß, ob es überhaupt je selbständig war. Es könnte sich um eine redaktionelle Einfügung handeln, die von 10,27 abhängig ist und einen Ausgleich mit 11,15 bewirken soll: nach 11,15 wird Saul im Gilgal zum König ausgerufen, aber nach 10,24 ist er es bereits; also muß es sich nach Meinung des Redaktors um eine Erneuerung des Königtums han-

---

[17] V. 22b ist eine redaktionelle Zutat, die die Verbindung mit 1. Sam 9,1 ff. ermöglichen soll.

[18] Vgl. 1. Sam 12,19–25.

deln. Das ist eine Konstruktion, für den Historiker nur insoweit von Interesse, als sie die Auseinandersetzungen um das Königtum in Israel beleuchtet.

2. *1. Sam 9,1 – 10,16; 11,1–11. 15*[19]: Auch diese Textgruppe ist traditionsgeschichtlich und literarisch kein einheitliches Ganzes. Kap. 11 ist eine Größe für sich. Aber auch 9,1 – 10,16 enthalten Spannungen, die der Annahme einer ursprünglich geschlossenen Erzählung widerraten. Nach Ausscheidung kleinerer Glossen[20] ist es vor allem die Anekdote von „Saul unter den Propheten" (10,9–13) und ihre Vorbereitung (10,5f.), die den Verdacht ursprünglicher Selbständigkeit wachruft[21]. Der Rest liest sich zunächst wie ein Märchen unter dem Thema „Wie Saul auszog, die Eselstuten seines Vaters zu suchen und eine Königskrone fand", geht dann aber in eine dem Märchen sehr ferne Erzählgattung über – die Berufungserzählung eines charismatischen Retters –, ohne daß es mit hinreichender Sicherheit gelänge, die Elemente literarkritisch voneinander zu sondern. Vor allem aber ist die Textgruppe inhaltlich ganz anders geartet als die oben besprochene. Im Zentrum steht die Initiative Jahwes, der das Wehgeschrei seines Volkes über die Philisternot gehört hat und zu helfen beschließt (9,16). Die Ereignisse verlaufen zunächst nicht anders als in der Richterzeit: für den Fall äußerer Bedrohung erweckt Jahwe einen Charismatiker, der die Not beenden soll. Ein solcher Mann steht zur Verfügung: es ist Saul, der Sohn des Kisch, aus einem kleinen Ort unweit des benjaminitischen Gibea[22], der gerade damit beschäftigt ist, die verlorengegangenen Eselstuten seines Vaters zu suchen und der deshalb zum Seher Samuel gekommen ist, um zu erfahren, ob und wo er sie finden kann. Diesen Mann bezeichnet Jahwe dem Samuel: er designiert ihn und läßt ihn – das ist neu! – von Samuel zum *nāgīd* über Israel salben (9,16; 10,1). Der Ausdruck *nāgīd* bedeutet soviel wie „Verkünder, Designierter, Thronanwärter"[23]; es ist sehr wahrscheinlich, daß hier eine Rückprojektion aus späterer Zeit vorliegt. Der Vorgang vollzieht sich unter Ausschluß der Öffentlichkeit; nur drei wissen davon: Jahwe, Samuel und Saul. Wenn also in diesem Stadium der Dinge überhaupt schon vom Königtum die Rede sein soll, dann nur von einem heimlichen Königtum. Gewiß hat die spätere Institution des Königtums ihre Schatten in diese Überlieferung zurückgeworfen; man sieht es an der Ausformung mehrerer

---

[19] Zur Analyse: B.C. Birch, The Development of the Tradition on the Anointing of Saul in I Sam 9,1–10,16. JBL 90 (1971) 55–68; J.M. Miller, Saul's Rise to Power. CBQ 36 (1974) 157–174.

[20] 1. Sam 9,9 als Erläuterung für nachgeborene Leser; 10,8 als Einleitung zur sog. Gilgal-Episode 13,7b–15a; 10,12a als „antiprophetische" Glosse.

[21] Vgl. die ähnliche Erzählung 1. Sam 19,19–24.

[22] Er heißt *Ṣẹ̄laʿ hāʾelef;* vgl. 2. Sam 21,14 und Jos 18,28 – bislang nicht lokalisiert.

[23] Vgl. E. Lipiński, *Nāgīd* – der Kronprinz. VT 14 (1964) 497–499; W. Richter, Die *nāgīd*-Formel. BZ.NF 9 (1965) 71–84; T. Ishida, *Nāgīd:* A Term for the Legitimization of the Kingship. AJBI 3 (1977) 35–51.

Einzelmotive der Darstellung. Aber der Grundtendenz des Ganzen könnte vielleicht doch historische Glaubwürdigkeit zuerkannt werden. Saul wird nicht sogleich zum König gemacht; er ist zunächst nichts wesentlich anderes als die Charismatiker der Richterzeit. Das ist er auch noch bei seinem ersten öffentlichen Auftreten, gewissermaßen seiner Bewährungsprobe (11,1–11)[24]. Der Kampf richtet sich nicht gegen die Philister, sondern gegen die ostjordanischen Ammoniter, die die Notlage Israels ausgenutzt hatten, um ihr Herrschaftsgebiet zu erweitern. Sie belagerten die Stadt Jabesch (*Tell Maqlūb* im *Wādī Yābis*), hatten also vermutlich bereits Gilead mit Einschluß der Gebiete nördlich des Jabbok in ihre Hand bekommen: jenes Territorium, an dessen Beherrschung Jephtah sie gehindert hatte. Angesichts dieser Bedrohung „kam der Geist Gottes über Saul" (11,6): er mobilisierte den Heerbann der Stämme, zog bei Nacht über den Jordan, schlug die Ammoniter und hob die Belagerung von Jabesch auf. Das ist die letzte Richtergeschichte des AT; in ihr steht kein Wort, das von den Großen Richtern nicht auch hätte gesagt werden können. Samuel fehlt auffallenderweise völlig[25], wie denn die Rolle dieser komplexen Gestalt in der Frühgeschichte des israelitischen Königstums keineswegs historisch klar und eindeutig ist. Hier steht der Historiker nun wahrscheinlich vor dem Urgestein der Überlieferung: die Berufung Sauls zum charismatischen Führer könnte in der beschriebenen Form (bes. 11,4–8!) tatsächlich am Anfang der Ereignisse gestanden haben. Allerdings stößt sich die Erzählung mit 9,1 – 10,16: mit der Berufung vor Beginn des Ammoniterfeldzuges konkurriert die Berufung und Salbung zum *nāgīd* in Verbindung mit der Eselstuten-Episode. 9,1 – 10,16 erscheint wie eine etwas spätere Ausgestaltung des Motivs der Berufung eines charismatischen Retters. Oder soll man annehmen, daß die seit seiner Berufung und Salbung in Saul latent vorhandene *rūaḥ* anläßlich der Ammoniterbedrängnis sozusagen zum Ausbruch kam? So werden es sich jedenfalls diejenigen vorgestellt haben, die – auf welcher Redaktionsstufe immer – beide Erzählungen miteinander verbanden. Nach dem Ende des Ammoniterfeldzuges geschieht nun aber etwas auf der Linie von 9,1 – 10,16 Folgerichtiges, aber im Rahmen von 11,1–11 Unerwartetes und Neues: die Repräsentanten Israels im Heerbann erkennen in Saul den Mann, der imstande sein wird, Israel aus der Philisternot zu befreien. Ihm, der seine Bewährungsprobe glänzend bestanden hat, darf zugetraut werden, daß er auch mit den Philistern auf dem Gebirge fertig werden wird. Das aber ist nur möglich, wenn Israel eine einheitliche, dauernde Führung erhält, die die Kontinuität des Kampfes gegen die Philister garantiert und nicht abhängig ist vom sporadischen, unkontrollierbaren Auftreten des Charismas, das zu geben Jahwe sich vielleicht und hoffentlich entschließen könnte. Israel braucht eine feste Institution und eine dauernde militärische Befehlsgewalt.

---

[24] Vgl. K. Möhlenbrink, Sauls Ammoniterfeldzug und Samuels Beitrag zum Königtum des Saul. ZAW 58 (1940/41) 57–70.

[25] Seine Erwähnung in V. 7 ist Zusatz eines Späteren.

So kommt es zur Ausrufung Sauls zum König im Heiligtum von Gilgal bei Jericho: „Da zog das ganze Volk nach dem Gilgal und setzte dort Saul vor Jahwe im Gilgal zum König ein. Man schlachtete dort Heilsopfer vor Jahwe, und Saul und alle Männer Israels waren dort überaus fröhlich" (11,15). Zur Designation durch Jahwe tritt die Akklamation des Volkes oder seiner Repräsentanten. Beide Elemente – Designation und Akklamation – haben das israelitische Königtum begründet und sind, zumindest in der Theorie, als notwendig und konstitutiv festgehalten worden. Sauls Königtum ist nach alledem zwar nicht notwendig aus den Lebensformen des vorstaatlichen Israel hervorgegangen, wohl aber aus seinen Möglichkeiten erwachsen. Es ist ein Charismatikertum auf Lebenszeit, hervorgerufen durch die Philisterbedrohung, der sich die Stämme kurz vor der Wende vom 2. zum 1. Jt. v. Chr. gegenübersahen[26].

Die Kriege und Siege Sauls gegen die Philister werden 1. Sam 13,2–7a. 15b–23 und 14,1–46 in Einzelepisoden geschildert[27]. Es ist ihm tatsächlich gelungen, die Gefahr abzuwenden und Israels Bestand und Sicherheit wenigstens vorübergehend wiederherzustellen. Er vollbrachte das anscheinend weniger in offenen Feldschlachten gegen größere philistäische Verbände als vielmehr durch überfallartige Überraschungsangriffe auf die Philisterposten im Gebirge. Eine besonders hervorgehobene Rolle spielte dabei der Prinz Jonathan, den die Überlieferung mit hellen, freundlichen Farben gezeichnet hat. Ihm flogen die Sympathien der Erzähler zu, was niemanden wundern kann; hatte er doch auch die Sympathie Davids erworben, der sein Freund wurde. Er erscheint als der Typus des strahlenden Königssohnes und ist der Held der Philisterkämpfe. Die Auseinandersetzungen konzentrierten sich auf das Gebiet des Stammes Benjamin; Orte wie Michmas *(Muḫmās)*, Geba *(Ǧebaʿ)*, Bethel *(Bētīn)* und Gibea *(Tell el-Fūl)* werden wiederholt genannt[28]. Man kann sich die Frage stellen, warum es gerade der kleine Stamm Benjamin war, der den ersten König Israels gestellt hat. Der Grund dafür wird in der Strategie der Philister zu suchen sein, die daran interessiert waren, sich vor allem der in Benjamin liegenden Gebirgsübergänge zu versichern und die Kontrolle über die Hauptstraßen des zentralpalästinischen Gebirges in die Hand zu bekommen. Auf dem Gebiet des Stammes Benjamin begannen die Reibungen, und aus Reibung entspringen Funken. Es paßt in dieses Bild, daß Saul seine Residenz im benjaminitischen Gibea aufschlug (1. Sam 22,6; 23,19; 26,1), das seitdem oft „Gibea Sauls"

---

[26] Vgl. W. Beyerlin, Das Königscharisma bei Saul. ZAW 73 (1961) 186–201; A. Soggin, Charisma und Institution im Königtum Sauls. ZAW 75 (1963) 54–65; T. G. C. Thornton, Charismatic Kingship in Israel and Judah. JThSt.NS 14 (1963) 1–11.

[27] Vgl. J. Blenkinsopp, Jonathan's Sacrilege. 1. Sam 14,1–46. CBQ 26 (1964) 423–449; Chr.-E. Hauer, The Shape of Saulide Strategy. CBQ 31 (1969) 153–167; D. Jobling, Saul's Fall and Jonathan's Rise. Tradition and Redaction in 1. Sam 14,1–46. JBL 95 (1976) 367–376.

[28] Vgl. H.-J. Stoebe, Zur Topographie und Überlieferung der Schlacht von Mikmas, 1. Sam. 13 und 14. ThZ 21 (1965) 269–280; J. M. Miller, Geba/Gibeah of Benjamin. VT 25 (1975) 145–166.

genannt wurde (1. Sam 11,4; 15,34; Jes 10,29)[29]. Dort sind bei amerikanischen Ausgrabungen die Fundamente seiner mit vier Ecktürmen bewehrten Burg zutage getreten[30]. Von ihnen ist seit dem Versuch eines Neubaus an Ort und Stelle nichts mehr zu sehen.

Der Charakter des Königtums und des Staatswesens Sauls ist schon oft zutreffend beschrieben worden[31]. Es handelte sich um ein nationales Heerkönigtum, dessen zunächst einzige Aufgabe darin bestand, der philistäischen Bedrohung wirksam entgegenzutreten. Es sieht nicht so aus, als habe dieses Königtum nennenswerte innenpolitische Funktionen gehabt. Die Überlieferung enthält jedenfalls keinerlei Anzeichen dafür, daß Saul Recht zu sprechen, Gesetze zu erlassen oder die territorialen Besitzstände der in seinem Staate vereinigten Stämme zu verwalten oder gar zu revidieren gehabt hätte. Damit hängt es zusammen, daß das Staatswesen Sauls eines Staatsapparates nicht bedurfte; seine Basis war das Heerbannaufgebot der Stämme. Der einzige von den Quellen namhaft gemachte Amtsträger war Abner, der Onkel oder Neffe Sauls, der das Amt des Heerbannfeldmarschalls *(śar haṣṣābā)* bekleidete (1. Sam 14,50f.; 17,55 u.ö.)[32]. Darüber hinaus erwähnt 1. Sam 21,8 einen Edomiter namens Doeg mit dem Titel *'abbīr hārōʿīm* „der Gewaltige der Hirten“: ein gewiß nicht erstrangiger Amtsträger, über dessen Funktionen wir nichts wissen. Die Existenz einer bescheidenen Art von Staatshaushalt wird man unterstellen dürfen; seine Mittel werden vornehmlich, wenn nicht ausschließlich, der Bestreitung militärischer Ausgaben gedient haben. Militärische Gründe hatte auch die Tatsache, daß Saul begann, eine persönliche Gefolgschaft um sich zu sammeln, offenbar als Gegenstück zur schnellen philistäischen Polizei und aus der richtigen Einsicht heraus, daß der schwerbewegliche Heerbann der Stämme für die militärischen Erfordernisse des Staates nicht in allen Fällen ausreichte (1. Sam 14,52). Die Glieder dieser Gefolgschaft belehnte er mit Ländereien aus dem Krongut (1. Sam 22,7) und wußte sie militärisch einzu-

---

[29] Die Annahme, daß er später Gibeon *(el-Ǧīb)* zu seiner Hauptstadt gemacht habe, ist nicht überzeugend; diese Annahme z.B. bei K.-D. Schunck, a.a.O., S. 132f. und J. Blenkinsopp, Did Saul Make Gibeon his Capital? VT 24 (1974) 1–7.

[30] Vgl. W.F. Albright, Excavations and Results at *Tell el-Fûl* (Gibeah of Saul). AASOR 4 (1924) 1–160; L.A. Sinclair, An Archaeological Study of Gibeah *(Tell el-Fûl).* AASOR 34/35 (1960) 1–52.

[31] Literatur in Auswahl: A. Alt, Die Staatenbildung der Israeliten in Palästina [1930]. KS 2, 1–65; W.A. Irwin, Samuel and the Rise of the Monarchy. AJSL 58 (1941) 113ff.; G. Wallis, Die Anfänge des Königtums in Israel [1962]. Geschichte und Überlieferung (1968) 45–87; A. Weiser, Samuel. Seine geschichtliche Aufgabe und religiöse Bedeutung. FRLANT 81 (1962); K.-D. Schunck, Benjamin. BZAW 86 (1963) 80–138; A. Soggin, Das Königtum in Israel. BZAW 104 (1967) 29–57; G. Buccellati, Cities and Nations of Ancient Syria. An Essay of Political Institutions with Special Reference to the Israelite Kingdom. Studi Semitici 16 (1967); H. Bardtke, Samuel und Saul. Gedanken zur Entstehung des Königtums in Israel. BiOr 25 (1968) 289–302; L. Schmidt, Menschlicher Erfolg und Jahwes Initiative. WMANT 38 (1970); D.M. Gunn, The Fate of King Saul. JSOT, Suppl. Series 14 (1980); W.L. Humphreys, The Rise and Fall of King Saul. JStOT 18 (1980) 74–90.

[32] Vgl. D.R. Ap-Thomas, Saul's „Uncle“. VT 11 (1961) 241–245.

setzen (1. Sam 18,13). Darüber hinaus jedoch hat es einen Staats- und Verwaltungsapparat im Staatswesen Sauls nicht gegeben; er war nicht notwendig und brauchte deshalb nicht geschaffen zu werden. Über die innere Stabilität des Staates wissen wir nichts, darüber z.B., ob Sauls Autorität überall gleichermaßen und unangefochten galt. Vermutungen darüber, daß das nicht der Fall gewesen sei – wegen verschiedener Grade der Integration von Stämmen und Städten –, und daß Saul überhaupt erst nach und nach die Anerkennung der Stämme gefunden habe[33], gehen über das hinaus, was die Quellen erkennen lassen. Es ist auch nicht deutlich, ob noch zu Sauls Lebzeiten Pläne in Richtung auf eine dynastische Verfestigung der Monarchie gemacht worden sind. Natürlich kann man nicht ausschließen, daß Saul mit dem Gedanken gespielt hat, einer seiner Söhne – Jonathan? – könnte sein Nachfolger werden. Aber die schwachen Spuren der Idee einer dynastischen Herrschaft der Familie Sauls (1. Sam 18,17ff.; 20,31; 2. Sam 3,20ff.; 2,8f.) stammen alle aus der David-Überlieferung und beziehen sich überwiegend auf die Zeit nach dem Tode Sauls.

Auch die Frage nach dem territorialen Bestande des Reiches Sauls muß aufgeworfen werden. Welchen Umfang hatte es? Gehörten zu ihm die Gebiete aller Stämme des vorstaatlichen Israel? Oder nur einiger? Leider ist volle Sicherheit nicht zu erreichen. Aber es gibt immerhin Indizien, die bestimmte Annahmen begünstigen. Von besonderem Gewicht ist 2. Sam 2,8f.: „Abner, der Sohn des Ner, Sauls Heerbannfeldmarschall, nahm Sauls Sohn ‚Eschbaal'[34], brachte ihn nach Machanaim hinüber und machte ihn zum König über Gilead, über ‚Asser', über Jesreel, über Ephraim, über Benjamin und über ganz Israel." Dieser Text, der bis auf die nachhinkende, generalisierende Schlußformel „über ganz Israel" auffallend konkrete Angaben macht, beschreibt den Territorialbestand des Reiches zwar nach dem Tode Sauls, aber noch vor dem Herrschaftsantritt Davids als König von Israel. Zum Reiche Eschbaals gehörten das Ostjordanland, soweit es von israelitischen Sippen besiedelt war (= Gilead), das galiläische Gebirge (= ‚Asser', *pars pro toto?*), der Nordteil des zentralpalästinischen Gebirges (= Ephraim, Benjamin) und die Ebene von Jesreel, letztere nach der Katastrophe Sauls wohl nur theoretisch, kaum nach den wirklichen Macht- und Souveränitätsverhältnissen. Das Fehlen von Manasse erklärt sich vielleicht dadurch, daß Ephraim nicht Stammes-, sondern Landschaftsname sein soll. Unerklärlich aber scheint das Fehlen des judäischen Südens, von Simeon ganz zu schweigen. Gewiß kann man geltend machen, daß sich Juda zur fraglichen Zeit bereits in der Hand Davids befand, der in Hebron ein selbständiges judäisches Königtum begründet hatte. Handelte es sich dabei aber um die Losreißung Judas vom Reiche Sauls? Der Bericht über Davids judäische Staatsgründung (2. Sam 2,1–4) läßt davon nichts erken-

---

[33] So M. Clauss, Die Entstehung der Monarchie in Juda und Israel. Chiron 10 (1980) 1–33.

[34] So ist mit 1. Chron 8,33; 9,39 und einem Teil der alten Übersetzungen statt MT *'īšbošet* „Mann der Schande" zu lesen.

nen; ihm zufolge hat es vielmehr den Anschein, als sei Juda vorher noch nicht staatlich verfaßt gewesen. Andererseits: gehörte Juda zum Reiche Sauls, warum ist es dann in 2. Sam 2,8 f. nicht genannt, sei es auch nur im Sinne eines theoretischen Hoheitsanspruches wie im Falle der Ebene von Jesreel? Diese Überlegungen lassen die Annahme begründet erscheinen, daß der judäische Süden Palästinas nicht zum Reiche Israel unter Saul gehört hat. Sauls Israel entsprach dem Israel des Deboraliedes (Ri 5); sein Territorialbestand deckte sich ungefähr mit dem des späteren Nordreiches Israel nach Salomo. Ursache war wohl vor allem die Existenz des südlichen kanaanäischen Querriegels[35], der den Süden Palästinas vom Norden trennte.

Was man im übrigen für die Zugehörigkeit Judas zum Reiche Sauls vorbringen kann und vorgebracht hat, kommt gegen 2. Sam 2,8 f. nicht auf. Militärische Operationen Sauls im judäischen Hügelland – gegen die Philister bei Socho *(eš-Šuwēke)* 1. Sam 17 oder gegen David in Kegila *(Tell Qīla)* 1. Sam 23 – besagen nichts über die Souveränitätsverhältnisse; überdies ist die isolierte Erzählung vom Kampf Davids gegen Goliath (1. Sam 17) gewiß nicht historisch, da nach 2. Sam 21,19 nicht David, sondern sein Gefolgsmann Elchanan den Goliath erlegte. Ebensowenig berechtigt das Auftreten Sauls in Juda bei der Verfolgung Davids (1. Sam 23; 24; 26) zu territorialpolitischen Schlüssen. Es wäre anders, wenn Saul den judäischen Heerbann aufgeboten hätte. Aber davon verlautet kein Wort; er operierte mit seinen Söldnern. Die Anwesenheit des Bethlehemiters David am Hofe Sauls (1. Sam 16,14–23) ist ebenfalls nicht beweiskräftig; schließlich gehörte sogar ein Edomiter zu Sauls Umgebung (1. Sam 21,8). Mit dem angeblichen Feldzug Sauls gegen die Amalekiter (1. Sam 15) sollte man besser nicht argumentieren. Er ist unhistorisch und deutlich nach dem Modell des Amalekitersieges Davids (1. Sam 30) gestaltet, wie denn überhaupt 1. Sam 15 einen späten, nachexilischen Versuch darstellt, das Scheitern Sauls, seine Verwerfung durch Jahwe, theologisch zu begründen[36]. Es bleibt dabei: nach der größten Wahrscheinlichkeit gehörte Juda nicht zum Reiche Sauls. Diese Annahme erleichtert auch das Verständnis der Ereignisse nach dem Tode Sauls und mancher Züge der Geschichte Israels in der frühen Königszeit.

Natürlich ist das Staatswesen Sauls kein „profanes" Gebilde gewesen – um so weniger, als die Bereiche des Profanen und des Sakralen bei den Völkern des orientalischen Altertums anders aufeinander bezogen und voneinander abgegrenzt waren als im Bewußtsein der abendländischen Welt. Jahwe war der Nationalgott des Reiches Sauls. Von einem Bruch mit den religiösen Traditionen Israels kann im Zeitalter der Staatenbildung keine Rede sein. Die Rolle, die man Jahwe bei der Staatsgründung zuschrieb, seine Initiative bei der Königskür, die enge Verbindung mit dem vorstaatlichen Charismatikertum lassen das deutlich erkennen. Deshalb ist es denkbar und möglich, daß bereits unter Saul bescheidene und zögernde *Ansätze zu einer Religionspolitik* gemacht wurden. Viel ist der atl Überlieferung darüber allerdings nicht zu entnehmen. Immerhin hatte Saul nach

---

[35] S. o. S. 121.

[36] S. u. S. 183.

1. Sam 21,2–10 und 22,6–23 bestimmte, wenn auch leider nicht näher definierte Beziehungen zur Priesterschaft von Nob auf dem *Scopus* nördlich von Jerusalem *(Rās el-Mušārif)*. Daraus könnte geschlossen werden, daß er die Absicht verfolgte, durch die Verbindung mit einem Heiligtum seiner Herrschaft eine besondere sakrale Weihe zu geben, vielleicht sogar eine Staatspriesterschaft zu begründen, eine Art „Eigenkirche" zu schaffen, wie es die Davididen später in Jerusalem getan haben. Sollte Saul Versuche in dieser Richtung unternommen haben, dann sind sie gescheitert: im Zorn richtete er ein blutiges Massaker unter den Priestern von Nob an, weil sie seinen Gegenspieler David beherbergt und begünstigt hatten. Haben die Priester von Nob die Zeichen der Zeit erkannt und sind rechtzeitig – allzu rechtzeitig – auf die Seite Davids als des kommenden Mannes umgeschwenkt? Wir wissen es nicht. Saul jedenfalls hatte insgesamt keine glückliche Hand beim Umgang mit den religiösen Traditionen Israels. Das zeigen die zu verschiedenen Zeiten gemachten Versuche, das Scheitern Sauls, seine Verwerfung durch Jahwe, theologisch zu begründen: die sog. Gilgal-Episode in 1. Sam 13,7b–15a, vielleicht in antisaulidischen Priesterkreisen entstanden, ferner die vermutlich prädeuteronomische Erzählung von Sauls Besuch bei der Hexe von Endor 1. Sam 28 und das große Verwerfungskapitel 1. Sam 15, ein nachexilisches Kunstprodukt. Sie alle, so verschieden sie sein mögen, operieren mit religiösen Verfehlungen Sauls als Ursache seiner Verwerfung durch Jahwe [37]. Besonders eindrucksvoll aber kommt es in der sehr alten Geschichte 1. Sam 14,23b–46 zum Ausdruck: sie schildert, wie Saul trotz seiner persönlichen Integrität und Frömmigkeit in schwere religiöse Konflikte geriet. Er konnte während einer Philisterschlacht das von ihm selbst erlassene Enthaltsamkeitsgebot nicht durchsetzen und brachte sich durch sein Beharren auf dem altertümlichen Losorakel in Gegensatz zur Liebe des Kriegsvolkes für seinen eigenen Sohn Jonathan, den Helden der Philisterkämpfe. Unzweifelhaft ist dieses merkwürdige Unvermögen dem Ansehen Sauls vor allem in konservativen Kreisen, aber natürlich auch bei den Repräsentanten einer neuen Zeit abträglich gewesen. Vielleicht liegt hier in der Tat einer Gründe für den Anfang vom Ende Sauls, für den Sachverhalt, der sich dem Bewußtsein Israels so darstellte, daß Jahwe seinen Geist von Saul genommen und ein böser Geist von ihm Besitz ergriffen hatte (1. Sam 16,14f.; 18,10. 12). Das würde bedeuten, daß die „weltlichen" Funktionen des Königtums mit den sakralen Traditionen Israels in Konflikt gerieten und daß Saul diesem Konflikt nicht gewachsen war. Jedenfalls berichten die David-Überlieferungen (1. Sam 16,14–23; 18,10–12; 19,9f.) vom Eintritt einer psychischen Krankheit Sauls, einer melancholischen Gemütsverdüsterung mit Ausbrüchen von Raserei, aus der man schließen konnte, daß Jahwe nicht mehr mit ihm war. Es zeigte sich, daß das Charisma eben doch keine Gabe auf Lebenszeit war; es konnte genommen wer-

---

[37] Vgl. H. Donner, Die Verwerfung des Königs Saul. Sitzungsberichte d. Wiss. Gesellschaft a. d. Joh. Wolfg. Goethe-Universität Frankfurt a. M. XIX, 5 (1983).

den, wie es gegeben wurde, auch beim König. Daran wird die ganze Problematik der Verbindung von charismatischem Führertum und Königtum offenbar, die den Bestand des nordisraelitischen Staates auch später mehrfach in Frage gestellt hat. Daß sie zuerst an der Person Sauls wirksam wurde, macht ihn zu einer tragischen Gestalt, zum Prototyp des gescheiterten Herrschers in Israel.

Gewiß war einer der Hauptgründe für das Scheitern Sauls und für den Untergang seines Staatswesens der persönliche Verfall des Königs, das Schwinden seiner Kraft, der Rückgang der Faszination, die anfänglich von ihm ausgegangen war. Aber darüber hinaus ist zu bedenken, daß ein nationales Heerkönigtum ohne institutionellen Apparat, ohne Verwaltung und fast ohne innenpolitische Funktionen seine geschichtliche Mission kaum überleben konnte. Diese Mission war erfüllt: die chronische Bedrohung Israels durch die Philister war gebannt. Dem Reiche Sauls fehlte alles, was es über die Erfüllung dieser Aufgabe hinaus hätte am Leben erhalten können[38]. Es hing zuletzt nur noch an der Person des Königs; fiel diese aus, dann mußte es zusammenbrechen. So ist es denn schließlich zur Katastrophe gekommen, und es mutet an wie das Walten der Providenz, daß der Anstoß zum Untergang ausgerechnet von den Philistern ausging, deren Bekämpfung die eigentliche Aufgabe des Königtums Sauls gewesen war.

Darüber berichtet 1. Sam 31: die Erzählung von der Schlacht auf dem Gebirge Gilboa *(Ğebel Fuqūʿa).* Die Ausgangslage ist topographisch nicht mehr genau zu rekonstruieren, weil die Notizen, die 1. Sam 31 in den Gesamtzusammenhang der Saul-David-Überlieferung einbetten, nicht in allen Punkten zusammenstimmen[39]. Aber soviel ist sicher zu erkennen, daß die Philister in die Ebene von Megiddo/Jesreel einrückten, daß sie also die trennende Wirkung der Ebene und des nördlichen kanaanäischen Querriegels militärisch und politisch für sich und gegen Israel auszunutzen versuchten. Man sieht: Saul hatte zwar das zentralpalästinische Gebirge philisterfrei gemacht; es war ihm aber nicht gelungen, ein militärisch-politisches Gleichgewicht mit den Philistern herzustellen, geschweige denn die Hegemonie über sie zu gewinnen. Jetzt war er gezwungen, in kriegerische Auseinandersetzungen mit ihnen einzutreten; hätte er es nicht getan, dann wäre der galiläische Norden von Zentralpalästina abgeriegelt worden. Die Situation ähnelt der vor Beginn der Deboraschlacht (Ri 4/5). Saul ist mit schweren Bedenken und düsteren Ahnungen in die Bataille gegangen. Auch wenn 1. Sam 28,3–25 ein nachträglicher prädeuteronomischer Versuch ist, Sauls Scheitern zu begründen, braucht die Grundinformation nicht erfunden zu

---

[38] Diesen Sachverhalt unterschätzt J.H. Hayes, Saul: The Unsung Hero of Israelite History. Trinity University Studies in Religion 10 (1975) 37–47.

[39] 1. Sam 28,1 beginnt der Feldzug der Philister. Nach 28,4 lagerten sie bei *Šūnēm (Sōlem)* am Südrande des untergaliläischen Gebirges, während Sauls Truppen auf dem Gebirge Gilboa standen. Nach 29,1 sind die Philister noch in Aphek *(Tell Rās el-ʿAyn),* und Saul bezieht ein Lager an der Quelle bei Jesreel *(ʿAyn Ğālūd).* Nach 29,11 „zogen die Philister nach Jesreel hinauf" – in die Ebene oder zur Stadt dieses Namens?

sein. Danach ging Saul heimlich in der Nacht vor der Schlacht zur Totenbeschwörerin von Endor *(Endūr)* und bat um ein Orakel. Die Frau ließ den Totengeist Samuels aus der Erde aufsteigen, der Sauls schlimmste Befürchtungen bestätigte. Am Morgen entbrannte die Schlacht. Sie endete mit einer katastrophalen Niederlage für Israel. Die Philister verfolgten die flüchtenden Scharen ins Gilboagebirge. Es gelang ihnen, Sauls Söhne, darunter Jonathan, auf der Flucht zu stellen und umzubringen. Saul selbst konnte zunächst entweichen, beging aber dann in der Verzweiflung Selbstmord. Die Philister fanden nur noch seinen Leichnam und kühlten ihre Racheglut, indem sie ihm den Kopf abschnitten und den Kadaver zusammen mit den Leichen der Prinzen an der Stadtmauer von Bethschean aufhängten. Wenig später stahlen die Bürger von Jabesch in Gilead die Leichen bei Nacht, brannten ihre Weichteile ab und beerdigten sie unter einer Tamariske. Als David König von Juda und Israel geworden war, hat er die sterblichen Reste Sauls und seiner Söhne feierlich in das Erbbegräbnis der saulidischen Familie überführen lassen (2. Sam 21,12–14).

KAPITEL 2

Die Gründung des Reiches Juda durch David und die Personalunion zwischen Juda und Israel

Über die dem Tode Sauls und der Prinzen folgenden Ereignisse berichtet 2. Sam 1–5: ein Teil des ursprünglich nicht einheitlichen, vielmehr in einem längeren Wachstumsprozeß entstandenen Erzählwerkes über den Aufstieg Davids [1]. Dieses Werk gibt Anlaß zu einer Überlegung. Man weist gewöhnlich – und zwar mit Recht und guten Gründen – darauf hin, daß sich in der durch den Namen David bezeichneten zweiten Phase der Staatenbildung die Voraussetzungen für die Entstehung der isrealitischen Geschichtsschreibung entwickelt hätten: einer Geschichtsschreibung, die – von ähnlichen Erzeugnissen anderer orientalischer Völker durchaus verschieden – diesen Namen wirklich verdiene und die denn auch alsbald in ersten zeitgeschichtlichen Werken großartig ans Licht getreten sei [2]. Obgleich die War-

---

[1] Vgl. H.U. Nübel, Davids Aufstieg in der Frühe israelitischer Geschichtsschreibung (Diss. Bonn 1959); A. Weiser, Die Legitimation des Königs David. Zur Eigenart und Entstehung der sog. Geschichte von Davids Aufstieg. VT 16 (1966) 325–354; J.H. Grønbaek, Die Geschichte vom Aufstieg Davids (1. Sam. 15 – 2. Sam. 5). Tradition und Komposition. Acta Theologica Danica 10 (1971); F. Langlamet, David et la maison de Saül. RB 86 (1979) 194–213. 385–436. 481–513; 87 (1980) 161–210.

[2] Vgl. aus der Fülle der Literatur: G. v. Rad, Der Anfang der Geschichtsschreibung im alten Israel [1944]. GS 148–188; R. Smend, Elemente atl Geschichtsdenkens. ThSt 95 (1968); R. Rendtorff, Beobachtungen zur altisraelitischen Geschichtsschreibung anhand der Geschichte vom Aufstieg Davids. Probleme biblischer Theologie, Fs G. v. Rad (1971) 428–439.

nungen ernstzunehmen sind, den Begriff der Geschichtsschreibung nicht einfach aus dem zu gewinnen, was die Griechen und in ihrem Gefolge die Römer hinterlassen haben, sondern die kulturspezifische Eigenart altorientalischen geschichtlichen Schrifttums schärfer ins Auge zu fassen[3], ist daran unzweifelhaft Richtiges. Es besteht in der Tat ein fundamentaler Unterschied zwischen dem Sagenmaterial, aus dem der Historiker die Vor- und Frühgeschichte Israels rekonstruieren muß, und den Erzählungen, die für die Zeit der Staatenbildung und danach zur Verfügung stehen. Niemand kann die Differenzen z. B. zwischen den Erzvätersagen und der Darstellung der Thronfolge Davids übersehen. Es ist dies auch der Grund dafür, daß der Historiker von nun an langsam festen Boden unter die Füße bekommt. Er ist nicht mehr überwiegend auf den Umweg über die Traditionsgeschichte angewiesen, sondern sieht sich im Besitze geschichtlichen Quellenmaterials, dessen historischer Wert sehr viel höher zu veranschlagen ist als der Wert jener Literaturdenkmäler, die die Vor- und Frühgeschichte Israels zum Gegenstand haben. Nur muß man sich auf der einen Seite vor überscharfen Abgrenzungen, auf der anderen Seite vor Pauschalurteilen hüten. Die Erzählungen über David sind unter sich weit weniger verschieden, als zumeist angenommen, der Unterschied zwischen dem „Aufstieg Davids" und der „Thronfolge Davids" geringer, als gewöhnlich behauptet. Vor den Augen des Thukydides hätten beide schwerlich bestehen können. Hinzu kommt, daß auch die Unterschiede zu den Erzählungen über Saul oder gar über die Großen Richter geringer sind, als es auf den ersten Blick scheinen könnte. Das gilt auch für den Grad der historischen Zuverlässigkeit. Das alles will besagen: die geschichtliche Literatur Israels ist nicht vom Himmel gefallen, hat sich nicht über Nacht ergeben, sondern ist aus den bereits in vorstaatlicher Zeit vorhandenen Möglichkeiten geschichtlichen Denkens entwickelt worden. Dieses Denken ist dem „Sinn für Geschichte" der griechischen Historiographen nicht einfach gleichzusetzen. Es ist ein Denken, das sich immer noch und weiterhin seinen Ausdruck in Sagen oder in Erzählungen mit sagenhaften Zügen verschaffen kann. Das reicht bis in die berühmte Thronfolgegeschichte und gilt natürlich auch für das Erzählwerk vom Aufstieg Davids. Der Historiker ist gut beraten, wenn er den geschichtlichen Wert seiner Quellen in jedem Einzelfalle sorgfältig abwägt und dabei, soweit möglich, die Interessen und Tendenzen derjenigen berücksichtigt, denen er die Quellen verdankt[4].

---

[3] Vgl. z. B. H. Cancik, Grundzüge der hethitischen und atl Geschichtsschreibung. ADPV (1976).

[4] Die Gefahr, dabei über die Texte hinaus zu spekulieren, ist erheblich. Sind die Gründe für die Annahme wirklich ausreichend, die Aufstiegsgeschichte sei ein Dokument des Anspruchs späterer Davididen auf das Königtum des Nordreiches? So F. Schicklberger, Die Davididen und das Nordreich. Beobachtungen zur sog. Geschichte von Davids Aufstieg. BZ.NF 18 (1974) 255–263. Auch die Auffassung, sie sei eine Apologie des davidischen Königtums, entstanden in der Zeit der Krise (2. Sam 16. 20), ist fraglich; so P. C. Mccarter, The Apology of David. JBL 99 (1980) 489–504.

Was ereignete sich nach dem Tode Sauls? Zunächst gibt es in der Überlieferung kein sicheres Anzeichen dafür, daß die Philister nach der Katastrophe Sauls auf dem Gebirge Gilboa den *status quo ante* wiederherzustellen versuchten. Zwar spricht 1. Sam 31,7 einigermaßen rätselhaft von einer Besetzung der Städte „jenseits der Ebene und jenseits des Jordans" durch die Philister, d.h. in Galiläa und Gilead, aber das ist entweder eine geschichtlich unzutreffende Notiz, oder die „Besetzung" war vorübergehend. Denn in der Folgezeit trifft man die Philister weder hier noch dort noch auf dem zentralpalästinischen Gebirge an. Sie trachteten anscheinend keineswegs danach, ihre Hegemonie auf dem Gebirge wiederaufzurichten, wie sie vor Saul bestanden hatte. Warum eigentlich nicht? War das Unvermögen oder Absicht? Das letztere ist nicht nur möglich, sondern wahrscheinlich. Denn das Reich Sauls ist mit dem Tode des Königs nicht sogleich zugrundegegangen. Es hat vielmehr noch ein freilich kümmerliches und nicht gerade zukunftsträchtiges saulidisches Nachspiel gegeben. Nach 2. Sam 2,8–10 machte der israelitische Heerbannfeldmarschall Abner einen übriggebliebenen Sohn Sauls namens Eschbaal[5] im ostjordanischen Machanaim *(Tell Ḥeǧǧāǧ)* zum König[6]. Dort war ihm in der Tat eine Regierungszeit von zwei Jahren beschieden; da angebrochene Jahre voll gezählt werden, könnten es auch nur ein paar Monate gewesen sein. Aber schon die bloße Mitteilung der Tatsachen läßt erkennen, daß dieses Unternehmen nicht ernstlich als legitime Fortsetzung des Königtums Sauls gelten konnte. Es vollzog sich im Ostjordanland, weit entfernt vom Zentrum des Reiches Sauls auf dem westjordanischen Gebirge. Nicht Jahwe, sondern Abner inthronisierte den Eschbaal und erklärte ihn zum Nachfolger seines Vaters. Von einem nationalen Heerkönigtum war keine Rede; denn die Stämme und der Heerbann waren, soweit wir sehen können, ganz unbeteiligt. Dem Königtum Eschbaals fehlten die konstitutiven Elemente, die Sauls Königsherrschaft begründet hatten: die Designation durch Jahwe und die Akklamation des Volkes. Eschbaal war ein Schattenkönig, eine Marionette an den Fäden, die der begabte und tatkräftige Abner zog, ein Epigone, der eine kleine Zeit lang aus dem Charisma seines Vaters Kapital zu schlagen versucht hat. Die Geschichte behilft sich in Atempausen gelegentlich mit Surrogaten, wenn eine wirkliche und vollgültige Fortsetzung auf sich warten läßt. Hätte sich Eschbaal als Heerkönig bewährt, dann hätte es vielleicht doch zur Akklamation wenigstens einiger Stämme kommen können, und eine Überlieferung von der Designation durch Jahwe würde sich schon eingestellt haben. Aber Eschbaal blieb untätig in Machanaim sitzen und sandte allenfalls seine Söldner ins Westjordanland, keineswegs gegen die Philister, sondern gegen David, den er nicht ganz zu Unrecht als seinen Rivalen betrachtete (2. Sam 2,12 – 3,1). Dergleichen konnte nicht zur Akklamation

---

[5] Zum Namen s. o. S. 181, Anm. 34.

[6] Vgl. K.-D. Schunck, Erwägungen zur Geschichte und Bedeutung von Mahanaim. ZDMG 113 (1963) 34–40.

und also auch nicht zu einem legitimen Königtum führen. Es ist denkbar, daß die Philister diese Situation richtig einschätzten und klug handelten, wenn sie die Gebirgsgegenden mieden. Die Gefahr war nicht auszuschließen, daß der Heerbann der israelitischen Stämme bei erneuter philistäischer Expansion gereizt wurde und zum Kampfe antrat. Das aber hätte im Falle der Bewährung Eschbaals doch noch zu einer Auferstehung des Heerkönigtums Sauls führen können – und daran war den Philistern ganz sicher nicht gelegen[7].

Wie die Dinge lagen, konnte es nicht ausbleiben, daß sich die Stämme – vor allem im Westjordanland – dem abgewirtschafteten Königshaus Sauls mehr und mehr entfremdeten und, israelitisch gesprochen, auf eine neue Designation von seiten Jahwes warteten. Denn das Königtum in Israel, wie es sich bisher gestaltet hatte, war ein Wahlkönigtum mit einem einzigen Wähler: Jahwe. Schon deshalb konnte Abners Experiment keine Zukunft haben. Ein Mann von seinem Format hätte das eigentlich voraussehen müssen. Er hat es nicht vorausgesehen, doch nach relativ kurzer Zeit eingesehen. Aus nichtigem Anlaß[8] entzog er Eschbaal seine stützende Hand und ging zu David über (2. Sam 3,6–39). Einem teils politischen, teils persönlichen Zwist mit Davids Heerbannfeldmarschall Joab war es zuzuschreiben, daß er nicht lange nach seinem Übertritt sein Leben verlor. Joab ermordete ihn in Hebron und vollzog damit die Blutrache für seinen Bruder Asahel, den Abner auf dem Gewissen hatte. Das war gewiß nicht im Sinne Davids, der die Talente Abners beim Aufbau seines Reiches wohl hätte brauchen können: „Wißt ihr nicht, daß heute ein Amtsträger und ein Großer in Israel gefallen ist?“ (2. Sam 3,38) Man sollte die Bestürzung Davids über Abners Tod nicht nur als Schachzug in seinem politischen Spiele betrachten, so etwa, daß er sich dadurch bei den Nordstämmen beliebt zu machen versuchte. Sicher spielte das mit hinein. Aber darüber hinaus ist damit zu rechnen, daß er das Ausscheiden Abners tatsächlich als Verlust empfunden hat. Jedenfalls hat Eschbaal, wie nicht anders zu erwarten, den Abgang Abners nicht lange überlebt: er wurde in Machanaim von zweien seiner eigenen Söldnerführer umgebracht (2. Sam 4). So endete das unrühmliche Nachspiel zum Königtum Sauls, und der Weg war frei für den neuen Mann, dem die Zukunft ganz Israels gehören sollte.

Der beispiellose Aufstieg Davids zur Königsherrschaft über Gesamtisrael ist nicht ohne seine Vorgeschichte verständlich. Sie begann damit, daß David, der Sohn eines bethlehemitischen Bauern namens Isai, an den Hof des Königs Saul berufen wurde, und zwar zunächst als eine Art Heilmittel gegen Sauls Melancholie, als Spielmann, wir würden heute sagen: als Mu-

---

[7] Vgl. A. Soggin, The Reign of *'Ešba'al,* Son of Saul. OT Studies (1975) 31–49 (italien. RSO 40, 1965, 89–106).

[8] Oder sollte Abner selbst nach der Königsherrschaft gestrebt und dadurch den Konflikt mit Eschbaal provoziert haben? 2. Sam 3,7 könnte darauf schließen lassen; vgl. zum Verhältnis des „Nachfolgers“ zu den Haremsdamen des Vorgängers 2. Sam 16,21 f. und 1. Kön 2,13 ff.

siktherapeut (1. Sam 16,14–23). Aber dabei blieb es nicht. Er gewann alsbald die Freundschaft des Prinzen Jonathan (1. Sam 18,1–4; 20; 2. Sam 1,23. 25f.) und avancierte zum Söldnerführer (1. Sam 18,5. 13). Das Militärische überwog schon in diesem Frühstadium ganz entschieden das Musikalische. Schließlich heiratete er, nach Überwindung einiger Schwierigkeiten, die Prinzessin Michal und wurde damit Sauls Schwiegersohn (1. Sam 18,17–27). Die Bedeutung dieser Karriere Davids am Hofe und in der unmittelbaren Umgebung Sauls kann nicht leicht überschätzt werden. Es handelte sich sozusagen um Privatangelegenheiten Davids, die seine Familie in Bethlehem nicht oder doch nicht unmittelbar betrafen. David war aus der *familia* seines Vaters ausgeschieden und in die Klientel des Königs eingetreten: er war ein „Dienstmann des Königs" *(ʿebed hammelek)* geworden und nahm damit einen ganz anderen Anfang als Saul selbst ihn genommen hatte. David war im Vergleich zu Saul, dessen Aufstieg sich im Rahmen der alten Ordnungen Israels vollzogen hatte, ein moderner Mensch, ein Mann der zweiten Generation der Staatenbildung. Wäre es nicht zum Zerwürfnis zwischen Saul und David gekommen, dann wäre er wahrscheinlich in die Katastrophe Sauls auf dem Gebirge Gilboa hineingezogen worden und vielleicht wie sein Freund Jonathan umgekommen.

Gerade das aber trat nicht ein. Denn Saul verspürte im Laufe der Zeit zunächst wohl ein leises Unbehagen, bald aber offene Furcht vor David. Er muß in dieser jungen, glänzenden Gestalt einen Rivalen gewittert haben, vielleicht nicht sogleich einen Rivalen um den Königsthron, wohl aber einen Rivalen um die Gunst des Volkes. Es gehörte unzweifelhaft zu den großen Gaben Davids, sich die Herzen der Menschen geneigt zu machen – und eben das war dem alternden, gemütskranken, von Jahwe verlassenen König ein Dorn im Auge. 1. Sam 18,14–16: „David hatte Erfolg auf allen seinen Wegen, weil Jahwe mit ihm war. Als Saul sah, daß er viel Erfolg hatte, bekam er Angst vor ihm. Ganz Israel und Juda aber liebte David, weil er an ihrer Spitze aus- und einzog." Der Erfolg war hauptsächlich militärischer Art, und der wachsende Ingrimm Sauls ist begreiflich, wenn er hören mußte, wie die Frauen in Israel dem von Kriegszügen heimkehrenden David zuriefen und zusangen: „Saul hat seine Tausende geschlagen, David aber seine Zehntausende!" (1. Sam 18,7) Die Lage wurde unhaltbar. Es kam schließlich zum Bruch und zum Ausscheiden Davids aus dem Königsdienst, mehr noch: zur Flucht Davids vor Saul und seinen Häschern. Die Ereignisse werden im Erzählwerk von Davids Aufstieg in höchst lebendigen Farben geschildert: oft sagenhaft und in der Rückschau aus einer Zeit, als David den Zenith seiner Laufbahn längst erreicht hatte und das Rankenwerk der Legende seine Person zu umspinnen begann (1. Sam 18,28 – 26,25). Dem Leser drängt sich, von den Erzählern beabsichtigt, die bange Frage auf: Wie soll aus diesem armen und doch großmütigen Flüchtling etwas werden? Wie soll aus ihm gar ein König werden? Und es vermindert den Reiz und die Spannung nicht im geringsten, daß der Leser die Antwort immer schon weiß.

In dieser Situation erfolgte die entscheidende Wende im Frühstadium der Laufbahn Davids. Es geschah wieder einmal das gerade nicht, was man füglich hätte erwarten sollen. Nichts hätte näher gelegen, als daß David nach seiner Flucht vor Saul in den Schoß seiner bethlehemitischen Familie zurückgekehrt und ein Bauer geworden wäre, wie es seine Väter gewesen waren. Er hatte eigentlich allen Anlaß, seine politische Karriere als beendet zu betrachten. Was aber tat er? Er ging ins judäische Gebirge und setzte dort das Kriegshandwerk, in dem er unter Saul geglänzt hatte, auf eigene Rechnung fort. Zu diesem Zwecke bildete er eine Söldnertruppe, die in 1. Sam 22,2 so beschrieben wird: „Da sammelten sich bei ihm allerlei Bedrängte, sowie jedermann, der einen Gläubiger hatte und allerlei Leute mit verbittertem Gemüt, und er wurde ihr Anführer. Ungefähr vierhundert Mann schlossen sich ihm an." Sehr vertrauenerweckende Leute sind das wohl nicht gewesen, vielmehr armes und niederes Volk, wirtschaftlich gescheiterte und sozial heruntergekommene Existenzen, dunkle Gestalten. Aber eine Tugend hatten diese Dunkelmänner: sie waren ihrem Anführer treu ergeben und gingen mit ihm durch dick und dünn [9]. Mit ihnen zog David im Hügelland und im judäischen Gebirge umher, unstet und auf der Suche nach Bewährung (1. Sam 23–26). Er fand sie im Schutze der judäischen Bauern vor dem Zugriff ihrer Feinde, vor allem der Nomaden. Es lag ihm offenbar viel daran, ein gutes, nach Möglichkeit ungetrübtes Verhältnis zu den Judäern zu gewinnen. Wie zielstrebig er dabei zu Werke ging, zeigt die Tatsache, daß er diese Beziehungen durch eine geschickte Heiratspolitik befestigte: er ehelichte die Achinoam aus dem südlichen Jesreel (Lage unbekannt; 1. Sam 25,43) und die kluge Witwe Abigail aus Maon *(Tell Maʿīn)*, die freilich nicht ohne Davids Zutun Witwe geworden war und eben dies gewollt hatte (1. Sam 25,2–42). Beide waren Judäerinnen aus angesehenen Familien des südlichen Gebirgsabfalls, mit denen David nun auch privat und familiär verbunden war [10]. Man hat Davids Existenz in dieser Periode seiner Laufbahn mit den italienischen *Condottieri* der Renaissance verglichen, die sich mit ihrem Militär in den Dienst der Fürsten stellten und sich zu allerlei ehrenhaften und unehrenhaften Unternehmungen brauchen oder mißbrauchen ließen. Eben das hat David getan, nachdem er einige Zeit selbständig gewesen war und Konflikte seiner Söldner mit den Bauern des Gebirges trotz aller Mühe nicht ganz hatte vermeiden können. Er trat in den Dienst des Philisterfürsten Achisch von Gath (1. Sam 27), wurde philistäischer Vasall und bewies damit, daß ihm nichts ferner lag als nationale

---

[9] Im Laufe der Zeit vermehrte sich die Truppe (600 Mann; 1. Sam 27,2). In 2. Sam 23,8–39 werden Anekdoten von diesen Recken aus Davids frühen Tagen erzählt und eine Liste der prominentesten von ihnen dargeboten. Vgl. K. Elliger, Die dreißig Helden Davids [1935] KS 72–118; B. Mazar, The Military Elite of King David. VT 13 (1963) 310ff.

[10] Vgl. J.D. Levenson, 1. Samuel 25 as Literature and as History. CBQ 40 (1978) 11–28; J.D. Levenson – B. Halpern, The Political Import of David's Marriages. JBL 99 (1980) 507–518 (mit der durch nichts begründeten Auffassung, Abigail sei eine Schwester Davids und Achinoam eine Frau Sauls gewesen).

Ressentiments. Daß Sauls Staatswesen einst gegen die Philister gegründet worden war, behinderte ihn keineswegs. Sein Diensther belehnte ihn mit der Stadt Ziklag, wahrscheinlich am inneren östlichen Rande der südlichen Küstenebene gelegen. Damit wurde David Militärkolone der Philister, wie diese selbst in ihrer Landnahmezeit Militärkolonen der Ägypter gewesen waren. Sehr genau können die Philister das politische und militärische Format Davids allerdings nicht erkannt haben, sonst hätten sie ihn nicht weiterhin die Aufgabe erfüllen lassen, die er sich selbst schon vorher gestellt hatte: den Schutz der Südgrenze des Kulturlandes gegen die Nomaden, vor allem gegen die Amalekiter (1. Sam 30). Gewiß lag das letzten Endes auch im Interesse der Philister, aber es verschaffte David die Gelegenheit, seine Beziehungen zu den Judäern zu pflegen und verbessern. Sein Prestige auf dem Gebirge wuchs zusehens; über den Schönheitsfehler, daß er in philistäischen Diensten stand, mag man hinweggesehen haben. Er ließ ja doch deutlich erkennen, wo sein Herz schlug, und daß er Manns genug sein werde, die philistäische Vasallität eines Tages wieder loszuwerden. So war Davids Aufstieg nicht mehr aufzuhalten, seine Erhebung zum König lag in der Luft – und es entbehrt nicht der Ironie, daß die Philister als Steigbügelhalter dazu einen bescheidenen, aber wirksamen Beitrag geleistet haben.

In diesem Stadium der Dinge erfolgte im Norden die Katastrophe Sauls. David wurde durch ein spürbares Mißtrauen der Philister davor bewahrt, gegen Saul zu Felde ziehen zu müssen (1. Sam 29), was das Ende seiner politischen Laufbahn zumindest im Norden bedeutet haben würde. Er befand sich auf einer Strafexpedition gegen die Amalekiter im Süden (1. Sam 30). Danach kehrte er nur für kurze Zeit nach Ziklag zurück und begab sich alsbald auf das Gebirge nach Hebron. David verfügte über eine politische Witterung großen Formats, die ihm sagte, daß die alte Rivalität zwischen Nord und Süd jetzt nach dem Tode Sauls zu Entwicklungen führen werde, die für ihn selbst nur günstig sein konnten. Er brauchte in der Tat nicht lange zu warten. 2. Sam 2,1–4: „Danach fragte David bei Jahwe an: Soll ich in eine der Städte Judas ziehen? Jahwe antwortete ihm: Ja! Als dann David fragte: Wohin soll ich ziehen? antwortete er: nach Hebron. So zog denn David dorthin mit seinen beiden Frauen, Achinoam aus Jesreel und Abigail, der Frau des Nabal, aus Karmel. Auch ließ David seine Leute, die er bei sich hatte, jeden mit seiner Familie hinaufziehen, und sie wohnten in den Ortschaften um Hebron. Da kamen die Männer von Juda und salbten David dort zum König über das Haus Juda." Damit konstituierte sich die alte Interessengemeinschaft der Südstämme unter Führung von Juda nun auch politisch. Das Staatwesen Davids umfaßte Groß-Juda[11]. Man muß sich klarmachen, daß Davids Erhebung zum König unter ganz anderen Voraussetzungen und auf andere Weise erfolgte als die Sauls. Von einer charismatischen Berufung Davids verlautet kein historisch ernstzunehmendes Wort;

---

[11] Dazu auch 1. Sam 30,26–31. Vgl. H.-J. Zobel, Beiträge zur Geschichte Groß-Judas in früh- und vordavidischer Zeit. SVT 28 (1975) 253–277.

die Erzählung 1. Sam 16,1–13, nach der der Seher Samuel noch zu Lebzeiten Sauls David zum König gesalbt haben soll, ist ein späterer, nordisraelitischer Versuch, das fehlende Element der Designation doch noch zur Geltung zu bringen[12]. David ist nicht vom Charismatiker zum König geworden. Er war ein Söldnerführer mit Hausmacht, die die Ältesten von Juda gewiß in Rechnung gestellt haben. Es handelte sich nicht um einen spontanen Akt der Ausrufung zum König in der Stunde der Not, sondern um den Schlußstein in einer von langer Hand vorbereiteten Entwicklung.

Die Philister scheinen das, was sich da auf dem Gebirge Juda vollzog, zunächst nicht für gefährlich gehalten zu haben. Es kam jedenfalls nicht zum Krieg. Dieser Umstand läßt die Vermutung aufkommen, daß David auch als König von Juda vorerst nicht aus der philistäischen Vasallität ausschied. Vielleicht rechnete man bei den Philistern damit, daß sich ein judäisches Staatswesen unter David als Rivale des israelitischen Nordens gut in das philistäische Konzept einfügen würde: *divide et impera!* Überdies war die Hoffnung nicht unbegründet, daß David als Vasall dem Einfluß der Philister Tür und Tor öffnen werde, daß vielleicht sogar die philistäische Hegemonie über das Gebirge, die die Philister gewiß nicht als erloschen betrachteten, auf dem Umweg über David wiederhergestellt werden konnte. Ähnliche Hoffnungen mögen in den Kreisen um Abner und Eschbaal lebendig gewesen sein: David als hinterwäldlerischer Kleinkönig unter der Fuchtel der Philister. Das aber waren Fehlspekulationen, Rechnungen ohne den Wirt. Davids Format scheint in diesen Anfangsjahren außer von Jahwe von allen Beteiligten erheblich unterschätzt worden zu sein.

Es dauerte nämlich nicht lange, daß David als König von Juda in die Reihe der politischen Faktoren Palästinas einrückte, mit denen man rechnen mußte. Er war jetzt nicht mehr nur auf seine Söldner angewiesen, sondern hatte gegebenenfalls den judäischen Heerbann zur Verfügung. Sein Prestige wuchs unablässig, und es konnte nicht ausbleiben, daß sein Staat alsbald als Magnet im politischen Kraftfeld zu wirken begann, besonders auf die Stämme des Nordens und Ostens, die zum Reiche Sauls gehört hatten. Die Überlieferung läßt erkennen, daß David nicht untätig blieb und die Dinge an sich herankommen ließ, sondern daß er die Möglichkeiten erkannte und nutzte, die ihm nach dem Tode Sauls erwachsen waren. Er war nun allerdings nicht so töricht, daß er versucht hätte, durch Überredung, Druck oder gar Gewalt die Macht über den Norden zu erlangen. Es lag ihm fern, sich unter israelitischen Brüdern dem Vorwurf auszusetzen, er sei ein nicht designierter, machthungriger Usurpator. Deshalb blieb er in Hebron und übte zwei der Künste, deren vollkommene Beherrschung ihn mehr als andere auszeichnete: er wartete ab und ließ zugleich keine Gelegenheit vorübergehen, sein persönliches Ansehen unter den Stämmen Israels zu festigen und das Schattenkönigtum Eschbaals unauffällig zu desavouieren. So ließ er z. B. einen großmäuligen Amalekiter erstechen, der in der Hoffnung

---

[12] Die Erzählung enthält keine sicheren Anzeichen dtr Herkunft.

auf Lob und Belohnung zu ihm gekommen war und ihm berichtet hatte, er habe dem bereits in der Agonie liegenden Saul auf dem Gebirge Gilboa den Gnadenstoß versetzt (2. Sam 1,1–16). Diese Geste war zweifellos von großer Wirkung auf die Stämme des Reiches Sauls; denn sie ließ erkennen, daß David Saul als legitimen Herrscher betrachtete, dessen Person anzutasten ein Frevel war. Er gab zu verstehen, daß er Sauls Feindschaft und Verfolgung vergessen hatte und spielte seine gewiß echte Trauer und Bestürzung über den Tod Sauls und mehr noch Jonathans (2. Sam 1,17–27)[13] zu einem Politikum ersten Ranges hoch. Den Bürgern der Stadt Jabesch ließ er seine Anerkennung für die pietätvolle Bergung der Leichen Sauls und seiner Söhne ausrichten, nicht ohne ziemlich unverblümt auf sich selber als kommenden Mann hinzuweisen (2. Sam 2,4b–7). Später ließ er die Gebeine nach dem Westjordanland überführen und ehrenvoll im Erbbegräbnis der Familie Sauls beisetzen (2. Sam 21,11–14). In den Kämpfen, die ihm Abner mit den Söldnern Eschbaals aufzwang, setzte er bewußt nicht den judäischen Heerbann ein, um den Graben zwischen Nord und Süd nicht zu vertiefen. Er nahm in Kauf, daß die Söldnerpartie *remis* ausging und ein allgemeines Gemetzel die Auseinandersetzung beendete (2. Sam 2,12 – 3,1). Eine Politik dieser Art mußte notwendig Früchte tragen. Die erste Frucht war der Übergang Abners zu David – und wiederum ist bemerkenswert, daß David in den Verhandlungen mit Abner (2. Sam 3,12–21) darauf bestand, Sauls Tochter Michal, mit der er verheiratet gewesen war und die Saul inzwischen weiterverheiratet hatte, zurückzubekommen[14]. Diese Forderung war ein politischer Schachzug; denn die Prinzessin bildete gleichsam eine Brücke zum Norden und zur Familie Sauls. Schließlich kam es zum Pakt zwischen Abner und David. Abner versprach, Israel kampflos auf Davids Seite herüberzuziehen. Die Blutrache Joabs, der Abner zum Opfer fiel, machte einen letzten Strich durch Davids Rechnung. Er zögerte nicht, seinen eigenen Heerbannfeldmarschall scharf und öffentlich zu rügen, ohne freilich auf ihn zu verzichten (2. Sam 3,28–39)[15]. Als wenig später Eschbaal in Machanaim ermordet wurde, wiederholten sich Davids Reaktionen nach dem Tode Sauls. Er ließ die Mörder, die ihm Eschbaals Kopftrophäe nach Hebron brachten, hinrichten und den Kopf im Grabe Abners bestatten (2. Sam 4,8–12).

So reiften die Dinge ihrem Ende entgegen. Nach dem Tode Eschbaals hatte der letzte kümmerliche Rest der saulidischen Autorität aufgehört zu

---

[13] Es gibt keinen vernünftigen Grund gegen die Annahme, daß zumindest der Grundbestand des Leichenliedes auf Saul und Jonathan tatsächlich auf David zurückgeht.

[14] H.-J. Stoebe, David und Michal. Überlegungen zur Jugendgeschichte Davids [1958]. BZAW 77 (1961²) 224–243 stellt, m. E. ohne ausreichende Gründe, die Jugendehe Davids in Frage.

[15] J. C. Vanderkam, Davidic Complicity in the Deaths of Abner and Eshbaal: A Historical and Redactional Study. JBL 99 (1980) 521–539 vertritt die Ansicht, daß David selbst die Tötung Abners, nicht jedoch die Eschbaals, veranlaßt habe. Das fügt sich nicht in das von den Quellen sonst gebotene Bild des Verhaltens Davids gegenüber dem Norden.

bestehen. Den Stämmen des Reiches Israel blieb keine andere Wahl mehr als sich an David zu wenden. 2. Sam 5,1–3: (1) „Da kamen alle Stämme Israels zu David nach Hebron und sprachen: Wir sind ja dein Fleisch und Bein! (2) Schon längst, als Saul noch unser König war, bist du es gewesen, der Israel ins Feld und wieder heimführte. Außerdem hat Jahwe dir zugesagt: Du sollst mein Volk Israel weiden und Thronanwärter *(nāgīd)* über Israel sein. (3) Da kamen alle Ältesten Israels zum König nach Hebron, und der König David schloß in Hebron vor Jahwe einen Vertrag *(b^erīt)* mit ihnen. Darauf salbten sie David zum König über Israel." In diesem Texte ist gewiß nur V. 3 historisch ernstzunehmen. V. 1/2 geben sich literarisch als Dublette zu V. 3 und sind durch den Hinweis auf eine Designation als spätere Deutung zu erkennen. David wurde König von Israel durch einen regelrechten zweiseitigen Vertrag[16], in dem die gegenseitigen Rechte und Pflichten sicherlich genau festgelegt waren. Über den empfindlichen Mangel der Designation mögen die Ältesten Israels mit Hilfe der Erwägung hinweggekommen sein, daß sich David unzweifelhaft als der Mann erwiesen hatte, dem die Zukunft gehörte. Jahwe war mit ihm, und dieser von niemandem zu bezweifelnde Tatbestand ersetzte die Designation in der alten klassischen Form.

Man muß sich von der Vorstellung freimachen, das gesamtisraelitische Staatsgebilde Davids sei ein Einheitsreich gewesen. Das ist nicht der Fall. David hatte zwei Erhebungen zum König erlebt, die zu verschiedenen Zeiten und unter verschiedenen Umständen erfolgt waren. Seinem Königtum über Juda und über Israel lagen jeweils verschiedene Abmachungen zugrunde. Das staatsrechtliche Ergebnis dieser Entwicklung konnte kein anderes sein als die Personalunion. Charakter und Eigenständigkeit beider Staaten sind nicht eingeschmolzen worden. Nord und Süd blieben getrennte Größen mit einem einzigen politischen Vereinigungspunkt: der Person Davids, der nun zwei Kronen auf seinem Haupte trug[17]. Dieses relativ unausgeglichene Nebeneinander war voller Gefahren, die jederzeit akut werden konnten, besonders dann, wenn David als Inhaber der Personalunion ausfiel. Es ist möglich und wahrscheinlich, daß David diese Gefahren gesehen hat. Unternehmen konnte er dagegen kaum etwas, denn der Dualismus von Nord und Süd war schon lange so tief verwurzelt[18], daß er sich in der Konstruktion des davidischen Königtums notwendig niederschlagen mußte. Die Personalunion ist das äußerste gewesen, wozu Nord und Süd gemeinsam in der Lage waren.

---

[16] Vgl. G. Fohrer, Der Vertrag zwischen König und Volk in Israel. ZAW 71 (1959) 1–22.

[17] Dem entspricht die mehrfach gebrauchte, staatsrechtlich korrekte Formel, David habe über „Juda und Israel" geherrscht; vgl. 2. Sam 5,5; 11,11 u. ö.

[18] Dazu kritisch Z. Kallai, Judah and Israel. A Study in Israelite Historiography. IEJ 28 (1978) 251–261.

KAPITEL 3

Das Großreich Davids

Als David König von Israel und Juda geworden war, mußte es auch den Optimisten unter den Philistern langsam dämmern, daß die Hoffnungen, die man auf ihn als philistäischen Vasallen gesetzt hatte, auf einer Unterschätzung seiner Person und auf einer Fehleinschätzung der Lage beruhten. Gewiß wird es David kaum für nötig gehalten haben, seine Vasallität offiziell aufzukündigen. Doch als König von Israel war er in die politische Tradition des Nordreiches eingetreten, und daß dieses Reich eine antiphilistäische Gründung gewesen war, hatten die Philister sicher nicht vergessen. Die Träume von einer Wiederherstellung der philistäischen Hegemonie auf dem Umweg über David waren ausgeträumt. Sollte noch etwas gerettet werden, dann konnte das nur gegen David geschehen. Deshalb entschlossen sich die Philister zum Präventivkrieg (2. Sam 5,17–25). Sie erschienen auf dem Gebirge, rückten allerdings nicht, wie einst gegen Saul, in den nördlichen kanaanäischen Querriegel ein, sondern in den südlichen, mit Stoßrichtung auf das jebusitische Jerusalem. Dieses Vorgehen zeugt von beachtlicher strategischer Klugheit; denn das Territorium des südlichen Querriegels war die schwächste Stelle in Davids vereinigtem Königreich, die Nahtstelle zwischen Nord und Süd. Gelang es den Philistern, zunächst einmal dieses Gebiet fest in ihre Hand zu bekommen, dann konnten sie die nordsüdlichen Verkehrswege nach Belieben sperren, und Davids Personalunion stand nur noch auf dem Papier. Aber das Unternehmen scheiterte; denn David wußte, was auf dem Spiele stand. Er war nicht umsonst bei den Philistern in die Schule gegangen und verstand das Kriegsinstrument der Söldnerformationen besser zu gebrauchen als seine Lehrmeister. Die Einzelheiten sind chronologisch und topographisch nicht ganz klar. Das AT stellt die Dinge so dar, als hätte sich die Auseinandersetzung erst nach Davids Eroberung von Jerusalem vollzogen[1]. Das aber fügt sich nicht recht in die gesamtpolitische Entwicklung und paßt auch nicht zu 2. Sam 5,17, wonach David vor Beginn der Philisterkämpfe in die „Bergfeste" – wahrscheinlich Adullam (*Ḫirbet eš-Šēḫ Maḏkūr*) – „hinabstieg": einen Sinn ergibt das eigentlich nur, wenn David nicht schon in Jerusalem, sondern noch in Hebron saß. Jedenfalls erfocht er kurz hintereinander zwei Siege über die Philister in der Ebene Rephaim unweit eines Ortes oder Heiligtums namens Baal Perazim[2]. Nach dem zweiten Siege flohen die Philister nach

---

[1] Vgl. 2. Sam 5,6–9 und Chr.-E. Hauer, Jerusalem, the Stronghold and Rephaim. CBQ 32 (1970) 571–578.

[2] Die Ebene Rephaim = *el-Baqʿa* südwestlich des alten Jerusalem (hinter dem heutigen Bahnhof). Baal Perazim (vgl. auch Jes 28,21) ist nicht sicher lokalisiert. A. Alt, PJB 23 (1927) 15f. suchte es am Südrande der Ebene *el-Baqʿa*. F.-M . Abel, Géographie de la Palestine II

Norden, und David trieb sie vor sich her über Gibeon *(el-Ǧīb),* bis weit hinaus ins Hügelland nach Gezer *(Tell Ǧezer).* Sie begruben ihre Herrschaftspläne, beschränkten sich hinfort auf ihre Pentapolis in der Küstenebene und schieden als Gegner Israels und Judas aus.

Nach diesen Ereignissen erfolgte der nächste Schritt, der politisch gewiß schon längst vorbereitet war. David residierte immer noch in Hebron, wo er sich insgesamt siebeneinhalb Jahre aufgehalten hat (2. Sam 5,5). Die relativ exzentrische Lage Hebrons aber begünstigte die Regentschaft Davids über Juda und Israel nicht. Überdies war er in Hebron König von Juda; die Stämme des Nordens aber wollten nicht vom judäischen König regiert werden, sondern von David, den sie sich als König von Israel erwählt hatten. Der Dualismus von Nord und Süd machte ein weiteres Verbleiben Davids in Hebron problematisch. Hinzu kam die Erkenntnis der permanenten Gefahr des südlichen kanaanäischen Querriegels, die durch das Vorgehen der Philister soeben wieder deutlich geworden war. Daher suchte David nach einer Lösung, die beiden politischen Problemen gerecht werden konnte. Er fand sie in der Existenz des noch immer kanaanäischen Stadtstaates Jerusalem, der weder zu Israel noch zu Juda gehörte und zugleich den östlichen Endpunkt des südlichen Querriegels bildete. Die alte Jebusiterstadt, auf dem Südosthügel des heutigen Jerusalem außerhalb der türkischen Mauer gelegen, hatte bis dahin im Schatten der Geschichte gestanden. Als eine der nicht sehr zahlreichen Ortschaften auf dem städtearmen Gebirge schon in den ägyptischen Ächtungstexten [3] und in den Amarnabriefen [4] erwähnt, war sie bislang nicht zu größerer Bedeutung aufgestiegen [5]. Das wurde nun anders. David erstürmte mit seinen Söldnern das Felsennest, machte es zu seinem persönlichen Besitz und richtete dort seine Residenz ein (2. Sam 5,6–9) [6]. Er trat in Jersualem die Nachfolge der jebusitischen Stadtfürsten an [7] und fügte damit seinen Würden die eines Stadtkönigs von Jeru-

---

(1967³) 259 dachte an *Šēḫ Badr* auf dem *Rās en-Nāḍir* bei *Lifta;* aber das liegt nordwestlich von Jerusalem. Neuerdings ist A. Mazar, Giloh: An Early Israelite Settlement Site Near Jerusalem. IEJ 31 (1981) 1–36 für eine Ortslage bei *Bēt Ǧāla* eingetreten.

[3] S. o. S. 19. Bei K. Sethe (e 27. 28; f 18) und G. Posener (E 45): *ꜣwšꜣmm* = **(u)rušalimum(?).* Die Bedeutung des Namens ist ganz unsicher; vgl. H. Donner, BRL², 157.

[4] S. o. S. 20. EA 285–290: Briefe des Stadtfürsten Abdiḫepa an Amenophis IV Echnaton; vgl. AOT², 374–378; ANET³, 487–489; TGI³, 25 f.

[5] Vgl. K.-D. Schunck, Juda und Jerusalem in vor- und frühisraelitischer Zeit. Schalom, Fs A. Jepsen (1971) 50–57.

[6] Ausgewählte Literatur zur Topographie, Geschichte und Archäologie Jerusalems: K. M. Kenyon, Jerusalem. Die Hl. Stadt von David bis zu den Kreuzzügen. Ausgrabungen 1961–1967 (1968); J. Gray, A History of Jerusalem (1969); E. Otto, Jerusalem – die Geschichte der Hl. Stadt. Von den Anfängen bis zur Kreuzfahrerzeit. Urban-Taschenbücher 308 (1980).

[7] Ein anderes Konzept – Jerusalem als eine Art Federal District oder Federal Capital nach Analogie der Verhältnisse in den USA und anderwärts – bei A. Soggin, in: Israelite and Judaean History, ed. by J. H. Hayes and J. M. Miller (1977) 353–356. Auf Soggins dort gegebene maßvolle Auseinandersetzung mit der Kritik von G. Buccellati an A. Alt sei ausdrücklich hingewiesen.

salem hinzu[8]. Man muß sich klarmachen, daß die Einnahme von Jerusalem und die Einrichtung der königlichen Residenz daselbst eine geniale und ideale Lösung der politischen Probleme war, denen sich David gegenübersah. Jerusalem war eine unabhängige Größe zwischen Israel und Juda; David thronte als Stadtfürst von Jerusalem sozusagen über dem Dualismus von Nord und Süd. Die Geschichte hatte Jerusalem gleichsam für David aufgespart. Er allein ist es gewesen, der den Grund dafür legte, daß das ephemäre Jebusiternest zunehmend an Bedeutung gewann und in der Geschichte und Gedankenwelt Israels einen beispiellosen Aufstieg erlebte[9]. Um das Interesse der beiden in Personalunion vereinigten Reiche an Jerusalem zu wecken und zu fördern, aktivierte David sakrale Traditionen des vorstaatlichen Israel. Er bediente sich dazu der Lade Jahwes, jenes alten tragbaren Kultobjektes und Kriegspalladiums, über dessen bewegte Geschichte in freilich sagenhaft-novellistischer Form die sog. „Ladeerzählung" (1. Sam 4–6; 2. Sam 6) berichtet[10]. Die Lade, die dereinst in Silo gestanden hatte, war in der Schlacht bei Aphek (1. Sam 4) an die Philister verlorengegangen und hatte dann eine abenteuerliche Irrfahrt nach Asdod, Gath, Ekron und Bethschemesch angetreten, bis sie schließlich in Kirjath-Jearim (*Dēr el-Azhar* bei *Abū Ġōš*) landete und dort, wenn nicht gerade in Vergessenheit geriet, so doch für die nächste Zukunft ohne Bedeutung blieb[11]. Nach 2. Sam 6 holte David die Lade aus dieser Versenkung, überführte sie feierlich nach Jerusalem und gab ihr dort einen bevorzugten Platz, zunächst wohl an der Gihon-Quelle *(ʿĒn Sittī Maryam)*, später vielleicht im heiligen Bezirk nördlich der Stadt, dem heutigen *Ḥaram eš-Šerīf*, wo dann Salomo den ersten Tempel errichtet hat. Es ist zu beachten, daß im AT über eine Verbindung des vorstaatlichen Stammes Juda zur Lade nichts verlautet; die Ladetraditionen sind im Norden, bes. in Ephraim und Benjamin, zu Hause. Das läßt den Schluß zu, daß David vor allem die Stämme des Nordens an Jerusalem religiös interessieren wollte. So erhielt Jerusalem für Israel, und erst in zweiter Linie für Juda, einen sakralen Nimbus, den es

---

[8] Um diese Besitzergreifung gebührend zum Ausdruck zu bringen, scheint er versucht zu haben, eine Namensänderung durchzusetzen: die Stadt sollte hinfort nicht mehr Jerusalem, sondern „Davidsstadt" heißen (2. Sam 5,9). Aber der alte Name hat diese und spätere Neubenennungen *(Aelia Capitolina, el-Quds)* überdauert.

[9] Vgl. A. Alt, Jerusalems Aufstieg [1925]. KS 3, 243–257; M. Noth, Jerusalem und die israelitische Tradition [1950]. GS 172–187.

[10] Vgl. A. Bentzen, The Cultic Use of the Story of the Ark in Samuel. JBL 67 (1948) 37–53; A. F. Campbell, The Ark Narrative (1 Sam 4–6; 2 Sam 6): A Form-Critical and Traditio-Historical Study. SBL, Diss. Series 16 (1975); J. Maier, Das altisraelitische Ladeheiligtum. BZAW 93 (1965); H. Timm, Die Ladeerzählung (1. Sam. 4–6; 2. Sam. 6) und das Kerygma des dtr Geschichtswerkes. EvTheol 29 (1966) 509–526; J.T. Willis, An Anti-Elide Narrative Tradition from a Prophetic Circle at the Ramah Sanctuary. JBL 90 (1971) 288–308; H.A. Brongers, Einige Aspekte der gegenwärtigen Lage der Lade-Forschung. NTT 25 (1971) 6–27; J. Dus, Zur bewegten Geschichte der israelitischen Lade. AION 41 (1981) 351–383.

[11] Vgl. J. Dus, Die Länge der Gefangenschaft der Lade im Philisterland. NTT 18 (1963/64) 440–452; J. Blenkinsopp, Kiriath-Jearim and the Ark. JBL 88 (1969) 143–156.

vorher nicht besessen hatte [12]. Hier liegen die Wurzeln für den Eintritt Jerusalems ins Bewußtsein der Welt als heilige Stadt dreier Religionen: des Judentums, des Christentums und des Islam.

Genaugenommen war die Eroberung von Jersualem bereits ein erster Schritt über den nationalen Charakter der Staatenbildung hinaus. Doch wurden die beiden Reiche Juda und Israel davon kaum berührt, weil Jerusalem ein selbständiger Stadtstaat war und blieb. In der Folgezeit aber ist David erheblich über das bereits Gewonnene hinausgegangen. Die Voraussetzungen dafür lagen vor. War das nationalisraelitische Königtum Sauls vom Heerbann der Stämme ausgegangen, so handelte es sich jetzt um ein Staatswesen, das in einer ganz neuen Weise von Davids Person abhing und das hauptsächlich von der königseigenen Söldnerschaft und erst in zweiter Linie von den Heerbännen Judas und Israels getragen wurde: ein Staatsgebilde also, das nicht ohne weiteres nur auf nationalisraelitische Belange zugeschnitten war. Das Ergebnis des Aufstiegs Davids bestand in der Vereinigung dreier Kronen auf seinem Haupt: Juda – Israel – Jerusalem. Diese Personalunion war außenpolitisch offen; ihr konnten im Interesse territorialer Abrundung und Machterweiterung auch „nichtisraelitische“ Gebiete auf die eine oder andere Weise angegliedert werden. Das ist unter David geschehen, und zwar unter bewußtem Verzicht auf das noch bei Saul gewahrte Prinzip der Nationalstaatlichkeit. Daß ihm nationale Rücksichten persönlich ohnehin fernlagen, hatte er in der Zeit seiner philistäischen Vasallität schon unter Beweis gestellt.

Der erste Schritt war folgerichtig die Unterwerfung der Philisterstädte in der Küstenebene (2. Sam 8,1). David nahm der philistäischen Pentapolis ihre politische Selbständigkeit, ließ aber allem Anschein nach die stadtstaatliche Herrschaftsform bestehen und gliederte die philistäischen Territorien als Vasallenstaaten seinem immer komplizierter werdenden Reichsgebilde an [13]. Sodann war das alte Problem des Verhältnisses von Israeliten und Kanaanäern in Angriff zu nehmen, und zwar um so dringlicher, als nach Ausweis der Stammesgrenzverzeichnisse theoretische Territorialansprüche von seiten einiger israelitischer Stämme bestanden, an denen ein Staatswesen, das das Prinzip nationaler Bindung aufgegeben hatte, nicht einfach vorübergehen konnte. Leider ist Davids Verfahren mit den Kanaanäerstädten im AT nirgendwo unmittelbar bezeugt, aber das Ergebnis liegt vor: in der Liste der Provinzialgouverneure unter Salomo (1. Kön 4,7–19), in der Formel „als Israel stark geworden war“ (Ri 1,28) aus dem sog. „negativen Besitzverzeichnis“ [14], für Gibeon *(el-Ǧīb)* indirekt auch in 2. Sam 21,1–10 [15].

---

[12] Zweifel am historischen Wert dieser Erzählung äußert J.-M. de Tarrgon, David et l'arche: II Samuel, VI. RB 86 (1979) 514–523.

[13] Der Text von 2. Sam 8,1 ist sicher nicht in ursprünglicher Gestalt erhalten und schwer verständlich; vgl. O. Eißfeldt, KS 2, 455 f. Deshalb ist ein sicheres Urteil über die Form der Herrschaft Davids über die Philister nicht zu gewinnen.

[14] S. o. S. 120.

[15] Die in diesem Zusammenhang gern genannte Stelle 2. Sam 24,5–7 hat auszuscheiden; s. u. S. 200.

Aus alledem ist zu erschließen, daß David die politische Selbständigkeit der kanaanäischen Stadtstaaten liquidierte und sie den Reichen Israel und Juda einverleibte. Damit war auch die Selbständigkeit der beiden kanaanäischen Querriegel beseitigt und eine ungestörte und unstörbare Verbindung zwischen Juda, Ephraim und Galiläa geschaffen. Das heißt allerdings nicht, daß die historischen Nachwirkungen der Querriegel von nun an aufgehört hätten; der südliche jedenfalls hatte den Dualismus zwischen Nord und Süd längst soweit befestigt, daß er auch für die weitere Geschichte bestimmend blieb.

Das territorialpolitische Verfahren Davids hat sich darüber hinaus für die Kultur-, Sozial- und Religionsgeschichte der ganzen israelitischen Königszeit als außerordentlich folgenreich erwiesen[16]. Denn das Problem des Verhältnisses von Israeliten und Kanaanäern war dadurch ja keineswegs endgültig gelöst, sondern nur auf eine andere Ebene gehoben worden: auf das Niveau eines innerisraelitischen Problems. Die ersten Konsequenzen machten sich auf dem Gebiete der Heeresverfassung unter Salomo bemerkbar. Salomo fügte den militärischen Einheiten der Heerbänne und der von David begründeten Söldnerschaft ein königliches Streitwagenkorps hinzu (1. Kön 5,6. 8), das er kaum anderswoher rekrutieren konnte als aus den ehemals kanaanäischen Territorien, in denen die Streitwagentechnik seit alters gepflegt worden war. Auf diese Weise entstand im Schoße der israelitischen Heeresverfassung eine Art privilegiertes „Rittertum" aus Angehörigen der Aristokratie der alten kanaanäischen Stadtstaaten, das also, was man in der Begrifflichkeit des 2. Jt. v. Chr. *maryannu* hätte nennen können. So zeigt sich bereits kurze Zeit nach der von David vollzogenen Eingliederung der kanaanäischen Gebiete in die Reiche Israel und Juda eine nicht unbedenkliche Präponderanz des Kanaanäertums innerhalb des israelitischen Heerwesens. Daß damit die Auswirkungen der Kanaanäerpolitik Davids noch keineswegs erschöpft sind, wird später zu erörtern sein.

Jedenfalls handelte es sich bei der Unterwerfung der Philister und Kanaanäer bereits um das erste Stadium der Bildung eines Großreiches, obwohl die betroffenen Gebiete noch zum theoretisch beanspruchten Territorium der israelitischen Stämme gehörten[17]. Aber im Vergleich zu den territorialen Verhältnissen der Landnahme- und Richterzeit war David bereits weit über den ursprünglichen Besitzstand der Stämme hinausgegangen. Im zweiten Stadium der Großreichbildung ging er über die Grenzen Palästinas hinaus und gliederte benachbarte politische Gebilde auf unterschiedliche Weise seinem Reiche an. Über die Chronologie der Ereignisse sind wir leider nicht unterrichtet. Deshalb sollen die Gebiete in geographischer Reihe erörtert werden.

---

[16] Vgl. W. Dietrich, Israel und Kanaan. Vom Ringen zweier Gesellschaftssysteme. SBS 94 (1979).

[17] Vgl. Ri 1,19. 21. 27–35 und die älteren stammesgeographischen Materialien in und hinter Jos 14–19.

1. *die phönikische Küste:* Gewöhnlich wird angenommen, David habe seine Hegemonie nach Norden an der phönikischen Küste bis Sidon ausgedehnt, wobei allerdings Tyrus ausgegliedert blieb, mit dessen Stadtfürsten Hiram eine Art Wirtschaftsabkommen bestand[18]. Diese Annahme ist aufzugeben. Sie beruht auf 2. Sam 5,11 und 24,5–7. Aber 2. Sam 24,5–7 ist der Einschub eines nachexilischen Redaktors, der andere atl Texte – vor allem Num 32 und Jos 13 – schon vorliegen hatte, die er seinerseits im Sinne der angenommenen Ausdehnung des davidischen Reiches interpretierte[19]. 2. Sam 5,11 ist 1. Kön 5,15ff. und anderen Texten der Salomo-Überlieferung nachgebildet[20]. Beide Texte scheiden mithin als historisch zuverlässige Informationsquellen aus. Davids Politik gegenüber den phönikischen Küstenstädten, über die wir nichts erfahren, dürfte die einer klugen Zurückhaltung gewesen sein, ähnlich wie es später die Herrscher des neuassyrischen Großreiches zumeist gehalten haben.

2. *die Aramäerstaaten (2. Sam 8,3–8):* Die Aramäerstaaten Süd- und Mittelsyriens waren mit David bereits während seines Ammoniterfeldzuges zusammengestoßen (2. Sam 10). Unter ihnen besaß der Staat von Aram-Ṣōbā eine Hegemoniestellung. Als David den König Hadadezer von Aram-Ṣōbā schlug und unterwarf, war ihm anscheinend das ganze System ausgeliefert, auch und vor allem Aram-Damaskus als nächstkleinere Einheit. David verwandelte Aram-Damaskus in ein Untertanenland und setzte Statthalter ein. Wie er mit den übrigen Aramäerstaaten verfuhr, wissen wir nicht. Vielleicht gliederte er einige davon (Aram-Ṣōbā?) seinem Reiche als Vasallenstaaten an. Aber das sind Vermutungen. In 2. Sam 8,3–8 ist mit auffallendem Nachdruck von Tributen die Rede, die die Aramäer leisten mußten, und davon, daß David sich aus der Aramäerregion Erz verschaffte. Das könnte darauf hindeuten, daß er den Aramäerstaaten zwar Tribute auferlegte, ihre staatliche Unabhängigkeit aber nicht antastete[21].

3. *der Staat der Ammoniter:* Wir besitzen einen Kriegsbericht über Davids Ammoniterfeldzug, der in das Geschichtswerk von der Thronnachfolge Davids eingearbeitet worden ist (2. Sam 10,1 – 11,1.16–27; 12,26–31). Danach ließ David das Ammoniterreich mit Krieg überziehen und die Hauptstadt Rabbath-Ammon (*ʿAmmān*) belagern, und zwar von den Heerbannaufgeboten Israels und Judas und von seinen Söldnern. Die militärische Leitung hatte Joab. Als die Hauptstadt sturmreif war, erschien David selbst, vollzog die Eroberung und setzte sich die ammonitische

[18] Vgl. z.B. S. Herrmann, Geschichte 202. 205 mit Anm. 37.

[19] Nachweis bei M. Wüst, Untersuchungen zu den siedlungsgeographischen Texten des AT. I. Ostjordanland. BTAVO B 9 (1975) 142f.

[20] Vgl. H. Donner, The Interdependence of Internal Affairs and Foreign Policy during the Davidic-Solomonic Period (with Special Regard to the Phoenician Coast). Studies in the Period of David and Solomon and other Essays, ed. T. Ishida (Tokyo 1982) 205–214.

[21] Vgl. K. Elliger, Die Nordgrenze des Reiches Davids. PJB 32 (1936) 34–73.

Krone aufs Haupt[22]. Ammon blieb als selbständiger Staat bestehen, war aber von nun an in Personalunion mit Juda, Israel und Jerusalem verbunden.

4. *der Staat der Moabiter (2. Sam 8, 2):* Der Text des Moabiterverses ist schwierig, teilweise unverständlich[23]. Man kann vermuten, daß David mit Moab wie mit den Philistern verfuhr, d.h. daß er den Moabiterkönig als tributpflichtigen Vasallen im Amte beließ.

5. *der Staat der Edomiter (2. Sam 8,13f.):* In Edom beseitigte David das Königtum und machte das Gebiet, wie Aram-Damaskus, zu einem von Statthaltern verwalteten Untertanenland[24].

Welche Gründe im einzelnen zu diesen unterschiedlichen Angliederungsverfahren geführt haben, ist nicht mehr zu erkennen. Griff David über die gewonnenen Gebiete hinaus und weiter nach Syrien hinein? Darüber gehen die Ansichten der Historiker auseinander. Es stehen sich eine Maximal- und eine Minimallösung gegenüber. Die Vertreter der Maximallösung[25] rechnen damit, daß David die Oberhoheit über die vorher Aram-Ṣōbā untertan gewesenen Aramäerstaaten Mittelsyriens bis an den Euphrat gewann. In diesem Falle muß die Notiz 2. Sam 8,9f. im Sinne der freiwilligen Unterwerfung des Königs Tōʿī von Hamath *(Ḥama)* interpretiert werden. Vielleicht ist aber doch der Minimallösung der Vorzug zu geben. Sie stützt sich darauf, daß es positive Beweise für Hoheitsrechte Davids am Orontes, am Euphrat und an der Mittelmeerküste nicht gibt. 2. Sam 8,9f. kann auch so gedeutet werden, daß David mit Tōʿī von Hamath diplomatische Beziehungen unterhielt und sich bemühte, ein nachbarliches Verhältnis zu diesem mittelsyrischen Staatswesen zu pflegen. Das könnte Absicht, nicht etwa Unvermögen gewesen sein. Denn hätte David weiter ausgegriffen, dann wäre er in das einst von den kleinasiatischen Hettitern kontollierte und beeinflußte Gebiet vorgestoßen, das sich von der ehemaligen ägyptischen Einflußzone erheblich unterschied. Man darf David die politische Einsicht zutrauen, daß Maßhalten eine der Grundbedingungen jedes Imperiums ist und daß territoriale Maßlosigkeit den Bestand eines Großreiches gefährdet.

---

[22] Vgl. L. Rost, Das kleine Credo (1965) 184–189; H.-J. Stoebe, David und der Ammoniterkrieg. ZDPV 93 (1977) 236–246; zur Gestalt der ammonitischen Krone (2. Sam 12,30): S.H. Horn, The Crown of the King of the Ammonites. AUSS 11 (1973) 170–180.

[23] Vgl. S. Tolkowsky, The Measuring of the Moabites with the Line. JPOS 4 (1924) 118–121.

[24] J.R. Bartlett, The Rise and Fall of the Kingdom of Edom. PEQ 104 (1972) 26–37 hält das atl Bild der Geschichte Edoms für falsch und rechnet nicht vor der Mitte des 9. Jh. mit der Existenz eines edomitischen Staates. Vgl. zu allen Edom-Problemen grundlegend Weippert, Edom.

[25] Z.B. A. Malamat, The Kingdom of David and Solomon in its Contact with Egypt and Aram Naharaim. BA 21 (1958) 96–102; ders., Aspects of the Foreign Policies of David and Solomon. JNES 22 (1963) 1–8.

Immerhin umfaßte Davids Großreich nach seiner Vollendung nahezu alle Gebiete, die in der 2. Hälfte des 2. Jt. v. Chr. zur ägyptischen Interessenzone gehört hatten[26]. Es reichte vom Südrande des palästinischen Kulturlandes bis nach Mittelsyrien. Groß war dieses Reich nicht so sehr im Hinblick auf seine Ausdehnung; die Entfernung von Beerseba nach Hamath beträgt nur etwa 500 km – kein Vergleich zum Territorialbestande früherer oder späterer orientalischer Großreiche. Groß war es vor allem im Bewußtsein Israels, und in den Formeln des Jerusalemer Hofstils wuchs seine Größe noch beträchtlich. 1. Kön 5,1: „Und Salomo war Herrscher über alle Königreiche vom Euphratstrom bis zum Lande der Philister und bis an die Grenze Ägyptens; sie brachten Tribut und waren Salomo sein ganzes Leben lang untertan." Wir werden sehen, daß das Hofstil ist, dem die Wirklichkeit längst nicht entsprach und genaugenommen nie entsprochen hatte. Es handelt sich aber jedenfalls um das erste Großreich auf dem Boden Palästinas und eines Teiles Syriens, das wir kennen. Sein Zustandekommen ist auf der einen Seite durch den Umstand begünstigt worden, daß die syropalästinische Landbrücke um die Wende vom 2. zum 1. Jt. v. Chr. vorübergehend nicht unter der Herrschaft auswärtiger Großmächte stand. Das Großreichsystem der zweiten Hälfte des 2. Jt. war zerbrochen; die alten Hochkulturen am Nil und in Mesopotamien erlebten eine Zeit der Schwäche und hatten keinerlei Expansionskraft. Das dadurch entstandene politische Vakuum auf der Landbrücke hat David auf seine Weise ausgefüllt. Auf der anderen Seite aber ist Davids persönliche Genialität als Faktor in die politische Rechnung einzusetzen. Die Geschichte Israels hat zur rechten Zeit den rechten Mann hervorgebracht: einen Mann, dessen Werk als Vorbild und Ideal für alle folgenden Geschlechter galt. David hat für Israel eine Idealvorstellung begründet, die stets bewahrt und gepflegt, aber nie wieder realisiert worden ist. Noch in der Zeit nach dem Ende der beiden israelitischen Staaten hat es ein Dtr für selbstverständlich gehalten, daß Jahwe seinem erwählten Volke schon vor der Landnahme folgenden Lebensraum versprochen hatte: „Von der Wüste bis zu diesem Libanon und bis zum großen Euphratstrom, das ganze Land der Hittiter, und bis zum großen Meer im Westen soll euer Gebiet sein!" (Jos 1,4) Dahinter steht das Ideal des davidischen Großreiches. Natürlich hat der Dtr gewußt, daß dieser große Raum in der Landnahmezeit nicht entfernt besetzt worden ist. Aber das Ideal war vorgegeben und für den Dtr war die Territorialgeschichte Israels bis auf David eine Geschichte der stufenweisen Verwirklichung dieses Ideals. Im Hofstil ist aus alledem eine nahezu mythische Vorstellung erwachsen. Auch nach dem Zerfall des davidischen Reichsgebildes rezitierte man beim Thronantritt der judäischen Kleinkönige: „Und er wird herrschen von Meer zu Meer, vom Strom bis an die Enden der Erde!" (Ps 72,8).

---

[26] Vgl. grundlegend A. Alt, Das Großreich Davids [1950]. KS 2, 66–75.

Es versteht sich von selbst, daß Davids Großreich nicht einmal zu seinen Lebzeiten hätte Bestand haben können, wenn nicht zu den außenpolitischen Erfolgen eine kluge innenpolitische Durchgliederung, institutionelle Verfestigung und verwaltungstechnische Ausformung getreten wären. Hatte das Staatswesen Sauls eines Staatsapparates noch so gut wie völlig entraten können, so war nun ein Wandel der Zeit und der Lage eingetreten. Die Erhaltung der Staatsordnung auch nach der Abwendung akuter oder chronischer außenpolitischer Gefahren, die Intention zur territorialen Abrundung und Erweiterung und schließlich die von Anfang an in der Struktur des Staatsgebildes begründete Bindung an die Person Davids: das alles verlangte mit elementarer Notwendigkeit die Organisation eines Staatsapparates. Die Kontrolle der vielfältigen militärischen und zivilen Angelegenheiten konnte bei der Großräumigkeit des Reiches vom König allein auf die Dauer nicht bewältigt werden. So entstand aus dem Bedürfnis nach Arbeitsteilung ein Beamtentum mit Ressorts der militärischen, zivilen und kultuspolitischen Verwaltung[27]. Der Aufbau eines solchen vom König ausgehenden und in seiner Person zentrierten Verwaltungsapparates hatte natürlich einen empfindlichen Machtverlust der israelitischen Stämme und ihrer Repräsentanten zur Folge. Alles Entscheidende wurde hinfort in Jerusalem entschieden. Die ministerialen Spitzen des Systems finden sich in den beiden „Kabinettslisten" Davids (2. Sam 8,16–18 und 20,23–26). Aus ihnen ergibt sich, daß David in Jerusalem folgende höchste Staatsämter einrichtete:

1. *ʿal-haṣṣābā „der über dem Heerbann":* der Heerbannfeldmarschall. Das Amt war besetzt durch Joab, den alten Getreuen aus Davids frühen Tagen. Beachtenswert ist, daß es trotz der beiden Heerbänne Judas und Israels nur einen Generalstabschef gab: ein Anzeichen dafür, daß David die militärische Führung koordinieren und ein Auseinandergehen der Ansichten und Interessen verhindern wollte.

2. *ʿal-hakkᵉrētī wᵉhappᵉlētī „der über den Krethi und Plethi":* der Chef der Söldnertruppe, besetzt durch Benaja(hu). Die Befehlsgewalt über die königseigene Söldnerschaft ist ein selbständiges Ressort; David hat Vermischungen und Kompetenzüberschneidungen mit den Heerbännen vermeiden wollen. Der merkwürdige Name rührt daher, daß zur Söldnerschaft auch, vielleicht sogar vorzugsweise, ausländische Elemente gehörten, besonders von den Philistern (2. Sam 15,18). Das Herkunftsgebiet der Philister war die ägäische Inselwelt um Kreta gewesen[28].

---

[27] Die Probleme des davidisch-salomonischen Staats- und Beamtenapparates behandelt zusammenfassend und gründlich T.N.D. Mettinger, Solomonic State Officials. A Study of the Civil Government Officials of the Israelite Monarchy. Coniectanea Biblica, OT Series 5 (1971); vgl. ergänzend U. Rüterswörden, Die Beamten der israelitischen Königszeit (Diss. Bochum 1981).

[28] Vgl. L. M. Muntingh, The Cherethites and Pelethites – a Historical and Sociological Discussion. OTWSA (1960) 48–53; I. Prignaud, *Caftorim* et *kerétim.* RB 71 (1964) 215–229. Die Identität des biblischen Kaphtor mit Kreta bestreitet zugunsten Zyperns J. Strange, Caphtor/Keftiu. A New Investigation. Acta Theologica Danica 14 (1980).

3. *sōfēr „der Schreiber“:* der Chef der Zivilverwaltung, besetzt durch Seraja und später durch Scheja, wenn es sich nicht beidemale um dieselbe Person handelt. Die Funktionen dieses Staatsamtes sind nur noch in Umrissen erkennbar; sie waren allem Anschein nach vielfältig. Man zögert, geläufige Begriffe wie „Kanzler, Ministerpräsident, Premierminister“ dafür einzusetzen, weil sie falsche Vorstellungen wecken könnten und weil ja auch David selber in Betracht gezogen werden muß, der sich sicher nicht auf die Rolle des Staatsoberhauptes beschränkte.

4. *mazkīr „der ins Gedächtnis ruft“:* der Chef der königlichen Kanzlei, der dem König, z. B. bei Audienzen, Personen und Sachen „ins Gedächtnis ruft“. Dieses Amt bekleidete ein Mann namens Jehosaphat.

Die Staatsämter Nr. 3 und 4 hat David wahrscheinlich nach ägyptischem Vorbild geschaffen: *sōfēr* entspricht ägypt. *sš* „Schreiber“, und *mazkīr* entspricht ägypt. *wḥm* „Wiederholer, Herold“[29].

5. *kōhanīm „die Priester“:* Das Ressort der religions- und kultuspolitischen Verwaltung hat David nicht mit nur einem Minister besetzt; wahrscheinlich mußte er auf verschiedene, miteinander konkurrierende Traditionen und Interessen Rücksicht nehmen. Die ältere Liste (2. Sam 8,17 f.) nennt: a) Zadok, vermutlich ein prominenter Angehöriger der vordavidischen jebusitischen Priesterschaft von Jerusalem[30]; Ebjathar ben Achimelek[31], ein Überlebender der von Saul ausgerotteten Jahwepriesterschaft von Nob[32]; c) königliche Prinzen, wohl als Repräsentanten eines priesterlichen Privilegs des Königs[33]. Die jüngere Liste (2. Sam 20,25 f.) dagegen nennt wiederum Zadok und Ebjathar, dazu noch den sonst völlig unbekannten Jairiten Ira, nicht aber die königlichen Prinzen. Man sieht, daß das Religions- und Kultusressort besonders empfindlich war. Konflikte der genannten, sehr verschiedenen Persönlichkeiten konnten im Kabinett wohl nur durch die Autorität Davids vermieden oder ausgeglichen werden.

6. *ʿal-hammas „der über der Fron“:* der Frondienstminister, nur in Davids zweitem Kabinett (2. Sam 20,24), besetzt durch Adoram[34]. David hat auch ausländische Zwangsarbeiter beschäftigt (2. Sam 12,31). Die Organisation

---

[29] Vgl. J. Begrich, *Sōfēr* und *Mazkīr* [1940/41]. GS 67–98; H.-J. Boecker, Erwägungen zum Amt des *Mazkīr*. ThZ 17 (1961) 212–216; A. Cody, Le titre égyptien et le nom propre du scribe de David. RB 72 (1965) 381–393.

[30] Vgl. H. H. Rowley, Melchizedek and Zadok (Gen. 14 and Ps. 110). Fs A. Bertholet (1950) 461–472; Chr.-E. Hauer, Who was Zadok? JBL 82 (1963) 89–94; J. R. Bartlett, Zadok and his Successors at Jerusalem. JThSt.NS 19 (1968) 1–18.

[31] Nach 1. Sam 23,6 und 30,7 vermutlich so zu lesen. MT „Zadok ben Ahitub und Ahimelek ben Ebjathar“ ist kaum ursprünglich, zumal dabei dem Zadok vornehme israelitische Abkunft bescheinigt wird.

[32] S. o. S. 182 f.

[33] Der Vorschlag von J. G. Wenham, Were David's Sons Priests? ZAW 87 (1975) 79–82, anhand von LXX und 1. Chron 18,17 *sōkenīm* statt *kōhanīm* zu lesen, überzeugt nicht.

[34] Andere Namensformen: Hadoram (2. Chron 10,18); Adoniram (1. Kön 4,6; 5,28).

und Verwaltung des Fronwesens wird er wahrscheinlich nach kanaanäischem Vorbild gestaltet haben[35].

Auffallend ist das Fehlen eines „Justizministers“ oder doch einer obersten Gerichtsinstanz; die Legislative lag ohnehin bei Jahwe. David hat an dem seit alters gemeindlich geordneten Gerichtswesen nicht gerüttelt; auch seine Nachfolger haben das, soweit wir sehen können, nicht getan. Das Königtum war in dieser Hinsicht zu spät auf die Bühne der Geschichte getreten; es fand feste Formen gemeindlicher Gerichtsbarkeit vor, die zu respektieren waren. Immerhin war der König seit David Appellationsinstanz in besonderen Fällen – etwa bei Blutrache (2. Sam 14,1–20) oder bei prozessualen Angelegenheiten (2. Sam 15,4) – und damit zugleich autoritative Instanz zur Interpretation und Weiterbildung des tradierten Rechtes[36].

Außerhalb der Kabinettlisten begegnen in der Überlieferung Spuren folgender Ämter und Titel:

a) *yōʿēṣ (Dāwīd) „Ratgeber“ (Davids)“:* 2. Sam 15,12; 1. Chron 27,32f. Die Ratgeber kommen auch im Plural vor (Jes 1,26; 3,3); spätestens seit Rehabeam gibt es ein königliches Ratskollegium, einen Kronrat (1. Kön 12,6–9). Auch die Ratskollegien fremder Herrscher werden *yōʿaṣīm* genannt (Jes 19,11; Esra 7,14f.). Wahrscheinlich waren auch hier kanaanäische Vorbilder wirksam; vgl. EA 131,20–23: *LÚrabiṣi/ma-likMEŠ šarri „Räte des Königs“.* Es ist nicht sicher zu erkennen, ob die Räte Beamte waren oder ob es sich eher um eine Art „Nebentätigkeit“ handelte; auch an einen bloßen Ehrentitel ähnlich dem deutschen „Geheimrat“ ist zu denken.

b) *rēʿē hammelek „der Freund des Königs“:* 2. Sam 15,37; 16,16; 1. Kön 4,5; 1. Chron 27,33. Der Ursprung dieses Titels, von dem wir ebenfalls nicht genau wissen, ob ihm eine Beamtenfunktion entsprach, ist zweifellos ägyptisch: *śmr wʿtj* „einziger Freund (des Königs)“ und *rḫ nśw.t* „Bekannter des Königs“. Die Wirkungen dieser außerordentlich häufigen ägyptischen Titel nach außen sind groß gewesen. Man begegnet dem „Freund des Königs“ schon im Jerusalem der Amarnazeit (EA 288,11: *LÚru-ḫi šarriri*) und später noch am römischen Kaiserhofe in den Formen *„amicus caesaris“* und „φίλος τοῦ καίσαρος“ (Joh 19,12)[37].

Eine erweiterte Beamtenliste Davids liegt schließlich in 1. Chron 27,25–34 vor. In ihr werden zahlreiche Beamte genannt, die mit der Verwaltung der königlichen Krongüter beschäftigt waren. Es ist jedoch damit zu rechnen, daß diese Liste spätere

---

[35] Vgl. I. Mendelssohn, State Slavery in Ancient Palestine. BASOR 85 (1942) 14–17; ders., Slavery in the Ancient Near East (1949); A. F. Rainey, Compulsory Labour Gangs in Ancient Israel. IEJ 20 (1970) 191–202. Ein Skarabäoid des 7. Jh. mit der Aufschrift *ᵃšer ʿal-hammas* bei N. Avigad, The Chief of the Corvée. IEJ 30 (1980) 170–173.

[36] Vgl. G. Ch. Macholz, Die Stellung des Königs in der israelitischen Gerichtsverfassung. ZAW 84 (1972) 157–182; ders., Zur Geschichte der Justizorganisation in Juda. Ebenda 314–340; K. W. Whitelam, The Just King: Monarchical Judicial Authority in Ancient Israel. JSOT, Suppl. Series 12 (1979).

[37] Vgl. H. Donner, Der „Freund des Königs“. ZAW 73 (1961) 269–277; A. Penna, Amico del Re. RiBi 14 (1966) 459–466.

Verhältnisse in die Zeit Davids zurückprojiziert, zumal es eine ministeriale Spitze der königlichen Vermögens- und Domänenverwaltung in Davids beiden Kabinetten noch nicht gibt.

Man fragt sich natürlich, woher David die Leute für den Aufbau seines Staatsapparates nahm. Es handelte sich dabei gewiß um größere Kontingente; denn das Kabinett in Jerusalem war sozusagen nur die Spitze eines Eisberges. Standen David erfahrene Verwaltungspraktiker aus israelitischen und judäischen Kreisen ohne weiteres und in ausreichender Anzahl zur Verfügung? Wir wissen es nicht. Allerdings hätte er nach der Einverleibung der ehemals selbständigen kanaanäischen Stadtstaaten in das Gefüge der Reiche Israel und Juda die Möglichkeit gehabt, Angehörige der entmachteten kanaanäischen Aristokratie in seine Dienste zu übernehmen: Männer, die auf eine jahrhundertealte Verwaltungstradition zurückblicken konnten und die den Aufgaben sicher gewachsen waren, die David ihnen zuweisen mochte. Wir wissen nicht, ob David von dieser Möglichkeit Gebrauch gemacht hat. Salomo scheint es getan zu haben: in der Liste seiner Provinzialgouverneure (1. Kön 4,7–19) finden sich „Menschen ohne Namen", d. h. Amtsträger, die nur mit ihrem Vatersnamen genannt sind, Inhaber von Ämtern im erblichen Königsdienst. Das ist nur dann erklärlich, wenn entweder schon David mit der Einrichtung dieser Ämter begonnen hatte oder wenn die Beamtenfamilien aus kanaanäischen Stadtstaaten kamen oder wenn beides zutraf[38]. Jedenfalls kann man nicht ausschließen, daß seit David in Verwaltungsangelegenheiten erfahrene Kanaanäer in den Staatsapparat des Reiches einströmten: ein Vorgang, der auf die Verwaltungs- und Sozialgeschichte naturgemäß nicht ohne Einfluß bleiben konnte und dessen Folgen fürs erste nicht abzusehen sind.

Das komplizierte Gebilde des Großreiches Davids war auf die Person des Königs zugeschnitten und wurde von ihr zusammengehalten. Deshalb mußte notwendig schon zu Davids Lebzeiten die Frage auftauchen, was mit diesem Reiche nach seinem Tode werden sollte. Konnte das Ganze überhaupt am Leben erhalten werden, wenn David selbst zu seinen Vätern versammelt war? Man mußte ja doch für den Augenblick des Todes Davids damit rechnen, daß die Gebiete, die er in Personalunion beherrschte, auseinanderbrechen würden: Juda, Israel, Jerusalem und Ammon. Ferner war zu befürchten, daß die Vasallenstaaten (die Philister und Moab) und die Untertanenländer (Aram-Damaskus und Edom) ihre Unabhängigkeit wiedergewinnen würden. Und wer konnte mit Bestimmtheit voraussagen, daß Davids Lösung des Kanaanäerproblems auch nach seinem Tode Bestand haben würde? Es hieße David unterschätzen, wollte man annehmen, er habe das alles nicht bedacht. Vielmehr ist er sich über die Gefahren gewiß klar gewesen und hat sich um den Bestand seines Werkes für die Zukunft ernste Sorgen gemacht. Wie die Dinge lagen, gab es nur eine einzige Möglichkeit,

---

[38] Vgl. A. Alt, Menschen ohne Namen [1950]. KS 3, 198–213.

den Zerfall des Großreiches zu verhindern: das Königtum mußte aufhören, eine Institution zu sein, die fallweise vom Designationswillen Jahwes abhängig war. Das Reich konnte nur dann erhalten werden, wenn das Königtum feste Gestalt und Bindung erhielt, wenn es zu einer planvoll kontinuierlichen Einrichtung wurde. Kontinuität aber war schwerlich anders zu erreichen als durch die Aufrichtung einer Dynastie. Es mußte sichergestellt werden, daß auf dem Throne Davids für alle Zukunft Männer königlichen Geblütes sitzen würden, legitimiert und hoffentlich auch fähig, das Werk Davids fortzusetzen. Und wem die Fähigkeiten mangelten, der mußte zumindest des Schutzes des dynastischen Gedankens sicher sein können. Lag das alles im Grunde nicht auch in den Absichten Jahwes? Oder sollte man sich im Ernste vorstellen, Jahwe sei an der Fortsetzung des Werkes, das mit seiner mächtigen Hilfe zustande gekommen war, nicht interessiert? Es ist ganz deutlich: Art und Charakter des davidischen Reichsgebildes zwangen geradezu zur institutionellen Verfestigung des Königtums im Sinne einer Dynastie. So ist David mindestens vom Zeitpunkt der Vollendung seines Reiches an dem Problem seiner Nachfolge konfrontiert gewesen – und dieses Problem sollte das einzige in seiner glänzenden Laufbahn sein, das befriedigend zu lösen ihm nicht gelungen ist.

Wir besitzen über die Thronnachfolge Davids ein ausgezeichnetes, möglicherweise im Grundbestande zeitgenössisches Geschichtswerk, das in die dtr Gesamtdarstellung der Geschichte Israels eingebaut worden ist: 2. Sam (7) 9–20 und 1. Kön 1–2[39]. Es schildert die Ereignisse, die zu Lebzeiten Davids und kurz nach seinem Tode vom Thronfolgeproblem ausgelöst worden sind und beantwortet die Frage, wie es nach erheblichen Schwierigkeiten und Umwegen zur Begründung der davidischen Dynastie kam. Dabei fällt auf, daß dem anonymen Verfasser eine außerordentlich schwierige Kombination glänzend gelungen ist: die Kombination des Interesses an den handelnden Personen und ihren Schicksalen mit dem Interesse an der Beantwortung einer historischen Frage. Der Quellenwert des Geschichtswerkes ist hoch zu veranschlagen. Das bleibt wahr, obwohl wir es nicht mit dem „Peloponnesischen Krieg" verwechseln wollen – wozu früher große Neigung bestand. Es bleibt war, obwohl das Geschichtswerk nach

[39] Zuerst erkannt und isoliert von L. Rost, Die Überlieferung von der Thronnachfolge Davids. BWANT III, 6 (1926). Ausgewählte Literatur: R. N. Whybray, The Succession Narrative. Studies in Biblical Theology, 2nd Series 9 (1968); W. Brueggemann, David and his Theologian. CBQ 30 (1968) 156–181; ders., On Trust and Freedom. A Study of Faith in the Succession Narrative. Interpretation 26 (1972) 3–19; J. W. Flanagan, Court History or Succession Document? A Study of 2 Samuel 9–20 and 1 Kings 1–2. JBL 91 (1972) 172–181; E. Würthwein, Die Erzählung von der Thronfolge Davids – theologische oder politische Geschichtsschreibung? ThSt 115 (1974); F. Langlament, Pour ou contre Solomon? La rédaction prosolomonienne de I Rois, I–II. RB 83 (1976) 321–379. 481–528; D. M. Gunn, The Story of King David. Genre and Interpretation. JSOT, Suppl. Series 6 (1978); A. R. Bowman, The Crises of King David. Narrative Structure, Compositional Technique and the Interpretation of II Samuel 8,15 – 20,26. Th.D.Diss. Union Theol. Seminary Virginia 1981 (Diss. Abstr. Intern. 42, 1981/82, 3198).

seiner literarischen Gestalt nichts anderes ist als eine von bestimmten handfesten Interessen geleitete historische Novelle. Die leitenden Interessen genauer zu erkennen, ist nicht ganz einfach; es hängt auch davon ab, wieweit man das Werk als einheitlich ansehen oder aber mit redaktionellen Bearbeitungen rechnen will, bei denen neue Interessen zum Zuge gekommen sein können. Das Interesse an dem Nachweis z. B., daß Salomo zu Recht und von Jahwe legitimiert der Nachfolger seines Vaters wurde, ist ganz unverkennbar. Ebenso deutlich ist das Interesse der Kritik an David, das E. Würthwein u. a. veranlaßt hat, das Geschichtswerk als redaktionelle Bearbeitung einer sehr viel kürzeren Schrift mit antimonarchischer Tendenz anzusehen. Die Großartigkeit des Werkes besteht nicht zuletzt darin, daß diese und andere Interessen in ihm – trotz Redaktion – zu einem organischen Ganzen verbunden sind. Ein Argument gegen den Quellenwert scheint auch die Form der historischen Novelle zu sein, die das einfache Urteil unmöglich macht, die Dinge hätten sich immer und überall so zugetragen, wie sie berichtet werden. In der Tat weiß der Verfasser mehr, als vernünftigerweise angenommen werden kann, daß er wissen konnte: Gedanken, Erwägungen und Gefühle der Akteure, Schlafzimmergeheimnisse und dergleichen. Das eben sind die Ingredienzen der historischen Novelle. Aber selbst wenn man die Augen davor nicht verschließt und das Werk als das betrachtet, was es ist, nämlich als ein literarisches Kunstwerk, bleibt dennoch wahr: der Verfasser fußt einerseits auf ausgezeichneter Detailkenntnis, und er hat andererseits die Atmosphäre, die Motive und die Stimmungen mit staunenswerter innerer Wahrscheinlichkeit getroffen. Man kommt bei aller Kritik an dem Urteil nicht vorbei: sicherlich hat sich nicht alles in der geschilderten Weise ereignet, aber es hätte sich durchaus so ereignen können. Das unterscheidet das Geschichtswerk von der Thronfolge Davids vom Erzählwerk von Davids Aufstieg, wie groß die Verwandtschaft zwischen beiden sonst immer sein mag. In der gegebenen Lage, ohne die Möglichkeit einer Kontrolle durch zusätzliche literarische Quellen, kann der Historiker nichts anderes tun, als das Geschichtswerk zurückhaltend und kritisch nachzuerzählen.

Der dynastische Gedanke[40] ist im Geschichtswerk von der Thronfolge Davids nicht Gegenstand der Deduktion. Er ist von allem Anfang an fertig vorhanden, und zwar nicht bei David, sondern bei Jahwe. Denn das Problem der Thronfolge ist nicht allein Davids Problem. Jahwe war mit David gewesen, und ohne Jahwe hätte die Aufrichtung des Großreiches nicht gelingen können. So wird die Sorge um den Bestand des Reiches auf Jahwe geworfen und ihm die Initiative für alles weitere Geschehen zugeschrieben. Das geschieht in 2. Sam 7: der Gründungsurkunde der davidischen Dynastie[41]. Es herrscht Übereinstimmung darüber, daß dieses Kapitel, so wie es

[40] Vgl. T. Ishida, The Royal Dynasties in Ancient Israel. A Study on the Formation and Development of Royal-Dynastic Ideology. BZAW 142 (1977).

[41] Vgl. H. van den Bussche, Le texte de la prophétie de Nathan sur la dynastie Davidique. Ephemerides Theologicae Lovanienses 24 (1948) 354–394; M. Noth, David und Israel in

vorliegt, nicht der ursprüngliche Anfang des Geschichtswerkes gewesen sein kann. Seine Endgestalt ist formal und inhaltlich ein Zeugnis dtr Theologie. Aber es ist keineswegs aus einem Guß, sondern das Produkt vielfältiger Bearbeitungen und Überarbeitungen, die sich analytisch nicht mehr sicher trennen lassen. Man könnte sagen: die Vielfalt, die für die Nachgeschichte dieses Textes als der Grundurkunde der messianischen Hoffnung Israels typisch ist, gilt auch schon für sein Zustandekommen. Ein analytisch nicht sicher zurückzugewinnender Grundbestand dürfte ursprünglich den Eingang des Geschichtswerkes gebildet haben: nicht nur deswegen, weil das Werk unmöglich mit 2. Sam 9 begonnen haben kann, sondern vor allem deshalb, weil Jahwe als Initiator des dynastischen Gedankens für diese Art von Geschichtsschreibung unerläßlich ist. Nach der Endfassung, auf die allein man sich stützen kann, stellen sich die Dinge wie folgt dar: David fragt durch Vermittlung des Hofpropheten Nathan bei Jahwe an, ob er ihm in Jerusalem ein „Haus", d.h. einen Tempel, bauen solle. Er erhält folgenden Bescheid: „So hat Jahwe gesprochen: Solltest *du* mir ein Haus zu meiner Wohnung bauen? Habe ich doch in keinem Hause gewohnt, seit ich die Israeliten aus Ägypten heraufführte bis heute ... Jetzt aber sollst du meinem Knechte David sagen: So hat Jahwe Zebaoth gesprochen: Ich habe dich von der Weide hinter der Kleinviehherde weggeholt, daß du Thronanwärter *(nāgīd)* über mein Volk Israel werden solltest. Ich habe dir beigestanden in allem, was du unternahmst, und habe alle deine Feinde vor dir her vertilgt. Ich will dir einen großen Namen machen, gleich dem Namen der Größten auf Erden, und ich will meinem Volk Israel eine Stätte anweisen und es einpflanzen, daß es da wohnen kann ... Wenn deine Zeit voll ist und du dich zu deinen Vätern legst, dann will ich deine Nachkommenschaft, die von deinem Leibe kommen wird, zu deiner Nachfolge bestimmen und ihr Königtum bestätigen. Ich will ihm Vater und er soll mir Sohn sein, so daß, wenn er sich verfehlt, ich ihn mit Menschenruten und menschlichen Schlägen züchtige, aber meine Gnade ihm nicht ‚entziehe' ... Dein Könighaus soll für immer vor mir Bestand haben, dein Thron für immer feststehen!" (2. Sam 7,5. 6a. 8. 9. 10a. 12. 14. 15a. 16). Durch diese in der vorliegenden Gestalt zweifellos dtr Erklärung erhält die davidische Dynastie von vornherein die ihr dringend nötige Legitimation. Das Wahlrecht Jahwes, eines der konstitutiven Elemente jedes israelitischen Königtums, wird gewahrt: aber er erwählt nicht Einzelgestalten, sondern entscheidet sich ein für allemal für das Haus Davids. Hier liegt die Wurzel der messianischen Erwartungen in Israel: der Messias, der glanzreiche Zukunftsherrscher, kann kein anderer sein als ein Nachkomme Davids, ein Glied der davidischen Dyna-

---

2. Sam. 7 [1957]. GS 334–345; G.W. Ahlström, Der Prophet Nathan und der Tempelbau. VT 11 (1961) 113–127; E. Kutsch, Die Dynastie von Gottes Gnaden. Probleme der Nathanweissagung in 2. Sam. 7. ZThK 58 (1961) 137 ff.; H. Tsevat, Studies in the Book of Samuel III. HUCA 34 (1963) 71–82; H. Gese, Der Davidsbund und die Zionserwählung [1964]. Vom Sinai zum Zion (1974) 113–129; A. Weiser, Die Legitimation des Königs David. VT 16 (1966) 325–354.

stie, oder gar David selbst als *David redivivus*[42]. Freilich ist 2. Sam 7 im Geschichtswerk von der Thronfolge Davids – so wie es uns vorliegt – gewissermaßen nur der Fanfarenstoß, der das Drama eröffnet. Denn durch die von Jahwe verheißene Dauer des davidischen Hauses ist das Thronfolgeproblem nicht gelöst, sondern erst gestellt. Welcher von den zahlreichen Söhnen Davids sollte als Nachfolger seines Vaters in Frage kommen? Die politische Entscheidung der Nachfolgefrage ist durch das Programmkapitel 2. Sam 7 keineswegs präjudiziert, sondern lastet auf David selbst. Das Geschichtswerk läßt keinen Zweifel daran, daß David angesichts der von ihm geforderten Entscheidung versagt hat.

Es geht hier nicht um eine literarische, stilistische oder gar künstlerische Analyse des Thronfolgewerkes. Deshalb kann der merkwürdige Umstand, daß seine Darstellung mit anscheinend ganz ephemären Szenen beginnt (2. Sam 9–12), auf sich beruhen bleiben. Es geht vielmehr um eine historische Nacherzählung an Hand der Fragen, die der Historiker an den Text zu stellen hat. Da kann immerhin die Episode von Davids Großmut gegenüber Meribaal, einem Überlebenden des saulidischen Hauses (2. Sam 9), Anlaß zu der Erwägung geben, ob David nicht vielleicht daran gedacht hat, einen Sohn der Saultochter Michal zu seinem Nachfolger zu bestimmen. Es wäre reizvoll, sich die Bedingungen, Implikationen und Konsequenzen auszumalen. Es wäre zugleich aber auch müßig; denn Davids Ehe mit Michal blieb kinderlos und scheiterte schließlich ganz (2. Sam 6). Wen aber sollte David sonst als Kronprinzen nominieren? Die Auswahl war groß; denn er hatte nicht weniger als sechs Söhne, die ihm alle noch in Hebron von verschiedenen Frauen geboren worden waren: Amnon, Kileab, Absalom, Adonia, Schefatia und Jitream (2. Sam 3,2–5). Später sind in Jerusalem weitere Söhne hinzugekommen (2. Sam 5,13–16). David hat sich für keinen entschieden. Vielleicht wartete er in voller Absicht auf Zeichen der Eignung und Bewährung seiner Söhne, vielleicht aber mochte er keinem von ihnen den Vorzug geben. Beides ist möglich. Jedenfalls provozierte Davids Zurückhaltung die Rivalität der Prinzen untereinander und beschwor Ereignisse herauf, die das Reich in seinen Grundfesten erschütterten.

Drei der in Hebron geborenen Söhne Davids sind aus unbekannten Gründen ausgeschieden; vielleicht waren sie zur Zeit der Thronfolgeereignisse nicht mehr am Leben. Als mögliche Kandidaten blieben Amnon, Absalom und Adonia. Von diesen hat sich zunächst Amnon, der Erstgeborene Davids, als Kronprinz betrachtet. Allein, ihm widerfuhr ein böses Geschick (2. Sam 13). Er verliebte sich in seine Halbschwester Thamar, und zwar so heftig, daß er sich zu einer flagranten Verletzung israelitischer Sitte hinreißen ließ: er vergewaltigte sie und gab sich hinterher nicht einmal Mühe, den spontanen Verlust seines Interesses an ihr zu verbergen. Diesen erschrek-

[42] Vgl. Jes 11,1–9; Mi 5,1–5; Jer 23,5 f.; Ez 34,23–31; Sach 9,9 f. u. ö. Zu den Problemen der göttlichen und menschlichen Legitimation des Königtums vgl. T.N.D. Mettinger, King and Messiah. The Civil and Sacral Legitimation of the Israelite Kings. Coniectanea Biblica, OT Series 8 (1976).

kenden Fall von Blutschande innerhalb der königlichen Familie hätte David sofort und unnachsichtig ahnden müssen. Aber er tat es nicht – und hier zeigt sich zum ersten Male das eigentümliche Fehlen jedes kritischen Urteils Davids gegenüber seinen Kindern oder, wenn das zuviel gesagt sein sollte, doch immerhin die blinde Liebe, mit der er an ihnen hing und die ihn hinderte, die Zügel der Thronfolgeereignisse fest in die Hand zu nehmen. In den Augen seines Bruders Absalom allerdings hatte sich Amnon als Thronfolger disqualifiziert, und Absalom witterte seine Chance[43]. Er verstand es, erst einmal zwei Jahre geduldig abzuwarten, bis sich eine günstige Gelegenheit ergab. Dann ließ er seinen Bruder Amnon anläßlich eines Schafschurfestes auf dem Gebirge Ephraim, ein Stück weit von der Hauptstadt und von David entfernt, ermorden. Damit endete der erste Akt der Thronfolgetragödie.

Der zweite Akt begann ganz im stillen. Absalom war zunächst einmal zu seinem Großvater mütterlicherseits außer Landes gegangen und wartete erneut zwei Jahre ab, daß sich der Zorn und der Schmerz Davids legen würden. Das erwies sich keineswegs als Fehlspekulation. Absalom muß seinen Vater sehr genau gekannt haben; jedenfalls verstand er, virtuos auf der Klaviatur der Gefühle Davids zu spielen. In der Tat tröstete sich David über den Verlust seines Ältesten und bekam Sehnsucht nach seinem Sohne Absalom. Es fiel deshalb dem Heerbannfeldmarschall Joab nicht allzu schwer, die Versöhnung zustande zu bringen – und wenn David seinen Sohn auch weitere zwei Jahre nicht bei Hofe empfing, so nahm er ihn am Ende doch in Gnaden auf, und alles war wieder gut (2. Sam 14). War es das wirklich? Eines Tages verließ Absalom die Kunst, die zu üben er so ausgiebig Gelegenheit gehabt hatte: die Kunst des Abwartens. Man kann es verstehen; denn David wurde älter und älter und erwies sich nach wie vor als ziemlich rüstig. Über seine Nachfolge ließ er sich noch immer nicht vernehmen, wenn es auch scheint, als habe er Absalom stillschweigend als Kronprinzen betrachtet. Langsam erfaßte Absalom eine heillose Ungeduld; er sann darauf, seine Wartezeit abzukürzen. Das war nach Lage der Dinge nicht anders möglich als über die Leiche seines Vaters. Aber da dürften die Bedenken des Prinzen nicht allzu groß gewesen sein; Mangel an Entschlossenheit gehörte nicht zu seinen Fehlern. So schritt er schließlich zur Empörung gegen seinen Vater, zum Staatsstreich (2. Sam 15–19)[44]. Die Vorbereitungen geschahen noch im geheimen. Absalom pflegte frühmorgens mit seinem Streitwagengespann an eins der Tore Jerusalems zu fahren, sich dort aufzustellen, die Bauern vom flachen Lande abzufangen und sehr wirkungsvoll um Sympathien zu werben (2. Sam 15,1–6). Es gelang ihm tatsächlich, Hoffnungen auf sich zu ziehen und Anhänger zu gewinnen, anscheinend besonders bei

---

[43] Eine lebhafte und prächtige Beschreibung Absaloms, der ein schöner Mann war, gibt 2. Sam 14,25–27. Dazu, durchaus sachgemäß, S. Herrmann, Geschichte 212, Anm. 61: „Nur einmal im Jahr ließ er sich die Haare schneiden, die dann 200 Schekel nach königlichem Gewicht wogen, ein eindrucksvoller Beitrag zur Typik revolutionärer Persönlichkeiten."

[44] Vgl. J. Weingren, The Rebellion of Absalom. VT 19 (1969) 263–266.

der Bevölkerung des Nordreiches. Das alles geschah im geheimen? Man muß sich angesichts der Kleinräumigkeit Jerusalems und der Aufwendigkeit der Vorbereitungen denn doch darüber wundern, daß David von alledem nichts bemerkt haben soll. War er blind und taub? Es muß doch Leute gegeben haben, die ihm vom Treiben seines Sohnes berichteten! Der Verfasser der Thronfolgegeschichte hat hier romanhaft stilisiert; wir dürfen nicht jedes seiner Worte auf die historische Goldwaage legen. Jedenfalls hielt Absalom nach vierjähriger Vorbereitung den Zeitpunkt zum Losschlagen für gekommen. Er ging nach Hebron und ließ sich dort zum König ausrufen (2. Sam 15,7–11). Die Wahl des Ortes hatte zwei Gründe: einmal war Hebron die traditionelle judäische Königsstadt, und andererseits schwebte Absalom vermutlich vor, David in Jerusalem von Norden und von Süden in die Zange zu nehmen. Er rechnete damit, David werde sich in der Hauptstadt verschanzen – und seine Tage würden gezählt sein.

Aber die Rechnung ging nicht auf. Gewiß hatte Absalom sein Unternehmen sorgfältig vorbereitet. Aber eines hatte er offensichtlich nicht erwartet, daß nämlich die Not in dem alten Löwen von Juda noch einmal – zum letzten Male! – alle politischen und militärischen Fähigkeiten aufflammen lassen würde, mit denen er in seiner Blütezeit geglänzt hatte. Es war ein spätes Feuer, dabei aber nicht weniger wirksam. Davids Reaktion auf den Staatsstreich seines renitenten Sohnes hatte großes Format; in diesem Lichte betrachtet, war Absalom ein Stümper. Denn David durchschaute Absaloms Pläne und tat nun das gerade nicht, womit der Prinz gerechnet hatte. Er ließ sich nicht in der Hauptstadt einschließen, ließ es überhaupt nicht auf einen Kampf ankommen, sondern räumte Jerusalem und entwich mit seinen Söldnern ins Ostjordanland nach Machanaim *(Tell Ḥeǧǧāǧ).* Man muß sich klarmachen, daß das kein leichter Entschluß gewesen ist; er bedeutete die Aufgabe der Residenz, des Hofes, des Harems, des Vermögens, nicht zuletzt der Lade Jahwes. Aber David zögerte nicht, das alles stehen- und liegenzulassen und davonzugehen, bevor der Krieg überhaupt erst begonnen hatte. Absalom konnte nun zwar Jerusalem ohne einen Schwertstreich einnehmen und zum Zeichen des Herrschaftsantritts den Harem seines Vaters betreten[45], aber er mußte sich sagen, daß die Revolte nur halb gelungen war. Wohl war er im Besitze der Hauptstadt, aber David war immer noch am Leben. Dieser Situation war Absalom nicht gewachsen; es bemächtigte sich seiner eine große Ratlosigkeit. David aber kannte seinen Sohn und war sich klar darüber, daß dieser den Rat erfahrener Männer jetzt dringend brauchen würde. Deshalb schleuste er einen ihm treu ergebenen Mann, den verschlagenen Arkiter Chuschaj, in die Umgebung Absaloms nach Jerusalem ein. Es kam zur großen Ratssitzung (2. Sam 16,16 – 17,14). Einer der alten, ergrauten Räte Davids, Achitophel, der zu Absalom übergegangen war, gab mit wenigen Worten einen klaren vernünftigen Rat: er bot sich an,

---

[45] Vgl. F. Langlament, Absalom et les concubines de son père. Recherches sur II Sam., XVI 21–22. RB 84 (1977) 161–209.

mit einem rasch mobilisierten Teil des Heerbannes David unverzüglich nachzusetzen und ihn zu überfallen, solange er noch müde sei und bevor er noch Zeit gehabt habe, sich einzurichten. Das war in der Tat Absaloms einzige Chance. Er ergriff sie nicht, sondern folgte dem wortreichen, blumigen und militärisch ganz unsinnigen Rat des Arkiters Chuschaj. Der empfahl, den gesamten Heerbann von Juda und Israel zu mobilisieren, an dessen Spitze Absalom dann selbst ausziehen sollte, um David in offener Feldschlacht zu schlagen. Für den naheliegenden Fall, daß David einem offenen Kampfe ausweichen und sich in eine Ortschaft zurückziehen werde, riet Chuschaj, Seile um die Mauern der Ortschaft zu legen und dann solange daran zu ziehen, bis die Stadt ins Tal geschleift sei. In unbegreiflicher Verblendung entschied sich Absalom für diesen Unsinn, und der Verfasser des Geschichtswerkes, der gewiß auch in dieser Szene kräftig stilisiert hat, lüftet für einen Augenblick den Schleier und läßt den Hauptakteur sichtbar werden: „Da riefen Absalom und alle Männer Israels: Der Rat des Arkiters Chuschaj ist besser als Achitophels Rat! Denn Jahwe hatte es so gefügt, daß der gute Rat Achitophels zunichte werden sollte, damit Jahwe das Unheil über Absalom kommen ließe." (2. Sam 17,14)

So kommt es zur Schlacht im Walde von Ephraim im Ostjordanland (2. Sam 18). David selbst bleibt in Machanaim, während Joab mit den Söldnern den Steitkräften Absaloms in unwegsamem Gelände eine vernichtende Niederlage beibringt. Absalom gerät mit seinem Maultier in ein Terebinthengebüsch und bleibt mit dem Kopf in den Zweigen hängen; seine langen Haare werden ihm zum Verhängnis. So findet ihn Joab und ersticht ihn entgegen dem ausdrücklichen Befehl Davids. Als man dem König den Tod seines Sohnes meldet, bricht er in wilde Trauer aus und verweigert tagelang die Nahrungsaufnahme. Joab zwingt ihn schließlich dazu, die Parade der Söldner abzunehmen, und es wird ihm alsbald wohl auch gelungen sein, David davon zu überzeugen, daß Absaloms Tod im Sinne der Staatsräson die beste Lösung des Konfliktes war. Jedenfalls bereitete David seine Rückkehr nach Jerusalem vor (2. Sam 19). Er ließ sich von den Judäern heimholen, vielleicht in der Absicht, den Nordisraeliten durch diese einseitige Begünstigung Judas zu zeigen, daß man die Personalunion nicht ungestraft aufkündigen dürfe. Aber nun zeigte sich, daß auch David selber nicht ohne Schaden aus der Staatskrise hervorgegangen war. Es kam zu einem neuen Aufstand (2. Sam 20). Der Benjaminit Scheba sagte sich von David los; es gelang ihm, den eben erst geschlagenen Heerbann Nordisraels auf seine Seite zu ziehen und aufzulösen: „Nun war dort von ungefähr ein nichtswürdiger Mensch, ein Benjaminit namens Scheba, der Sohn des Bichri; der stieß in die Posaune und rief: Wir haben keinen Teil an David und kein Erbe am Sohne Isais! Jeder zu seinen Zelten, Israel!" (2. Sam 20,1) David mußte erneut seine Söldner und nun auch den Heerbann von Juda aufbieten, um die Revolte zu ersticken. Wieder war es Joab, der den in den hohen Norden nach Abel-Beth-Maacha *(Tell Ābil el-Qamḥ)* geflohenen Scheba fing und tötete. Dieses Ereignis war im Grunde weit gefährlicher als Absaloms Aufstand. Es zeigte, daß Nordisrael dem dynastischen Gedanken unfreundlich gegenüberstand. Dadurch, daß David Gewalt anwandte, mußte er in Kauf nehmen, daß der politische Wille des Nordens, auf Grund dessen er selbst König von Israel geworden war, mißachtet wurde. David regierte hinfort nicht mehr als König über Israel, sondern als Tyrann.

Der dritte und letzte Akt der Thronfolgetragödie spielt nur noch in Jerusalem (1. Kön 1–2). David war mittlerweile so alt und greisenhaft geworden, daß er sich des Nachts im Bett nicht mehr allein erwärmen konnte. Man mußte aus der alten Kanaanäerstadt *Šūnēm* am Südrande Untergaliläas ein schönes junges Mädchen namens Abisag holen, damit sie dem König als Pflegerin[46] diene. Und noch immer schwieg David zur Thronfolgefrage. Also betrachtete sich Adonia, der vierte der in Hebron geborenen Prinzen, als Thronfolger. Er fand Unterstützung bei keinem Geringeren als Joab, dem bewährten Heerführer Davids und beim Priester Ebjathar aus Nob, beide einflußreiche konservative Minister des Reiches. Aber die Kandidatur Adonias stieß bei Hofe auf unerwarteten Widerstand. Es bildete sich eine Gegenpartei unter der Führung des vermutlich ehemals jebusitischen Priesters Zadok, des Hofpropheten Nathan und des Söldnerführers Benajahu. Diese Partei favorisierte einen Davidsohn, der bislang überhaupt noch nicht zur Debatte gestanden hatte: Salomo, den Sohn Davids aus der zweifelhaften Verbindung mit der schönen Bathseba, der Frau des kanaanäischen Aristokraten Uria aus Jerusalem, den David im Ammoniterkrieg absichtlich hatte umkommen lassen (2. Sam 11–12). Die Gründe, die zur Kandidatur Salomos führten, sind schwer zu durchschauen. Sollte David in einer schwachen Stunde der Bathseba Zusicherungen gemacht haben? Sie hat sich später jedenfalls darauf berufen (1. Kön 1,17). Oder waren die Anhänger Salomos der Meinung, die Davidsöhne aus Hebron hätten sich nun gerade genug disqualifiziert? Immerhin war Salomo ein πορφυρογένητος; er war zur Welt gekommen, als David bereits Beherrscher seines Großreiches war. Überdies stammte er mütterlicherseits aus dem jebusitischen Stadtadel von Jerusalem, und das mag ganz auf der Linie Zadoks, Nathans und Benajahus gelegen haben. Wir wissen nichts Genaues und müssen uns mit Vermutungen begnügen. Ganz sicher aber ist, daß David die Zügel der Ereignisse vollkommen aus den Händen verloren hatte; er war eine Statistenfigur, eine Marionette in der sich nun entspinnenden Hofkabale geworden.

Die Dinge gerieten in Fluß, als der Kronprinz Adonia ein Opferfest an der Rogelquelle *(Bīr ʿEyyūb)* nahe bei Jerusalem gab, zu dem die Gegenpartei nicht eingeladen war. Ob er sich bei dieser Gelegenheit zum König ausrufen lassen wollte oder ließ, ist nicht sicher zu erkennen. Die Gegenpartei jedenfalls scheint dergleichen vermutet oder behauptet zu haben. Vielleicht aber war die Sache ganz harmlos, und die Salomoanhänger sahen nur eine

---

[46] Vgl. M.J. Mulder, Versuch der Deutung von *sokènèt* in 1. Kön. I,2. 4. VT 22 (1972) 43–54.

Chance, endlich zum Ziele zu kommen. Bathseba und Nathan intervenierten nacheinander bei David, denunzierten Adonia und versuchten, den König dazu zu bewegen, Salomo als Thronfolger zu proklamieren. Sie übergingen den alten Herrscher nicht einfach, wie es Absalom getan hatte, sondern versicherten sich seiner moralischen Autorität. Der Glanz des Namens Davids war ihnen gut für ihre Machenschaften. David ließ sich in der Tat herbei, der ewigen Streitereien müde, Salomo zum Mitregenten und Nachfolger zu bestimmen. Erst jetzt, viel zu spät und vielleicht ohne genau zu wissen, was er tat, faßte er einen Entschluß. Er ließ Salomo an der Gihonquelle (*ʿĒn Sittī Maryam*) zum König salben und ihm von den Söldnern akklamieren (1. Kön 1,38–40). Bald darauf legte sich David zum Sterben nieder. Salomo bestieg nun endgültig den Thron seines Vaters. Er ging sogleich daran, die Gegenpartei auszuschalten. Seinen Bruder Adonia schonte er zunächst. Aber bald machte dieser Ansprüche auf die durch Davids Tod brotlos gewordene Abisag von *Šūnēm* geltend, und diese Liebesaffaire benutzte Salomo nur zu gern, um Adonia durch den skrupellosen Söldnerführer Benajahu aus dem Wege räumen zu lassen. Den Priester Ebjathar verbannte er auf sein Landgut in Anatot (*Rās el-Ḫarrūbe* bei *ʿAnāta*); dort hatte er ihn unter Kontrolle. Den alten Heerbannfeldmarschall Joab schließlich, eine der Säulen des davidischen Staatswesens und den Gefährten aus Davids frühen, abenteuerlichen Tagen, ließ er unter Mißachtung des Heiligtumsasylrechtes am Altare durch Benajahu ermorden. Der Mörder wurde Amtsnachfolger des Opfers; den Heerbann und die Söldnerschaft getrennt zu behandeln, hat Salomo nicht mehr für nötig gehalten. So endete die Thronfolgetragödie mit dem Sieg Salomos, der das Reich seines Vaters in seinem ganzen Umfange übernahm. Ob er der richtige Mann war, das Ererbte zu erhalten und womöglich zu mehren, wird sich zeigen müssen.

KAPITEL 4

Die Herrschaft Salomos

Von der Herrschaft Salomos, des Sohnes Davids und der Bathseba, berichtet 1. Kön 3–11. Dieser Kapitelkomplex ist keine zusammenfassende, womöglich gar zeitgenössische Darstellung der Regierung Salomos im ganzen oder in Teilen, sondern eine Sammlung disparater Stoffe unterschiedlicher Herkunft und aus verschiedenen Zeiten. Die Analyse gestaltet sich außerordentlich schwierig, und zwar deswegen, weil innerhalb 1. Kön 3–11 mehrere Salomobilder bis zur Ununterscheidbarkeit miteinander vermengt sind: der historische Salomo des 10. Jh. v. Chr., der dtr Salomo und der ideale Salomo der Wirkungsgeschichte bis hinab in nachexilische Zeiten. Die wissenschaftliche Suche nach dem historischen Salomo gleicht einem Reduktionsprozeß: es ist alles das mühsam abzutragen, womit die dtr und spätere Wirkungsgeschichte die Salomogestalt übermalt hat. Das ist um so schwieriger, als sich dabei literarische, historische und theologische Gesichtspunkte verzahnen und nicht selten gegenseitig behindern. Die ältere Forschung ist dieser Aufgabe denn auch nicht immer ganz gerecht geworden; wir alle haben viel von dem für historisch gehalten, was auf das Konto der Übermalung geht. Das Verdienst, die analytische Arbeit ein beachtliches Stück vorangetrieben zu haben, gebührt vor anderen E. Würthwein[1], dem die folgende Darstellung viel verdankt[2].

Die Stoffe des Salomo-Komplexes 1. Kön 3–11 sind rings um das in mehreren Stufen dtr bearbeitete Kernstück vom Tempelbau (6,1 – 9,9) angeordnet und nur insoweit gruppiert, als am Anfang und am Schluß Überlieferungen vom Beginn und vom Ende der salomonischen Ära stehen: die Erzählung von Salomos Tempelinkubation in Gibeon (3,4–15) und das Kompositionsprodukt Kap. 11, in dem „zu all dem Glanz der bisher geschilderten Herrlichkeit ein wenig Schatten nachgetragen" wird[3]. Die Stoffe selbst sind verschiedener Art: annalenähnliche Notizen, Listen, Anekdoten, Erzählungen, dtr Deutungen, Interpretamente *ad maiorem Salomonis gloriam* u. a. m. Woher sie stammen, ist schwer zu sagen. 1. Kön 11,41 zitiert ein Sammelwerk unter dem Titel „Buch der Salomogeschichte"[4], das man früher gern als Zusammenstellung und Bearbeitung der offiziellen königlichen Annalen, des Regierungstagebuches der salomonischen Kanzlei, ansah, wenn man es nicht überhaupt für das Annalenwerk selbst hielt. Aber das ist ganz unsicher. Ebensogut käme eine vordtr Zusammenstellung allen Salomo-Materials, mit Einschluß der ersten Ergebnisse der idealen Übermalung, in Betracht, oder gar ein Geschichtswerk nach Art der für Davids Zeit überlieferten Werke. Außerdem vermag niemand zu sagen, welche der in 1. Kön 3–11 mitgeteilten Stoffe in diesem Buche gestanden haben und welche nicht. Der Komplex in seiner Endgestalt sollte jedenfalls nicht mit der dtr Salomodarstellung verwechselt werden. Manche Stoffe gehörten wohl nicht ursprünglich zum dtr Geschichtswerk, darunter jene Erzählungen, die im üblichen Salomobild eine besondere Rolle spielen: vom salomonischen Urteil (3,16–28), vom Besuch der Königin von Saba (10,1–13), vom Edomiterprinzen Hadad und Rezon von Damaskus (11,14–25). Es kommt hinzu, daß die Dtr Schwierigkeiten hatten, die Salomodarstellung in der später bei den Königen von Israel und Juda üblichen Weise zu rahmen. Denn der Anfang der Regierung Salomos wird im Geschichtswerk von der Thronnachfolge Davids erzählt (1. Kön 1–2), und das Ende ist mit dem Be-

---

[1] E. Würthwein, Die Bücher der Könige. 1. Könige 1–16. ATD 11,1 (1977).

[2] Zur Analyse vgl. auch B. Porten, Structure and Theme of the Solomon Narrative. HUCA 38 (1967) 93–128; J.C. Trebolle Barrera, Salomón y Jeroboan. Historia de la recensión y redacción de I Reyes 2–12 (1980).

[3] J. Wellhausen, Die Composition des Hexateuchs (1963[4]) 272.

[4] Vgl. J. Liver, The Book of the Acts of Solomon. Biblica 48 (1967) 75–101.

ginn einer Prophetengeschichte „Jerobeam und Ahia von Silo" verzahnt (1. Kön 11,26–40). Immerhin liegt eine dtr Schlußformel vor (11,41–43), und für den Anfang kann man auf die dtr Beurteilungen 2,10–12 und 3,3 hinweisen.

Um die Frage, mit der das voraufgegangene Kapitel schloß, wiederaufzunehmen: von einer Mehrung des Großreiches Davids kann in der Epoche Salomos keine Rede sein. Wir erfahren von keinem einzigen militärischen oder außenpolitischen Erfolg, den er errungen hätte. Sieht man von seinem finsteren und blutigen Regierungsantritt ab (1. Kön 1–2), so kann er als Friedensherrscher *par excellence* bezeichnet werden. Sein Name *Šᵉlōmō* enthält das Element *šālōm* „Wohlfahrt, Friede". Das klingt wie ein Programm, und vielleicht handelte es sich in der Tat um einen Thronnamen, den der König erst anläßlich seines Regierungsbeginns annahm[5]. Wie dem auch sei: militärische Operationen waren ganz unnötig, denn aggressive Gegner gab es zunächst nicht, und eine Erweiterung des territorialen Bestandes des Großreiches hatte bereits David mit guten Gründen nicht für sinnvoll gehalten. Das Großreich war über das Stadium der Offensive hinaus. Jetzt kam alles darauf an, seinen Bestand zu erhalten und, wenn nötig, zur Defensive überzugehen. Soweit wir sehen können, hat das Salomo getan, und ihm widerfuhr dabei das Geschick, das Epigonen oft erleiden: Stillstand bedeutet zumeist schon Rückschritt.

Salomo hat seine Kräfte darauf konzentriert, die von David errungenen Positionen innenpolitisch und kulturell auszubauen. Seine Tätigkeit diente vornehmlich der Stabilisierung des Staatswesens und der Pflege der Künste und Wissenschaften, denen er an seinem Hofe eine beachtliche Blüte bescherte. Seine Hofhaltung nötigte wohl schon den Zeitgenossen Staunen und Bewunderung ab; unter den Nachgeborenen steigerte sich das noch und wuchs schließlich ins Legendäre. Nicht umsonst ist „Salomo in all seiner Herrlichkeit" (Mt 6,29; Lk 12,27) noch ein Jahrtausend später sprichwörtlich gewesen und bis heute geblieben. Der Historiker wird allerdings gut daran tun, Zurückhaltung zu üben, die Superlative auf ein vertretbares Maß zu reduzieren und das Wort „Glanz" nicht ganz so oft in den Mund zu nehmen wie bisher üblich. Denn vieles von dem, was wir an vordtr Nachrichten besitzen, steht bereits im Zeichen idealisierender Übermalung des Salomobildes: eine Tendenz, die sich in der dtr und nachdtr Literatur kräftig fortsetzt. Allzu leicht kann der historische Salomo mit dem idealen Salomo verwechselt werden.

Immerhin läßt sich einiges Zuverlässige sagen. Salomo war bestrebt, *internationale Beziehungen* anzuknüpfen und zu pflegen. Er erreichte das nicht zuletzt auf dem Wege über seinen Harem, d.h. durch die Anwendung jenes gesunden politischen Grundsatzes, den Jahrtausende später die österreichischen Habsburger berühmt gemacht haben: „Laß andere Kriege füh-

---

[5] Vgl. J.J. Stamm, Der Name des Königs Salomo. ThZ 16 (1960) 285–297. Es ist möglich, daß der Geburtsname Jedidja „Liebling Jahwes" lautete (2. Sam 12,24f.).

ren – du, glückliches Israel, heirate!" Prunkstück des salomonischen Harems war eine ägyptische Prinzessin (3,1; 7,8; 9,16. 24; 11,1). Es will allerdings leider nicht gelingen, den pharaonischen Schwiegervater Salomos historisch sicher zu bestimmen[6]. Das ist umso betrüblicher, als die Pharaonentochter ihrem Gatten die alte Kanaanäerstadt Gezer *(Tell Ǧezer)* mit in die Ehe brachte: jenes Gezer, von dem es 9,16 heißt, der Pharao habe es erobert und eingeäschert. Von einem ägyptischen Feldzug in die palästinische Küstenebene unter der 21. Dynastie – gegen die Philister oder die Kanaanäer oder gegen beide? – hören wir sonst nichts[7]. Im übrigen nennt der dtr gestaltete Text 11,1–13 Frauen aus Moab, Ammon, Edom, von den Phönikern und von den Kanaanäern Palästinas, wobei offenbleiben muß, ob das nicht eine generalisierende dtr Aufzählung ist. Das heißt natürlich nicht, daß der Harem keine Ausländerinnen beherbergt hätte; immerhin war die Mutter des Kronprinzen Rehabeam eine Ammoniterin (1. Kön 14,21). Insgesamt soll es Salomo auf siebenhundert Haupt- und dreihundert Nebenfrauen gebracht haben (11,3) – eine runde, heilige und verdächtige Zahl. 11,7 berichtet, er habe auf dem Ölberg östlich von Jerusalem Heiligtümer für den moabitischen und den ammonitischen Staatsgott errichtet; sie sind jahrhundertelang, ihrem ursprünglichen Zweck wahrscheinlich entfremdet, stehengeblieben (2. Kön 23,13). Der Dtr hat das durch die Plazierung der Notiz und durch 11,8 so gedeutet, daß diese Heiligtümer für die Ausländerinnen des Harems bestimmt gewesen seien, um diesen die Ausübung ihrer heimatlichen Kulte auch bei Jerusalem zu ermöglichen. Es fällt aber auf, daß 11,7 keinerlei Kritik enthält – und so ist es denn wahrscheinlicher, Salomos Götzentempel für Zeugnisse des religiösen Synkretismus in der Hauptstadt zu halten, bestimmt für die moabitischen und ammonitischen Untertanen des Reiches. Erst die dtr Interpretation hat das mit Salomos Frauen in Zusammenhang gebracht und dem König als Abfall von Jahwe zur Last gelegt (11,4–6).

Besonders intensiv waren Salomos Beziehungen zur phönikischen Küste, in der Hauptsache zur Hafenstadt Tyrus[8]. Das führte zu einem regelrechten *Handels*abkommen mit dem Stadtkönig Hiram von Tyrus, nach welchem Hiram Bauholz aus dem Libanon an Salomo lieferte und dafür Naturalien für seinen Palastbedarf empfing (5,15–26 dtr). Außerdem stellte Hiram Bauhandwerker für den Tempelbau in Jerusalem zur Verfügung (5,32) und beteiligte sich mit Schiffen und Matrosen an Salomos Handelsschiff-

---

[6] Vgl. S. Horn, Who was Solomon's Egyptian Father in Law? Biblical Research 12 (1967) 3–17 (Psusennes II.); A. R. Green, Solomon and Siamun: A Synchronism between Dynastic Israel and the 21st Dynasty of Egypt. JBL 97 (1978) 353–367. Der tanitische Pharao Siamun ist auf ca. 978–960 v. Chr. anzusetzen.

[7] Die Möglichkeiten erörtert A. Malamat, Aspects of the Foreign Policies of David and Solomon. JNES 22 (1963) 8–17, der Salomos außenpolitische Potenz positiver beurteilt als es hier geschieht. Vgl. auch K. A. Kitchen, The Third Intermediate Period in Egypt (1100–650 B. C.) (1973) bes. 280–283.

[8] Vgl. H. Y. Katzenstein, Hiram I. und das Königreich Israel. Beth-Miqra 11,4 (1965/6) 28–61; Ch. Fensham, The Treaty between the Israelites and Tyrians. SVT 17 (1969) 71–87.

fahrt nach Ophir und Tarsis (9,26–28; 10,11. 22). Aus nicht völlig klaren Gründen trat Salomo zwanzig Ortschaften in der untergaliläischen Landschaft *Kābūl* an Hiram ab (9,10–14) – jedenfalls kein Ruhmesblatt der salomonischen Außenpolitik, wie man denn überhaupt Salomos Beziehungen zu dieser mächtigen Handelsmetropole geradezu im Sinne von Abhängigkeit deuten kann[9]. Der Handel Salomos reichte aber noch weiter. Nach 10,28f. importierte er Pferde aus dem kleinasiatischen Quë, wenn der schlecht erhaltene Text so gedeutet werden darf, und Streitwagen aus Ägypten[10]. Das scheint auf ein königliches Handelsmonopol hinzudeuten, und man kann auch nicht ausschließen, daß Salomo mit Pferden und Wagen einen lukrativen Zwischenhandel betrieben hat. Am Nordende des Golfes von *ʿAqabā* errichtete er den Hafen Ezion-Geber *(Ǧezīret Firāʿūn)* bei Elath[11] und ließ dort mit phönikischer Hilfe eine Handelsflotte bauen, die bis nach dem sagenhaften Lande Ophir[12] gelangte (9,26–28; 10,11f. 22). Die Flotte bestand aus sog. „Tarsisschiffen", benannt nach der phönikischen Handelskolonie Tartessos am Guadalquivir in Südspanien[13]. Der Reichtum, den diese Unternehmungen erbrachten, kam allerdings kaum dem Volke zugute, sondern floß in die königlichen Schatzkammern und wurde für die Hofhaltung und für Bauarbeiten ausgegeben. Es ist wenig wahrscheinlich, daß das Salomos Beziehungen zu seinen Untertanen gefördert und verbessert hat. Reichtum und Ansehen konzentrierten sich allein am Jerusalemer Hofe um die Person des Königs. Von der Nähe und Familiarität Davids zu den Männern von Juda und Israel kann bei Salomo nicht mehr die Rede sein.

Schließlich hat sich auch die Legende der internationalen Beziehungen Salomos bemächtigt. 1. Kön 10,1–13 berichtet vom Besuch der Königin von Saba am Jerusalemer Hof und von jenem denkwürdigen Weisheitsturnier, das Salomo selbstverständlich – wenn auch nicht als Kavalier – gewann[14]. Damit ist historisch nichts anzufangen, zumal geschichtlich zuverlässige Zeugnisse über das berühmte südarabische Saba überhaupt erst im 9./8. Jh. v. Chr. beginnen und nicht darauf hindeuten, daß es dort Königinnen gab.

---

[9] Vgl. H. Donner (s. o. S. 200, Anm. 20).

[10] Vgl. H. Tadmor, Que and Musri. IEJ 11 (1961) 143–150; ders., Assyria and the West: The Ninth Century and its Aftermath. Unity and Diversity (1975) 36–48. Statt *miṣrayim* ist in 10,28 vielleicht *muṣrī* zu lesen: eine nordsyrisch-kleinasiatische Region in der Taurusgegend. Aber sicher ist das keineswegs.

[11] Zu den Theorien über salomonische Metallschmelzereien in dieser Region vgl. grundsätzlich und kritisch B. Rothenberg, Were there King Solomon's Mines? Excavations in the Timna Valley (1972).

[12] Vgl. H. v. Wissmann, Ōphīr und Hawīla. PW Suppl. 12 (1970) 906–980.

[13] Vgl. K. Galling, Der Weg der Phöniker nach Tarsis in literarischer und archäologischer Sicht. ZDPV 88 (1972) 1–18. 140–181.

[14] Die nachbiblische Legende will wissen, daß Salomos Beziehungen zur Königin von Saba beträchtlich über den Austausch von Weisheit hinausgingen. Das spielte noch bis vor kurzem eine Rolle in der fiktiven Genealogie der äthiopischen Kaiser: der Titel „Löwe von Juda" seit Menelik I., dem sagenhaften Dynastiegründer, der der Verbindung Salomos mit der Königin von Saba entsprungen sein soll.

Königinnen hat es aber bei den seit Tiglatpileser III. (745–727) bezeugten Protoarabern des Nordens gegeben[15], und der Volksmund mag sich zurechtgelegt haben, daß eine solche Salomo besuchte, wobei dann ihr Land im Laufe der Zeit mehr und mehr mit dem südarabischen Saba verwechselt wurde[16]. Handel mit Südarabien hat es in späterer Zeit tatsächlich gegeben[17], und das wird die Legendenbildung beflügelt haben.

Die Überlieferung weiß ferner von der staunenerregenden, exemplarischen *Weisheit* Salomos zu berichten. Das spielt in der soeben erwähnten Legende vom Besuch der Königin von Saba eine große Rolle, ferner in der auf Salomo übertragenen Wanderlegende vom „salomonischen Urteil" (3,16–28)[18], schließlich auch in der dtr und nachdtr bearbeiteten Erzählung von Salomos Tempelinkubation in Gibeon (3,4–15). Die letztere scheint die älteste Ausformung des Themas „Weisheit Salomos" zu enthalten: die Weisheit ist die des Regenten, von Gott als Antwort auf die Krönungsbitte beim Thronantritt gegeben. Das Stück gehört in den Zusammenhang des judäischen Königsrituals[19] und ist wahrscheinlich von der Gattung der sog. ägyptischen Königsnovelle beeinflußt[20]. Von hier aus könnte Salomo in der Überlieferung die Rolle des exemplarischen Weisen angenommen haben, als der er in 5,9–14 erscheint. Dieser schwer zu analysierende Abschnitt ist von A. Alt zum Gegenstand einer eindrucksvollen Interpretation gemacht worden[21]. Wenn es in 5,12 f. heißt, Salomo habe „3000 Sprüche *(māšāl)* und 1005 Lieder *(šīr)*" verfaßt, und zwar „über die Bäume, von der Libanonzeder bis zum Ysop, der aus der Mauer wächst", ferner „über das Vieh, die Vögel, das Gewürm und die Fische", dann entspricht das keineswegs dem Bilde, das die ältere israelitische Weisheit sonst bietet; sie vermittelt vornehmlich praktische Regeln zur Bewältigung des täglichen Lebens. Wohl aber könnten Beziehungen zur sog. onomastischen Literatur Ägyptens und Mesopotamiens[22] bestehen, in der die Erscheinungen des Himmels und der Erde, der Natur und Menschenwelt in Form langer Substantivreihungen gleichsam enzyklopädisch aufgezählt werden. War Salomo davon abhängig? Hat er diese trockene weisheitliche Literatur zur Grundlage von poeti-

---

[15] Vgl. N. Abbott, Pre-Islamic Arab Queens. AJSL 58 (1941) 1–22.

[16] Vgl. E. Ullendorf, The Queen of Sheba. Bulletin of the John Rylands Library (Manchester) 45 (1962/3) 486–504; J. B. Pritchad, Solomon and Sheba (1974).

[17] Ein Krugstempel des 9./8. Jh. aus *Bētīn* bei G. W. v. Beck – A. Jamme, BASOR 151 (1958) 9–16.

[18] Vgl. H. Gressmann, Das salomonische Urteil. Deutsche Rundschau 130 (1907) 212–228; M. Noth, Die Bewährung von Salomos „göttlicher Weisheit" [1955]. GS II, 99–112.

[19] G. v. Rad, Das judäische Königsritual [1947]. GS 205–213.

[20] Vgl. S. Herrmann, Die Königsnovelle in Ägypten und Israel. Wiss. Zeitschr. d. Karl-Marx-Universität Leipzig 3 (1953/4), Gesellsch.- und sprachwiss. Reihe 1, S. 51–62; M. Görg, Gott-König-Reden in Israel und Ägypten. BWANT 105 (1975) 16–115. Anders E. Würthwein, ATD 11,1 (1977) 31 f.

[21] A. Alt, Die Weisheit Salomos [1951]. KS 2, 90–99.

[22] Vgl. A. H. Gardiner, Ancient Egyptian Onomastica (1947); W. v. Soden, Leistung und Grenze der sumerischen und babylonischen Wissenschaft [1936]. Nachdruck Wiss. Buchgesellschaft, Darmstadt (1965).

schen Liedern und Sprüchen gemacht und damit sozusagen eine neue Literaturgattung aus der Taufe gehoben? Es ist nicht ganz auszuschließen, aber am Ende doch nicht sehr wahrscheinlich. Denn über das Alter des nichtdtr Stückes 5,9–14 und über seine Zusammensetzung ist nur schwer ein Urteil zu gewinnen; es enthält weniger konkrete Informationen, als man sich wünschen möchte. Vielleicht sind V. 11–13a Exzerpte aus einer bereits idealisierenden Charakteristik Salomos (aus dem „Buch der Salomogeschichte" 11,41?), von einem späteren Bearbeiter zum Idealbilde des unvergleichlichen Weisen erweitert. Der Bearbeiter verrät sich als spät: durch den unpassenden Vergleich mit dem „Sand am Ufer des Meeres" (V. 9), der die Patriarchenerzählungen der Genesis voraussetzt; durch die „Ostleute" (V. 10; aus Hi 1,3?); durch die Aufzählung der Tiere (V. 13b), die an die stereotypen Reihungen der Priesterschrift erinnert. Dann aber könnte auch V. 12 zur Bearbeitungsschicht gehören[23] und das würde bedeuten, daß die Sprüche und Lieder eher auf die salomonische Pseudepigraphie zu deuten sind, d.h. auf jene Literaturwerke, die man später Salomo zugeschrieben hat (Proverbia, Hoheslied, Prediger, Weisheit Salomos, Oden Salomos u.a.). Mit einem Wort: es steht nicht besonders gut mit geschichtlich zuverlässigen Nachrichten über Salomos Weisheit.

Nicht viel anders ist es mit der Annahme, der Jerusalemer Hof sei eine Pflanz- und Pflegestätte der israelitischen *Literatur* gewesen. Gewiß kann man sich die frühe israelitische Geschichtsschreibung – Aufstieg Davids und Thronfolgeerzählung – sehr gut dort entstanden denken, auch die Josephsnovelle (Gen 37. 39–50), wenn nicht gar das ganze jahwistische Erzählwerk. Aber positive Beweise gibt es dafür nicht und für jedes der genannten Literaturwerke ist auch schon sehr viel jüngere Entstehung angenommen worden. Man sollte deshalb die allergrößte Zurückhaltung walten lassen und auch nicht mehr von der „salomonischen Aufklärung" sprechen, wie es G. v. Rad getan hat[24]; ganz abgesehen davon, daß diese einprägsame Formel nie so recht passen wollte. Denn der Begriff „Aufklärung" hat seinen Ort innerhalb der Geistesgeschichte des Abendlandes und bezeichnet dort die Emanzipation des abendländischen Geistes von seinen Ursprüngen, den „Ausgang des Menschen aus seiner selbstverschuldeten Unmündigkeit" (I. Kant). Daß Vernunft und Mündigkeit im Zeitalter Salomos etwas anderes bedeuteten als im Europa des 18. Jh., liegt auf der Hand.

Universale Berühmtheit erwarb sich Salomo durch den Bau des *Tempels* zu Jerusalem, den er in seinem 4. Regierungsjahr begann und im 11. vollendete. Der Dtr hat nicht verfehlt, darüber unter Zugrundelegung einer älteren Tempelbauchronik ausführlich zu berichten (1. Kön 6,1 – 9,9)[25]. Denn es handelte sich um die Kultstätte, die seit der Reform des Königs Josia 622 v. Chr. als einziges legitimes Jahweheiligtum in ganz Israel galt. Salomo

---

[23] So E. Würthwein, ATD 11,1 (1977) 48–51.

[24] Vgl. G. v. Rad, Theologie des AT 1 (1957) 56ff. 145. 423. 427.

[25] Die beste Analyse noch immer bei M. Noth, Könige. BK IX, 2/3 (1965/67).

brach mit der anscheinend noch von David respektierten Tradition, nach der die Lade Jahwes in einem Zelt zu stehen hatte. Er errichtete für sie unter Zuhilfenahme phönikischer Architekten und Bauhandwerker nach phönikisch-syrischem Vorbild einen repräsentativen Tempel[26]. Dieser Tempel aus behauenen Quadersteinen und Langhölzern vom Libanon stand in enger architektonischer Verbindung mit dem ebenfalls neu errichteten königlichen Palast[27], und zwar nicht in der Wohnstadt Jerusalem, sondern auf dem Gelände des heiligen Bezirks im Norden der Stadt, dem heutigen *Ḥaram eš-Šerīf*[28]. Die baugeschichtlichen Details des salomonischen Tempels können hier auf sich beruhen bleiben; sie sind auch keineswegs alle geklärt[29]. Es darf heute trotz mancher Bestreitungen als sicher gelten, daß er sich an der Stelle des islamischen Felsendomes *(Qubbet eṣ-ṣaḫra)* befand; das Adyton mit der Lade Jahwes erhob sich über dem heiligen Felsen[30]. Er repräsentierte den Typ des syrischen Langhaustempels[31] mit Vorhalle *('ūlām),* Langhaus *(hēkāl)* und Allerheiligstem *(dᵉbīr).* Das Langhaus erhielt durch Fenster seitliches Oberlicht, während die Lade in der Cella ganz im Dunkeln stand (8,12 f.). Man tut gut daran, sich auch hier keine übertriebenen Vorstellungen zu machen. Der Tempel Salomos entsprach nicht dem Kölner Dom, der Kathedrale von Chartres oder Westminster Abbey. Seine Maße waren bescheiden: das Langhaus 30 × 10 × 15 m, die Vorhalle 10 × 5 m – kleiner als die meisten unserer Dorfkirchen und kleiner als viele Sakralbauten des alten Vorderen Orients. Seit Salomos Tempelbau jedenfalls wohnten in Jerusalem Gott und König auf engem Raume nebeneinander. Der Tempel hatte den Charakter eines königlichen Heiligtums, war davidischer Besitz, sozusagen die „Eigenkirche" der davidischen Dynastie. Es wird einige Zeit gedauert haben, bis die Landbevölkerung begann, an ihm Interesse zu nehmen, zumal keines Laien Fuß das Allerheiligste betreten durfte und die Lade Jahwes nur noch bei Prozessionsaufzügen zu sehen war (Ps 24). Der Tempel war zunächst ein Fremdkörper in Israel, und diese

---

[26] An Ausbau und Vollendung eines bereits vorsalomonischen, jebusitischen Heiligtums denkt K. Rupprecht, Der Tempel von Jerusalem. Gründung Salomos oder jebusitisches Erbe? BZAW 144 (1976).

[27] Vgl. D. Ussishkin, King Solomon's Palaces. BA 36 (1973) 78–105.

[28] Die Legende 2. Sam 24,16–25 behauptet, David habe die „Tenne des Jebusiters Arawna", d.h. den Platz des späteren Tempels, käuflich erworben. Diese Geschichte ist eine Ätiologie: sie begründet das Privateigentum der Familie Davids am Gelände des Tempels. Sie ist aber zugleich eine Art Antiätiologie: sie verneint den faktischen Zusammenhang des salomonischen Tempelortes mit dem vormaligen jebusitischen Stadtheiligtum.

[29] Anstelle einer langen Literaturliste genüge der Hinweis auf das zusammenfassende, wenn auch etwas eigenwillige Werk von Th. A. Busink, Der Tempel von Jerusalem von Salomo bis Herodes. 1. Bd.: Der Tempel Salomos (1970); ferner V. Fritz, Der Tempel Salomos im Licht der neueren Forschung. MDOG 112 (1980) 53–68.

[30] Zur Debatte über den genauen Platz vgl. die konträren Positionen von E. Vogt, Vom Tempel zum Felsendom. Biblica 55 (1974) 23–64 und H. Donner, Der Felsen und der Tempel. ZDPV 93 (1977) 1–11.

[31] Vgl. A. Alt, Verbreitung und Herkunft des syrischen Tempeltypus [1939]. KS 2, 100–115.

Eigenart teilte er mit der Stadt Jerusalem, an deren staatsrechtlicher Sonderstellung sich auch unter Salomo nichts geändert hat. Seit Salomos Tempelbau thronte Jahwe ebenso wie der König oberhalb des Dualismus von Juda und Israel. Das hat seine kultische Verehrung an den Heiligtümern draußen im Lande keineswegs beeinträchtigt[32], wohl aber zu den dort gepflegten südlichen und nördlichen Traditionen die Entstehung eines dritten Traditionskomplexes begünstigt: Jahwe als König auf dem Berge Zion, als Schutzherr der Stadt und der davidischen Dynastie. Die Faszination Jerusalems, seines Tempels und seiner Gestaltung der Jahwereligion ist im Laufe der Zeit gewachsen, erst recht nach dem politischen Ende des Nordreiches 722 v. Chr. Die Kultusreform des Königs Josia 622 v. Chr. setzte sozusagen den Schlußstein in eine von langer Hand vorbereitete Entwicklung.

In einer Hinsicht freilich konnte Salomo auf die Hilfe der Bevölkerung seines Reiches nicht verzichten. Er brauchte Arbeiter für seine zahlreichen Bauvorhaben[33], nicht nur im Tempel- und Palastareal zu Jerusalem und den Festungsanlagen im Lande, sondern auch in den Steinbrüchen und vielleicht sogar bei der Holzgewinnung im Libanon. Schon David hatte damit begonnen, Frondienst *(mas)* zu fordern, wahrscheinlich noch in bescheidenem Maße. Unter Salomo wurde das *Fronwesen* in großem Stile ausgebaut, und dazu hat der bereits aus Davids zweitem Kabinett bekannte Frondienstminister Adoram oder Adoniram[34] sicher nicht unbeträchtlich beigetragen. Über Einzelheiten unterrichten die Abschnitte 5,27–32 und 9,15–23: beides unsystematische Zusammenstellungen von Notizen über Fronarbeit, die teils auf amtliche Aufzeichnungen zurückgehen können, teils nachdtr Nachträge sind (5,27–32). Nach 5,27–32 soll Salomo für die Erfordernisse des Tempelbaus ein besonderes Frondienstsystem entwickelt haben: dreißigtausend Fronarbeiter mußten umschichtig zu je zehntausend einen Monat lang im Libanon und zwei Monate zu Hause arbeiten[35]. Dieses Schichtsystem macht den Eindruck einer Konstruktion; auf der anderen Seite fragt man sich freilich, ob dergleichen hätte erfunden werden können. Wie dem auch sei: soviel wird richtig sein, daß Salomo die Schrauben der Staatsmaschinerie fest anzog und seinen Untertanen eine gewaltige Anspannung der Kräfte zumutete. Er wird dabei schwerlich den Fehler begangen haben, den ihm 9,20–22 zuschreibt, nämlich nur Kanaanäer und keine Israeliten zum Frondienst heranzuziehen[36]. Gegebenenfalls konnte Salomo

---

[32] Gute Übersichten in dem Sammelband: Temples and High Places in Biblical Times. Proceedings of the Colloquium in Honor of the Centennial of Hebrew Union College ... 1977 (1981).

[33] Vgl. Y. Aharoni, The Building Activities of David and Solomon. IEJ 24 (1974) 13–16.

[34] S. o. S. 204 f.

[35] Vgl. ähnlich Herodot II, 124.

[36] E. Würthwein, a.a.O., S. 112 f. hält 9,20–22 für dtr. Die Angabe widerspricht 5,27 (ebenfalls dtr?). Die Fronarbeit der Israeliten erscheint aber doch notwendig, da ohne sie die Reaktion der Nordstämme nach Salomos Tode unverständlich wäre; vgl. 1. Kön 12,4. 10 f.

darauf hinweisen, daß er von den waffenfähigen Männern Israels keine Heeresfolge forderte[37].

Aus alledem ist zu erkennen, daß unter Salomo die Innenpolitik Vorrang hatte; daran war er interessiert und dort konzentrierte er seine Kräfte. Außenpolitisch dagegen erlebte er, was Großreichen in der Regel dann widerfährt, wenn sie nicht mehr auf Offensive, sondern auf Defensive eingestellt sind. Salomo hat nicht verhindern können und vielleicht nicht einmal zu verhindern versucht, daß Davids Großreich während seiner Regierung an den Rändern mehr und mehr zerbröckelte. Nach 11,23–25 verlor er den gesamten aramäischen Teil seines Reiches. Ein Mann namens Rezon aus der Umgebung des alten Gegners Davids, des Königs Hadadezer von Aram-Ṣōbā, machte sich selbständig und gewann mit einer Söldnertruppe die Herrschaft über Damaskus. Er erhob die Stadt zum Zentrum eines unabhängigen aramäischen Staatswesens und schied aus dem Verbande des davidischen Großreiches aus. Gewiß hat er alsbald die Hegemonie über weitere aramäische Territorien gewonnen. Damit erloschen auch die Sonderbeziehungen zu mittelsyrischen Aramäerstaaten wie Hamath, die David gepflegt hatte (2. Sam 8,9f.). Salomo scheint sich darum nicht ernstlich gekümmert zu haben, um so weniger, als die Aramäer zunächst nicht offensiv wurden. Aber bald nach dem Tode Salomos entwickelten sie sich zu einem der gefährlichsten und kriegerischsten Gegner des Nordreiches Israel, bis zum Auftreten der Assyrer zu einer der stärksten Mächte der syrisch-palästinischen Landbrücke überhaupt[38]. Ferner begann es auch im Südosten zu gären. Nach 11,14–22 – einer edomitischen Überlieferung, die ein Redaktor (V. 14) lose in die Salomogeschichte eingehängt hat – hatte sich ein edomitischer Prinz namens Hadad seinerzeit vor David nach Ägypten retten können und dort politisches Asyl erhalten. Jetzt wurde er aktiv und bereitete seine Rückkehr vor[39]. Sie kam zu Salomos Lebzeiten anscheinend nicht mehr zustande[40]; Salomo hatte stets ungehinderten Zugang zum Golf von *ʿAqabā*. Oder soll man annehmen, Hadad habe nur einen Teil des edomitischen Staatsgebietes, nämlich das Gebirge Seïr, von Salomo unabhängig gemacht? Wir wissen es nicht. Jedenfalls sind die Ereignisse symptomatisch für die außenpolitische Schwäche des Reiches unter Salomo. Schließlich ist in diesem Zusammenhange noch einmal daran zu erinnern, daß Salomos Verhältnis zur Handelsmetropole Tyrus geradezu den Charakter der Abhängigkeit hatte. Der Stadtfürst Hiram von Tyrus machte sich den Um-

[37] Zum Frondienst vgl. I. Mendelssohn, On Corvée Labor in Ancient Canaan and Israel. BASOR 167 (1962) 31–35; A.F. Rainey, Compulsory Labour Gangs in Ancient Israel. IEJ 20 (1970) 191–202.

[38] Vgl. M.F. Unger, Israel and the Aramaeans of Damascus. A Study in Archaeological Illumination of Bible History (1957); G. Garbini, Israele e gli Aramei di Damasco. RiBi 3 (1958) 199ff.; B. Mazar, The Aramaean Empire and its Relations with Israel. BA 25 (1962) 97–120.

[39] Vgl. Weippert, Edom 295–306; J.R. Bartlett, An Adversary against Solomon, Hadad the Edomite. ZAW 88 (1976) 205–226.

[40] Nur LXX^B zieht V. 25b mit Textänderungen zu V. 22 und läßt damit Hadad nach Edom zurückkehren. Dieses Verfahren soll der unvollständigen Geschichte einen Abschluß geben.

stand zunutze, daß Salomo bei seinen Handels- und Bauunternehmungen auf das phönikische *know how* angewiesen war (5,15–26 dtr; 5,32; 9,26–28; 10,11. 22). Es kam so weit, daß sich Salomo entschließen mußte, ein Gebiet in der Ebene von Akko förmlich an Hiram abzutreten (9,11–14). Gewiß enthält die Nachricht darüber ein ätiologisches Element – der Name „Land *Kābūl*" soll erklärt werden. Aber hätte man dergleichen von Salomo erzählen können, wenn seine Herrschaft in der fraglichen Gegend ganz unangefochten gewesen wäre? Überdies ist darauf hinzuweisen, daß die Ebene von Akko in der salomonischen Provinzliste 1. Kön 4,7–19 fehlt. Es hat den Anschein, als sei der Karmel die Grenze zum phönikischen Einflußgebiet gewesen. Die Verhältnisse sind schwer zu durchschauen. Jedenfalls war die Abtretung eines ganzen Landstriches ein Debakel der Außenpolitik Salomos.

Immerhin: Palästina blieb fest in Salomos Hand. Die Personalunion zwischen Juda, Israel und Jerusalem wurde von den Ereignissen an den Rändern des Großreiches nicht berührt. Von Ammon und Moab hören wir nichts; sie haben ihre Selbständigkeit zur Zeit Salomos aber noch nicht zurückgewonnen. Aus dieser Lagebeschreibung folgt, daß Salomo seine innenpolitischen Bemühungen hauptsächlich auf die *Konsolidierung der Verhältnisse in Palästina* richten mußte und gerichtet hat[41]. Die aus der Überlieferung darüber bekannten Einzelheiten sind im folgenden zusammenzustellen.

1. Das Festungsbauprogramm Salomos (9,15–18) läßt erkennen, daß der König das palästinische Kernland militärisch auf Defensive umgestellt hat. Er errichtete folgende Festungen: Hazor *(Tell Waqqāṣ)* zur Straßensicherung im Norden und gegen die Aramäer[42]; Megiddo *(Tell el-Mutesellim)* zur Sicherung der durch die gleichnamige Ebene verlaufenden Verbindungsstraßen[43]; Gezer *(Tell Ǧezer)*[44] und Beth-Horon *(Bēt ʿŪr et-taḥta)* zum Zwecke der gestaffelten Verteidigung an der Straße aus der Küstenebene nach Jerusalem; im Süden Baalath(?) und Thamar *(ʿĒn Ḥaṣb)*[45] gegen die Edomiter und wohl auch gegen die Nomaden der Südwüste[46]. Es handelte sich überwiegend, wenn nicht durchgängig, um alte Kanaanäerstädte, deren bereits vorhandene Befestigungsanlagen Salomo nur auszu-

---

[41] Vgl. E. W. Heaton, Solomon's New Men: The Emergence of Ancient Israel as a National State (1974).

[42] Vgl. Y. Yadin, Hazor. The Head of All Those Kingdoms (Josh. 11:10) (1972) bes. 135–146 (deutsch: Hazor. Die Wiederentdeckung der Zitadelle König Salomos (1976)).

[43] Über die neueren Grabungen: K. M. Kenyon, Archäologie im Hl. Land (1976²) 305 f.; Y. Yadin, Megiddo of the Kings of Israel. BA 33 (1970) 66–96; ders., Hazor 150–164.

[44] Vgl. Y. Yadin, Solomon's City Wall and Gate at Gezer. IEJ 8 (1958) 80–86.

[45] Vgl. Y. Aharoni, IEJ 13 (1963) 30 ff.

[46] Es ist nicht auszuschließen, daß Salomos Festungsbauprogramm beträchtlich über das in 9,15–18 mitgeteilte hinausging. Zwischen Beerseba und Mizpe Rimmon z. B. gibt es ein Netz eisenzeitlicher Festungen, von denen die ältesten (Typ I–III) ins 10./9. Jh. v. Chr. hinaufreichen. Vgl. R. Cohen, The Israelite Fortresses in the Negev Highlands. Qadmoniot 12 (1979) 38–50.

bauen und zu verstärken brauchte[47]. Das klug ausgewogene Verteidigungssystem zeigt jedenfalls, in welch hohem Grade Salomo seine Position für gefährdet hielt und mit welchen potentiellen Gegnern er rechnete.

2. In denselben Zusammenhang gehört die Reorganisation des Heerwesens. Salomo fügte zu den militärischen Einheiten der Heerbänne Judas und Israels und der von David begründeten Söldnerschaft ein königliches Streitwagenkorps (5,6. 8; 9,22; 10,26), das er wahrscheinlich in erster Linie mit Angehörigen der Oberschicht kanaanäischer Städte besetzte, in deren Kreisen die Streitwagentechnik schon lange gepflegt wurde. Das bedeutete auf die Dauer ein nicht unbedenkliches Überwiegen des Kanaanäertums im israelitischen stehenden Heer. Für das Streitwagenkorps ließ Salomo eigene Anlagen errichten, vermutlich in den Städten des Festungsbauprogramms: die sog. Wagen- und Pferdestädte (9,19)[48]. Die Heerbänne von Juda und Israel verloren mehr und mehr an Bedeutung. Sie wurden nicht mehr einberufen und galten nur noch als theoretisches Kriegsinstrument. Das stehende Heer reichte für Salomos bescheidene militärische Bedürfnisse vollkommen aus. Der gemeine Mann war nicht mehr nötig, und mit dem Rückgang seiner militärischen Funktion verlor er zunehmend auch an politischer Bedeutung. Salomos Königtum war von der Landbevölkerung emanzipiert; es war sozusagen durch eine Isolierschicht von den Männern von Israel und Juda getrennt. Dieser Wandel hatte sich bereits in Davids späteren Jahren angekündigt; unter Salomo kam er zur Vollendung.

3. Salomo hat auch für die verwaltungstechnische Durchgliederung seines Reiches Sorge getragen. Darüber besitzen wir ein archivalisches Dokument von hohem historischen Wert: die Liste der zwölf Gaue oder Provinzen des Reiches Israel (4,7–19)[49]. Folgende zwölf Verwaltungsbezirke werden genannt: 1. das Gebirge Ephraim, d.h. das alte Stammesgebiet von Ephraim und Manasse; 2. fünf Städte im Hügelland: Makaz, Saalbim, Bethschemesch (*er-Rumēle* bei *ʿĒn Šems*), Ajjalon *(Yālō)* und Beth-Chanan, d.h. nach den identifizierbaren Ortschaften das Territorium des südlichen kanaanäischen Querriegels; 3. drei Städte im nördlichen Hügelland: Arubboth, Socho *(eš-Šuwēke)* und Chepher; 4. das Hügelland von Dor, d.h. östlich an Dor (*el-Burǧ* bei *eṭ-Ṭanṭūra*) anschließend; 5. drei Städte in der Ebene von Jesreel und in der Bucht von Bethschean: Bethschean (*Tell el-Ḥōṣn* bei *Bēsān*), Thaanach *(Tell Taʿannek)* und Megiddo *(Tell el-Mutesellim)*, also das Gebiet des nördlichen kanaanäischen Querriegels; 6. Ramoth in Gilead *(Tell er-Ramīṯ)*; 7. Machanaim *(Tell Ḥeǧǧāǧ)*; 8. Naphtali; 9. As-

[47] Vgl. M. Gichon, The Defences of the Solomonic Kingdom. PEQ 95 (1963) 113–126.

[48] Die „salomonischen Pferdeställe" in Megiddo gehören nicht hierher. Sie sind keine Pferdeställe und stammen erst aus der Zeit Ahabs; vgl. Y. Yadin, BA 23 (1960) 62–68; J.B. Pritchard, The Megiddo Stables: A Reassessment. Near Eastern Archaeology (1970) 268–276.

[49] Vgl. grundsätzlich A. Alt, Israels Gaue unter Salomo [1913]. KS 2, 76–89. Ferner, in Einzelheiten und in der Gesamtdeutung abweichend: W.F. Albright, The Administrative Divisions of Israel and Judah. JPOS 5 (1925) 17–54; G.E. Wright, The Provinces of Solomon. Eretz-Israel 8 (1967) 58–68; F. Pintore, I dodici intendenti di Salomone. RSO 45 (1970) 177–207; Y. Aharoni, The Solomonic Districts. Tel Aviv 3 (1976) 5–15.

ser; 10. Issachar; 11. Benjamin; 12. Gilead, nach LXX^{BL} Gad. In dieser Liste fehlen Dan (vielleicht zu Naphtali), Sebulon (vielleicht zu Asser), der Südteil der Küstenebene (Philister), die Bucht von Akko (Phöniker) und vor allem Juda. Dieser Befund ist so zu deuten, daß nur das Nordreich Israel Gegenstand der Provinzliste ist. Ob Juda durch Zufälligkeiten der Überlieferung fehlt oder aus sachlichen Gründen, muß offenbleiben. Die Gliederung läßt deutlich die bereits von David geschaffenen Territorialverhältnisse auf dem Boden des Nordreiches erkennen: das gleichberechtigte Nebeneinander von israelitischen Stämmegauen und kanaanäischen Städtegauen. Beide Reichsteile sind nicht vermischt; Salomo hat sie verwaltungstechnisch, so gut es ging, getrennt gehalten. An der Spitze jedes Gaues stand ein *niṣṣāb* „Chef der Gauverwaltung, Gauvogt, Provinzialgouverneur"; immerhin fünf von zwölf dieser Beamten sind „Menschen ohne Namen", d. h. Beamte im erblichen Königsdienst, vermutlich kanaanäischer Herkunft[50]. Salomo verfolgte mit der Gaueinteilung sicherlich auch einen steuerlichen Zweck, und zwar wohl nicht nur den in 4,7 ausdrücklich genannten, nämlich den königlichen Hof in Jerusalem je einen Monat im Jahr mit Naturalien zu versorgen[51]. Er ließ zum Speichern der Abgaben eigens „Magazinstädte" einrichten (9,19). Der Naturalienbedarf des salomonischen Hofes ist gewiß beträchtlich gewesen, auch wenn die abenteuerlichen hohen Zahlen in einem der jüngsten Anhänge zur Gauliste (5,2f.) nicht glaubhaft sind: ein Beitrag zum Thema „Salomo in all seiner Herrlichkeit". Sollte das Fehlen von Juda in der Gauliste damit zusammenhängen, daß Salomo den judäischen Süden aus dem Abgabesystem ausgegliedert hätte, dann wäre das ein folgenschwerer innenpolitischer Mißgriff gewesen. Man verstünde in diesem Fall um so besser die wachsende Erbitterung des Nordens, die sich alsbald nach Salomos Tode Luft gemacht hat.

4. Auch aus Salomos Regierungszeit besitzen wir eine Kabinettsliste (4,2–6). Sie zeigt im Vergleich zu den beiden davidischen Listen (2. Sam 8,16–18; 20,23–26)[52], daß sich mit der Ausweitung und Komplizierung des Systems auch die ministerialen Spitzen nicht unerheblich veränderten. Von den Ämtern, die bereits unter David eingerichtet worden waren, sind noch vorhanden:

1. kōhēn „Priester": einfach besetzt durch Azarjahu, den Sohn Zadoks[53]. Das Kultusressort wird also von einem Repräsentanten der Jerusalemer Priesterschaft allein verwaltet. Der alte Zadok war tot oder emeritiert. Salomo hat keinen Anlaß mehr gesehen, auf unterschiedliche Strömungen und Interessen innerhalb der Jahwepriesterschaft Rücksicht zu nehmen.

---

[50] S. o. S. 206.

[51] Vgl. D. B. Redford, Studies in Relations between Palestine and Egypt during the 1st Millennium B. C.: I. The Taxation System of Solomon. Studies on the Ancient Palestinian World (1972) 141–156.

[52] S. o. S. 203–205.

[53] In V. 4b ist „Zadok und Ebjathar, Priester" als Zusatz aus 2. Sam 8,17 und 20,25 zu streichen. Auch in V. 5b ist das Wort *kōhēn* ein Zusatz; vgl. LXX.

2. *sōfēr „Schreiber, Kanzler"*: doppelt besetzt durch die Brüder Elichoreph und Achia, die Söhne eines *Šīšā*, der vermutlich mit Davids Kanzler Seraja/Šeja identisch ist. Die Doppelbesetzung zeigt an, daß die Aufgaben der Zivilverwaltung unter Salomo gewachsen waren. Der Papierkrieg hatte sich vermehrt.

3. *mazkīr „Kanzleichef"*: noch immer mit dem in Davids beiden Kabinetten amtierenden Jehosaphat besetzt.

4. *ʿal-haṣṣābā „Heerbannfeldmarschall"*: nach der Ermordung Joabs besetzt durch den Söldnerführer Benajahu, der von Hause aus keinerlei Beziehungen zu den Heerbännen Judas und Israels hatte. Salomo hat die getrennte Behandlung der Streitkräfte aufgegeben. Folgerichtig ist das Amt des *ʿal-hakkᵉrētī wᵉhappᵉlētī* weggefallen.

5. *ʿal-hammas „Frondienstminister"*: besetzt mit dem aus Davids zweiten Kabinett bekannten Adoniram.

Neu hinzugekommen sind:

6. *ʿal-hanniṣṣābīm „der über den Gouverneuren"*: der Koordinationschef der Gauverwaltungen, ein Mann namens Azarjahu ben Nathan (ein Sohn des Propheten Nathan?). Mit der Einrichtung dieses Amtes suchte Salomo der Gefahr einer Dezentralisation der Staatsgewalt entgegenzuwirken, die mit der Errichtung der Gauverwaltungen im Lande verbunden war.

7. *ʿal-habbayit „der über dem Hause"*: der Palast- und Domänenminister, Chef der Verwaltung des königlichen Krongutes, besetzt mit Achischar[54]. Vom Krongut selbst erfährt man unter Salomo nichts. Es ist aber anzunehmen, daß es wuchs; sonst wäre ein eigenes Ministerium nicht nötig gewesen[55].

8. *rēʿē hammelek „der Freund des Königs"*: besetzt mit Zabud ben Nathan (ein Sohn des Propheten Nathan?). Der „Freund des Königs" erscheint im Kabinett vermutlich in der Funktion eines Beraters, also etwa Minister ohne Geschäftsbereich, Sonderminister.

Das Amt eines Justizministers oder Oberrichters fehlt noch immer. An der gemeindlich geordneten Gerichtsbarkeit hat Salomo ebensowenig geändert wie sein Vater. Die Erzählung vom salomonischen Urteil ist kein Gegenbeweis (3,16–28). Denn es handelt sich um eine internationale Wanderlegende, die auf Salomo zum Ruhme seiner Weisheit übertragen worden ist. Sollte ihre Einfügung in die Salomo-Überlieferung nachdtr sein[56], dann könnten aus ihr keinerlei Folgerungen für reale rechtliche Möglichkeiten gezogen werden. Ist sie dagegen früher eingefügt, dann ist damit zu rechnen, daß Salomo als König von Jerusalem in der Nachfolge der kanaanäischen Stadtkönige richterliche Befugnisse hatte.

---

[54] Vgl. M. Noth, Das Krongut der israelitischen Könige und seine Verwaltung [1927]. ABLAK 1, 159–182.

[55] Vgl. für spätere Zeit: 1. Kön 16,9; 18,3; 2. Kön 15,5; 18,18; 19,2; Jes 22,15; 36,3; KAI 191.

[56] So E. Würthwein, a.a.O., S. 36–38.

Die Beschaffenheit des Quellenmaterials zur Gestalt und Geschichte Salomos ist nicht von der Art, daß daraus ein umfassendes historisches Bild dieses Königs und seiner Epoche gewonnen werden könnte. Das hängt damit zusammen, daß die Wirkungsgeschichte der Salomogestalt schon früh begann: nicht nur im AT überhaupt, sondern bereits innerhalb des Komplexes 1. Kön 3–11. Sie verlief in zwei Richtungen: einmal auf eine rasch wachsende Idealisierung Salomos, im wesentlichen unter den Leitgesichtspunkten seiner Herrlichkeit, seiner Weisheit und seines Tempelbaus; zum anderen auf seine Hineinnahme in das dtr Konzept der Geschichte Israels. Im Lichte des Deuteronomiums erschien Salomo einerseits als der große Tempelerbauer und, wenn man so will, erste Erfüller der Kultuszentralisationsforderung von Dtn 12, andererseits aber auch als der Götzendiener, auf dem dennoch die bleibende Verheißung von 2. Sam 7 ruhte. Das Bild des historischen Salomo von der Wirkungsgeschichte abzuheben, ist ein schwieriges Unterfangen. Es erbringt bei allen Unsicherheiten im einzelnen zumindest die Einsicht, daß Salomo mehr geworden ist, als er gewesen war. Man kann auch sagen: wir haben die Gestalt dieses Königs *sub utraque,* als historische Figur des 10. Jh. v. Chr. und als Figur der Wirkungsgeschichte ohne zeitliche Bindung. Selbstverständlich nur dieser und nicht jener Salomo ist gemeint, wenn es heißt: „Und siehe, hier ist mehr denn Salomo!" (Mt 12,42; Lk 11,31).

Exkurs: Zur Chronologie der Staatenbildungszeit

Die Chronologie ist das Auge des Historikers (Eduard Meyer). Dieser unbestreitbar richtige Satz hat freilich nur dort sein volles Gewicht, wo die Voraussetzungen zur Ermittlung einer historisch zuverlässigen Chronologie gegeben sind. Das ist für das älteste Israel leider nicht der Fall. Eine Chronologie der vorstaatlichen Geschichte der israelitischen Stämme gibt es nicht, nicht einmal in Umrissen. Die Chronologie der Staatenbildungszeit ist noch immer schwankend und unsicher. Immerhin aber leitet die Staatenbildung die israelitische Königszeit ein, und für diese gibt es ein dtr System relativer Chronologie, das nicht auf Erfindung, sondern auf Überlieferung beruht. Das System operiert mit Thronantrittsdaten, Angaben zur Regierungsdauer und Synchronismen. Für König Josaphat z.B., den vierten Nachfolger Salomos auf dem judäischen Thron, lautet das so: „Und Josaphat, der Sohn des Asa, wurde König über Juda im vierten Jahr Ahabs, des Königs von Israel. Josaphat war fünfunddreißig Jahre alt, als er König wurde, und fünfundzwanzig Jahre lang regierte er in Jerusalem … Dann legte sich Josaphat zu seinen Vätern, wurde bei seinen Vätern in der Stadt seines Ahnherrn David begraben, und sein Sohn Jehoram wurde König an seiner Statt" (1. Kön 22,41. 42a. 51). Angaben dieser Art bieten die Chance zur präzisen chronologischen Festlegung, und zwar deshalb, weil man die relative Chronologie auf dem Umweg über die astronomisch gesicherte[1]

[1] Vgl. M. Kudleck – E.H. Michler, Solar and Lunar Eclipses of the Ancient Near East from 3000 B.C. to O with Maps. AOAT (S) 1 (1971).

Chronologie der assyrischen Könige zwischen 853 und 722 v. Chr. in die absolute Chronologie der christlichen Zeitrechung einhängen kann. Sucht man nun aber die Regierungszeit Josaphats in vier repräsentativen Studien zur israelitischen Chronologie auf, dann erhält man folgende Zahlen: nach J. Begrich[2] Herbst 872/1 – Herbst 852/1 (868/7–851/0); nach A. Jepsen[3] 868–847; nach E. R. Thiele[4] 870/69 (873/2) – 848; nach K. T. Andersen[5] 874/3–850/49. Wie kommen diese Differenzen zustande?

Sie haben ihre Ursache hauptsächlich in vier Schwierigkeiten: 1. Das relative chronologische System der Königsbücher ist in sich selbst nicht einheitlich. Vor der Endredaktion hat es mehrere dtr Systeme gegeben – nach J. Begrich fünf! –, die der Endredaktor nicht hat zur Deckung bringen oder ausgleichen können. Jedes dieser Vor-Systeme enthält Fehler und Unsicherheiten, die zu erkennen und auszuschalten sehr schwierig und manchmal hoffnungslos ist. Die Fehlerquellen sind um so zahlreicher, je weiter man in die Vergangenheit zurückgeht. 2. Die verhältnismäßig wenigen Fälle von Koregentschaften und miteinander rivalisierenden Königtümern haben die dtr relative Chronologie erheblich durcheinandergebracht und in der chronologischen Abfolge zusätzliche Unsicherheitsfaktoren geschaffen[6]. Die bekanntesten, wenn auch keineswegs einzigen Fälle sind: die Koregentschaft Jothams mit seinem leprakranken Vater Azarja/Uzzia (2. Kön 15,1f. 5. 7. 32f. 38) und das Rivalkönigtum Tibnis und Omris von Israel (1. Kön 16,21f. 23. 28). 3. Die Kanzleien der altorientalischen Reiche haben sich teils der Vordatierung, teils der Nachdatierung bedient. Bei der Vordatierung rechnet man den Zeitabschnitt von Neujahr bis zum Todestag als letztes volles Regierungsjahr des alten Königs und den Zeitabschnitt vom Thronantritt bis Neujahr als erstes volles Regierungsjahr des neuen Königs. So wird, wenigstens teilweise, in Ägypten datiert. Bei der Nachdatierung zählt das erste Regierungsjahr des Nachfolgers erst vom Neujahrstage nach seiner Thronbesteigung; die Zwischenzeit bleibt außer Betracht. Das ist die babylonische Datierungspraxis. Wie man in Israel und Juda verfuhr, wissen wir nicht. J. Begrich rechnete damit, daß in der älteren und mittleren Königszeit bis ca. 722/1 v. Chr. vordatierend, danach nachdatierend verfahren wurde. A. Jepsen nahm an, daß der Wechsel von der Vor- zur Nachdatierung beim ersten Regierungsantritt nach dem Eintritt der beiden palästinischen Staaten in die assyrische Vasallität erfolgte: in Israel also bei Pekachja, in Juda bei Hiskia. K. T. Andersen ging davon aus, daß während der ganzen Königszeit stets vordatiert wurde. 4. Schließlich ist das Problem des Jahresbeginns zu nennen. Das alte palästinische Bauernjahr begann im Herbst, das babylonisch-assyrische Jahr im Frühling. Nach Begrich vollzog sich der

---

[2] J. Begrich, Die Chronologie der Könige von Israel und Juda. Beiträge zur historischen Theologie 3 (1929).

[3] A. Jepsen – R. Hanhart, Untersuchungen zur israelitisch-jüdischen Chronologie. BZAW 88 (1964); vgl. ergänzend: A. Jepsen, Noch einmal zur israelitisch-jüdischen Chronologie. VT 18 (1968) 31–46; ders., Ein neuer Fixpunkt für die Chronologie der israelitischen Könige? VT 20 (1970) 359–361.

[4] E. R. Thiele, The Mysterious Numbers of the Hebrew Kings (1965²); vgl. ergänzend: ders., The Synchronisms of the Hebrew Kings – a Re-Evaluation. AUSS 1 (1963) 121–138; 2 (1964) 120–136.

[5] K. T. Andersen, Die Chronologie der Könige von Israel und Juda. Studia Theologica 23 (1969) 69–114.

[6] Vgl. E. R. Thiele, Coregencies and Overlapping Reigns among the Hebrew Kings. JBL 93 (1974) 174–200.

Wechsel vom einen zum anderen in der Zeit Josias von Juda, vor 620, nach Jepsen wie unter Punkt 3, während Andersen das Bauernjahr die ganze Königszeit hindurch gelten läßt[7]. Unter solchen Umständen ist nicht damit zu rechnen, daß jemals eine ganz präzise absolute Chronologie der Könige von Juda und Israel aufgestellt werden kann. Da die Vereinfachungen Andersens leider wenig wahrscheinlich sind, werden von nun an die Zahlen Jepsens zugrundegelegt, der Begrichs Chronologie aufgenommen, überprüft und verbessert hat[8].

Die ältesten aus dem System relativer Chronologie überhaupt errechenbaren Daten sind die Thronantrittsdaten Jerobeams I. von Israel und Rehabeams von Juda. Natürlich gelten auch für sie die eben beschriebenen Differenzen. Eine weitere Schwierigkeit kommt hinzu. J. Begrich hat überzeugend dargetan, daß die Vor-Systeme durchgängig von ein und derselben Grundgleichung ausgehen: erstes Jahr Rehabeams = zweites Jahr Jerobeams I. Diese Gleichung kommt so zustande, daß Jerobeams Regierungszeit vom Datum seines ersten, gescheiterten Prätendentschaftsversuches an gerechnet wird, der in das vorletzte oder letzte Regierungsjahr Salomos gefallen sein soll (1. Kön 11,26–40). Je nachdem, ob man diese Gleichung berücksichtigt oder Jerobeams Regierung im Jahr der Ereignisse von 1. Kön 12,2–19 zugleich mit der Rehabeams beginnen läßt, ergibt sich noch einmal eine Differenz von ein bis zwei Jahren. Wie die Dinge liegen, bleibt auch hier nichts anderes übrig, als die verschiedenen Ansätze mitzuteilen:

	Jerobeam I.	*Rehabeam*
Begrich:	(927/6)926/5–907/6	926/5–910/9
Jepsen:	927–907	926–910
Thiele:	931/0–910/9	931/0–913
Andersen:	932/1–911/10	932/1–916/5

Diese Ansätze lassen sich schematisch zusammenfassen: kurze Chronologie (Begrich, Jepsen = A) und lange Chronologie (Thiele, Andersen = B).

Wer weiter zurückrechnen will, muß wissen, daß er sich auf den schwankenden Boden der Hypothese begibt. Nach Chronologie A starb Salomo 926/5, nach Chronologie B 932/1 oder 931/0. In 1. Kön 11,42 wird Salomos Regierungszeit mit vierzig Jahren angegeben. Aber für diese Zahl gibt es keinerlei Gewähr, zumal auch David nach 2. Sam 5,4f. vierzig Jahre lang regiert haben soll, davon sieben Jahre und sechs Monate in Hebron. Die Zahl vierzig ist rund und heilig: vierzig Tage und Nächte war Mose auf dem Gottesberg (Ex 24,18; 34,28), vierzig Tage und Nächte zog der Prophet Elia zum Horeb (1. Kön 19,8), vierzig Jahre dauerte der Wüstenzug Israels (Num 14,33), vierzig Tage fastete Jesus in der Wüste (Mk 1,13 u. par.) usw. Nimmt man die runde Zahl dennoch ernst – und zwar nur deswegen, weil keine anderen Informationen zuhanden sind –, dann kommt man für Salomo nach A auf 965/4–926/5, nach B auf 970/69–931/0 oder 971/0–932/1. Für David ergäben

---

[7] Vgl. auch E. Auerbach, Der Wechsel des Jahres-Anfangs in Juda im Lichte der neugefundenen Babylonischen Chronik. VT 9 (1959) 113–121.

[8] Weitere Literatur in Auswahl: D. N. Freedman, The Chronology of Israel and the Ancient Near East. The Bible and the Ancient Near East, Fs W. F. Albright (1961) 203–228; A. L. Otero, Chronologia e Historia de los Reinos Hebreos (1028–587 a. C.) (1964); J. Finegan, Handbook of Biblical Chronology (1964); V. Pavlovský – E. Vogt, Die Jahre der Könige von Juda und Israel. Biblica 45 (1964) 321–343; J. M. Miller, Another Look at the Chronology of the Early Divided Monarchy. JBL 86 (1967) 276–288.

sich: nach A 1004/3–965/4, nach B 1009/8–970/9 oder 1010/9–971/0. Damit aber endet jede Möglichkeit auch nur hypothetischer Weiterrechnung. Denn die zwei Jahre, die Saul in 1. Sam 13,1 zugeschrieben werden, sind ganz unsicher und allem Anschein nach zu kurz[9]. Sie sind um so weniger zuverlässig, als „zwei Jahre" in der dtr Chronologie sonst immer mit der Dualform *šᵉnātayim* ausgedrückt sind, während in 1. Sam 13,1 *šᵉtẹ̄ šānīm* steht. Außerdem ist offensichtlich, daß der Chronolog von 1. Sam 13,1 keine Kenntnis vom Alter Sauls bei seinem Regierungsantritt hatte; er ließ das Schema offen und schrieb auf, Saul sei *ben-šānā* „ein Sohn von x Jahren" gewesen. Mit alledem ist ebensowenig anzufangen wie mit den zwei Jahren Eschbaals nach 2. Sam 2,10. Wir wissen ja auch nicht, wieviel Zeit zwischen dem Tode Sauls und dem Regierungsantritt Davids als König von Juda verging. Hinzu kommt, daß sich alle spekulativen Zahlen bei Annahme einer kürzeren Regierungsdauer Salomos nach unten verschieben würden.

---

[9] Der Vers 1. Sam 13,1 fehlt in LXX^{BA}.